Richard Dawkins

DER GOTTESWAHN

Aus dem Englischen von Sebastian Vogel

Ullstein

Die Originalausgabe erschien 2006 unter dem Titel
The God Delusion bei Bantam Press, London.
Das Nachwort entstammt der Taschenbuchausgabe
von *The God Delusion*, 2007 bei Black Swan/Transworld,
London, erschienen.

Quelle: S. 480-482, »Binker«, A. A. Milne, Ich und Du, der Bär heißt Pu.
Aus dem Englischen von Christa Schuenke © 1999 Carl Hanser Verlag,
München.

7. Auflage 2007

Ullstein Buchverlage GmbH, Berlin

ISBN 978-3-550-08688-5

In Memoriam
Douglas Adams (1952–2001)

»Genügt es nicht zu sehen, dass ein Garten schön ist, ohne dass
man auch noch glauben müsste, dass Feen darin wohnen?«

INHALT

VORWORT

Meine Frau ging als Kind nie gern zur Schule, und sie wäre am liebsten ganz ausgestiegen. Erst viele Jahre später, als sie schon über zwanzig war, ließ sie ihre Eltern wissen, wie unglücklich sie damals gewesen war. Ihre Mutter war entsetzt: »Aber Liebling, warum bist du denn nicht gekommen und hast es uns gesagt?« Lallas Antwort ist mein Motto des Tages: »Ich wusste nicht, dass ich das gedurft hätte.«

Ich wusste nicht, dass ich das gedurft hätte.

Ich vermute – nein, eigentlich bin ich mir sicher –, dass es auf der ganzen Welt viele Menschen gibt, die mit dieser oder jener Religion groß geworden sind, sich damit aber nicht wohlfühlen oder darüber beunruhigt sind, dass im Namen ihrer Religion so viel Böses getan wird; Menschen, die den unbestimmten Wunsch verspüren, die Religion ihrer Eltern hinter sich zu lassen, und denen einfach nicht klar ist, dass dieses Hintersichlassen durchaus möglich ist. Sollten Sie zu diesen Menschen gehören, dann haben Sie das richtige Buch vor sich. Es will bewusstseinsbildend wirken – unser Bewusstsein schärfen, dass Atheist zu sein ein realistisches Ziel ist, noch dazu ein tapferes, großartiges Ziel. Man kann als Atheist glücklich, ausgeglichen, moralisch und geistig ausgefüllt sein. Das ist die erste Botschaft, mit der ich das Bewusstsein schärfen will. Außerdem möchte ich es noch in drei anderen Punkten erweitern, auf die ich gleich zu sprechen komme.

Im Januar 2006 moderierte ich im britischen Fernsehen (Channel Four) eine zweiteilige Dokumentation mit dem Titel

The Root of All Evil? (»Die Wurzel alles Bösen?«). Dieser Titel gefiel mir von Anfang an nicht. Religion ist nicht die Wurzel *alles* Bösen, denn nichts ist die Wurzel von *allem*, ganz gleich was es ist. Begeistert war ich dagegen von der Werbeanzeige, die Channel Four in den überregionalen Zeitungen schaltete. Es war ein Bild der Skyline von Manhattan mit der Unterschrift »Stellen Sie sich eine Welt ohne Religion vor.« Der Zusammenhang? Die Zwillingstürme des World Trade Center waren deutlich zu erkennen.

Stellen wir uns doch mit John Lennon mal eine Welt vor, in der es keine Religion gibt – keine Selbstmordattentäter, keinen 11. September, keine Anschläge auf die Londoner U-Bahn, keine Kreuzzüge, keine Hexenverfolgung, keinen Gunpowder Plot, keine Aufteilung Indiens, keinen Krieg zwischen Israelis und Palästinensern, kein Blutbad unter Serben/Kroaten/Muslimen, keine Verfolgung von Juden als »Christusmörder«, keine »Probleme« in Nordirland, keine »Ehrenmorde«, keine pomadigen Fernsehevangelisten im Glitzeranzug, die leichtgläubigen Menschen das Geld aus der Tasche ziehen (»Gott will, dass ihr gebt, bis es wehtut«). Stellen wir uns vor: keine Zerstörung antiker Statuen durch die Taliban, keine öffentlichen Enthauptungen von Ketzern, keine Prügel auf weibliche Haut für das Verbrechen, zwei Zentimeter nackte Haut zu zeigen. Übrigens berichtete mir mein Kollege Desmond Morris, dass John Lennons großartiger Song in den Vereinigten Staaten manchmal ohne die Zeile »and no religion too« gespielt wird. In einer besonders dreisten Version wurde sie sogar zu »and *one* religion too« abgeändert.

Vielleicht glauben Sie, der Agnostizismus sei eine plausible Haltung, aber Atheismus sei genauso dogmatisch wie religiöser Glaube? Dann hoffe ich, dass das zweite Kapitel Sie zum Umdenken bewegt und Sie überzeugt, dass die »Gotteshypothese« eine wissenschaftliche Hypothese über das Universum ist, die man genauso skeptisch analysieren sollte wie jede andere auch.

Vielleicht hat man Ihnen beigebracht, Philosophen und Theologen hätten stichhaltige Gründe genannt, warum man an Gott glauben sollte. Wenn Sie das glauben, werden Sie sich vielleicht über das dritte Kapitel mit der Überschrift »Argumente für die Existenz Gottes« freuen – doch sind diese Argumente, wie sich zeigen wird, auffallend schwach.

Vielleicht halten Sie es für offensichtlich, dass es Gott geben muss, denn wie sonst könnte die Welt ins Dasein getreten sein? Wie sonst könnte es das Leben mit seiner reichen Vielfalt geben – mit biologischen Arten, die ganz und gar so aussehen, als wären sie gezielt so gestaltet? Wenn Ihre Gedanken in solchen Bahnen verlaufen, werden Sie hoffentlich aus dem vierten Kapitel neue Aufschlüsse beziehen; dort geht es um die Frage, »Warum es mit ziemlicher Sicherheit keinen Gott gibt«. Die Illusion, das Lebendige sei gezielt gestaltet, weist keineswegs auf einen Gestalter hin, sondern sie lässt sich viel prägnanter und ungeheuer elegant mit der darwinistischen natürlichen Selektion erklären. Selbst wenn die natürliche Selektion nur die Welt des Lebendigen erklärt, so schärft sie doch unser Bewusstsein dafür, dass vergleichbare Erklärungsansätze uns auch zu einem besseren Verständnis für den gesamten Kosmos verhelfen können. Die Erkenntnis der Leistungsfähigkeit von »Kransystemen« wie der natürlichen Selektion ist der zweite meiner vier Punkte zur Bewusstseinserweiterung.

Vielleicht glauben Sie, es müsse einen Gott oder auch Götter geben, weil Anthropologen und Historiker berichten, dass Gläubige in allen Kulturkreisen eine beherrschende Stellung einnehmen. Wenn Sie dieses Argument überzeugend finden, lesen Sie bitte das fünfte Kapitel über »Die Wurzeln der Religion«; es erklärt, warum Religionen so allgegenwärtig sind. Oder glauben Sie, Religion sei notwendig, damit wir unsere moralischen Grundsätze rechtfertigen können? Brauchen wir denn nicht einen Gott, um gute Menschen zu sein? In den Kapiteln 6 und 7 erfahren Sie, warum das nicht der Fall ist. Haben

Sie immer noch eine Schwäche für die Religion und halten sie für etwas Gutes, obwohl Sie selbst den Glauben verloren haben? Dann lädt Sie das achte Kapitel ein, darüber nachzudenken, in welcher Beziehung Religion für die Welt alles andere als gut ist.

Sollten Sie sich in der Religion gefangen fühlen, mit der Sie groß geworden sind, dann lohnt es sich vielleicht zu fragen, wie es dazu kam. Die Antwort ist meist eine Form kindlicher Indoktrination. Wenn Sie religiös sind, besteht eine überwältigend große Wahrscheinlichkeit, dass es sich um die Religion Ihrer Eltern handelt. Wenn Sie in Arkansas geboren wurden und das Christentum für richtig, den Islam aber für falsch halten, während Sie gleichzeitig ganz genau wissen, dass ein gebürtiger Afghane genau umgekehrt denken würde, sind Sie das Opfer der Indoktrination im Kindesalter. Gleiches gilt natürlich auch, wenn Sie in Afghanistan geboren wurden.

Mit dem Thema »Religion und Kindheit« beschäftigt sich mein neuntes Kapitel, das auch den dritten Punkt zur Bewusstseinserweiterung enthält. Genau wie Feministinnen aufheulen, wenn sie »er« statt »er oder sie« und »Wähler« statt »Wähler und Wählerinnen« hören, so sollte eigentlich auch jeder zusammenzucken, wenn von einem »katholischen Kind« oder einem »muslimischen Kind« die Rede ist. Meinetwegen können Sie von einem »Kind katholischer Eltern« sprechen; aber wenn Sie hören, dass jemand »ein katholisches Kind« sagt, sollten Sie widersprechen und höflich darauf hinweisen, dass ein Kind zu jung ist, um zu wissen, wo es in solchen Fragen steht, genau wie es zu Wirtschaft und Politik noch keine festen Standpunkte haben kann. Gerade weil es mein Ziel ist, das Bewusstsein zu schärfen, entschuldige ich mich nicht dafür, dass ich dieses Thema hier im Vorwort und dann noch einmal im neunten Kapitel anspreche. Man kann es nicht oft genug sagen, und ich sage es immer wieder: Das ist kein muslimisches Kind, sondern das Kind muslimischer Eltern. Dieses Kind ist zu jung, um selbst zu wissen, ob es Muslim ist oder nicht. So etwas wie ein muslimisches Kind gibt es nicht. Und so etwas wie ein christliches Kind auch nicht.

In den Kapiteln 1 und 10, am Anfang und Ende meines Buches, erkläre ich auf unterschiedliche Weise, wie ein richtiges Verständnis für die großartige reale Welt, das aber nie zu einer Religion werden wird, für unsere Inspiration die Rolle spielen kann, die historisch – und völlig unzureichend – von der Religion mit Beschlag belegt wurde.

Mein vierter Punkt für die Bewusstseinserweiterung ist der atheistische Stolz. Atheist zu sein ist nichts, wofür man sich entschuldigen müsste. Im Gegenteil: Man kann stolz darauf sein und hocherhobenen Hauptes bis zum Horizont blicken, denn Atheismus ist fast immer ein Zeichen für eine gesunde geistige Unabhängigkeit und sogar für einen gesunden Geist. Viele Menschen wissen in ihrem tiefsten Inneren, dass sie Atheisten sind, aber sie wagen nicht, es ihren Angehörigen oder in manchen Fällen sogar sich selbst einzugestehen. Teilweise liegt das daran, dass das Wort »Atheist« auf heimtückische Weise zu einem entsetzlichen, beängstigenden Etikett aufgebaut wurde. In Kapitel 9 zitiere ich die Komikerin Julia Sweeney mit ihrer tragikomischen Geschichte, in der ihre Eltern aus der Zeitung erfahren, dass die Tochter zur Atheistin geworden ist. Dass sie nicht an Gott glaubt, das können sie gerade noch ertragen, aber eine Atheistin? Eine ATHEISTIN? (Die Stimme der Mutter steigert sich zum Kreischen.)

An dieser Stelle muss ich vor allem den amerikanischen Lesern etwas sagen, denn die heutige Religiosität in den Vereinigten Staaten ist wirklich bemerkenswert. Die Anwältin Wendy Kaminer übertrieb nur geringfügig, als sie bemerkte, sich über Religion lustig zu machen sei ebenso gefährlich wie das Verbrennen einer Fahne in der American Legion Hall.[1] Atheisten nehmen heute in Amerika die gleiche Stellung ein wie vor fünfzig Jahren die Homosexuellen. Heute, nach der Schwulenbewegung, ist es für einen Homosexuellen zwar immer noch nicht einfach, aber immerhin möglich, in ein öffentliches Amt gewählt zu werden. Das Gallup-Institut befragte 1999 die US-Bürger, ob sie eine ansonsten gut qualifizierte Person wählen würden, wenn es sich um eine Frau (96 Prozent ja), einen Katholiken (94 Prozent), einen Juden (92 Prozent), einen Schwarzen (92 Prozent), einen Mormonen (79 Prozent), einen Homosexuellen (79 Prozent) oder einen Atheisten (49 Prozent) handele. Wir haben ganz offensichtlich noch einen langen Weg vor uns. Aber Atheisten sind insbesondere in der Bildungselite viel zahlreicher, als vielen Menschen klar ist. Das war schon im 19. Jahrhundert so, als John Stuart Mill sagen konnte: »Die Welt wäre erstaunt, wenn sie wüsste, welch großer Anteil ihrer hellsten Zierde, derer, die selbst nach der volkstümlichen Einschätzung von Weisheit und Tugend am angesehensten sind, der Religion ganz und gar skeptisch gegenüberstehen.«

Das gilt heute sicher in noch stärkerem Maße, und im dritten Kapitel nenne ich dafür Belege. Dass so viele Menschen die Atheisten nicht bemerken, liegt daran, dass viele von uns sich nicht »outen«. Es ist mein Traum, dass dieses Buch den Menschen bei ihrem »Coming out« hilft. Hier gilt genau das Gleiche wie in der Homosexuellenbewegung: Je mehr Menschen sich zu ihrer Überzeugung bekennen, desto einfacher wird es für andere, sich ihnen anzuschließen. Irgendwann dürfte eine kritische Masse für den Beginn einer Kettenreaktion erreicht sein.

In den USA lassen Meinungsumfragen darauf schließen, dass Atheisten und Agnostiker weitaus zahlreicher sind als praktizierende Juden; ihre Zahl ist sogar größer als die der Anhänger der meisten anderen religiösen Einzelgruppen. Aber im Gegensatz zu den Juden, die bekanntermaßen in den USA eine der effizientesten politischen Interessengruppen darstellen, und zu den evangelikalen Christen, die eine noch größere politische Macht haben, sind Atheisten und Agnostiker nicht organisiert, und deshalb haben sie so gut wie keinen Einfluss. Atheisten zu organisieren wurde häufig mit dem Hüten eines Sacks Flöhe verglichen, weil sie in der Regel selbstständig denken und sich keiner Autorität unterordnen. Aber es wäre ein Schritt in die richtige Richtung, wenn sich eine kritische Masse derer bilden würde, die sich outen und damit auch andere ermutigen, das Gleiche zu tun. Auch wenn man Flöhe nicht hüten kann, machen sie sich in ausreichender Zahl doch so bemerkbar, dass man sie nicht mehr ignorieren kann.

Das Wort »Wahn« (*delusion*, Irrglaube) im Titel meines Buches hat manchen Psychiatern Sorge bereitet: Sie sehen darin einen Fachbegriff, mit dem man kein Schindluder treiben sollte. Drei von ihnen schlugen mir in ihren Zuschriften einen besonderen Begriff für religiöse Wahnvorstellungen vor: »relusion«.[2] Vielleicht setzt sich das Wort ja durch. Vorerst werde ich bei »Wahn« bleiben, muss meinen Begriffsgebrauch allerdings rechtfertigen. Das *Penguin English Dictionary* definiert »delusion« als »falschen Glauben oder Eindruck«. Das Zitat, das in dem Wörterbuch zur Erläuterung angeführt wird, stammt erstaunlicherweise von Phillip E. Johnson: »Der Darwinismus ist die Geschichte, wie die Menschheit von dem Irrglauben befreit wurde, ihr Schicksal werde nicht von ihr selbst, sondern von einer höheren Macht bestimmt.« Kann das derselbe Phillip E. Johnson sein, der heute in Amerika an der Spitze der kreationistischen Bewegung gegen den Darwinismus steht? Er ist es tatsächlich, und wie man vielleicht schon vermuten kann, ist das Zitat aus dem Zusammenhang gerissen. Ich hoffe, man wird es mir zugute halten, dass ich darauf hingewiesen habe – den gleichen Gefallen hat man mir in zahlreichen kreationistischen Werken allerdings nicht getan. Dort werden Zitate aus meinen Büchern absichtlich und irreführend aus dem Zusammenhang gerissen. Was immer Johnson selbst gemeint haben mag, seinen Satz, für sich genommen, würde ich mit Vergnügen unterschreiben. Das mit Microsoft Word gelieferte Lexikon definiert *delusion* als »dauerhafte falsche Vorstellung, die trotz starker entgegengesetzter Belege aufrechterhalten wird, insbesondere als Symptom einer psychiatrischen Erkrankung«. Der erste Teil dieser Definition ist eine perfekte Beschreibung des religiösen Glaubens. Und was die Frage angeht, ob es sich um das Symptom einer psychiatrischen Erkrankung handelt, so halte ich es mit Robert M. Pirsig, dem Autor des Buches *Zen and the Art of Motorcycle Maintenance (Zen und die Kunst, ein Motorrad zu warten)*: »Leidet *ein* Mensch an einer Wahnvorstellung, so nennt man es Geisteskrankheit. Leiden *viele* Menschen an einer Wahnvorstellung, dann nennt man es Religion.«

Wenn dieses Buch die von mir beabsichtigte Wirkung hat, werden Leser, die es als religiöse Menschen zur Hand genommen haben, es als Atheisten wieder zuschlagen. Welch voreiliger Optimismus! Eingefleischte Gläubige sind natürlich keinem Argument zugänglich; ihr Widerstand wurde in jahrelanger kindlicher Indoktrination aufgebaut, und die Methoden, mit denen das geschehen ist, sind (ob durch Evolution oder gezielte Gestaltung) in Jahrhunderten gereift. Zu den besonders wirksamen immunologischen Hilfsmitteln gehört dabei die düstere Warnung, man solle ein Buch wie dieses überhaupt nicht aufschlagen, denn es sei mit Sicherheit ein Werk des Teufels. Nach meiner Überzeugung gibt es jedoch viele aufgeschlossene Menschen, die in ihrer Kindheit nicht allzu heimtückisch indoktriniert wurden, die die Indoktrination aus anderen Gründen nicht »aufgenommen« haben oder deren angeborene Intelligenz stark genug war, um sich darüber hinwegzusetzen. Solche freien Geister brauchen vielleicht nur ein wenig Ermutigung, um sich ganz vom Laster der Religion zu befreien. Zumindest hoffe ich, dass nach der Lektüre dieses Buches niemand mehr sagen kann: »Ich wusste nicht, dass ich das gedurft hätte.«

Vielen Freunden und Kollegen bin ich für Hilfe bei der Abfassung dieses Buches zu Dank verpflichtet. Ich kann sie nicht alle erwähnen, aber neben vielen anderen sind mein Literaturagent

John Brockman sowie meine Lektoren Sally Gaminara bei Transworld und Eamon Dolan bei Houghton Mifflin zu nennen. Beide Lektoren haben das Buch mit Einfühlungsvermögen und intelligentem Verständnis gelesen und mir mit einer Mischung aus Kritik und Ratschlägen sehr geholfen. Dass sie aus ganzem Herzen begeistert an dieses Buch glaubten, hat mir viel Mut gemacht. Gillian Somerscales war eine beispielhafte Korrektorin; ihre Vorschläge waren so konstruktiv wie ihre Korrekturen genau. Andere, die verschiedene Entwürfe lasen und denen ich sehr dankbar bin, waren Jerry Coyne, J. Anderson Thomson, R. Elisabeth Cornwell, Ursula Goodenough, Latha Menon und insbesondere Karen Owens, eine außergewöhnliche Kritikerin, die mit dem Hin und Her der verschiedenen Entwürfe fast ebenso gut vertraut war wie ich selbst.

Viel verdankt das Buch der zweiteiligen Fernsehdokumentation *Root of All Evil?*, die ich im Januar 2006 auf Channel Four des britischen Fernsehens moderierte (und umgekehrt die Fernsehsendung dem Buch). Ich danke allen, die an der Produktion mitgearbeitet haben, darunter Deborah Kidd, Russell Barnes, Tim Cragg, Adam Prescod, Alan Clements und Hamish Mykura. Für die Genehmigung, Zitate aus den Sendungen zu verwenden, danke ich IWC Media und Channel Four. *Root of All Evil?* erzielte in Großbritannien ausgezeichnete Einschaltquoten und wurde auch von der Australian Broadcasting Corporation übernommen. Ob irgendein US-Fernsehsender es wagt, sie auszustrahlen, bleibt abzuwarten.*

In meinem Kopf hat sich dieses Buch schon seit mehreren Jahren entwickelt. Manche Gedanken haben während dieser Zeit zwangsläufig ihren Weg in Vorträge gefunden, beispielsweise in meine Tanner Lectures an der Harvard University, aber

---

* Zum Zeitpunkt der Drucklegung ist dies noch nicht geschehen. Eine DVD ist jedoch über www.richarddawkins.net/store zu beziehen.

auch in Zeitungs- und Zeitschriftenartikel. Insbesondere den Lesern meiner regelmäßigen Kolumne in *Free Inquiry* werden manche Passagen bekannt vorkommen. Ich danke Tom Flynn, dem Redakteur dieser bewundernswerten Zeitschrift, dass er mir so viel Anregung gab, indem er mich mit dem Schreiben der regelmäßigen Kolumne beauftragte. Nach einer Pause kurz vor Fertigstellung des Buches werde ich die Kolumne hoffentlich bald fortsetzen können, und ich werde sie zweifellos nutzen, um auf die Nachwirkungen des Buches zu reagieren.

Aus den verschiedensten Gründen zu Dank verpflichtet bin ich Dan Dennett, Marc Hauser, Michael Stirrat, Sam Harris, Helen Fisher, Margaret Downey, Ibn Warraq, Hermione Lee, Julia Sweeney, Dan Barker, Josephine Welsh, Ian Baird und insbesondere George Scales. Heutzutage ist ein Buch wie dieses nicht vollständig, wenn es nicht zum Aufhänger für eine lebendige Website wird, ein Forum für ergänzendes Material, Reaktionen, Diskussionen, Fragen und Antworten – und wer weiß, was die Zukunft noch bringt? Ich hoffe, dass www. richarddawkins.net/, die Website der Richard Dawkins Foundation for Reason and Science, diese Aufgabe übernehmen wird, und ich bin sehr dankbar, dass Josh Timonen so viel künstlerisches Talent, Professionalität und harte Arbeit hineingesteckt hat.

Vor allem aber danke ich meiner Frau Lalla Ward, die mir bei allen Zögerlichkeiten und Selbstzweifeln nicht nur mit moralischer Unterstützung und geistreichen Verbesserungsvorschlägen zur Seite gestanden hat, sondern mir auch das ganze Buch in zwei Entwicklungsstadien laut vorlas, sodass ich aus erster Hand beurteilen konnte, welchen Eindruck es auf einen Leser macht. Diese Methode empfehle ich auch anderen Autoren, aber ich muss sie warnen: Damit etwas Gutes dabei herauskommt, muss der Vorleser ein professioneller Schauspieler sein, der mit Stimme und Ohr sensibel auf die Musik der Sprache eingestellt ist.

1 Ein tief religiöser Ungläubiger

Ich versuche nicht, mir einen persönlichen Gott vorzustellen;
es reicht aus, wenn man voller Staunen vor dem Aufbau der Welt steht,
so weit sie unseren unzureichenden Sinnen gestattet, sie einzuschätzen.

Albert Einstein

Verdienter Respekt

Der Junge lag auf dem Bauch im Gras, das Kinn auf die Hände gestützt. Plötzlich überwältigte ihn eine eindringliche Wahrnehmung: verworrene Halme und Wurzeln, ein Wald im Kleinformat, eine Wunderwelt der Ameisen und Käfer, ja sogar – auch wenn er die Einzelheiten zu jener Zeit nicht kannte – der Milliarden Bodenbakterien, die lautlos und unsichtbar die Ökonomie dieses Mikrokosmos in Gang hielten. Der Miniaturwald der Wiese schien anzuschwellen, eins zu werden mit dem Universum und dem verzückten Geist des Jungen, der darüber nachdachte. Er deutete sein Erlebnis unter religiösen Gesichtspunkten, und das führte ihn schließlich zum Priesterberuf. Als anglikanischer Geistlicher ordiniert, wurde er als Kaplan an meiner Schule zu einem Lehrer, den ich mochte. Anständigen, liberalen Geistlichen wie ihm ist es zu verdanken, dass niemand jemals behaupten konnte, mir sei die Religion mit Gewalt eingetrichtert worden.*

---

* Im Unterricht machten wir uns einen Sport daraus, ihn von der Heiligen Schrift abzulenken und ihn zum Erzählen spannender Geschichten über das Fighter Command

Zu einem anderen Zeitpunkt und an einem anderen Ort hätte auch ich dieser Junge sein können; ich hätte unter dem Sternenhimmel gestanden, berauscht von Orion, Cassiopeia und Großem Wagen, die Augen voller Tränen über die unhörbare Musik der Milchstraße, den Kopf schwer von den nächtlichen Düften der Frangipani- und Trompetenblumen in einem afrikanischen Garten. Warum die gleichen Empfindungen meinen Kaplan in die eine Richtung führten und mich in die andere – diese Frage ist nicht leicht zu beantworten. Eine geradezu mystische Reaktion auf Natur und Universum ist unter Naturwissenschaftlern und Rationalisten weit verbreitet. Sie hat nichts mit einem Glauben an Übernatürliches zu tun. Zumindest als Junge wusste mein Kaplan wahrscheinlich (genau wie ich) nichts von den letzten Zeilen in Darwins *On the Origin of Species by Means of Natural Selection (Über die Entstehung der Arten durch natürliche Zuchtwahl)*, von jener berühmten Passage über die »bewachsene Uferstrecke«, »mit singenden Vögeln in den Büschen, mit schwärmenden Insekten in der Luft, mit kriechenden Würmern im feuchten Boden«. Wäre sie ihm bekannt gewesen, er hätte sich diese Passage sicher zu eigen gemacht und wäre dann vielleicht nicht zum Priesterberuf gelangt, sondern zu Darwins Standpunkt, dass alles »durch Gesetze hervorgebracht wird, welche fort und fort um uns wirken«:

So geht aus dem Kampfe der Natur, aus Hunger und Tod unmittelbar die Lösung des höchsten Problems hervor, das wir

---

der Luftwaffe und »Die Wenigen« zu veranlassen. Er war im Krieg bei der Royal Air Force gewesen, und so spürte ich später eine gewisse Vertrautheit und ein wenig von der Zuneigung, die ich bis heute für die Church of England hege (jedenfalls im Vergleich zur Konkurrenz), als ich folgendes Gedicht von John Betjeman las:
Unser Pater ist ein alter Flieger,
Die Flügel hat man ihm jetzt schwer gestutzt,
Jedoch der Fahnenmast im Pfarrersgarten
Wird heute noch zu Höherem benutzt.

zu fassen vermögen, die Erzeugung immer höherer und voll-kommenerer Tiere. Es ist wahrlich eine großartige Ansicht, dass der Keim alles Lebens, das uns umgibt, nur wenigen oder einer einzigen Form eingehaucht wurde und dass, während unser Planet den strengsten Gesetzen der Schwer-kraft folgend sich im Kreise geschwungen, aus so einfachem Anfange sich eine endlose Reihe der schönsten und wunder-vollsten Formen entwickelt hat und immer noch entwickelt.

Carl Sagan schrieb in *Pale Blue Dot (Blauer Punkt im All)*:

Wie kommt es, dass kaum eine der großen Weltreligionen je-mals die wissenschaftlichen Erkenntnisse betrachtete und dann daraus folgerte: »Das ist besser, als wir dachten! Das Universum ist viel größer, als unsere Propheten sagten, viel gewaltiger, subtiler und eleganter. Gott muss größer sein, als wir uns träumen ließen«? Stattdessen sagen sie: »Nein, nein, nein! Mein Gott ist ein kleiner Gott, und ich will, dass er klein bleibt.« Eine Religion, die die Größe des Universums im Sinne der modernen Wissenschaft betont, könnte wahr-scheinlich auf wesentlich mehr Ehrfurcht und Ehrerbietung hoffen als die herkömmlichen Glaubensrichtungen.[3]

Sagan rührt in allen seinen Büchern an den Nerv des transzen-denten Staunens, das die Religionen in den letzten Jahrhunder-ten für sich monopolisiert haben. Das Gleiche strebe auch ich mit meinen Büchern an. Deshalb höre ich häufig, ich sei ein tief religiöser Mensch. Eine amerikanische Studentin schrieb mir, sie habe ihren Professor gefragt, was er von mir halte. Darauf habe er erwidert: »Sicher, seine eigentliche Wissenschaft ist mit der Religion nicht vereinbar, aber er gerät ins Schwärmen über die Natur und das Universum. Für mich *ist* das Religion.« Aber ist »Religion« hier das richtige Wort? Ich glaube nicht. Der Physik-Nobelpreisträger (und Atheist) Steven Weinberg formulierte die gleiche Ansicht ausgezeichnet in seinem Buch *Dreams of a Final Theory (Der Traum von der Einheit des Universums)*:

> Manche Leute haben Ansichten über Gott, die so allgemein und so dehnbar sind, dass sie unweigerlich auf Gott stoßen müssen, gleichgültig, wo sie nach ihm suchen. Da bekommt man etwa zu hören: »Gott ist das Höchste« oder »Gott ist unser besseres Wesen« oder »Gott ist das Universum«. Natürlich können wir dem Wort »Gott« wie jedem anderen Wort jede beliebige Bedeutung unterlegen. Wenn Sie behaupten wollen »Gott ist Energie«, dann können Sie Gott in einem Stück Kohle finden.[4]

In einem hat Weinberg sicher recht: Wenn das Wort »Gott« nicht völlig nutzlos werden soll, sollte man es so gebrauchen, wie die Menschen es im Allgemeinen verstanden haben: als Bezeichnung für einen übernatürlichen Schöpfer, »den anzubeten für uns angemessen ist«.

Viel unglückselige Verwirrung ist entstanden, weil nicht zwischen der Einstein'schen Religion, wie man sie nennen könnte, und der übernatürlichen Religion unterschieden wurde. Einstein verwendete manchmal (und durchaus nicht als einziger atheistischer Naturwissenschaftler) den Namen Gottes und forderte damit bei den Anhängern des Übernatürlichen das Missverständnis geradezu heraus, denn die waren erpicht darauf, einen so bedeutenden Denker zu den Ihren zählen zu können. Die dramatische (oder hinterlistige?) Formulierung am Ende von Stephen Hawkings *A Brief History of Time (Eine kurze Geschichte der Zeit)*, »Denn dann würden wir Gottes Plan kennen«, wird ständig falsch interpretiert. Sie verleitete die Leute zu der – natürlich falschen – Annahme, Hawking sei ein religiöser Mensch. Religiöser als Hawking oder Einstein hört sich die Zellbiologin Ursula Goodenough in *The Sacred Depths of Nature* (»Die heiligen Tiefen der Natur«) an. Sie liebt Kirchen, Moscheen und Tempel, und viele Passagen in ihrem Buch schreien geradezu danach, aus dem Zusammenhang gerissen und als Rechtfertigung für eine übernatürliche Religion verwendet zu werden. Sie geht sogar so weit, sich als »religiöse Naturalistin« zu bezeichnen. Liest man ihr Buch aber genau, so stellt man fest, dass sie eine ebenso überzeugte Atheistin ist wie ich.

»Naturalist« ist ein zweideutiges Wort. Ich muss dabei an den Helden meiner Kindheit denken, Hugh Loftings Dr. Dolittle (der übrigens mehr als nur einen Hauch von dem »philosophischen« Naturforscher auf der HMS *Beagle* an sich hatte). Im 18. und 19. Jahrhundert verstand man unter einem Naturalisten einen Naturforscher. Bei diesen Naturalisten handelte es sich seit der Zeit von Gilbert White häufig um Geistliche. Darwin selbst war als junger Mann für das geistliche Amt vorgesehen – er hoffte, das gemütliche Leben als Landpfarrer würde ihm genügend Zeit lassen, um seiner Leidenschaft für Käfer nachzugehen. In der Philosophie dagegen bedeutet »Naturalist« etwas ganz anderes: Es ist das Gegenteil von »Supernaturalist«. Julian Baggini erklärt in seinem Buch *Atheism: A Very Short Introduction* (»Atheismus – eine ganz kurze Einleitung«), was es bedeutet, wenn ein Atheist sich den Naturalismus zu eigen macht: »Die meisten Atheisten sind zwar überzeugt, dass es im Universum nur einen Stoff gibt und dass er physikalischer Natur ist, aber gleichzeitig glauben sie, dass aus diesem Stoff auch Geist, Schönheit, Gefühle und moralische Werte hervorgehen – kurz gesagt, das ganze Spektrum der Phänomene, die das Leben der Menschen bereichern.«

Gedanken und Gefühle der Menschen *erwachsen* aus den äußerst komplizierten Verflechtungen physischer Gebilde im Gehirn. Ein Atheist oder philosophischer Naturalist in diesem Sinn vertritt also die Ansicht, dass es nichts außerhalb der natürlichen, physikalischen Welt gibt: keine *über*natürliche kreative Intelligenz, die hinter dem beobachtbaren Universum lauert, keine Seele, die den Körper überdauert, und keine Wunder außer in dem Sinn, dass es Naturphänomene gibt, die wir noch nicht verstehen. Wenn etwas außerhalb der natürlichen Welt zu liegen scheint, die wir nur unvollkommen begreifen, so hoffen wir darauf, es eines Tages zu verstehen und in den Bereich des Natürlichen einzuschließen. Und wie immer, wenn wir einen Regenbogen entzaubern, wird er dadurch nicht weniger staunenswert.

Wenn große Naturwissenschaftler unserer Zeit religiös zu sein scheinen, so stellt sich bei näherer Betrachtung ihrer Überzeugungen in der Regel heraus, dass sie es nicht sind. Für Einstein und Hawking gilt das mit Sicherheit. Martin Rees, der derzeitige Königliche Astronom und Präsident der Royal Society, sagte mir einmal, er gehe als »ungläubiger Anglikaner zur Kirche ... aus Loyalität zum ganzen Stamm«. Er hat keine theistischen Überzeugungen, teilt aber mit den anderen erwähnten Wissenschaftlern den poetischen, vom Kosmos inspirierten Naturalismus. In einer kürzlich ausgestrahlten Fernsehsendung forderte ich meinen Freund, den Frauenarzt Robert Winston, ein angesehenes Mitglied der britischen jüdischen Gemeinde, heraus: Er sollte zugeben, dass sein Judentum genau diesen Charakter hat und dass er in Wirklichkeit nicht an Übernatürliches glaubt. Um ein Haar hätte er dies zugestanden, doch dann scheute er vor der letzten Konsequenz zurück. (Um ehrlich zu sein: Eigentlich sollte er mich interviewen und nicht ich ihn.)[5] Als ich ihn in die Enge trieb, sagte er, nach seiner Erfahrung sei das Judentum eine gute Quelle für die Disziplin, mit der er ein strukturiertes, gutes Leben führen könne. Womöglich stimmt das, aber es hat natürlich nicht das Geringste mit dem Wahrheitsgehalt seiner Behauptungen über Übernatürliches zu tun. Viele intellektuelle Atheisten bezeichnen sich stolz als Juden und befolgen jüdische Riten; vielleicht tun sie es aus Loyalität gegenüber alten Traditionen oder ermordeten Angehörigen, vielleicht aber auch aus einer verworrenen und verwirrenden Bereitschaft heraus, die pantheistische Verehrung, die viele von uns mit Einstein als ihrem bekanntesten Vertreter teilen, als »Religion« zu bezeichnen. Sie mögen nicht gläubig sein, aber sie »glauben an den Glauben«, um eine Formulierung des Philosophen Daniel Dennett zu übernehmen.[6]

Zu den am häufigsten zitierten Bemerkungen von Einstein gehört der Satz: »Wissenschaft ohne Religion ist lahm, Religion ohne Wissenschaft ist blind.« Aber Einstein sagte auch:

> Was Sie über meine religiösen Überzeugungen lesen, ist natürlich eine Lüge, und zwar eine, die systematisch wiederholt wird. Ich glaube nicht an einen persönlichen Gott und habe das auch nie verhehlt, sondern immer klar zum Ausdruck gebracht. Wenn in mir etwas ist, das man als religiös bezeichnen kann, so ist es die grenzenlose Bewunderung für den Aufbau der Welt, so weit unsere Wissenschaft ihn offenbaren kann.

Hat Einstein sich demnach selbst widersprochen? Oder kann man sich die Zitate so aus seinen Worten herauspicken, dass sie beide Seiten einer Debatte unterstützen? Nein. Einstein meinte mit »Religion« etwas ganz anders, als man normalerweise darunter versteht. Wenn ich im Folgenden den Unterschied zwischen übernatürlicher und Einstein'scher Religion genauer erläutere, sollte man im Hinterkopf behalten, dass ich nur *übernatürliche* Götter als Wahnvorstellungen bezeichne.

Einen Eindruck davon, was Einstein'sche Religion ist, können uns ein paar weitere Einstein-Zitate vermitteln:

> Ich bin ein tief religiöser Ungläubiger. Das ist eine irgendwie neue Art von Religion.

> Ich habe der Natur nie einen Zweck oder ein Ziel unterstellt, oder irgendetwas anderes, das man als anthropomorph bezeichnen könnte. Was ich in der Natur sehe, ist eine großartige Struktur, die wir nur sehr unvollkommen zu erfassen vermögen und die einen denkenden Menschen mit einem

27

Gefühl der Demut erfüllen muss. Dies ist ein echt religiöses Gefühl, das mit Mystizismus nichts zu tun hat.

Der Gedanke an einen persönlichen Gott ist mir völlig fremd und kommt mir sogar naiv vor.

Seit Einsteins Tod versuchen Religionsvertreter verständlicherweise immer öfter, Einstein für sich zu reklamieren. Einige seiner religiösen Zeitgenossen hatten ein ganz anderes Bild von ihm. Im Jahr 1940 schrieb Einstein einen berühmten Aufsatz, in dem er seine Aussage »Ich glaube nicht an einen persönlichen Gott« rechtfertigte. Diese und ähnliche Formulierungen waren der Anlass für unzählige Zuschriften von religiös-orthodoxen Menschen, die vielfach auf Einsteins jüdische Abstammung anspielten. Die im Folgenden zitierten Passagen stammen aus dem Buch *Einstein and Religion (Einstein und die Religion)* von Max Jammer (das mir auch als wichtigste Quelle für Zitate von Einstein selbst zu religiösen Themen gedient hat). Der römisch-katholische Bischof von Kansas City sagte: »Es ist traurig, wenn man mit ansehen muss, wie ein Mann, der aus dem Geschlecht des Alten Testaments und seinen Lehren stammt, die große Tradition dieses Geschlechts leugnet.« Andere katholische Geistliche stießen in das gleiche Horn: »Einen anderen als den persönlichen Gott gibt es nicht. [...] Einstein weiß nicht, wovon er redet. Er hat völlig unrecht. Manche Leute glauben, wenn sie in einem Fachgebiet ein hohes Maß an Gelehrsamkeit erreicht haben, seien sie qualifiziert, auch in allen anderen ihre Meinung zu äußern.«

Die Vorstellung, Religion sei ein richtiges *Fachgebiet*, auf dem man *Fachkenntnisse* besitzen könne, sollte nicht unhinterfragt stehen bleiben. Der zitierte Geistliche hätte die Fachkenntnisse eines anerkannten »Elfenforschers« über Form und Farbe von Elfenflügeln wahrscheinlich nicht anerkannt. Sowohl er als auch der Bischof glaubten jedoch, Einstein habe mangels einer theologischen Ausbildung das Wesen Gottes nicht verstanden. Das Gegenteil ist richtig: Einstein wusste ganz genau, was er leugnete.

Ein amerikanischer römisch-katholischer Anwalt, der für die ökumenische Koalition arbeitete, schrieb an Einstein:

Wir bedauern zutiefst, dass Sie Ihre Äußerung getan haben, in der Sie sich über den Gedanken an einen persönlichen Gott lustig machen. In den vergangenen zehn Jahren war nichts anderes so sehr wie Ihre Aussage geeignet, die Menschen glauben zu machen, dass Hitler seine Gründe dafür hatte, die Juden aus Deutschland zu vertreiben. Ich gestehe Ihnen das Recht auf freie Meinungsäußerung zu, sage aber auch: Mit Ihrer Aussage machen Sie sich zu einer der größten Ursachen für Zwietracht in Amerika.

Ein New Yorker Rabbiner sagte: »Einstein ist zweifellos ein großer Wissenschaftler, aber seine religiösen Ansichten sind denen des Judentums diametral entgegengesetzt.« »Aber«? Warum *aber* und nicht *und*?

Der Präsident einer historischen Gesellschaft in New Jersey legte in seinem Brief die Schwäche des religiösen Geistes so gnadenlos bloß, dass es sich lohnt, ihn zweimal zu lesen:

Wir respektieren Ihre Gelehrsamkeit, Dr. Einstein, aber eines haben Sie offenbar nicht gelernt: dass Gott ein Geist ist, dass man ihn ebenso wenig im Teleskop oder Mikroskop finden kann, wie man Gedanken oder Gefühle eines Menschen findet, wenn man das Gehirn analysiert. Wie jeder weiß, gründet sich Religion nicht auf Wissen, sondern auf Glauben. Vielleicht wird jeder denkende Mensch hin und wieder von religiösen Zweifeln heimgesucht. Mein eigener Glaube ist viele Male ins Wanken geraten. Aber ich habe nie jemandem etwas von diesen spirituellen Anfechtungen erzählt, und zwar aus zwei Gründen: Erstens fürchtete ich, ich könne allein durch meine Andeutungen das Leben und die Hoffnungen eines Mitmenschen gefährden und schädigen, und zweitens bin ich der gleichen Meinung wie der Autor, der sagte: »Es ist ein niederträchtiger Zug in jedem, der den Glauben eines anderen zerstört.« [...] Ich hoffe, Dr. Einstein, dass Sie falsch zitiert wurden und dass Sie der riesigen Anzahl amerikanischer Menschen, die Ihnen mit Vergnügen die Ehre erweisen, etwas Angenehmeres zu sagen haben.

Was für ein entsetzlich entlarvender Brief! Jeder Satz trieft von intellektueller und moralischer Feigheit. Weniger kriecherisch, dafür aber noch erschreckender war der folgende Brief, geschrieben vom Gründer der Calvary Tabernacle Association in Oklahoma:

Professor Einstein, ich glaube, jeder Christ in Amerika wird Ihnen antworten: »Wir geben den Glauben an unseren Gott und seinen Sohn Jesus Christus nicht auf, aber wir bitten Sie, wenn Sie an den Gott der Menschen dieser Nation nicht glauben, dahin zurückzukehren, wo Sie hergekommen sind.« Ich habe alles in meiner Macht Stehende getan, um ein Segen für Israel zu sein, und dann kommen Sie daher und richten mit einer Aussage aus Ihrem gotteslästerlichen Mund mehr Schaden für die Sache Ihres Volkes an, als alle Christen, die Israel lieben und den Antisemitismus in unserem Land ausrotten wollen, wiedergutmachen können. Professor Einstein, jeder Christ in Amerika wird Ihnen antworten: »Nehmen Sie Ihre törichte, falsche Evolutionstheorie und gehen Sie wieder nach Deutschland, wo Sie hergekommen sind, oder versuchen Sie nicht mehr, den Glauben eines Volkes zu zerstören, das Ihnen einen herzlichen Empfang bereitet hat, als Sie aus Ihrem eigenen Land fliehen mussten.«

In einem Punkt haben alle diese theistischen Kritiker recht: Einstein war nicht einer der Ihren. Er reagierte mehrmals sehr ungehalten auf die Vermutung, er sei ein Theist. Aber was war er dann? Ein Deist wie Voltaire oder Diderot? Oder ein Pantheist wie Spinoza, dessen Philosophie er bewunderte? »Ich glaube an Spinozas Gott, der sich in der gesetzlichen Harmonie des Seienden offenbart, nicht an einen Gott, der sich mit den Schicksalen und Handlungen der Menschen abgibt.«

Führen wir uns noch einmal die Terminologie vor Augen. Ein *Theist* glaubt an eine übernatürliche Intelligenz, die das Universum erschaffen hat und die immer noch gegenwärtig ist, um das weitere Schicksal ihrer ursprünglichen Schöpfung zu beaufsichtigen und zu beeinflussen. In vielen theistischen Glaubenssystemen ist dieser Gott eng in die Angelegenheiten der Menschen eingebunden. Er erhört Gebete, vergibt oder bestraft Sünden, greift durch das Vollbringen von Wundern in die Welt ein, zürnt über gute oder schlechte Taten und weiß, wann wir sie begehen (oder auch nur daran *denken*, sie zu begehen). Ein *Deist* glaubt ebenfalls an eine übernatürliche Intelligenz, aber deren Tätigkeit beschränkt sich darauf, die Gesetze aufzustellen, denen das Universum unterliegt. Der deistische Gott greift später nie mehr ein und interessiert sich sicher nicht gezielt für die Angelegenheiten der Menschen. *Pantheisten* schließlich glauben überhaupt nicht an einen übernatürlichen Gott, sondern benutzen das Wort »Gott« als Synonym für die Natur, für das Universum oder für die Gesetzmäßigkeiten, nach denen es funktioniert.

Deisten unterscheiden sich von Theisten darin, dass der Gott der Deisten keine Gebete erhört, sich nicht für Sünden oder Beichte interessiert, unsere Gedanken nicht liest und uns nicht mit launischen Wundern in die Quere kommt. Im Gegensatz zu den Pantheisten halten die Deisten Gott dennoch für eine Art kosmische Intelligenz, während er für die Pantheisten ein metaphorisches oder poetisches *Synonym* für die Gesetze des Universums darstellt. Pantheismus ist aufgepeppter Atheismus, Deismus ist verwässerter Theismus.

Man kann mit Fug und Recht davon ausgehen, dass berühmte Einstein-Zitate wie »Gott ist raffiniert, aber boshaft ist er nicht«, »Gott würfelt nicht« oder »Hatte Gott eine Wahl, als er das Universum erschuf?« pantheistisch sind, aber nicht deistisch und mit Sicherheit nicht theistisch. »Gott würfelt nicht« kann man übersetzen mit »Der Zufall ist nicht der Kern aller Dinge«. »Hatte Gott eine Wahl, als er das Universum erschuf?« bedeutet: »Hätte das Universum auch auf andere Weise beginnen können?« Einstein benutzte den Begriff »Gott« in einem rein metaphorischen, poetischen Sinn. Das Gleiche gilt für Stephen Hawking und die meisten anderen Physiker, die gelegentlich in die Sprache religiöser Metaphern verfallen. Paul Davies liegt mit seinem Buch *The Mind of God (Der Plan Gottes)* irgendwo zwischen dem Einstein'schen Pantheismus und einer seltsamen Form von Deismus – und wurde dafür mit dem Templeton-Preis ausgezeichnet (einem sehr großen Geldbetrag, der alljährlich von der Templeton Foundation vergeben wird, meistens an einen Naturwissenschaftler, der bereit ist, etwas Nettes über die Religion zu sagen).

Was Einstein'sche Religion ist, möchte ich mit einem weiteren Zitat von Einstein selbst zusammenfassen:

Das Wissen um die Existenz des für uns Undurchdringlichen, der Manifestationen tiefster Vernunft und leuchtendster Schönheit, die unserer Vernunft nur in ihren primitivsten Formen zugänglich sind, dies Wissen und Fühlen macht wahre Religiosität aus; in diesem Sinne, und nur in diesem, gehöre ich zu den tief religiösen Menschen.

In diesem Sinne bin auch ich religiös, allerdings mit der Einschränkung, dass »unserer Vernunft nicht zugänglich« nicht bedeutet: »für immer und ewig unzugänglich«. Indes, ich nenne mich lieber nicht »religiös«, weil diese Bezeichnung missverständlich ist – auf verhängnisvolle Weise missverständlich, weil für die allermeisten Menschen »Religion« das »Übernatürliche« impliziert. Sehr schön hat es auch Carl Sagan formuliert: »Wenn man mit ›Gott‹ die Gesamtheit der physikalischen Gesetze meint, die das Universum beherrschen, dann gibt es natürlich einen Gott. Doch dieser Gott ist emotional unbefriedigend. […] Es hat nicht viel Sinn, zum Gravitationsgesetz zu beten.«

Amüsant ist dabei, dass Sagans letzte Aussage schon von Reverend Dr. Fulton J. Sheen vorweggenommen wurde, einem Professor an der Catholic University of America, der sie 1940 im Rahmen eines wütenden Angriffs auf Einsteins Ablehnung eines persönlichen Gottes vorbrachte. Sheen fragte sarkastisch, ob irgendjemand bereit wäre, sein Leben für die Milchstraße zu opfern. Offenbar glaubte er, dies sei ein Argument nicht für, sondern gegen Einstein, denn er fügte hinzu: »Seine kosmische Religion hat nur einen Fehler: Er hat dem Wort einen Buchstaben zu viel gegeben – den Buchstaben ›s‹.« In Wirklichkeit sind Einsteins Überzeugungen alles andere als komisch. Dennoch würde ich mir wünschen, dass die Physiker das Wort »Gott« nicht mehr in ihrem speziellen metaphorischen Sinn verwendeten. Der metaphorische oder pantheistische Gott der Physiker ist Lichtjahre entfernt von dem eingreifenden, wundertätigen, Gedanken lesenden, Sünden bestrafenden, Gebete erhörenden Gott der Priester, Mullahs, Rabbiner und der Umgangssprache. Beide absichtlich durcheinanderzubringen ist in meinen Augen intellektueller Hochverrat.

Unverdienter Respekt

Mein Titel, *Der Gotteswahn*, bezieht sich nicht auf den Gott Einsteins und der anderen aufgeklärten Naturwissenschaftler aus dem vorigen Abschnitt. Deshalb musste die Einstein'sche Religion gleich zu Beginn aus dem Weg geräumt werden, enthält sie doch erwiesenermaßen beträchtliches Verwirrungspotenzial. Von jetzt an ist in diesem Buch nur noch von *über*natürlichen Göttern die Rede. Am vertrautesten unter diesen Göttern ist meinen Lesern wahrscheinlich Jahwe, der Gott des Alten Testaments. Auf ihn werde ich in Kürze zurückkommen. Doch zuvor muss ich mich noch mit einer weiteren Frage auseinandersetzen, die sonst das ganze Buch überschatten würde: den guten Manieren.

Durch das, was ich zu sagen habe, werden religiös orientierte Leser sich möglicherweise beleidigt fühlen, und auf den nachfolgenden Seiten zu wenig *Respekt* vor ihrem ganz persönlichen Glauben entdecken (vielleicht auch vor dem Glauben, den andere hegen). Es wäre bedauerlich, wenn sie wegen einer solchen Beleidigung nicht weiterlesen würden, und deshalb möchte ich hier von Anfang an etwas klarstellen.

Nach einer verbreiteten Vorstellung, die in unserer Gesellschaft nahezu unter allen – auch den nicht religiösen – Menschen anerkannt wird, ist religiöser Glaube gegenüber Beleidigungen besonders empfindlich, weshalb man ihn mit einer besonders dicken Mauer des Respekts schützen sollte. Dieser Respekt gehört demnach in eine ganz andere Liga als der Respekt, den jeder Mensch jedem anderen entgegenbringen sollte. Das hat Douglas Adams in einer Stegreifrede in Cambridge kurz vor seinem Tod so gut formuliert, dass ich seine Worte gar nicht oft genug wiederholen kann:

> Im Kern [der Religion] gibt es gewisse Ideen, die wir heilig oder göttlich oder wie auch immer nennen. [...] Im Grunde

heißt das Folgendes: »Wir haben hier eine Idee oder Vorstellung, über die man nichts Abträgliches äußern darf; das darf man einfach nicht. Warum nicht? Darum!« Wenn jemand eine Partei wählt, mit der man nicht einverstanden ist, darf man so viel darüber streiten, wie man will; jeder wird ein Argument für oder wider haben, aber keiner ist deswegen gekränkt. Wenn jemand meint, die Steuern sollten erhöht oder gesenkt werden, dann steht es jedem frei, sich darüber zu streiten; wenn aber andererseits jemand sagt: »Ich darf am Samstag kein Licht anknipsen«, dann sagt man: »Gut, ich *respektiere* das.« […]

Warum sollte es ganz legitim sein, die Labour Party oder die Konservativen, die Republikaner oder die Demokraten, dieses Wirtschaftsmodell, aber nicht jenes zu unterstützen, Macintosh anstelle von Windows – aber man darf keine Meinung darüber haben, wie das Universum entstanden ist und wer es erschaffen hat, weil das heilig ist? Was heißt das denn?[…] Wir sind es also gewöhnt, religiöse Ideen nicht anzugreifen, aber es ist sehr interessant, was für einen Aufstand Richard Dawkins entfacht, wenn er es doch tut! Alle werden furchtbar aufgeregt, weil man so etwas nicht sagen darf. Rational betrachtet, gibt es keinen Grund, warum diese Dinge nicht genauso offen diskutiert werden sollten wie alle anderen, es sei denn, wir hätten irgendwie untereinander vereinbart, es nicht zu tun.[7]

Für diesen übermäßigen Respekt unserer Gesellschaft für die Religion möchte ich ein Beispiel nennen, das große praktische Bedeutung hat. Wer in Kriegszeiten den Wehrdienst verweigern will, hat es am leichtesten, wenn er religiöse Gründe anführt. Ein großartiger Moralphilosoph, der in einer preisgekrönten Doktorarbeit ausführlich die Übel des Krieges offenlegt, hat es unter Umständen vor dem Prüfungsausschuss dennoch schwer, als Kriegsdienstverweigerer anerkannt zu werden. Wenn man dagegen erklärt, ein Elternteil oder beide seien Quäker, bekommt man kaum noch Gegenwind, ganz gleich, wie schlecht man argumentieren kann und wie wenig man über die Theorie des Pazifismus oder sogar über das Quäkertum weiß.

Steht am einen Ende des Spektrums der Pazifismus, so finden wir am anderen einen kleinmütigen Widerwillen dagegen, Kriegsparteien mit religiösen Namen zu benennen. In Nordirland werden die Katholiken beschönigend zu »Nationalisten« und die Protestanten zu »Loyalisten«. Selbst das Wort »Religionen« wird zu »Gemeinschaften« entschärft. Der Irak versank als Folge der amerikanisch-britischen Invasion 2003 in einem sektiererischen Bürgerkrieg zwischen Sunniten und Schiiten. Es ist eindeutig ein religiöser Konflikt, aber der *Independent* sprach am 20. Mai 2006 sowohl in der Titelschlagzeile als auch im ersten Leitartikel von »ethnischer Säuberung«. »Ethnisch« ist in diesem Zusammenhang ein Euphemismus. Was wir im Irak erleben, ist eine religiöse Säuberung. Sogar die ursprüngliche Verwendung des Begriffs im früheren Jugoslawien ist nachweislich eine Beschönigung der religiösen Säuberung unter Beteiligung orthodoxer Serben, katholischer Kroaten und muslimischer Bosnier.[8]

Ich habe schon früher darauf aufmerksam gemacht, welche Vorrechte die Religion bei Medien und staatlichen Institutionen in öffentlichen Diskussionen über Ethik genießt.[9] Jedes Mal, wenn es zu einer ethischen Kontroverse über Sexualität oder Fortpflanzung kommt, kann man darauf wetten, dass Religionsvertreter verschiedener Glaubensrichtungen in einflussreichen Gremien sowie in Rundfunk- oder Fernsehdiskussionen an hervorgehobener Stelle mitreden. Damit will ich nicht sagen, dass wir die Ansichten dieser Leute um jeden Preis zensieren sollten, aber warum rollt die Gesellschaft ihnen den roten Teppich aus, als hätten sie eine ähnliche Fachkenntnis wie beispielsweise ein Moralphilosoph, ein Familienanwalt oder ein Arzt?

Ein weiteres Beispiel für die Bevorzugung der Religion: Am 21. Februar 2006 urteilte der Oberste Gerichtshof der USA in Übereinstimmung mit der Verfassung, eine Kirche in New Mexico sei von einem Gesetz ausgenommen, das alle anderen befolgen müssen und das den Konsum halluzinogener Drogen verbietet.[10] Mitglieder des Centro Espirita Beneficiente Unioao do Vegetal glauben, sie könnten Gott nur dann begreifen, wenn sie Hoasca-Tee trinken, der das verbotene Betäubungsmittel Dimethyltryptamin enthält. Wohlgemerkt: Es reicht, dass sie *glauben*, die Droge verbessere ihr Verständnisvermögen. Beweise mussten sie nicht beibringen. Umgekehrt gibt es viele Beweise, dass Haschisch bei Krebskranken während der Chemotherapie die Übelkeit und andere Beschwerden lindert. Dennoch urteilte der Oberste Gerichtshof 2005 – wiederum in Übereinstimmung mit der Verfassung –, alle Patienten, die aus medizinischen Gründen Cannabis nehmen, seien ein Fall für Verfolgung durch die Bundesbehörden (und das sogar in den wenigen Bundesstaaten, in denen diese spezielle Therapieform gesetzlich zugelassen ist). Immer wieder ist Religion die Trumpfkarte. Man stelle sich vor, die Mitglieder eines Kunstvereins würden vor Gericht vorbringen, sie »glaubten«, sie könnten mit einer bewusstseinserweiternden Droge die Werke des Impressionismus oder Surrealismus besser verstehen. Erhebt aber eine Kirche einen vergleichbaren Anspruch, gibt das oberste Gericht eines Staates ihr Rückendeckung. Eine solche Macht hat die Religion als Talisman.

Vor siebzehn Jahren wurde ich als einer unter 36 Autoren und Künstlern von der Zeitschrift *New Statesman* beauftragt, etwas zur Unterstützung des angesehenen Schriftstellers Salman Rushdie zu schreiben, der damals zum Tode verurteilt war, weil er einen Roman verfasst hatte. Erbost darüber, dass christliche Religionsführer und sogar einige weltliche Meinungsbildner »Mitgefühl« für die »Verletzung« und »Beleidigung« der Muslime äußerten, zog ich folgende Parallele:

Wenn die Befürworter der Apartheid ihren Verstand bei-
sammen hätten, würden sie – nach allem, was ich weiß,
wahrheitsgemäß – behaupten, die Zulassung der Rassenmi-
schung widerspreche ihrer Religion. Dann würde ein großer
Teil ihrer Gegner sich auf den Zehenspitzen davonmachen.
Die Entgegnung, dies sei eine unfaire Parallele, weil es für
die Apartheid keine vernünftige Begründung gebe, verfängt
nicht. Das Entscheidende am religiösen Glauben, seine
Stärke und sein wichtigster Stolz, ist ja gerade, dass er keiner
rationalen Begründung bedarf. Von uns anderen dagegen
wird erwartet, dass wir unsere Vorurteile verteidigen. Fragt
man aber einen religiösen Menschen nach einer Rechtfertigung für seinen Glauben, verletzt man die »Religionsfreiheit«.[11]

Damals wusste ich noch nicht, dass etwas ganz Ähnliches sich
auch im 21. Jahrhundert ereignen würde. Wie die *Los Angeles
Times* am 10. April 2006 berichtete, strengten zahlreiche
christliche Gruppen an Hochschulen in den ganzen Vereinigten Staaten Gerichtsverfahren gegen die Universitätsleitungen
an, weil diese die gesetzlichen Diskriminierungsverbote durchsetzten, darunter auch das Verbot, Homosexuelle zu belästigen
oder zu misshandeln. Ein typisches Beispiel war der zwölfjährige James Nixon aus Ohio: Ihm wurde 2004 gerichtlich das
Recht zugebilligt, in der Schule ein T-Shirt mit der Aufschrift
zu tragen: »Homosexualität ist eine Sünde, Islam ist eine Lüge,
Abtreibung ist Mord. Bei manchen Dingen gibt es eben nur
schwarz oder weiß.«[12] Die Schulleitung hatte ihm das T-Shirt
verboten – und die Eltern des Jungen klagten gegen die Schule.
Ihr Standpunkt wäre durchaus vertretbar gewesen, wenn sie
ihre Klage auf die im ersten Verfassungszusatz garantierte Meinungsfreiheit gestützt hätten. Aber das taten sie nicht, sondern
die Nixon-Anwälte beriefen sich auf die verfassungsmäßig
garantierte *Religionsfreiheit*. Finanziert wurde die erfolgreiche

Klage vom Alliance Defense Fund of Arizona, der es sich zur Aufgabe gemacht hat, »den juristischen Kampf für die Religionsfreiheit voranzubringen«.

Der Reverend Rick Scarborough, Unterstützer einer ganzen Welle ähnlicher Gerichtsverfahren, mit der die christliche Religion als juristische Rechtfertigung für die Diskriminierung der Homosexuellen und anderer Gruppen dienen sollte, bezeichnete dies als den Bürgerrechtskampf des 21. Jahrhunderts: »Die Christen gehen jetzt vor Gericht für das Recht, Christen zu sein.«[13] Auch hier gilt: Würden solche Leute für die Meinungsfreiheit vor Gericht ziehen, müsste man vielleicht eine widerwillige Sympathie für sie empfinden. Aber darum geht es nicht. Das »Recht, Christ zu sein«, war in diesem Fall offenbar gleichbedeutend mit dem Recht, im Privatleben anderer Menschen herumzuschnüffeln. Das Verfahren zur Durchsetzung der Diskriminierung von Homosexuellen wird als Gegenklage gegen eine angebliche religiöse Diskriminierung aufgebaut! Und die Gerichte machen offensichtlich mit. Wer sagt: »Wenn du mir verbietest, Homosexuelle zu beleidigen, verletzt du mein Recht auf freie Vorurteile«, kommt damit nicht durch. Sagt man jedoch: »Es verletzt meine Religionsfreiheit«, dann hat man Erfolg. Worin eigentlich besteht bei genauerem Nachdenken der Unterschied? Wieder einmal ist Religion der Trumpf, der sticht.

An das Ende dieses Kapitels möchte ich eine Einzelfallstudie stellen, die besonders gut beleuchtet, welch übertriebenen Respekt die Gesellschaft vor der Religion hat und wie dieser über den ganz normalen zwischenmenschlichen Respekt hinausgeht. Der Fall – eine lächerliche Episode, die zwischen den Extremen von Komödie und Tragödie hin und her wechselte – wurde im Februar 2006 bekannt. Im vorausgegangenen September waren in der dänischen Zeitung *Jyllands-Posten* zwölf Karikaturen erschienen, die den Propheten Mohammed darstellten. Im Laufe der folgenden drei Monate wurde die Empörung in der islamischen Welt sorgfältig und systematisch aufgebaut, und zwar von einer kleinen Gruppe in Dänemark lebender Muslime unter Führung von zwei Imamen, die dort politisches Asyl genossen.[14] Ende 2005 reisten diese boshaften Exilmuslime von Dänemark nach Ägypten; im Gepäck hatten sie ein Dossier, das kopiert und in der gesamten islamischen Welt verbreitet wurde, auch – und das ist besonders wichtig – in Indonesien. Das Papier enthielt einerseits falsche Aussagen über die angebliche Misshandlung von Muslimen in Dänemark, andererseits aber auch die absichtsvolle Lüge, die Zeitung *Jyllands-Posten* sei ein Regierungsorgan. Außerdem enthielt es die zwölf Karikaturen, denen die Imame jedoch – auch das entscheidend – drei weitere Zeichnungen rätselhafter Herkunft hinzugefügt hatten, die mit Sicherheit in keinerlei Verbindung zu Dänemark standen. Im Gegensatz zu den ersten zwölf waren diese drei richtig beleidigend – oder sie wären es gewesen, wenn sie tatsächlich Mohammed dargestellt hätten, wie die eifrigen Propagandisten behaupteten. Eines der drei Bilder, das besonders viel Schaden anrichtete, war überhaupt keine Karikatur, sondern das gefaxte Foto eines bärtigen Mannes, der sich mit Gummibändern eine Schweinemaske umgebunden hatte. Wie sich später herausstellte, handelte es sich dabei um eine Aufnahme der Nachrichtenagentur Associated Press, die einen Franzosen zeigte, der in seiner Heimat bei einem ländlichen Jahrmarkt an einem Schweine-Quiek-Wettbewerb teilgenommen hatte.[15] Die Aufnahme hatte nichts, aber auch gar nichts mit dem Propheten Mohammed, dem Islam oder Dänemark zu tun. Die muslimischen Aktivisten jedoch stellten auf ihrer Unheil stiftenden Reise nach Kairo alle drei Verbindungen her – mit vorhersehbaren Folgen.

Fünf Monate nachdem die Karikaturen zum ersten Mal erschienen waren, brach sich die sorgfältig kultivierte »Verletzung« und »Beleidigung« auf explosive Weise Bahn. In Pakistan und Indonesien verbrannten Demonstranten dänische Fahnen (woher hatten sie die?), und an die dänische Regierung wurden hysterische Forderungen nach einer Entschuldigung gerichtet. (Entschuldigung wofür? Die Regierung hatte die Karikaturen weder gezeichnet noch veröffentlicht. In Dänemark herrscht Pressefreiheit, ein Prinzip, das für die Menschen in vielen islamischen Ländern möglicherweise nur schwer verständlich ist.) Zeitungen in Norwegen, Deutschland, Frankreich und sogar den Vereinigten Staaten (aber auffälligerweise nicht in Großbritannien) druckten die Karikaturen aus Solidarität mit *Jyllands-Posten* nach und gossen damit weiteres Öl ins Feuer. Botschaften und Konsulate wurden angegriffen, dänische Waren boykottiert, dänische Bürger und sogar Menschen aus westlichen Ländern ganz allgemein körperlich bedroht. In Pakistan brannten christliche Kirchen, die keinerlei Beziehung zu Dänemark oder Europa hatten. Neun Menschen kamen ums Leben, als Aufständische in der libyschen Hafenstadt Bengasi das italienische Konsulat angriffen und in Brand steckten. Germaine Geer schrieb: »Was diese Leute am liebsten mögen und am besten können, ist das Inferno.«[16]

Ein pakistanischer Imam setzte auf den Kopf des »dänischen Karikaturisten« eine Belohnung von einer Million Dollar aus. Er wusste offenbar nicht, dass es insgesamt zwölf dänische Karikaturisten gab, und mit ziemlicher Sicherheit war ihm auch nicht klar, dass die drei beleidigendsten Bilder in Dänemark überhaupt nicht erschienen waren. (Und nebenbei gefragt: Woher sollte die Million eigentlich kommen?) In Nigeria zündeten Muslime aus Protest gegen die dänischen Karikaturen mehrere christliche Kirchen an, und Christen (schwarze Nigerianer) wurden auf der Straße mit Macheten überfallen und getötet. Ein Christ wurde in einen Autoreifen gesteckt, mit Benzin übergossen und bei lebendigem Leib verbrannt. In Großbritannien wurden Demonstranten fotografiert, auf deren Transparenten stand: »Schlachtet die, die den Islam beleidigen«, »Tod denen, die sich über den Islam lustig machen«, »Europa, du wirst bezahlen: Die Zerstörung ist schon unterwegs« und »Enthauptet alle, die sagen, der Islam sei eine gewalttätige Religion«. Glücklicherweise waren unsere Politiker zur Stelle und erinnerten uns daran, dass der Islam doch eine Religion des Friedens und der Barmherzigkeit ist.

Im Gefolge dieser Vorgänge interviewte der Journalist Andrew Mueller den führenden »gemäßigten« Muslim in Großbritannien, Sir Iqbal Sacranie.[17] Dieser mag nach den heutigen Maßstäben des Islam gemäßigt sein, aber nach Muellers Bericht steht er noch heute zu einer Bemerkung, die er machte, als Salman Rushdie wegen eines Romans zum Tode verurteilt wurde: »Der Tod ist vielleicht noch zu milde für ihn.« Mit dieser Aussage steht er in schändlichem Gegensatz zu seinem mutigen Vorgänger als einflussreichster britischer Muslim, dem verstorbenen Dr. Zaki Badawi, der Salman Rushdie in seinem eigenen Haus Unterschlupf gewährte. Sacranie erklärte Mueller, wie besorgt er wegen der dänischen Karikaturen sei. Auch Mueller war besorgt, aber aus einem ganz anderen Grund: »Ich fürchte, die lächerliche, völlig unverhältnismäßige Reaktion auf ein paar nicht besonders lustige Skizzen in einer obskuren skandinavischen Zeitung könnte bestätigen, dass ... der Islam und der Westen grundsätzlich unvereinbar sind.« Sacranie dagegen lobte die britischen Zeitungen, weil sie die Karikaturen nicht nachgedruckt hatten, woraufhin Mueller einen im Lande weit verbreiteten Verdacht aussprach: »Die Selbstbeschränkung der britischen Presse entspringt wohl weniger der Sensibilität gegenüber muslimischer Unzufriedenheit als vielmehr dem Wunsch, dass einem nicht die Fensterscheiben eingeworfen werden.«

Sacranie erklärte: »Die Person des Propheten, Friede sei mit ihm, wird in der muslimischen Welt so tief verehrt, mit einer Liebe und Zuneigung, die man nicht in Worte fassen kann. Sie geht über die Liebe zu den Eltern, den Angehörigen, den Kindern hinaus. Das ist ein Teil des Glaubens. Es gibt im Islam auch das Gebot, den Propheten nicht abzubilden.« Das unterstellt, wie Mueller es formuliert,

> dass die Werte des Islam Vorrang vor allen anderen haben – davon geht jeder Anhänger des Islam aus, genau wie jeder Anhänger einer anderen Religion glaubt, sein Weg sei der einzig Richtige, Wahre und Erleuchtete. Wenn jemand einen Prediger aus dem 7. Jahrhundert mehr lieben will als seine eigene Familie, dann ist das seine Sache, aber kein anderer ist verpflichtet, das ernst zu nehmen.

Wenn man es jedoch nicht ernst nimmt und nicht den entsprechenden Respekt zollt, wird man physisch bedroht, und das in einem Ausmaß, zu dem sich seit dem Mittelalter keine andere Religion mehr verstiegen hat. Man muss sich fragen, warum solche Gewalt nötig ist. Reicht es nicht, mit Mueller zu sagen: »Wenn einer von euch Clowns irgendwo recht hat, dann wandern die Karikaturisten doch sowieso in die Hölle – reicht das nicht? Wenn ihr euch in der Zwischenzeit über Angriffe auf Muslime aufregen wollt, dann lest mal die Berichte von Amnesty International über Syrien und Saudi-Arabien.«

Vielen Menschen ist auch aufgefallen, welcher Kontrast zwischen der hysterischen »Verletztheit« der Muslime und der bereitwilligen Veröffentlichung judenfeindlicher Karikaturen in arabischen Medien besteht. In Pakistan wurde bei einer Demonstration gegen die dänischen Karikaturen eine Frau in schwarzer Burka mit einem Transparent fotografiert, auf dem stand: »Gott segne Hitler.«

Als Reaktion auf dieses ganze hektische Chaos bedauerten anständige liberale Zeitungen die Gewalt und legten symbolische Bekenntnisse zur Meinungsfreiheit ab. Gleichzeitig drückten sie aber »Respekt« und »Mitgefühl« für die »Beleidigung« und »Verletzung« aus, unter denen die Muslime »gelitten« hätten. Wie gesagt: Die »Verletzung« und das »Leiden« bestanden nicht darin, dass irgendein Mensch Gewalt oder echte Schmerzen erlitten hätte: Es waren nur ein paar Linien aus Druckerschwärze in einer Zeitung, von der außerhalb Dänemarks nie jemand etwas gehört hätte, wenn das Chaos nicht mit einer gezielten Kampagne geschürt worden wäre.

Ich bin nicht dafür, jemanden nur um der Sache selbst willen zu beleidigen oder zu verletzen. Aber für mich ist es faszinierend und rätselhaft, dass die Religion in unserer ansonsten säkularen Gesellschaft derart unverhältnismäßige Vorrechte genießt. Alle Politiker müssen sich respektlose Karikaturen ihrer Gesichter gefallen lassen, und niemand geht zu ihrer Verteidigung auf die Straße. Was ist das Besondere an der Religion, dass wir ihr einen so einzigartigen Respekt entgegenbringen? H. L. Mencken sagte einmal: »Wir müssen die Religion des anderen respektieren, aber nur in dem Sinn und dem Umfang, wie wir auch seine Theorie respektieren, wonach seine Frau hübsch ist und seine Kinder klug sind.«

Vor dem Hintergrund dieses beispiellosen Respektsanspruchs der Religion gebe ich hiermit für dieses Buch meine eigene Erklärung ab: Ich werde mich nicht dazu hinreißen lassen, jemanden zu beleidigen, aber ich werde auch keine Samthandschuhe anziehen und die Religion nicht sanfter behandeln, als ich es mit allem anderen tun würde.

2 Die Gotteshypothese

Die Religion des einen Zeitalters ist die literarische Unterhaltung des nächsten.

Ralph Waldo Emerson

Der Gott des Alten Testaments ist – das kann man mit Fug und Recht behaupten – die unangenehmste Gestalt in der gesamten Literatur: Er ist eifersüchtig und auch noch stolz darauf; ein kleinlicher, ungerechter, nachtragender Überwachungsfanatiker; ein rachsüchtiger, blutrünstiger ethnischer Säuberer; ein frauenfeindlicher, homophober, rassistischer, Kinder und Völker mordender, ekliger, größenwahnsinniger, sadomasochistischer, launisch-boshafter Tyrann. Wer von Kindheit an in seinen Methoden geschult wurde, ist vielleicht unempfindlich gegen ihre Entsetzlichkeit geworden. Klarer sieht der naive Mensch, der mit der Sichtweise des Unwissenden gesegnet ist. Winston Churchills Sohn Randolph schaffte es irgendwie, lange in Unkenntnis der Bibel zu bleiben. Doch dann unternahmen Evelyn Waugh und ein Regimentskamerad einen vergeblichen Versuch, den jungen Mann ruhigzustellen, mit dem sie im Krieg gemeinsam abkommandiert waren: Sie wetteten mit ihm, er könne unmöglich die ganze Bibel in vierzehn Tagen durchlesen. »Leider war das Ergebnis nicht wie erhofft. Er hatte zuvor noch nie etwas daraus gelesen und ist jetzt schrecklich aufgeregt; ständig liest er uns laut Zitate vor, mit der Bemerkung ›Wetten, dass ihr nicht wusstet, dass das in der Bibel steht‹. Oder er schlägt sich einfach auf die Seite und schnaubt: ›Mein Gott, ist das ein beschissener Gott!‹«[18] Eine ähnliche Ansicht vertrat auch der – belesenere – Thomas Jefferson: Er bezeichnete den Gott des Moses als »entsetzliche Gestalt – grausam, rachsüchtig, launisch und ungerecht.«

Ein so leichtes Ziel anzugreifen ist unfair. Die Gotteshypothese sollte weder mit Jahwe, ihrer abstoßendsten Verkörperung, stehen und fallen noch mit ihrem fade-entgegengesetzten christlichen Gesicht, dem »sanften Jesus, lieb und mild«. (Um abermals fair zu sein: Diese Muttersöhnchengestalt verdankt ihren viktorianischen Jüngern mehr als Jesus selbst. Kann irgendetwas anderes so viel süßliche Übelkeit hervorrufen wie »Christenkinder müssen sein/sanft gehorsam, gut wie er« von Mrs. C. F. Alexander?) Mein Angriff gilt nicht den besonderen Eigenschaften von Jahwe, Jesus oder Allah und auch keinem anderen einzelnen Gott wie Baal, Zeus oder Wotan. Ich möchte die Gotteshypothese, damit sie besser zu verteidigen ist, wie folgt definieren: *Es gibt eine übermenschliche, übernatürliche Intelligenz, die das Universum und alles, was darin ist, einschließlich unserer selbst, absichtlich gestaltet und erschaffen hat.*

In diesem Buch wird dagegen eine ganz andere Ansicht vertreten: *Jede kreative Intelligenz, die ausreichend komplex ist, um irgendetwas zu gestalten, entsteht ausschließlich als Endprodukt eines langen Prozesses der allmählichen Evolution.* Da kreative Intelligenz durch Evolution entstanden ist, tritt sie im Universum zwangsläufig erst sehr spät in Erscheinung. Sie kann das Universum deshalb nicht entworfen haben. Gott im eben definierten Sinn ist eine Illusion – und zwar, wie in späteren Kapiteln deutlich werden wird, eine gefährliche Illusion.

Da die Gotteshypothese sich nicht auf Belege stützt, sondern auf lokale Überlieferungen und private Offenbarungen, ist es nicht verwunderlich, dass sie in vielen Versionen existiert. Religionshistoriker erkennen eine Entwicklung vom primitiven Stammesanimismus über polytheistische Religionen wie bei Griechen, Römern und Wikingern bis zum Monotheismus des Judentums und seiner Abkömmlinge, des Christentums und des Islam.

Polytheismus

Warum der Wechsel vom Polytheismus zum Monotheismus eine ganz offensichtlich fortschrittliche Verbesserung darstellen soll, ist nicht geklärt. Allgemein wird das aber angenommen – was Ibn Warraq (den Autor von *Warum ich kein Muslim bin*) zu der scharfsinnigen Vermutung veranlasste, der Monotheismus sei seinerseits dazu verurteilt, noch einen weiteren Gott abzugeben und zum Atheismus zu werden. Die *Catholic Encyclopedia* tut Polytheismus und Atheismus in dem gleichen unbekümmerten Atemzug ab: »Der formelle, dogmatische Atheismus widerlegt sich selbst und hat *de facto* nie die durchdachte Zustimmung einer nennenswerten Zahl von Menschen erlangt. Ebenso kann der Polytheismus, so leicht er auch in der volkstümlichen Fantasie Fuß fassen mag, nie den Geist eines Philosophen befriedigen.«[19]

Der monotheistische Chauvinismus war bis vor kurzem in den englischen und schottischen Gesetzen über gemeinnützige Organisationen festgeschrieben: Darin wurden polytheistische Religionen diskriminiert, wenn es um die Steuerbefreiung ging, während es Organisationen, die monotheistische Religionen vertraten, leicht gemacht wurde; diesen blieb die rigorose Überprüfung erspart, der säkulare gemeinnützige Organisationen unterworfen wurden. Ich hätte nicht übel Lust, einen Vertreter der angesehenen britischen Hindugemeinde zu einer gerichtlichen Klage zu veranlassen, um diese hochnäsige Diskriminierung des Polytheismus in einem Gerichtsverfahren einmal überprüfen zu lassen.

Viel besser wäre es natürlich, Religion überhaupt nicht mehr wegen Gemeinnützigkeit zu fördern. Dies wäre für die

Gesellschaft von großem Nutzen, insbesondere in den Vereinigten Staaten, wo die Summe der steuerfreien Gelder, die von den Kirchen aufgesogen werden und die in die ohnehin dicken Brieftaschen gut bezahlter Fernsehevangelisten fließen, ein nur noch als obszön zu bezeichnendes Ausmaß erreicht. Der zutreffend so benannte Oral Roberts erzählte seinem Fernsehpublikum einmal, Gott werde ihn töten, wenn die Zuschauer ihm nicht acht Millionen Dollar spendeten. Unglaublich, aber wahr: Es klappte. Steuerfrei! Roberts selbst ist immer noch putzmunter, und das Gleiche gilt für seine »Oral Roberts University« in Tulsa (Oklahoma). Deren Gebäude mit einem Wert von 250 Millionen Dollar wurden von Gott selbst mit folgenden Worten in Auftrag gegeben: »Wecket eure Studenten auf, damit sie Meine Stimme hören, damit sie dorthin gehen, wo Mein Licht schwach ist, wo Meine Stimme nur leise erklingt, wo Meine Heilkraft nicht bekannt ist, bis an die äußersten Enden der Erde. Ihre Werke werden größer sein als eure, und darin bin Ich erfreut.«

Bei genauerem Nachdenken hätte mein imaginärer Hindu-Kläger ebenso gut nach dem Motto »Wenn du sie nicht besiegen kannst, schließ dich ihnen an« handeln können. Dann wäre sein Polytheismus eigentlich keiner, sondern nur ein verschleierter Monotheismus. Es gibt nur einen Gott – Gott Brahma, den Schöpfer, Gott Vishnu, den Erhalter, Gott Shiva, den Zerstörer, die Göttinnen Saraswati, Laxmi und Parvati (die Gattinnen von Brahma, Vishnu und Shiva), Gott Ganesh den Elefanten, und Hunderte andere, die alle nur verschiedene Ausdrucksformen oder Inkarnationen des einen Gottes sind.

Christen sollten sich für solche Haarspaltereien eigentlich erwärmen können. Denn ganze Ströme mittelalterlicher Tinte – von Blut ganz zu schweigen – wurden über das »Geheimnis« der Dreifaltigkeit vergossen, aber auch zur Unterdrückung von Abweichungen wie der arianischen Ketzerei. Arius von Alexandria leugnete im 4. Jahrhundert n. Chr., dass Jesus *gleichen*

Wesens (das heißt von der gleichen Substanz oder Wesensform) sei wie Gott. Nun fragt man sich vielleicht: Was mag das bedeuten? Substanz? Was für eine »Substanz«? Was genau ist mit »Wesensform« gemeint? Die einzig vernünftige Antwort lautet anscheinend: sehr wenig. Dennoch spaltete der Streit darum die Christenheit ein volles Jahrhundert lang, und Kaiser Konstantin befahl, alle Exemplare von Arius' Buch zu verbrennen. Haare und damit die Christenheit spalten – so hat es die Theologie schon immer gemacht.

Haben wir nun einen Gott in drei Teilen oder drei Götter in einem? Diese Frage beantwortet uns die *Catholic Encyclopedia* mit einem Meisterstück scharfsinniger Argumentation:

> In der Einheit der Gottheit sind drei Personen: der Vater, der Sohn und der Heilige Geist. Diese drei Personen sind wirklich voneinander unterschiedlich. Oder mit den Worten des Athanasischen Glaubensbekenntnisses: »So ist der Vater Gott, der Sohn Gott, der Heilige Geist Gott. Und doch sind es nicht drei Götter, sondern ein Gott.«

Als wäre das nicht schon eindeutig genug, zitiert die *Encyclopedia* auch noch St. Gregorius den Wundertäter, einen Theologen aus dem 3. Jahrhundert:

> Es gibt deshalb in der Dreifaltigkeit nichts Erschaffenes, nichts, das etwas anderem unterliegt: Ebenso gibt es nichts, das hinzugefügt wurde, als hätte es einst nicht existiert und wäre erst später hinzugekommen: Deshalb war der Vater nie ohne den Sohn und der Sohn nie ohne den Heiligen Geist: Und diese gleiche Dreifaltigkeit ist für alle Zeiten unwandelbar und unveränderlich.

Welchen Wundern der heilige Gregorius seinen Beinamen auch verdanken mag, Wunder der ehrlichen Klarheit waren es sicher nicht. Seine Worte vermitteln den typischen vernebelnden Beigeschmack der Theologie, an dem sich – anders als in der Naturwissenschaft oder in den meisten anderen Wissensgebieten – seit achtzehn Jahrhunderten nichts verändert hat. Thomas Jefferson hatte wie so oft recht, als er sagte: »Die einzige Waffe, die man gegen unverständliche Aussagen einsetzen kann, ist der Spott. Vorstellungen müssen klar umrissen sein, erst dann kann die Vernunft sich mit ihnen beschäftigen; und von der Dreieinigkeit hatte kein Mensch jemals eine klar umrissene Vorstellung. Es ist nur das Abrakadabra jener Scharlatane, die sich als Priester Jesu bezeichnen.«

Auch zu einem anderen Thema kann ich mir eine Bemerkung nicht verkneifen: Die Religionsvertreter stellen mit anmaßender Selbstsicherheit Behauptungen über winzigste Einzelheiten auf, für die sie keinerlei Beleg haben und auch nicht haben können. Ohnehin fördert vielleicht gerade die Tatsache, dass theologische Meinungen durch nichts belegt werden, die charakteristische drakonische Feindseligkeit gegenüber Personen mit geringfügig abweichenden Ansichten, übrigens besonders auf dem Gebiet der Dreifaltigkeitslehre.

In seiner Kritik des Calvinismus überhäufte Jefferson die Lehre, »dass es drei Götter gibt«, wie er es formulierte, mit Hohn und Spott. Doch gerade der römisch-katholische Zweig des Christentums entwickelt den Dauerflirt mit dem Polytheismus in Richtung einer ungezügelten Inflation weiter. Die Dreifaltigkeit wird (oder *werden* sie?) durch Maria erweitert, die »Himmelskönigin«, die in allem außer ihrem Namen eine Göttin ist und als Ziel der Gebete hinter Gott selbst nur ganz knapp an zweiter Stelle steht. Weiter aufgeblasen wird das Pantheon durch eine Armee von Heiligen, die mit ihrer Fähigkeit zu übernatürlichen Eingriffen vielleicht keine Halbgötter, aber doch lohnende Ziele von Bitten in ihren jeweiligen Spezialgebieten sind. Das Catholic Community Forum führt eine sehr hilfreiche Liste von 5120 Heiligen auf.[20] Das Spektrum der

Fachgebiete reicht dabei von Bauchschmerzen über Misshand-
lungsopfer, Magersucht, Waffenhändler, Schmiede, Knochen-
brüche und Bombentechniker bis zu Darmerkrankungen.
Außerdem dürfen wir nicht die vier Chöre der himmlischen
Heerscharen vergessen, die sich in neun Ordnungen gliedern:
Seraphim, Cherubim, Throne, Gewalten, Tugenden, Mächte,
Fürstentümer, Erzengel (die Chefs aller Engel) und die einfachen Engel, darunter unsere alten Freunde, die stets wachsa-
men Schutzengel. Mich beeindruckt an der katholischen My-
thologie zum einen dieser geschmacklose Kitsch, vor allem
aber die lässige Unbekümmertheit, mit der die Details beschrieben werden. Das alles ist schamlos erfunden.

Papst Johannes Paul II. erzeugte mehr Heilige als alle seine
Vorgänger aus den vergangenen Jahrhunderten zusammen,
und eine besondere Zuneigung verband ihn mit der Jungfrau
Maria. Auf dramatische Weise offenbarten sich seine polytheis-
tischen Sehnsüchte 1981, als er in Rom einen Attentatsversuch
überlebte und seine Rettung auf einen Eingriff Unserer lieben
Frau von Fatima zurückführte: »Eine mütterliche Hand hat die
Kugel gelenkt.« Da muss schon die Frage erlaubt sein, warum
die Kugel nicht so gelenkt wurde, dass sie ihn völlig verfehlte.
Andere würden meinen, dass dem Chirurgenteam, das ihn anschließend sechs Stunden lang operierte, zumindest ein Teil des
Verdienstes gebührt. Entscheidend ist aber, dass es nicht einfach Unsere liebe Frau war, die nach Ansicht des Papstes die
Kugel gelenkt hatte, sondern Unsere liebe Frau *von Fatima*. Ver-
mutlich waren Unsere liebe Frau von Lourdes, Unsere liebe
Frau von Guadeloupe, Unsere liebe Frau von Medjugorje, Unsere liebe Frau von Akita, Unsere liebe Frau von Zeitoun, Unsere liebe Frau von Garabandanal und Unsere liebe Frau von
Knock gerade mit anderen Aufträgen beschäftigt.

Wie kamen nur die Griechen, Römer und Wikinger mit solchen polytheologischen Zwickmühlen zurecht? War Venus nur
ein anderer Name für Aphrodite, oder waren es zwei verschie-

dene Liebesgöttinnen? War Thor mit seinem Hammer eine Ausdrucksform von Wotan oder ein anderer Gott? Wen kümmert es schon? Das Leben ist zu kurz, als dass man sich mit der Unterscheidung zwischen einem Fantasieprodukt und vielen anderen Fantasieprodukten herumschlagen sollte. Nachdem ich nun meine Verbeugung vor dem Polytheismus gemacht und damit den Vorwurf der Missachtung entkräftet habe, werde ich darüber keine weiteren Worte mehr verlieren. Der Einfachheit halber werde ich von nun an alle Gottheiten, ob poly- oder monotheistisch, als »Gott« bezeichnen. Ich bin mir auch bewusst, dass der Gott Abrahams aggressiv männlich ist (um es vorsichtig auszudrücken), und werde diese Konvention in meinem Gebrauch der Substantive berücksichtigen. Raffiniertere Theologen behaupten allerdings, Gott habe kein Geschlecht, und manche feministischen Theologinnen machen Gott weiblich, um historische Ungerechtigkeiten auszugleichen. Aber was ist eigentlich der Unterschied zwischen einer nicht existierenden Frau und einem nicht existierenden Mann? An der unglaublich irrealen Schnittstelle zwischen Theologie und Feminismus ist vermutlich die Existenz tatsächlich unwichtiger als das Geschlecht.

Mir ist durchaus bewusst, dass man den Religionskritikern vorwerfen kann, sie übersähen die Vielfalt der Traditionen und Weltanschauungen, die man als religiös bezeichnet. Anthropologisch orientierte Bücher – von James Frazers *The Golden Bough (Der goldene Zweig)* über Pascal Boyers *Religion Explained (Und Mensch schuf Gott)* bis *In Gods We Trust* (»Wir vertrauen auf Götter«) von Scott Atran – dokumentieren auf faszinierende Weise die bizarre Phänomenologie von Aberglauben und Ritualen. Wer solche Bücher liest, kommt nicht umhin, über die Vielgestaltigkeit der menschlichen Einfalt zu staunen.

Doch darum geht es in diesem Buch nicht. Ich wende mich gegen den Supernaturalismus in allen seinen Formen, und dabei ist es am wirksamsten, wenn ich mich auf die Form konzentriere, die meinen Lesern höchstwahrscheinlich am vertrautesten ist und die sich am bedrohlichsten auf alle unsere Gesellschaften auswirkt. Die meisten Leser sind sicher mit einer der drei heutigen »großen« monotheistischen Religionen (oder vier, wenn man das Mormonentum mitzählt) aufgewachsen, die sich auf den mythologischen Vorvater Abraham berufen. Es kann nicht schaden, diese Familie von Traditionen bei der weiteren Lektüre im Hinterkopf zu behalten.

Dies ist auch ein guter Augenblick, um einer unvermeidlichen Erwiderung auf das Buch zuvorzukommen – einer Erwiderung, die sonst so sicher wie das Amen in der Kirche in einer Rezension auftauchen würde: »Der Gott, an den Dawkins nicht glaubt, ist einer, an den auch ich nicht glaube. Ich glaube nicht an einen alten Mann mit weißem Rauschebart, der oben im Himmel wohnt.« Dieser alte Mann ist nur eine belanglose Ablenkung, und sein Bart ist so langweilig, wie er lang ist. In Wirklichkeit ist diese Ablenkung aber viel schlimmer als belanglos: Mit ihrer genau berechneten Dummheit soll sie davon ablenken, dass das, was der Sprecher wirklich glaubt, nicht weniger dumm ist. Ich weiß, dass Sie nicht an einen alten Mann mit Bart auf einer Wolke glauben, also vergeuden wir damit keine Zeit. Ich greife nicht eine bestimmte Version von Gott oder Göttern an. Ich wende mich gegen Gott, alle Götter, alles Übernatürliche, ganz gleich, wo und wann es erfunden wurde oder noch erfunden werden wird.

Monotheismus

Das große unsagbare Übel im Mittelpunkt unserer Kultur ist der Monotheismus. Aus einem barbarischen bronzezeitlichen Text, der unter dem Namen Altes Testament bekannt ist, haben sich drei menschenfeindliche Religionen entwickelt: das Judentum, das Christentum und der Islam. Es sind Himmelsgott-Religionen. Sie

sind im wahrsten Sinne des Wortes patriarchalisch – Gott ist der
allmächtige Vater –, und deshalb werden Frauen in den Ländern,
die von dem Himmelsgott und seinen irdischen männlichen Ver-
tretern heimgesucht waren, 2000 Jahre lang verachtet.

Gore Vidal

Die älteste abrahamitische Religion und der eindeutige Vor-
fahre der beiden anderen ist das Judentum. Es war ursprünglich
ein Stammeskult um einen einzigen, äußerst unangenehmen
Gott, voller krankhafter Versessenheit auf sexuelle Beschrän-
kungen, mit dem Geruch verbrannten Fleisches, mit einem
Überlegenheitsgefühl gegenüber Konkurrenzgöttern und mit
der Exklusivität des auserwählten Wüstenstammes. Während
der römischen Besetzung Palästinas gründete Paulus von Tarsus
das Christentum als eine weniger gnadenlose, monotheistische
Sekte des Judentums, die auch weniger exklusiv war und über
die Juden hinaus in die übrige Welt blickte. Einige Jahrhunderte später kehrten Mohammed und seine Anhänger zum
kompromisslosen Monotheismus des jüdischen Vorbilds zurück, nicht aber zu seiner Exklusivität; sie gründeten den Islam
mit dem Koran als neuem heiligen Buch und nahmen zur Ausbreitung ihres Glaubens eine starke Ideologie der militärischen
Eroberungen hinzu. Auch das Christentum wurde mit dem
Schwert verbreitet; dieses wurde zunächst von römischen Händen geführt, nachdem Kaiser Konstantin die neue Lehre von
einem exzentrischen Kult zu einer offiziellen Religion gemacht
hatte, später dann von Kreuzrittern, noch später von den *con-*
quistadores und anderen europäischen Invasoren und Kolonial-
herren mit ihrer missionarischen Begleitung. In meinem Zusammenhang kann man die drei abrahamitischen Religionen
fast immer als ununterscheidbar betrachten. Wenn ich nicht
ausdrücklich etwas anderes sage, habe ich meistens das Christentum im Kopf, aber das liegt nur daran, dass mir diese Version
zufällig am vertrautesten ist. Für mich spielen die Unterschiede

eine geringere Rolle als die Ähnlichkeiten. Und mit anderen Religionen wie Buddhismus und Konfuzianismus werde ich mich überhaupt nicht befassen. Es spricht sogar einiges dafür, diese gar nicht als Religionen anzusehen, sondern als ethische Systeme oder Lebensphilosophien.

Damit die einfache Definition der Gotteshypothese, die ich an den Anfang gestellt habe, den abrahamitischen Gott beschreibt, muss sie noch beträchtlich ausgebaut werden. Er hat das Universum nicht nur erschaffen, sondern er ist ein *persönlicher* Gott, der darin oder vielleicht auch außerhalb davon (was immer das bedeuten mag) wohnt und die unangenehmen menschlichen Eigenschaften besitzt, auf die ich bereits angespielt habe.

Zu dem deistischen Gott eines Voltaire oder Thomas Paine gehören keine – angenehmen oder unangenehmen – persönlichen Eigenschaften. Im Vergleich zu dem psychotischen Übeltäter des Alten Testaments ist der Gott der Aufklärung aus dem 18. Jahrhundert ein viel prachtvolleres Wesen: Er ist seiner kosmischen Schöpfung würdig, weit erhaben über das Interesse für unsere menschlichen Angelegenheiten, erhaben über unsere privaten Gedanken und Hoffnungen, völlig desinteressiert am Chaos unserer Sünden und gemurmelten Reue. Der deistische Gott ist ein Physiker, der alle Physik zum Ende bringt, das Alpha und Omega der Mathematiker, die Apotheose der Techniker; ein Über-Ingenieur, der die Gesetze und Konstanten des Universums eingerichtet hat; er hat sie mit höchster Genauigkeit und Vorwissen abgestimmt, hat das gezündet, was wir heute als Urknall bezeichnen würden, und sich dann zur Ruhe gesetzt. Seitdem haben wir nie mehr von ihm gehört.

In Zeiten stärkeren Glaubens wurden Deisten mit Atheisten gleichgesetzt und verunglimpft. Susan Jacoby führt in *Freethinkers: A History of American Secularism* (»Freidenker: Eine Geschichte des amerikanischen Säkularismus«) eine kleine Auswahl von Schimpfwörtern auf, mit denen der arme Thomas

Paine bedacht wurde: »Judas, Reptil, Schwein, verrückter Hund, Laus, Erzfeind, Bestie, Lügner, und natürlich Ungläubiger«. Paine starb verlassen von seinen früheren politischen Freunden (mit der ehrenwerten Ausnahme von Thomas Jefferson), denen seine christenfeindlichen Ansichten peinlich waren. Heute haben sich die Verhältnisse so weit gewandelt, dass Deisten eher in Gegensatz zu Atheisten gesetzt und mit den Theisten in einen Topf geworfen werden. Immerhin glauben auch sie an ein höheres Wesen, das das Universum erschaffen hat.

Säkularismus, die Gründerväter und die Religion Nordamerikas

Allgemein nimmt man an, die Gründerväter der Amerikanischen Republik hätten sich zum Deismus bekannt. Für viele von ihnen trifft das zweifellos zu, aber es wurde auch die Ansicht vertreten, die bekanntesten unter ihnen seien Atheisten gewesen. Ihre Schriften über Religion lassen jedenfalls bei mir vor dem Hintergrund ihrer eigenen Zeit keinen Zweifel aufkommen, dass sie heute Atheisten wären. Aber welche religiösen Ansichten sie persönlich auch zu ihrer Zeit gehabt haben mögen, eines ist allen gemeinsam: Sie waren *Säkularisten*, und diesem Thema möchte ich mich im nun folgenden Abschnitt zuwenden. Ich beginne mit einem – vielleicht überraschenden – Zitat des Senators Barry Goldwater aus dem Jahr 1981, in dem sehr deutlich wird, wie der Präsidentschaftskandidat und Held des amerikanischen Konservativismus die säkulare Tradition aus der Gründerzeit der Republik hochhielt:

> In keiner anderen Haltung sind die Menschen so unbeweglich wie in ihren religiösen Überzeugungen. Man kann in einer Diskussion keinen mächtigeren Verbündeten für sich

beanspruchen als Jesus Christus oder Gott oder Allah, oder wie man dieses höhere Wesen sonst nennen mag. Aber wie jede wirksame Waffe, so sollte man auch Gottes Namen im eigenen Interesse nur sparsam einsetzen. Die religiösen Gruppen, die überall in unserem Land heranwachsen, gehen nicht klug mit ihrer Macht um. Sie wollen die Regierungsmitglieder zwingen, sich zu hundert Prozent ihrer Position anzuschließen. Wenn man in einer bestimmten ethischen Frage nicht mit diesen religiösen Gruppen übereinstimmt, beklagen sie sich und drohen mit dem Verlust von Geld und Wählerstimmen. Ehrlich gesagt, bin ich es leid, dass politische Prediger überall in diesem Land mir als Bürger sagen, wenn ich ein moralischer Mensch sein wolle, müsse ich an A, B, C oder D glauben. Für wen halten die sich eigentlich? Woher nehmen sie das Recht, mir ihre moralischen Überzeugungen aufzuzwingen? Noch wütender bin ich als Gesetzgeber, der die Drohungen aller möglichen religiösen Gruppen ertragen muss, weil sie glauben, sie hätten das gottgegebene Recht, bei jeder Abstimmung im Senat über meine Stimme zu bestimmen. Ich warne sie heute: Ich werde sie auf jedem Schritt des Weges bekämpfen, wenn sie versuchen, ihre moralischen Überzeugungen im Namen des Konservativismus allen Amerikanern vorzuschreiben.[21]

Die religiösen Überzeugungen der Gründerväter sind heute für die Propagandisten der amerikanischen Rechten von großer Bedeutung, denn diese sind eifrig darauf bedacht, ihre Version der Geschichte durchzusetzen. Entgegen ihren Behauptungen wurde schon frühzeitig festgehalten, dass die Vereinigten Staaten *nicht* als christliche Nation gegründet wurden. Im Vertrag mit Tripoli, der 1796 unter George Washington entworfen und 1797 von John Adams unterzeichnet wurde, steht:

Da die Regierung der Vereinigten Staaten nicht in irgendeinem Sinn auf die christliche Religion gegründet ist; da sie in sich nicht den Charakter der Feindschaft gegen Gesetze, Religion oder Seelenfrieden der Muselmanen trägt; und da die besagten Staaten sich niemals an einem Krieg oder Feindseligkeiten gegen irgendeine mohammedanische Religion beteiligt haben, wird von den Parteien erklärt, dass kein aus religiösen Ansichten erwachsender Vorwand jemals zu einer Störung der Harmonie zwischen den beiden Ländern führen soll.

Die einleitenden Worte aus diesem Zitat würden in der heutigen herrschenden Klasse in Washington einen Aufruhr verursachen. Aber wie Ed Buckner überzeugend nachweisen konnte, waren sie zu jener Zeit weder unter Politikern noch in der Öffentlichkeit ein Anlass für Meinungverschiedenheiten.[22]

Auch ist nicht unbemerkt geblieben, dass die Vereinigten Staaten mit ihren säkularen Grundlagen paradoxerweise heute das am stärksten religiöse Land der ganzen Christenheit sind, während England mit einer etablierten Staatskirche und dem verfassungsmäßigen Monarchen an ihrer Spitze diesbezüglich am unteren Ende des Spektrums rangiert. Ich werde immer wieder gefragt, warum das so ist, aber ich weiß es nicht. Nach meiner Vermutung war man in England nach einer widerwärtigen Geschichte der Glaubenskonflikte, in der Protestanten und Katholiken abwechselnd die Oberhand gewannen und dann die Vertreter der anderen Seite systematisch ermordeten, der Religion einfach überdrüssig.

Eine andere Vermutung stützt sich auf die Tatsache, dass die Vereinigten Staaten eine Einwanderernation sind. Ein Kollege machte mich darauf aufmerksam, dass entwurzelte Immigranten, nachdem sie Stabilität und Annehmlichkeiten der Großfamilie in Europa hinter sich gelassen hatten, im fremden Land in der Kirche möglicherweise einen Familienersatz sahen. Das ist ein interessanter Gedanke, dessen weitere Untersuchung sich lohnen würde. Jedenfalls besteht kein Zweifel, dass die lokale Kirchengemeinde, die tatsächlich Merkmale einer Großfamilie hat, für viele Amerikaner ein wichtiges Stück ihrer Identität darstellt.

Einer weiteren Hypothese zufolge ist die Religiosität der Amerikaner paradoxerweise gerade auf den säkularen Charakter ihrer Verfassung zurückzuführen: Gerade weil die Vereinigten Staaten juristisch ein säkulares Land sind, wurde die Religion zu einer Branche mit Zügen des freien Unternehmertums. Verschiedene Kirchen konkurrieren – nicht zuletzt wegen der damit verbundenen Einnahmen – um die einzelnen Gemeinden, und der Wettbewerb wird dabei mit allen aggressiven Verkaufspraktiken einer freien Marktwirtschaft geführt. Was mit Seifenpulver funktioniert, funktioniert auch mit Gott, und die Folgen grenzen heute in den weniger gebildeten Schichten geradezu an religiöse Manie. In England dagegen ist Religion unter der Ägide einer festgefügten Kirche kaum mehr als ein angenehmer geselliger Zeitvertreib, an dem man fast gar nichts Religiöses erkennt. Diese englische Tradition brachte Giles Fraser, ein anglikanischer Vikar, der nebenher in Oxford als Dozent für Philosophie tätig ist, sehr hübsch im *Guardian* zum Ausdruck. Sein Artikel trägt den Untertitel »Bei der Gründung der Kirche von England wurde Gott aus der Religion verbannt, aber eine aktivere Glaubenshaltung hat auch ihre Gefahren«:

Es gab einmal eine Zeit, da gehörte der Landgeistliche zum Inventar der englischen Dramatis personae. Der Tee trinkende, freundliche Exzentriker mit polierten Schuhen und untadeligen Manieren repräsentierte eine Form der Religion, bei der unreligiöse Menschen sich nicht unwohl fühlten. Er brach nicht in existenziellen Schweiß aus und drängte einen nicht in die Ecke, um dann zu fragen, ob man errettet sei, und noch weniger führte er von der Kanzel einen

Kreuzzug oder legte im Namen irgendeiner höheren Macht Bomben an den Straßenrand.[23]

(Damit ist er ein Kollege von Betjemans »Our Padre«, den ich am Anfang von Kapitel 1 zitiert habe.) Weiter schreibt Fraser: »Dieser freundliche Landgeistliche impfte Heerscharen von Engländern sehr wirksam gegen das Christentum.« Am Ende seines Artikels beklagt er einen neueren Trend in der Kirche von England, die Religion wieder ernst zu nehmen, und sein letzter Satz ist eine Warnung: »Es besteht Anlass zu der Sorge, dass wir den Geist des englischen religiösen Fanatismus wieder aus der bürgerlichen Flasche lassen, in der er seit Jahrhunderten eingeschlossen war.«

In Amerika feiert der Geist des religiösen Fanatismus heute fröhliche Urständ – die Gründerväter wären entsetzt gewesen. Ob es nun paradoxerweise tatsächlich an der von ihnen entworfenen säkularen Verfassung liegt oder nicht, die Begründer der Vereinigten Staaten selbst waren mit ziemlicher Sicherheit Säkularisten, nach deren Überzeugung man die Religion aus der Politik heraushalten sollte. Das allein reicht, um sie eindeutig an die Seite derer zu stellen, die etwas dagegen haben, beispielsweise die Zehn Gebote auf staatseigenen öffentlichen Plätzen demonstrativ zur Schau zu stellen. Faszinierend sind aber auch Spekulationen, wonach manche Gründerväter vielleicht über den Deismus hinausgingen. Könnten sie Agnostiker oder vielleicht sogar eingefleischte Atheisten gewesen sein? Die folgende Aussage von Jefferson unterscheidet sich in nichts von dem, was wir als Agnostizismus bezeichnen würden:

Vom immateriellen Dasein zu sprechen heißt vom *Nichts* zu sprechen. Zu sagen, die Seele des Menschen, die Engel oder Gott seien immateriell, heißt zu sagen, dass sie nichts sind, oder dass es keinen Gott, keine Engel, keine Seele gibt. Anders kann ich vernünftigerweise nicht denken, [...] ohne mich in den bodenlosen Abgrund der Träume und Phantastereien zu stürzen. Ich bin mit den Dingen, die da sind, zufrieden und ausreichend beschäftigt, ohne mich zu quälen oder mir Sorgen zu machen über jene, die es vielleicht tatsächlich gibt, für die ich aber keine Belege habe.

Christopher Hitchens hält es in seiner Biografie *Thomas Jefferson: Author of America* für wahrscheinlich, dass Jefferson Atheist war – und das zu einer Zeit, als es noch viel schwieriger war als heute:

Was die Frage angeht, ob er Atheist war, müssen wir uns mit einem Urteil zurückhalten, und sei es auch nur, weil er während seines politischen Lebens eine gewisse Vorsicht walten lassen musste. Aber wie er schon 1787 an seinen Neffen Peter Carr schrieb, darf man vor dieser Frage nicht aus Angst vor den Konsequenzen zurückschrecken: »Wenn es am Ende zu dem Glauben führt, dass es keinen Gott gibt, wirst du den Anreiz zur Tugend in dem Trost und den angenehmen Gefühlen bei dieser Übung finden, und in der Liebe zu anderen, die sie in dir hervorbringt.«

Besonders bewegend finde ich den folgenden Ratschlag, den Jefferson seinem Neffen in demselben Brief gibt:

Schüttle alle Angst vor den unterwürfigen Vorurteilen ab, unter denen sich schwache Geister so demütig ducken. Setze die Vernunft fest in ihren Sattel und rufe sie als Richterin für alle Tatsachen und jede Meinung an. Stelle voller Kühnheit sogar die Existenz eines Gottes infrage; denn wenn es ihn gibt, muss er der Reverenz an die Vernunft mehr Zustimmung zollen als blinder Furcht.

Bemerkungen von Jefferson wie »Das Christentum ist das perverseste System, das jemals über den Menschen geleuchtet hat« lassen sich sowohl mit dem Deismus als auch mit dem Atheismus vereinbaren. Das Gleiche gilt für James Madisons hemdsärmelige Klerikerfeindlichkeit: »Fast fünfzehn Jahrhunderte lang steht die juristische Institution des Christentums auf dem Prüfstand. Was waren ihre Früchte? Mehr oder weniger überall Überheblichkeit und Trägheit beim Klerus, Unwissenheit und Unterwürfigkeit bei den Laien, Aberglaube, Bigotterie und Schikanen bei beiden.« Genauso könnte man auch Benjamin Franklins Ausspruch »Leuchttürme sind nützlicher als Kirchen« deuten. John Adams war offensichtlich ein stark antiklerikal eingestellter Deist (»Die beängstigenden Apparate der kirchlichen Konzile ...«) und äußerte sich mit einigen besonders prächtigen Tiraden vor allem gegen das Christentum: »Wie ich die christliche Religion verstehe, war und ist sie eine Offenbarung. Aber wie kommt es, dass mit der jüdischen und christlichen Offenbarung Millionen von Fabeln, Märchen und Legenden vermischt wurden, die sie zur blutigsten Religion aller Zeiten gemacht haben?« Und in einem anderen Brief, dieses Mal an Jefferson, schrieb er: »Ich erschaudere fast bei dem Gedanken, auf das schrecklichste Beispiel für den Missbrauch von Trauer anzuspielen, das die Geschichte der Menschheit überliefert hat: das Kreuz. Man bedenke nur, welches Unheil diese Trauermaschine angerichtet hat!«

Ob Jefferson und seine Kollegen nun Theisten, Deisten, Agnostiker oder Atheisten waren, in jedem Fall waren sie auch leidenschaftliche Säkularisten: Nach ihrer Ansicht waren die religiösen Überzeugungen eines Präsidenten oder ihr Fehlen absolut seine Privatangelegenheit. Alle Gründerväter wären unabhängig von ihrem persönlichen religiösen Glauben entsetzt gewesen, wenn sie den Bericht des Journalisten Robert Sherman über ein Gespräch mit George Bush senior gelesen hätten: Als dieser gefragt wurde, ob er bei Amerikanern, die Atheisten sind, den gleichen Bürgersinn und Patriotismus erkennen könne, antwortete er: »Nein, ich finde nicht, dass man Atheisten als Bürger betrachten sollte, und man sollte sie auch nicht für Patrioten halten. Dies ist eine Nation unter Gott.«[24] Geht man davon aus, dass Shermans Bericht stimmt (leider benutzte er kein Tonbandgerät, und der Artikel wurde damals in keiner anderen Zeitung abgedruckt), so kann man ein Experiment machen und das Wort »Atheisten« durch »Juden«, »Muslime« oder »Schwarze« ersetzen. Dann wird klar, welches Ausmaß an Vorurteilen und Diskriminierung Atheisten in den Vereinigten Staaten heute erdulden müssen. Die in der *New York Times* veröffentlichten »Bekenntnisse einer einsamen Atheistin« von Nathalie Angier sind eine traurige, bewegende Beschreibung ihrer Gefühle der Isolation im heutigen Amerika.[25] Tatsächlich ist die Isolation der Atheisten in den Vereinigten Staaten jedoch eine durch Vorurteile heimtückisch kultivierte Illusion. In Wirklichkeit sind Atheisten in den Vereinigten Staaten zahlreicher, als den meisten Menschen klar ist. Wie im Vorwort schon erwähnt, ist ihre Zahl weit größer als die der religiösen Juden, und doch gehört die jüdische Lobby in Washington bekanntermaßen zu den einflussreichsten Kräften. Was könnten die amerikanischen Atheisten nur erreichen, wenn sie sich richtig organisieren würden?*

David Mills erzählt in seinem bewundernswerten Buch *Atheist Universe* (»Das Universum des Atheisten«) eine Geschichte, die man in einem Roman als unrealistische Karikatur

---

* Sehr nachdrücklich betont Tom Flynn, der Redakteur der Zeitschrift *Free Inquiry*, diesen Punkt in »Secularism's Breakthrough Moment«, *Free Inquiry* 26:3 (2006), S. 16 f.: »Wenn wir Atheisten einsam und unterdrückt sind, haben wir uns das ganz allein selbst zuzuschreiben. Zahlenmäßig sind wir stark. Also: werfen wir unser Gewicht in die Waagschale.«

polizeilicher Heuchelei abtun würde. Ein christlicher Wunderheiler betrieb einen »Wunderkreuzzug«, der einmal im Jahr auch in Mills' Heimatstadt kam. Der Heiler forderte unter anderem Diabetiker auf, ihr Insulin wegzuwerfen; Krebspatienten sollten die Chemotherapie aufgeben. Stattdessen sollten sie alle um ein Wunder beten. Vernünftigerweise entschloss sich Mills, eine friedliche Gegendemonstration zu organisieren und die Menschen zu warnen. Aber er machte einen Fehler: Er ging zur Polizei, teilte seine Absicht mit und bat um Polizeischutz gegen mögliche Angriffe von Anhängern des Wunderheilers. Der erste Polizist, mit dem er sprach, fragte: »Willste für ihn oder gegen ihn demonstrieren?« (womit er für oder gegen den Wunderheiler meinte). Als Mills erwiderte: »Gegen ihn«, sagte der Polizist, er werde selbst an dem Umzug des Wunderheilers teilnehmen und Mills persönlich ins Gesicht spucken, wenn er an dessen Demonstration vorüberkäme.

Daraufhin entschloss sich Mills, sein Glück bei einem zweiten Polizeibeamten zu versuchen. Dieser erklärte, wenn ein Anhänger des Wunderheilers Mills tätlich angreife, werde er Mills verhaften, weil er »Gottes Werk zu stören versuche«. Mills ging nach Hause und rief bei der Polizeistation an – in der Hoffnung, bei höheren Diensträngen auf mehr Verständnis zu treffen. Schließlich wurde er mit einem Sergeanten verbunden, der zu ihm sagte: »Geh zum Teufel, du Idiot. Kein Polizist wird einen gottverdammten Atheisten schützen. Ich hoffe, irgendjemand lässt dich schön bluten.« Diplomatische Worte waren in dieser Polizeistation offenbar ebenso Mangelware wie menschliche Freundlichkeit und Pflichtgefühl. Mills berichtet, er habe an jenem Tag mit ungefähr sieben oder acht Polizeibeamten gesprochen. Keiner war hilfsbereit, und die meisten drohten ihm unverblümt mit Gewalt.

Solche Anekdoten über Vorurteile gegen Atheisten gibt es in Hülle und Fülle, aber Margaret Downey, die Gründerin des Anti Discrimination Support Network (ADSN), zeichnet der-

artige Fälle mithilfe der Freethought Society of Greater Philadelphia systematisch auf.[26] Ihre Datenbank mit Vorfällen in
den Kategorien Gemeinde, Schule, Arbeitsplatz, Medien, Familie und Behörden enthält Beispiele von Belästigung, Arbeits-
platzverlust, Meidung durch Angehörige und sogar Mord.[27]
Angesichts ihrer dokumentierten Belege für Hass und Missver-
ständnisse gegenüber Atheisten glaubt man ohne weiteres, dass
es für einen ehrlichen Atheisten in den Vereinigten Staaten
so gut wie unmöglich ist, eine Wahl zu gewinnen. Das Reprä-
sentantenhaus besteht aus 435 Abgeordneten, der Senat hat
100 Mitglieder. Geht man davon aus, dass diese 535 Personen
in ihrer Mehrzahl zu den gebildeten Bevölkerungsgruppen gehören, muss eine beträchtliche Zahl von ihnen schon aus statistischen Gründen Atheisten sein. Um gewählt zu werden, mussten sie lügen oder ihre wahren Gefühle verbergen. Wer mag es
ihnen verdenken angesichts der Wählerschaft, die sie überzeugen mussten? Nach allgemeinem Dafürhalten wäre ein Bekenntnis zum Atheismus für jeden Präsidentschaftskandidaten
politischer Selbstmord.

Über ein solches politisches Klima in den Vereinigten Staaten und seine Folgen wären Jefferson, Washington, Madison,
Adams und all ihre Freunde entsetzt gewesen. Ob sie nun
Atheisten, Agnostiker, Deisten oder Christen waren, vor den
Theokraten im Washington zu Beginn des 21. Jahrhunderts
wären sie erschrocken zurückgewichen. Stattdessen hätten sie
sich zu den säkularen Gründervätern des postkolonialen Indien
hingezogen gefühlt, insbesondere zu dem religiösen Gandhi
(»Ich bin Hindu, ich bin Moslem, ich bin Jude, ich bin Christ,
ich bin Buddhist!«) und zu dem Atheisten Nehru, der einmal
sagte:

Das Schauspiel dessen, was man in Indien und anderswo Religion oder jedenfalls organisierte Religion nennt, hat mich
mit Entsetzen erfüllt; ich habe es oft verurteilt und würde

am liebsten damit aufräumen. Es steht anscheinend immer für blinden Glauben und Reaktion, Dogma und Bigotterie, Aberglauben, Ausbeutung und die Durchsetzung von Gruppeninteressen.

Nehrus Definition des säkularen Indien aus Gandhis Träumen (hätte man es doch nur verwirklicht, statt das Land in einem Blutbad zwischen Glaubensrichtungen zu spalten!) könnte fast aus Jeffersons eigener Feder stammen:

Wir sprechen über das säkulare Indien. [...] Manche Leute glauben, das sei etwas, das sich gegen die Religion richte. Das stimmt natürlich nicht. Es bedeutet, dass ein solcher Staat alle Glaubensrichtungen gleichermaßen achtet und ihnen gleiche Möglichkeiten bietet; Indien hat eine lange Geschichte der religiösen Toleranz. [...] In einem Land wie Indien, das viele Glaubensrichtungen und Religionen beherbergt, kann man echten Nationalismus ausschließlich auf der Grundlage einer säkularen Ordnung aufbauen.[28]

Der deistische Gott, den man häufig mit den Gründervätern der USA in Verbindung bringt, ist sicher eine Verbesserung gegenüber dem Monster aus der Bibel. Doch leider ist die Wahrscheinlichkeit, dass er existiert oder jemals existiert hat, kaum größer. Die Gotteshypothese ist in all ihren Formen überflüssig.* Außerdem wird sie durch die Gesetze der Wahrscheinlichkeit nahezu ausgeschlossen. Ich werde darauf im vierten Kapitel zurückkommen, nachdem ich mich im dritten mit den angeblichen Beweisen für die Existenz Gottes befasst habe. Zunächst jedoch möchte ich mich dem Agnostizismus zuwen-

---

* »Sire, diese Hypothese brauche ich nicht«, sagte Laplace, als Napoleon sich erkundigte, wie der berühmte Mathematiker sein Buch schreiben konnte, ohne Gott zu erwähnen.

den, einschließlich der irrigen Vorstellung, die Existenz oder Nichtexistenz Gottes sei eine Tabufrage, die für alle Zeiten außerhalb des Bereichs der Wissenschaft liege.

Die Armut des Agnostizismus

Der hemdsärmelige Oberchrist, der uns von der Kanzel meiner alten Schulkapelle herab piesackte, bekannte sich zu seinem klammheimlichen Respekt vor den Atheisten. Die hätten wenigstens den Mut, zu ihren falschen Überzeugungen zu stehen. Was dieser Prediger nicht ausstehen konnte, waren Agnostiker: sentimentale, verweichlichte, warmduschende, blässliche Ihr-Fähnchen-nach-dem-Wind-Hänger. Teils hatte er recht, doch aus einem ganz falschen Grund. Nach dem gleichen Prinzip respektierte zum Beispiel nach Angaben von Quentin de la Bédoyère der katholische Historiker Ross Williamson »den überzeugten religiös Gläubigen und auch den überzeugten Atheisten. Seine Verachtung war den rückgratlosen Wischiwaschi-Mittelmäßigen vorbehalten, die irgendwo in der Mitte herumeierten.«[29]

Es ist nicht falsch, Agnostiker zu sein, wenn es weder für die eine noch für die andere Seite handfeste Belege gibt. Dann ist es die vernünftigste Position. Carl Sagan, gefragt, ob es anderswo im Universum Leben gebe, bezeichnete sich voller Stolz als Agnostiker. Als er es ablehnte, sich festzulegen, bedrängte ihn sein Gesprächspartner mit Fragen nach seinem »Bauchgefühl«. Darauf gab Sagan die unsterbliche Antwort: »Eigentlich bemühe ich mich, nicht mit dem Bauch zu denken. Man kann doch mit einem Urteil ruhig so lange warten, bis man etwas in der Hand hat.«[30] Die Frage nach außerirdischem Leben ist offen. Man kann für beide Seiten stichhaltige Argumente anführen, und da wir keine Belege besitzen, können wir nur die Wahrscheinlichkeiten in der einen oder anderen Richtung abschätzen. Ein gewisser Agnostizismus ist die angemessene Haltung in vielen wissenschaftlichen Fragen, beispielsweise wenn es um die Ursachen des großen Aussterbens am Ende des Perm geht, das größte Artensterben der Erdgeschichte. Es könnte auf einen Meteoriteneinschlag zurückzuführen sein, wie er nach heutiger Indizienlage mit größerer Wahrscheinlichkeit das spätere Aussterben der Dinosaurier verursachte. Aber man kann sich auch mehrere andere Ursachen einzeln oder in Kombination vorstellen. In der Frage nach den Ursachen beider Aussterbeereignisse ist Agnostizismus also vernünftig. Doch wie steht es mit der Frage nach Gott? Sollten wir auch da Agnostiker sein? Dies wurde vielfach mit einem klaren Ja beantwortet, und oft schwang dabei eine Selbstsicherheit mit, die an Überheblichkeit grenzte. Ist eine solche Einstellung richtig?

Zunächst möchte ich zwei Formen des Agnostizismus unterscheiden. Ein vorübergehender pragmatischer Agnostizismus (VPA) ist das legitime Abwarten, ob es in der einen oder anderen Richtung eine eindeutige Antwort gibt, zu der wir jedoch bislang mangels Belegen nicht gelangen konnten (oder auch weil wir die Belege nicht verstehen, weil wir noch keine Zeit hatten, die Belege zu lesen, usw.). VPA wäre zum Beispiel in der Frage nach dem Artensterben im Perm ein vernünftiger Standpunkt. Es gibt eine Wahrheit, und irgendwann werden wir sie hoffentlich erfahren; aber im Augenblick kennen wir sie noch nicht.

Es gibt aber auch eine zutiefst unvermeidliche Form des Abwartens, und die bezeichne ich als PPA (prinzipieller permanenter Agnostizismus). PPA eignet sich für Fragen, die sich nie beantworten lassen, ganz gleich, wie viele Belege wir sammeln, einfach weil die Vorstellung, es könnte Belege geben, nicht zutrifft. Die Frage liegt auf einer anderen Ebene oder in einer anderen Dimension außerhalb des Bereichs, der für Beweise zugänglich ist. Als Beispiel kann hier eine alte philosophische

Kamelle dienen, die Frage, ob ein anderer die Farbe Rot genauso sieht wie man selbst. Vielleicht ist dein Rot mein Grün, vielleicht ist es auch ganz anders als alle Farben, die ich mir vorstellen kann. Dies bezeichnen Philosophen häufig als eine Frage, die sich nie beantworten lässt, ganz gleich, welche Belege vielleicht eines Tages zur Verfügung stehen. Und manche Wissenschaftler und andere Intellektuelle sind – nach meiner Überzeugung allzu eifrig – überzeugt, dass auch die Frage nach der Existenz Gottes in die für alle Zeiten unzugängliche PPA-Kategorie gehört. Wie wir noch sehen werden, ziehen sie daraus häufig den unlogischen Schluss, die Hypothese von Gottes Existenz und die Hypothese von Gottes Nichtexistenz könnten mit genau der gleichen Wahrscheinlichkeit richtig sein. Ich werde hier einen ganz anderen Standpunkt vertreten: Der Agnostizismus hinsichtlich der Existenz Gottes gehört eindeutig in die VPA-Kategorie. Entweder Gott existiert, oder er existiert nicht. Es ist eine wissenschaftliche Frage. Eines Tages werden wir die Antwort kennen, und bis es so weit ist, können wir einige sehr stichhaltige Aussagen über die Wahrscheinlichkeit machen.

In der Geistesgeschichte gibt es viele Beispiele für Fragen, von denen man früher glaubte, sie seien der Wissenschaft für alle Zeiten unzugänglich, und später wurden sie dennoch beantwortet. Der berühmte französische Philosoph Comte schrieb 1835 über die Sterne: »Wir werden nie und mit keiner Methode in der Lage sein, ihre chemische Zusammensetzung oder ihren mineralogischen Aufbau zu untersuchen.« Aber schon bevor Comte diese Worte zu Papier brachte, hatte Fraunhofer begonnen, mit seinem Spektroskop die chemische Zusammensetzung der Sonne zu analysieren. Heute widerlegen Wissenschaftler mit Spektralanalysen jeden Tag Comtes Agnostizismus und ermitteln sehr genau die chemische Zusammensetzung auch weit entfernter Sterne.[31] Ganz gleich, welche Stellung Comtes Agnostizismus einnimmt, die Geschichte mahnt zur Vorsicht: Wir sollten zumindest innehalten, bevor wir allzu laut die ewige Wahrheit des Agnostizismus verkünden. Dennoch tun viele Philosophen und Wissenschaftler mit Vergnügen genau das, wenn es um Gott geht. Das begann schon bei T. H. Huxley selbst, der den Begriff überhaupt erst erfand.[32]

Huxley erklärte seine Wortschöpfung, als er sich gegen einen dadurch ausgelösten persönlichen Angriff zur Wehr setzte. Reverend Dr. Wace, der Leiter des Londoner King's College, hatte Hohn und Spott über Huxleys »feigen Agnostizismus« ausgeschüttet:

> Er mag es vorziehen, sich als Agnostiker zu bezeichnen; aber sein wirklicher Name ist älter – er ist ein Abtrünniger; das heißt, ein Ungläubiger. Das Wort »abtrünnig« trägt eine unangenehme Bedeutung. Vielleicht ist das auch richtig so. Für einen Menschen ist es unangenehm und sollte auch unangenehm sein, wenn er klar sagen muss, dass er nicht an Jesus Christus glaubt.

Huxley war nicht der Typ, der eine solche Provokation auf sich sitzen ließ. Seine 1889 verfasste Antwort war so deftig und sarkastisch, wie man es von ihm erwarten würde (auch wenn er nie seine guten Manieren vergaß: Als »Darwins Kettenhund« hatte er seine Zähne mit zivilisierter viktorianischer Ironie geschärft). Nachdem er Dr. Wace seine wohlverdiente Strafe verpasst und die Überreste begraben hatte, kam Huxley auf das Wort »Agnostiker« zurück und erläuterte, wie er darauf verfallen war. Andere, so erklärte er,

> sind sich ganz sicher, dass sie eine gewisse »Gnosis« erlangt haben – dass sie das Rätsel des Daseins mehr oder weniger erfolgreich gelöst hätten; ich war mir ganz sicher, dass es mir nicht gelungen war, und gelangte zu der festen Überzeugung, dass es sich um ein unlösbares Problem handelt. Mit

Hume und Kant an meiner Seite hielt ich mich nicht für voreilig, wenn ich an dieser Überzeugung festhielt. […] Also dachte ich nach und erfand eine Bezeichnung, die ich für zutreffend hielt: den »Agnostiker«.

Im weiteren Verlauf seines Vortrages erklärte Huxley, Agnostiker hätten keinen Glauben, auch keinen negativen:

Der Agnostizismus ist eigentlich kein Glaube, sondern eine Methode, deren Wesen die strenge Anwendung eines einzigen Prinzips ist. […] Dieses Prinzip kann man positiv so ausdrücken: Folge in Fragen des Intellekts deiner Vernunft, so weit sie dich bringt, ohne irgendwelche anderen Überlegungen zu berücksichtigen. Und negativ: Tue in Fragen des Intellekts nicht so, als seien Schlussfolgerungen, die nicht bewiesen oder beweisbar sind, sicher. Das bezeichne ich als agnostische Überzeugung: Wenn ein Mensch ganz er selbst bleiben will, soll er sich nicht schämen, dem Universum ins Gesicht zu sehen, ganz gleich, was die Zukunft für ihn noch bereithalten mag.

Das sind edle Worte für einen Wissenschaftler, und einen T. H. Huxley kritisiert man nicht leichtfertig. Aber als Huxley sich so auf die Unmöglichkeit konzentrierte, Gott zu beweisen oder zu widerlegen, ignorierte er offenbar die Abstufungen der *Wahrscheinlichkeit*. Die Tatsache, dass wir die Existenz von etwas weder beweisen noch widerlegen können, hebt die Existenz und Nichtexistenz dieses Etwas nicht in den gleichen Rang. Ich glaube nicht, dass Huxley mir hier widersprechen würde; als er scheinbar eine andere Ansicht vertrat, machte er nach meiner Vermutung nur einen Rückzieher und gestand einen Punkt zu, um sich einen anderen zu sichern. So etwas hat jeder von uns hier und da schon einmal getan.

Anders als Huxley vertrete ich die Ansicht, dass die Existenz

Gottes eine wissenschaftliche Hypothese ist wie jede andere. Sie in der Praxis zu überprüfen ist zwar schwierig, aber sie gehört in dieselbe Kategorie des VPA wie die Kontroversen über das Artensterben am Ende von Perm oder Kreidezeit. Gottes Existenz oder Nichtexistenz ist eine wissenschaftliche Erkenntnis über das Universum, die man zumindest im Prinzip gewinnen kann, auch wenn es in der Praxis vielleicht nicht möglich ist. Wenn Gott existiert und sich entscheidet, diese Tatsache zu offenbaren, kann er selbst die Diskussion lautstark und eindeutig zu seinen Gunsten entscheiden. Und wenn Gottes Existenz nie mit Sicherheit bewiesen oder widerlegt werden kann, können wir anhand der verfügbaren Anhaltspunkte und mit unserer Vernunft zu einer Abschätzung der Wahrscheinlichkeit gelangen, die weit von 50 Prozent entfernt ist.

Nehmen wir also den Gedanken, dass es ein Spektrum von Wahrscheinlichkeiten gibt, ernst, und ordnen wir die Aussagen der Menschen über die Existenz Gottes darin zwischen den Extremen der gegensätzlichen Sicherheiten an. Es ist ein ununterbrochenes Spektrum, aber man kann es mit den folgenden sieben Punkten abbilden:

1. Stark theistisch. Gotteswahrscheinlichkeit 100 Prozent. Oder in den Worten von C. G. Jung: »Ich glaube nicht, ich *weiß*.«

2. Sehr hohe Wahrscheinlichkeit knapp unter 100 Prozent. *De facto* theistisch. »Ich kann es nicht sicher wissen, aber ich glaube fest an Gott und führe mein Leben unter der Annahme, dass es ihn gibt.«

3. Höher als 50 Prozent, aber nicht besonders hoch. Fachsprachlich: agnostisch mit Neigung zum Theismus. »Ich bin unsicher, aber ich neige dazu, an Gott zu glauben.«

4. Genau 50 Prozent. Völlig unparteiischer Agnostizismus. »Gottes Existenz und Nichtexistenz sind genau gleich wahrscheinlich.«

5. Unter 50 Prozent, aber nicht sehr niedrig. Fachsprachlich: agnostisch mit Neigung zum Atheismus. »Ich weiß nicht, ob Gott existiert, aber ich bin eher skeptisch.«
6. Sehr geringe Wahrscheinlichkeit, knapp über null. *De facto* atheistisch. »Ich kann es nicht sicher wissen, aber ich halte es für sehr unwahrscheinlich, dass Gott existiert, und führe mein Leben unter der Annahme, dass es ihn nicht gibt.«
7. Stark atheistisch. »Ich weiß, dass es keinen Gott gibt, und bin davon ebenso überzeugt, wie Jung ›weiß‹, dass es ihn gibt.«

Es würde mich wundern, wenn mir viele Menschen aus der Kategorie 7 begegnen würden, aber ich habe sie wegen der Symmetrie zur Kategorie 1 hinzugenommen, denn diese ist reichlich bevölkert. Es liegt in der Natur des Glaubens, dass man wie Jung in der Lage ist, eine Überzeugung ohne ausreichende Begründung zu besitzen (Jung glaubte auch, bestimmte Bücher in seinem Regal würden von selbst mit einem lauten Knall explodieren). Atheisten haben keinen Glauben, und mit Vernunft allein kann man nicht zu der totalen Überzeugung gelangen, dass etwas nicht existiert. Deshalb ist die Kategorie 7 in der Praxis sicher weniger gut gefüllt als ihr Gegenüber, die Kategorie 1, die viele engagierte Bewohner hat. Mich selbst rechne ich zur Kategorie 6 mit starker Neigung zur 7; agnostisch bin ich nur in dem gleichen Ausmaß wie gegenüber der Frage, ob unter meinem Garten Feen leben.

Das Spektrum der Wahrscheinlichkeiten lässt sich gut auf den VPA (vorübergehenden pragmatischen Agnostizismus) anwenden. Auf den ersten Blick ist es verlockend, den PPA (permanenten prinzipiellen Agnostizismus) in der Mitte des Spektrums anzusiedeln, wo die Existenz Gottes eine Wahrscheinlichkeit von 50 Prozent hat, aber das ist falsch. PPA-Vertreter behaupten, wir könnten in dieser oder jener Richtung nichts darüber aussagen, ob Gott existiert. Die Frage ist für PPA-Agnostiker prinzipiell nicht zu beantworten, und sie müssten es eigentlich strikt ablehnen, sich irgendwo in dem Spektrum der Wahrscheinlichkeiten einordnen zu lassen. Die Tatsache, dass ich nicht sagen kann, ob dein Rot mein Grün ist, legt die Wahrscheinlichkeit nicht auf 50 Prozent fest. Die angebotene Behauptung ist so sinnlos, dass man sie nicht mit einer zahlenmäßigen Wahrscheinlichkeit aufwerten sollte. Dennoch wird dieser verbreitete Fehler immer wieder begangen: Von der Voraussetzung, dass die Frage nach der Existenz Gottes prinzipiell nicht zu beantworten ist, vollziehen wir den Sprung zu der Schlussfolgerung, seine Existenz und Nichtexistenz seien gleichermaßen wahrscheinlich.

Man kann den gleichen Fehler auch unter dem Gesichtspunkt der Beweislast betrachten; in dieser Form wird er auf vergnügliche Weise von Bertrand Russell mit der Parabel von der himmlischen Teekanne nachgewiesen.

Viele strenggläubige Menschen reden so, als wäre es die Aufgabe der Skeptiker, überkommene Dogmen zu widerlegen, und nicht die der Dogmatiker, sie zu beweisen. Das ist natürlich ein Fehler. Würde ich die Ansicht äußern, dass eine Teekanne aus Porzellan zwischen Erde und Mars auf einer elliptischen Bahn um die Sonne kreist, so könnte niemand diese Behauptung widerlegen, vorausgesetzt, ich füge ausdrücklich hinzu, die Teekanne sei so klein, dass man sie selbst mit unseren stärksten Teleskopen nicht sehen könne. Würde ich dann aber behaupten, weil man meine Behauptung nicht widerlegen könne, sei es eine unerträgliche Überheblichkeit der menschlichen Vernunft, daran zu zweifeln, so würde man mit Recht sagen, dass ich Unsinn rede. Würde die Existenz einer solchen Teekanne aber in antiken Büchern bestätigt, jeden Sonntag als heilige Wahrheit gelehrt und den Schulkindern eingetrichtert, so würde jedes Zögern, an ihre

Existenz zu glauben, zu einem Kennzeichen von Exzentrik, und der Zweifler würde in einem aufgeklärten Zeitalter die Aufmerksamkeit von Psychiatern erregen, in einer früheren Zeit dagegen die der Inquisitoren.[33]

Normalerweise würden wir keine Zeit damit verschwenden, so etwas zu behaupten, denn soweit mir bekannt ist, betet niemand eine Teekanne an.* Aber auf genauere Nachfragen würden wir zweifellos erklären, wir seien felsenfest überzeugt, dass es keine Teekanne in einer Erdumlaufbahn gebe. Streng genommen, müssten wir uns alle als *Teekannen-Agnostiker* bezeichnen: Wir können nicht mit Sicherheit beweisen, dass es keine himmlische Teekanne gibt. In der Praxis jedoch bewegen wir uns vom Teekannen-Agnostizismus in Richtung des *A-Teekannismus*.

Ein Bekannter, der als Jude aufgewachsen ist und noch heute aus Respekt vor seiner Herkunft den Sabbat und andere jüdische Gebräuche beachtet, bezeichnet sich selbst als »Zahnfeen-Agnostiker«. Er hält Gott für nicht wahrscheinlicher als die Fee, die kleinen Kindern die ausgefallenen Milchzähne wegnimmt und ihnen Geschenke dafür gibt. Beide Hypothesen kann man nicht widerlegen, und beide sind gleichermaßen unwahrscheinlich. Er ist A-Theist in genau dem gleichen Umfang, wie er A-Feeist ist. Und in beiderlei Hinsicht ist er in dem gleichen geringen Maß ein Agnostiker.

Russells Teekanne steht natürlich für eine unendlich große Zahl von Dingen, deren Existenz man sich ausmalen und nicht widerlegen kann. Der große amerikanische Anwalt Clarence

---

* Hier war ich vielleicht etwas zu voreilig. Denn im *Independent on Sunday* erschien am 5. Juni 2005 folgende Meldung: »Nach Angaben malaysischer Behörden hat sich eine religiöse Sekte, die eine heilige Teekanne von der Größe eines Hauses gebaut hat, über die Planungsvorschriften hinweggesetzt.« Vgl. http://news.bbc.co.uk/2/hi/asia-pacific/4692039.stm (25.3.2007).

Darrow sagte einmal: »Ich glaube so wenig an Gott, wie ich an Rotkäppchen glaube.« Nach Ansicht des Journalisten Andrew Mueller ist das Bekenntnis, man gehöre einer bestimmten Religion an, »nicht mehr und nicht weniger seltsam, als würde man sich entschließen zu glauben, dass die Erde die Form eines Rhombus habe und in den Scheren zweier riesiger grüner Hummer namens Esmeralda und Keith durch den Kosmos getragen werde.«[34] Ein Lieblingstier der Philosophen ist das unsichtbare, unberührbare, unhörbare Einhorn, dessen Widerlegung die Kinder bei Camp Quest jedes Jahr versuchen.* Eine im Internet sehr beliebte Gottheit – die sich ebenso wenig widerlegen lässt wie Jahwe oder jede andere – ist derzeit das fliegende Spaghettimonster, das die Menschen vielfachen Behauptungen zufolge mit seinem nudeligen Anhängsel tief berührt.[35] Zu meinem Entzücken habe ich gesehen, dass das *Evangelium des fliegenden Spaghettimonsters* inzwischen auch als Buch erschienen ist und großen Anklang findet.[36] Ich habe es selbst noch nicht gelesen, aber wer muss schon ein Evangelium lesen, wenn man doch *weiß*, dass es wahr ist? Übrigens kam es, wie es kommen musste: Die große Spaltung ist bereits eingetreten, und so gibt es jetzt auch eine *Reformierte* Kirche des fliegenden Spaghettimonsters.[37]

All diese aberwitzigen Beispiele haben eines gemeinsam: Sie lassen sich nicht widerlegen, und doch glaubt niemand, die Hypothese ihrer Existenz stehe auf der gleichen Stufe wie die Hypothese ihrer Nichtexistenz. Russells entscheidende Aus-

---

* Camp Quest lenkt die amerikanische Institution der Sommerlager in eine ganz neue, bewundernswerte Richtung. Während andere Sommerlager nach einem religiösen oder Pfadfinder-Ethos geführt werden, wird Camp Quest, in Kentucky von Edwin und Helen Kagin gegründet, von säkularen Humanisten geleitet, und die Kinder werden aufgefordert, skeptisch und selbstständig zu denken. Außerdem lassen sie es sich mit allen üblichen Outdoor-Aktivitäten gut gehen (www.camp-quest.org). Andere Camp Quests mit ähnlichem Hintergrund sind mittlerweile in Tennessee, Minnesota, Michigan, Ohio und Kanada entstanden.

sage lautet: Die Beweislast liegt nicht bei den Ungläubigen, sondern bei den Gläubigen. Und mir geht es darum, dass *für* die Teekanne (das Spaghettimonster/Esmeralda und Keith/das Einhorn usw.) nicht die gleiche Wahrscheinlichkeit spricht wie *dagegen*.

Dass Teekannen in Umlaufbahnen und Zahnfeen sich nicht widerlegen lassen, gehört für keinen vernünftigen Menschen zu den Tatsachen, die zu interessanten Diskussionen führen. Niemand von uns fühlt sich verpflichtet, all die unzähligen hergeholten Dinge zu widerlegen, die eine fruchtbare oder witzige Fantasie sich ausdenken kann. Nach meiner Erfahrung ist es eine amüsante Strategie, wenn ich auf die Frage, ob ich Atheist sei, darauf hinweise, dass der Fragesteller ebenfalls Atheist ist, nämlich in Bezug auf Zeus, Apollo, Amon Ra, Mithras, Baal, Thor, Wotan, das Goldene Kalb oder das fliegende Spaghettimonster. Ich bin einfach schon einen Gott weiter.

Jeder von uns fühlt sich berechtigt, Skepsis bis hin zum regelrechten Unglauben zu äußern – nur besteht im Fall der Einhörner, Zahnfeen oder der Götter Griechenlands, Roms, Ägyptens oder der Wikinger (jedenfalls heute) keine Notwendigkeit, sich diese Mühe zu machen. Im Fall des abrahamitischen Gottes dagegen müssen wir uns anstrengen, denn ein beträchtlicher Anteil der Menschen, mit denen wir unseren Planeten teilen, glaubt fest an seine Existenz. Wie Russells Teekanne zeigt, ändert die Tatsache, dass der Glaube an Gott im Vergleich zum Glauben an die himmlische Teekanne weit verbreitet ist, aus logischer Sicht überhaupt nichts an der Verteilung der Beweislast. Unter dem Gesichtspunkt der praktischen Politik mag es allerdings durchaus so erscheinen, als verschöbe sie sich. Dass man Gottes Nichtexistenz nicht beweisen kann, ist eine allgemein anerkannte, triviale Erkenntnis, und sei es auch nur in dem Sinn, dass man die Nichtexistenz von irgendetwas niemals absolut beweisen kann. Entscheidend ist nicht, ob Gottes Existenz widerlegbar ist (das ist sie nicht), sondern ob sie *wahr-*

scheinlich ist. Das ist eine ganz andere Frage. Manche nicht widerlegbaren Dinge gelten vernünftigerweise als sehr viel unwahrscheinlicher als andere, die ebenfalls nicht zu widerlegen sind. Es besteht kein Anlass, Gott von solchen Überlegungen im Spektrum der Wahrscheinlichkeiten auszunehmen. Und erst recht besteht kein Anlass zu der Annahme, Gottes Existenz habe eine Wahrscheinlichkeit von 50 Prozent, nur weil wir sie nicht widerlegen können. Ganz im Gegenteil. Mehr dazu später.

NOMA

Genau wie Thomas Huxley, der eine geistige Rolle rückwärts vollzog, um exakt in der Mitte meines Sieben-Punkte-Spektrums ein Lippenbekenntnis zum völlig unparteiischen Agnostizismus abzulegen, so tun die Theisten das Gleiche auch aus der anderen Richtung, und zwar aus einem entsprechenden Grund. Der Theologe Alister McGrath macht daraus die zentrale Aussage seines Buches *Dawkins' God: Genes, Memes and the Origin of Life* (»Dawkins' Gott: Gene, Meme und der Ursprung des Lebens«). Nachdem er meine wissenschaftlichen Arbeiten tatsächlich bewundernswert fair zusammengefasst hat, bleibt ihm offenbar nur noch ein einziges Gegenargument: die unbezweifelbare, aber schrecklich wenig stichhaltige Aussage, dass man die Existenz Gottes nicht widerlegen kann. Als ich McGrath las, ertappte ich mich dabei, wie ich Seite um Seite »Teekanne« an den Rand kritzelte. Auch McGrath beruft sich auf T. H. Huxley und schreibt: »Nachdem Huxley es satt hatte, dass Theisten wie Atheisten auf der Grundlage unzureichender empirischer Belege hoffnungslos dogmatische Behauptungen aufstellten, erklärte er, man könne die Gottesfrage mit wissenschaftlichen Methoden nicht lösen.«

Anschließend zitiert McGrath Stephen Jay Gould mit einer ganz ähnlichen Aussage: »Um es für alle meine Kollegen und zum soundsoviel millionsten Mal (von nächtlichen Diskussionen im College bis zu gelehrten Abhandlungen) zu sagen: Die Naturwissenschaft kann (jedenfalls mit ihren legitimen Methoden) kein Urteil darüber abgeben, ob Gott die Natur beaufsichtigt. Wir können es weder bestätigen noch bestreiten; wir können als Naturwissenschaftler einfach keinen Kommentar dazu abgeben.« Trotz des selbstsicheren und fast einschüchternden Tons von Goulds Behauptung muss man fragen, wie eine solche Aussage zu rechtfertigen ist. Warum sollen wir als Naturwissenschaftler keine Kommentare über Gott abgeben? Und warum ist Russells Teekanne oder das fliegende Spaghettimonster nicht ebenso immun gegenüber naturwissenschaftlicher Skepsis? Wie ich in Kürze genauer darlegen werde, wäre ein Universum mit einem schöpferischen Aufseher ganz anders geartet als ohne ihn. Warum soll das keine naturwissenschaftliche Angelegenheit sein?

In geradezu epischer Breite betrieb Gould die Kunst der geistigen Rolle rückwärts in *Rocks of Ages: Science and Religion in the Fullness of Life* (»Felsen der Zeiten: Wissenschaft und Religion in der Fülle des Lebens«), einem seiner weniger bekannten Bücher. Dort prägte er die Abkürzung NOMA für den Ausdruck »non-overlapping magisteria« (»nicht überlappende Wissensbereiche«):

Das Netz oder der Wissensbereich der Naturwissenschaft deckt den empirischen Bereich ab: Woraus besteht das Universum (Tatsache) und warum funktioniert es so (Theorie)? Der Wissensbereich der Religion erstreckt sich auf Fragen nach letzter Bedeutung und moralischen Werten. Diese beiden Wissensbereiche überschneiden sich nicht und schließen auch nicht alle geistigen Domänen ein (man denke beispielsweise an den Wissensbereich der Kunst und die Frage nach dem Sinn der Schönheit). Um ein altes Klischee zu strapazieren: Wissenschaft beschäftigt sich mit dem Alter der Felsen und Religion mit dem Fels des Glaubens; Wissenschaft fragt, wie der Himmel funktioniert, und Religion, wie man in den Himmel kommt.

Das klingt großartig – bis man einmal kurz darüber nachdenkt. Was sind das für letzte Fragen, in deren Gegenwart die Religion ein Ehrengast ist und die Wissenschaft sich respektvoll zurückhalten muss?

Der angesehene Astronom Martin Rees aus Cambridge, den ich bereits erwähnt habe, stellt am Anfang seines Buches *Our Cosmic Habitat (Das Rätsel unseres Universums: Hatte Gott eine Wahl?)* zwei potenziell letzte Fragen und gibt darauf eine NOMA-freundliche Antwort: »Die eigentliche Frage lautet: Weshalb gibt es überhaupt etwas? Was verleiht den physikalischen Gleichungen den Odem des Lebens und lässt sie zu einem tatsächlich existierenden Kosmos werden? Fragen wie diese liegen außerhalb der Naturwissenschaften, sie gehören in den Bereich der Philosophie und der Theologie.« Ich würde lieber sagen: Wenn sie wirklich außerhalb des Bereichs der Naturwissenschaften liegen, dann liegen sie auch außerhalb des Bereichs der Theologie (und ich bezweifle, dass die Philosophen es Martin Rees danken werden, wenn er sie mit den Theologen in einen Topf wirft). Ich bin versucht, sogar noch einen Schritt weiter zu gehen und die Frage zu stellen, inwiefern man überhaupt sagen kann, die Theologen hätten eine eigene Domäne. Ich muss noch heute schmunzeln, wenn ich an eine Bemerkung des Leiters meines früheren Colleges in Oxford denke. Ein junger Theologe hatte ein Nachwuchs-Forschungsstipendium beantragt, aber seine Doktorarbeit in christlicher Theologie veranlasste den Collegeleiter zu den Worten: »Ich habe ernste Zweifel, ob die Dissertation überhaupt einen *Gegenstand* hat.«

Welche Fachkenntnisse, die ein Naturwissenschaftler nicht besitzt, können Theologen in die Untersuchung weit reichender kosmologischer Fragen einbringen? In einem anderen Buch habe ich berichtet, was mir ein Astronom aus Oxford antwortete, als ich ihm eine dieser weit reichenden Fragen stellte: »Ach, damit verlassen wir den Bereich der Naturwissenschaft. An dieser Stelle muss ich das Wort meinem guten Freund erteilen, dem Kaplan.« Ich war damals nicht schlagfertig genug, um die Antwort zu geben, die ich später zu Papier brachte: »Aber warum dem Kaplan? Warum nicht dem Gärtner oder dem Koch?« Warum sind Naturwissenschaftler so voll kriecherischem Respekt vor den Ambitionen der Theologen – und das in Fragen, zu deren Beantwortung die Theologen sicher keine größere Qualifikation mitbringen als die Naturwissenschaftler selbst?

Einem langweiligen Klischee zufolge (das im Gegensatz zu anderen Klischees noch nicht einmal stimmt) beschäftigt sich die Naturwissenschaft mit Fragen nach dem Wie, während nur die Theologie die Voraussetzungen mitbringt, Fragen nach dem Warum zu beantworten. Was um alles in der Welt ist eine Frage nach dem Warum? Nicht jeder Satz, der mit dem Wort »Warum« beginnt, ist eine legitime Frage. Warum sind Einhörner innen hohl? Manche Fragen verdienen einfach keine Antwort. Welche Farbe hat die Abstraktion? Wie riecht die Hoffnung? Nur weil man eine Frage in einen grammatikalisch korrekten Satz kleiden kann, bedeutet das nicht, dass sie sinnvoll wäre oder ein Anrecht auf unsere ernsthafte Aufmerksamkeit hätte. Und selbst wenn es sich um eine echte Frage handelt und wenn die Naturwissenschaft sie nicht beantworten kann, heißt das noch lange nicht, dass die Religion dazu in der Lage wäre.

Vielleicht gibt es tatsächlich tief greifende, sinnvolle Fragen, die für alle Zeiten außerhalb des Bereiches der Naturwissenschaft liegen werden. Vielleicht klopft schon die Quantentheorie an die Tür des Unergründlichen. Aber wenn die Naturwissenschaft solche letzten Fragen nicht beantworten kann, wieso denkt dann irgendjemand, die Religion sei dazu in der Lage? Nach meiner Vermutung glaubte weder der Astronom aus Oxford noch der aus Cambridge wirklich, dass Theologen eine Qualifikation zur Beantwortung von Fragen besitzen, die für die Naturwissenschaft zu tiefschürfend sind. Ich habe vielmehr den Verdacht, dass beide Astronomen sich wieder einmal ein Bein ausrissen, um höflich zu sein: Theologen haben über nichts anderes etwas Lohnendes zu sagen; werfen wir ihnen also einen Brocken hin, dann können sie sich eine Zeit lang Gedanken über Fragen machen, die kein anderer beantworten kann und die vielleicht niemals beantwortet werden. Ich selbst glaube im Gegensatz zu meinen Astronomenfreunden nicht, dass man ihnen solche Brocken hinwerfen sollte. Ich warte noch immer auf einen stichhaltigen Grund für die Annahme, dass die Theologie (im Unterschied zu historischer Bibelkunde, Literatur usw.) überhaupt ein Forschungsgegenstand ist.

Ebenso können wir uns auch darauf einigen, dass die Berechtigung der Naturwissenschaft, uns Ratschläge über moralische Werte zu erteilen, gelinde gesagt problematisch ist. Aber will Gould wirklich der *Religion* das Recht zugestehen, uns zu sagen, was gut und was schlecht ist? Die Tatsache, dass sie *ansonsten* nichts zum Wissen der Menschheit beizutragen hat, ist kein Grund, der Religion einen Freibrief zu erteilen und Handlungsanweisungen von ihr entgegenzunehmen. Und überhaupt: Welche Religion meinen wir eigentlich? Diejenige, in der wir zufällig aufgewachsen sind? Und wenn ja, an welches Kapitel, welches Buch der Bibel sollen wir uns halten – die sind nämlich alles andere als einheitlich, und manche sind nach allen vernünftigen Maßstäben einfach widerwärtig. Wie viele von denen, die die Bibel wörtlich nehmen, haben ausreichend darin gelesen und wissen, dass die Todesstrafe nicht nur für

Ehebruch vorgeschrieben ist, sondern auch für das Sammeln von Holz am Sabbat oder für freche Bemerkungen zu den Eltern? Wenn wir das Dritte und Fünfte Buch Mose (Leviticus und Deuteronomium) mit ihren vielen abwegigen Vorschriften ablehnen (was heute alle aufgeklärten Menschen tun), nach welchen Kriterien entscheiden wir dann, welche moralischen Werte einer Religion wir uns zu eigen machen? Oder sollen wir unter allen Religionen der Welt suchen, bis wir eine finden, deren ethische Lehre uns in den Kram passt? Und wenn ja, dann müssen wir erneut fragen: Nach welchen Kriterien wählen wir aus? Und wenn wir unabhängige Kriterien haben, um zwischen den Ethiken der verschiedenen Religionen zu wählen, warum lassen wir dann nicht die mittlere Instanz weg und treffen unsere ethischen Entscheidungen gleich ganz ohne Religion? Auf solche Fragen werde ich im siebten Kapitel zurückkommen.

Ich kann einfach nicht glauben, dass Gould, was er in *Rocks of Ages* geschrieben hat, wirklich so meinte. Wie gesagt, wir haben uns alle schuldig gemacht, weil wir uns verleugnet haben, um zu einem unwürdigen, aber mächtigen Gegner freundlich zu sein, und ich kann mir nur vorstellen, dass auch Gould genau das getan hat. Allerdings kann man sich auch vorstellen, dass er seine eindeutige, energische Aussage, Naturwissenschaft habe über die Existenz Gottes nicht das Geringste zu sagen, tatsächlich so beabsichtigte: »Wir können es weder bestätigen noch bestreiten; wir können als Naturwissenschaftler einfach keinen Kommentar dazu abgeben.« Das hört sich nach dauerhaftem, unabänderlichem Agnostizismus an, also nach einem richtigen PPA. Es besagt, dass die Naturwissenschaft in religiösen Fragen nicht einmal *Wahrscheinlichkeiten* beurteilen kann. In diesem bemerkenswert weit verbreiteten Irrtum – viele wiederholen ihn wie ein Mantra, aber nach meiner Vermutung haben nur die wenigsten gründlich darüber nachgedacht – verkörpert sich das, was ich als »Armut des

Agnostizismus« bezeichne. Gould selbst war übrigens kein unparteiischer Agnostiker, sondern er neigte stark einem echten
Atheismus zu. Auf welcher Grundlage gelangte er zu einer solchen Haltung, wenn er doch der Meinung war, man könne nichts
darüber aussagen, ob Gott existiert?

Die Gotteshypothese besagt, es gebe in der uns umgebenden
Realität eine übernatürliche Handlungsinstanz, die das Universum entworfen hat und es – zumindest in vielen Versionen der
Hypothese – auch verwaltet und sogar mit Wundern eingreift,
das heißt mit vorübergehenden Verletzungen seiner ansonsten
erhabenen, unabänderlichen Gesetze. Richard Swinburne, einer
der führenden britischen Theologen, äußert sich in seinem
Buch *Is There a God? (Gibt es einen Gott?)* überraschend eindeutig zu diesem Thema:

> Der Theist behauptet von Gott, dieser habe die Kraft, alles,
> groß oder klein, zu erschaffen, zu erhalten oder zu vernich-
> ten. Er kann auch Dinge sich bewegen oder etwas anderes
> tun lassen. … Er kann Dinge veranlassen, sich so zu bewe-
> gen, wie sie sich gemäß Keplers Entdeckung tatsächlich be-
> wegen. Er kann veranlassen, dass Schießpulver explodiert,
> wenn man ein brennendes Streichholz daran hält; er kann
> veranlassen, dass Planeten sich auf eine bestimmte Weise
> verhalten; er kann chemische Substanzen explodieren oder
> nicht explodieren lassen auch nach ganz anderen Gesetz-
> mäßigkeiten als denen, die wir kennen. Gott ist nicht durch
> die Gesetze der Natur beschränkt; er macht sie und kann sie
> ändern oder aufheben, wenn er es will.

Das ist doch allzu einfach, oder? Nun, was es auch sein mag,
von der NOMA-These ist es jedenfalls weit entfernt. Und was
die Wissenschaftler, die sich der Denkschule der »getrennten
Wissensbereiche« angeschlossen haben, auch sonst noch sagen mögen, sie sollten jedenfalls einräumen, dass ein Univer-

sum mit einem übernatürlichen, intelligenten Schöpfer etwas ganz anderes ist als ein Universum ohne ihn. Der Unterschied zwischen diesen beiden hypothetischen Universen könnte kaum grundsätzlicher sein, auch wenn er sich in der Praxis nicht ohne weiteres überprüfen lässt. Er untergräbt überdies den selbstgefällig-verführerischen Grundsatz, wonach die Naturwissenschaft im Zusammenhang mit der zentralen Existenzberechtigung der Religion zu schweigen habe. Dabei ist die Gegenwart oder Abwesenheit einer schöpferischen Überintelligenz eindeutig eine wissenschaftliche Frage, auch wenn sie in der Praxis nicht – oder noch nicht – entschieden ist. Das Gleiche gilt für den Wahrheits- oder Unwahrheitsgehalt jeder einzelnen jener Wundergeschichten, auf die die Religionen zurückgreifen, um die Massen der Gläubigen zu beeindrucken.

Hatte Jesus einen Menschen als Vater, oder war seine Mutter zum Zeitpunkt seiner Geburt noch Jungfrau? Unabhängig davon, ob heute noch genügend Belege existieren, um dies zu entscheiden, handelt es sich hier um eine streng wissenschaftliche Frage, auf die es prinzipiell eine eindeutige Antwort gibt: ja oder nein. Weckte Jesus Lazarus von den Toten auf? Kam er selbst lebend wieder, nachdem er drei Tage zuvor gekreuzigt worden war? Auf jede derartige Frage gibt es eine Antwort, ob wir sie in der Praxis finden können oder nicht, und diese Antwort ist ausschließlich naturwissenschaftlicher Art. Bei den Methoden, die wir zu ihrer Beantwortung anwenden sollten, falls der unwahrscheinliche Fall eintreten sollte, dass irgendwann geeignete Belege zur Verfügung stehen, handelt es sich ausschließlich um rein wissenschaftliche Methoden. Um die entscheidende Aussage noch dramatischer zu formulieren: Angenommen, forensische Archäologen förderten aufgrund besonderer Umstände und anhand von DNA-Analysen den Beweis zutage, dass Jesus tatsächlich keinen biologischen Vater hatte, kann man sich dann vorstellen, dass die Religionsvertreter mit den Achseln zucken und auch nur annähernd etwas sagen würden wie »Na und? Naturwissenschaftliche Beweise sind in theologischen Fragen völlig bedeutungslos. Falscher Wissensbereich! Uns geht es nur um letzte Fragen und ethische Werte. Weder DNA-Analysen noch irgendwelche anderen naturwissenschaftlichen Belege haben für diese Frage so oder so die geringste Bedeutung«?

Schon die Idee ist ein Witz. Man kann sein letztes Hemd verwetten: Sollte es einen solchen naturwissenschaftlichen Beweis geben, würden alle sich darauf stürzen und ihn lautstark verkünden. NOMA ist nur deshalb so beliebt, weil es keinen Beleg für die Gotteshypothese gibt. Sobald es auch nur den Hauch eines Indizes zugunsten des religiösen Glaubens gäbe, würden die Religionsvertreter ohne Zögern die ganze Idee von den getrennten Wissensbereichen über Bord werfen. Lassen wir ausgebuffte Theologen einmal beiseite (obwohl auch die den Unbedarften gern Wundergeschichten erzählen, um die Gemeinden zu vergrößern): Ich habe den Verdacht, dass die angeblichen Wunder für viele Gläubige der stärkste Grund des Glaubens sind; und Wunder verletzen definitionsgemäß die Gesetze der Naturwissenschaft.

Die römisch-katholische Kirche scheint einerseits manchmal nach NOMA zu streben, aber andererseits macht sie die Vollbringung von Wundern zur unbedingten Voraussetzung für die Heiligsprechung. So ist zum Beispiel ein Kandidat für die Heiligsprechung der verstorbene belgische König – wegen seiner Haltung zur Abtreibung. Derzeit laufen ernsthafte Untersuchungen, weil man feststellen will, ob nach seinem Tod irgendwelche Wunderheilungen auf an ihn gerichtete Gebete zurückzuführen sind. Das ist kein Witz. So ist es wirklich, und es ist typisch für die Heiligengeschichten. Ich stelle mir vor, dass das ganze Getue auch den gebildeteren Kreisen innerhalb der Kirche peinlich sein muss. Warum es in der Kirche überhaupt noch Kreise gibt, die die Bezeichnung »gebildet« verdienen, ist ein mindestens ebenso großes Rätsel wie die, an denen die Theologen ihre Freude haben.

Angesichts von Wundergeschichten hätte Gould wahrscheinlich ungefähr nach dem folgenden Muster geantwortet: Der Witz an NOMA ist doch, dass es sich um einen Deal auf Gegenseitigkeit handelt. Sobald Religion sich in das Revier der Naturwissenschaft begibt und dort mit Wundern herumpfuscht, ist sie keine Religion mehr in dem Sinn, den Gould verteidigt, und die liebenswürdige Eintracht ist dahin. Dabei bleibt aber festzuhalten, dass die wunderfreie Religion, für die Gould sich einsetzt, von den meisten praktizierenden Theisten auf Kanzel oder Gebetsteppich gar nicht mehr als Religion anerkannt würde. Sie wären davon zutiefst enttäuscht. Oder, in einer Abwandlung von Alices Bemerkung über das Buch ihrer Schwester, bevor sie ins Wunderland stürzt: Wozu ist ein Gott gut, der keine Wunder tut und keine Gebete erhört?

Denken wir doch an Ambrose Bierces scharfsinnige Definition des Wortes »beten«: »Darum bitten, dass die Gesetze des Universums wegen eines einzigen, eingestandenermaßen unwürdigen Bittstellers außer Kraft gesetzt werden.« Manche Sportler glauben, dass Gott ihnen hilft, zu gewinnen – gegen Konkurrenten, die genau genommen seiner Gunst nicht weniger würdig sind. Autofahrer glauben, dass Gott ihnen eine Parklücke reserviert – und sie damit vermutlich einem anderen wegnimmt. Diese Art des Theismus erfreut sich einer peinlich großen Beliebtheit und lässt sich vermutlich durch nichts anderes beeindrucken als durch eine (oberflächlich) vernünftige NOMA-Idee.

Aber folgen wir Gould ruhig einmal und stutzen wir die Religion auf eine Art nicht interventionistisches Minimum zusammen: keine Wunder, keine persönliche Kommunikation zwischen Gott und uns – weder in der einen noch in der anderen

Richtung –, kein Herumpfuschen an den Gesetzen der Physik, kein Betreten des naturwissenschaftlichen Rasens. Höchstens ein bisschen deistische Mitwirkung bei den Anfangsbedingungen des Universums, sodass über lange Zeiträume hinweg Sterne, Elemente, Chemie und Planeten entstehen konnten und die Evolution des Lebens stattfand. Das ist doch sicher eine angemessene Trennung? Zumindest mit einer solchen bescheidenen, unauffälligen Religion sollte NOMA doch leben können, oder?

Nun ja, das könnte man meinen. Ich bin allerdings der Ansicht, dass selbst ein nicht eingreifender NOMA-Gott, der viel weniger gewalttätig und unbeholfen ist als der abrahamitische Gott, bei fairer, unvoreingenommener Betrachtung immer noch eine wissenschaftliche Hypothese ist. Damit bin ich wieder bei meiner Aussage: Ein Universum, in dem wir allein oder nur mit anderen durch Evolution entstandenen Intelligenzen zusammen sind, ist etwas ganz anderes als eines mit einem ursprünglichen, richtungsweisenden Agens, dessen intelligente Planung überhaupt erst für die Existenz dieses Universums gesorgt hat. Ich erkenne an, dass es in der Praxis unter Umständen nicht einfach ist, das eine Universum von dem anderen zu unterscheiden. Dennoch hat die Hypothese von der letztgültigen Planung etwas ganz Besonderes, und ebenso speziell ist die einzige bekannte Alternative: die allmähliche Evolution im weitesten Sinn. Beide unterscheiden sich so stark, dass sie nahezu unvereinbar sind. Evolution liefert wie kein anderes Gedankengebäude eine echte Erklärung für die Existenz von Dingen, die eigentlich so unwahrscheinlich sind, dass man sie unter allen praktischen Gesichtspunkten als ausgeschlossen betrachten kann. Und die Schlussfolgerung aus dieser Argumentation ist, wie ich in Kapitel 4 genauer darlegen werde, für die Gotteshypothese nahezu tödlich.

Das große Gebetsexperiment

Eine amüsante, allerdings auch ziemlich Mitleid erregende Fallstudie zum Thema Wunder ist das große Gebetsexperiment: Tragen Gebete dazu bei, dass ein Patient schneller gesund wird? Gebete für Kranke werden sowohl im privaten Kreis als auch an offiziellen Orten der Andacht sehr häufig angeboten. Als Erster untersuchte Darwins Cousin Francis Galton mit wissenschaftlichen Methoden die Frage, ob das Beten für Menschen einen Effekt hat. Er machte darauf aufmerksam, dass die Gemeinden in den Kirchen ganz Großbritanniens jeden Sonntag für die Gesundheit der königlichen Familie beteten. Müssten die Monarchen demnach nicht im Vergleich zu allen anderen, die nur in den Gebeten ihrer nächsten Angehörigen vorkamen, besonders gesund und munter sein?* Galton sah sich die Sache genauer an, fand aber keinen statistischen Unterschied. Aber möglicherweise hatte er ohnehin satirische Hintergedanken – er betete beispielsweise auch für zufällig ausgewählte Grundstücke, weil er herausfinden wollte, ob die Pflanzen dann dort besser wüchsen (was nicht der Fall war).

In jüngerer Zeit setzte der Physiker Russell Stannard (der, wie wir noch sehen werden, einer der drei bekanntesten religiösen Naturwissenschaftler in Großbritannien ist) sich mit seinem Einfluss für eine Initiative ein, die – natürlich – von der Templeton Foundation finanziert wurde: Er wollte experimentell die Vermutung überprüfen, dass die Gesundheit kranker Menschen sich durch Gebete verbessert.[38]

Wenn ein solches Experiment aussagekräftig sein soll, muss man es als Doppelblindversuch anlegen, und diese Anforde-

---

* Als an meinem College in Oxford der Leiter gewählt wurde, den ich zuvor bereits erwähnt habe, tranken die Fellows an drei aufeinander folgenden Tagen auf seine Gesundheit. Bei der dritten derartigen Party erklärte er in seiner Dankesrede voller Freude: »Es geht mir schon besser!«

rung wurde streng eingehalten. Die Patienten wurden rein nach dem Zufallsprinzip einer experimentellen Gruppe (für die gebetet wurde) und einer Kontrollgruppe (für die nicht gebetet wurde) zugeteilt. Weder die Patienten noch die Ärzte, das Pflegepersonal oder die Versuchsleiter selbst durften wissen, für welche Patienten gebetet wurde und welche zur Kontrollgruppe gehörten. Die Betenden mussten den Namen der Person kennen, für die sie beteten, denn wie hätten sie sonst für einen bestimmten Patienten und nicht für jemand anderen beten sollen? Allerdings achtete man darauf, dass sie nur den Vornamen und den Anfangsbuchstaben des Nachnamens erfuhren. Das war offensichtlich genug, damit Gott das richtige Krankenhausbett ausfindig machen konnte.

Schon die Idee, ein solches Experiment durchzuführen, fordert ein großes Maß an Spott geradezu heraus, und der wurde dem Projekt auch verdientermaßen zuteil. Soweit mir bekannt ist, machte Bob Newhart nie einen Sketch darüber, aber ich kann seine Stimme vor meinem geistigen Ohr deutlich hören:

Was hast du gesagt, Herr? Du kannst mich nicht heilen, weil ich zur Kontrollgruppe gehöre?… Ach so, verstehe, die Gebete meiner Tante reichen nicht aus. Aber Herr, Mr. Evans im Bett nebenan … Wie war das, Herr? … Mr. Evans hat jeden Tag tausend Gebete bekommen? Aber Herr, Mr. Evans kennt keine tausend Menschen … Ach so, sie kennen ihn nur als John E. Aber Herr, woher wusstest du denn, dass sie nicht John Ellsworthy meinten? … Ach ja, du bist ja allwissend und wusstest deshalb auch, welcher John E. gemeint war. Aber Herr …

Das Wissenschaftlerteam nahm den Spott tapfer auf sich und arbeitete weiter. Unter Leitung des Kardiologen Dr. Herbert Benson vom Mind/Body Medical Institute in der Nähe von

Boston verbrauchten sie 2,4 Millionen Dollar von der Templeton Foundation. In einer früheren Pressemitteilung der Stiftung hieß es über Dr. Benson: »Nach seiner Überzeugung sprechen immer mehr Belege dafür, dass Fürbittgebete in einem medizinischen Umfeld wirksam sind.« Das Forschungsprojekt war also in beruhigend guten Händen und wurde höchstwahrscheinlich nicht durch skeptische Schwingungen beeinträchtigt. Dr. Benson und sein Team überwachten in sechs Kliniken insgesamt 1802 Patientinnen und Patienten, die sich alle einer Bypassoperation am Herzen unterzogen hatten. Die Patienten wurden in drei Gruppen eingeteilt. Für die Gruppe 1 wurde gebetet, ohne dass die Kranken es wussten. Für die Gruppe 2 (die Kontrollgruppe) wurde nicht gebetet, und die Patienten wussten ebenfalls nichts davon. Für die Gruppe 3 wurde gebetet, und die Betreffenden wussten davon. Der Vergleich zwischen den Gruppen 1 und 2 sagt etwas über die Wirksamkeit von Fürbittegebeten aus, während man an Gruppe 3 ablesen kann, ob es psychosomatische Auswirkungen hat, wenn man weiß, dass andere für einen beten.

Die Gebete wurden in den Kirchen von drei Gemeinden in Minnesota, Massachusetts und Missouri gesprochen. Alle drei waren weit von den Krankenhäusern entfernt. Wie bereits erwähnt, erhielten die Betenden nur den Vornamen und den ersten Buchstaben des Nachnamens eines Patienten, für den sie beten sollten. Es entspricht den Maßstäben für gute experimentelle Arbeit, dass man so weit wie möglich standardisiert, und deshalb wurden alle gebeten, in ihr Gebet die Formulierung »für eine gelungene Operation mit schneller Genesung und ohne Komplikationen« aufzunehmen.

Die Ergebnisse, über die das *American Heart Journal* im April 2006 berichtete, waren eindeutig. Zwischen den Patienten, für die gebetet, und denen, für die nicht gebetet wurde, war kein Unterschied festzustellen. Welche Überraschung! Einen Unterschied gab es jedoch zwischen denen, die *wussten*, dass für sie gebetet wurde, und den beiden Gruppen der Unwissenden; aber dieser Unterschied wies in die falsche Richtung. Die Patienten, die wussten, dass sie in den Genuss von Gebeten kamen, litten signifikant häufiger an Komplikationen als die Unwissenden. Wollte Gott sie ein wenig piesacken und damit zeigen, dass ihm das ganze verrückte Unternehmen nicht gefiel?

Wahrscheinlicher ist, dass die Patienten, die wussten, dass für sie gebetet wurde, dadurch unter zusätzlichen Stress gerieten – die Versuchsleiter bezeichneten es als »Leistungsangst«. Dr. Charles Betha, einer der beteiligten Wissenschaftler, meinte dazu: »Es hat sie vielleicht verunsichert, weil sie sich gefragt haben: Bin ich so krank, dass man Leute zum Beten rufen muss?« Wäre es in der heutigen prozesslustigen Gesellschaft nun eine unziemliche Erwartung, dass die Patienten, die wussten, dass für sie gebetet wurde, und die deshalb Komplikationen bekamen, eine Gruppenklage gegen die Templeton Foundation anstrengen?

Wie vielleicht nicht anders zu erwarten, sprachen sich viele Theologen gegen diese Studie aus. Vielleicht hatten sie Angst, weil das Experiment die Möglichkeit bot, sich über die Religion lustig zu machen. Der Oxforder Theologe Richard Swinburne erhob erst nach dem Scheitern der Untersuchung Einspruch und erklärte, Gott erhöre Gebete nur dann, wenn sie aus stichhaltigen Gründen gesprochen würden.[39] Für den einen und nicht für den anderen zu beten, nur weil der Würfel bei der Planung eines Doppelblindversuchs so gefallen ist, sei kein stichhaltiger Grund. Gott werde das durchschauen. Genau darum ging es in meiner Bob-Newhart-Satire, und Swinburne hat recht, wenn er das Gleiche sagt. Aber in anderen Teilen seines Artikels übertrifft Swinburne jede Parodie. Nicht zum ersten Mal gibt er sich Mühe, das Leiden in einer von Gott gelenkten Welt zu rechtfertigen:

Mir verschafft mein Leiden die Gelegenheit, Mut und Geduld zu zeigen. Dir verschafft es die Möglichkeit, Mitgefühl zu haben und mitzuhelfen, damit mein Leiden gelindert wird. Und es verschafft der Gesellschaft die Möglichkeit, zu wählen, ob sie viel Geld investieren will, um eine Heilung für diese besondere Art des Leidens zu finden. … Ein guter Gott bedauert zwar unser Leiden, seine größte Sorge besteht aber sicher darin, dass jeder von uns Geduld, Mitgefühl und Großzügigkeit an den Tag legen soll, damit sich ein heiliger Charakter bildet. Manche Menschen müssen um ihrer selbst willen unbedingt krank sein, und andere müssen unbedingt krank sein, um anderen wichtige Entscheidungen zu ermöglichen. Nur so kann man manche Menschen dazu bewegen, sich ernsthaft zu entscheiden, was für Menschen sie sein wollen. Für andere Menschen ist Krankheit weniger wertvoll.

Dieser groteske Gedankengang, der so verdammt typisch für die theologische Denkweise ist, erinnert mich daran, wie ich einmal zusammen mit Swinburne und Professor Peter Atkins, unserem Kollegen aus Oxford, in einer Fernsehdiskussion saß. An einer Stelle versuchte Swinburne, den Holocaust zu rechtfertigen: Er habe den Juden eine großartige Gelegenheit verschafft, sich als mutig und edel zu erweisen. Worauf Peter Atkins knurrte: »Sie sollten in der Hölle braten.«[*]

Ein weiterer typisch theologischer Gedankengang findet sich in einem späteren Abschnitt von Swinburnes Artikel. Dort äußert er eine berechtigte Ansicht: Wenn Gott seine eigene

---

[*] In der Version, die schließlich über den Sender ging, wurde dieser Wortwechsel herausgeschnitten. Dass Swinburnes Bemerkung typisch für seine Theologie ist, zeigt sich auch an einer ganz ähnlichen Äußerung über Hiroshima in seinem Buch *The Existence of God* (Swinburne 2004, S. 264): »Angenommen, es wäre durch die Atombombe von Hiroshima auch nur ein Mensch weniger verbrannt. Dann hätte es eine Gelegenheit weniger für Mut und Mitgefühl gegeben …«

Existenz unter Beweis stellen wollte, würde er dazu bessere Wege finden als eine geringfügig verschobene Genesungsstatistik für Herzpatienten in experimenteller Gruppe und Kontrollgruppe. Wenn uns Gott von seiner Existenz überzeugen wollte, könnte er »die Welt mit Super-Wundern anfüllen«. Aber dann lässt Swinburne sein Prachtstück los: »Es gibt für Gottes Existenz ohnehin genügend Belege, und zu viel wäre für uns vielleicht nicht gut.« *Zu viel wäre für uns vielleicht nicht gut!* Man muss es dreimal lesen. *Zu viele Belege sind nicht gut für uns.* Der kürzlich pensionierte Richard Swinburne war Inhaber eines der renommiertesten britischen Lehrstühle für Theologie, und er ist Fellow der British Academy. Wer einen angesehenen Theologen braucht – einen angeseheneren gibt es kaum. Doch vielleicht wollen wir auf Theologen lieber ganz verzichten.

Swinburne war übrigens nicht der einzige Theologe, der mit der Studie nichts zu tun haben wollte, nachdem sie gescheitert war. Dem Reverend Raymond J. Lawrence stellte die *New York Times* einen großzügig bemessenen Platz auf der Leitartikelseite zur Verfügung, damit er erklären konnte, warum verantwortungsbewusste Religionsführer »erleichtert aufatmen werden«, weil man keinen Beleg für die Wirksamkeit von Fürbittgebeten gefunden hatte.[40] Hätte er eine andere Melodie angestimmt, wenn es mit der Benson-Studie gelungen wäre, die Kraft von Gebeten nachzuweisen? Er vielleicht nicht, aber wir können sicher sein, dass viele andere Pastoren und Theologen es getan hätten. Denkwürdig ist der Artikel des Reverend Lawrence vor allem wegen folgender Offenbarung: »Kürzlich erzählte mir ein Kollege von einer gläubigen, gebildeten Frau, die ihren Arzt wegen eines Kunstfehlers in der Behandlung ihres Mannes verklagt hatte. Ihr Vorwurf: Der Arzt habe an den Tagen, als ihr Mann im Sterben lag, nicht für ihn gebetet.«

Andere Theologen schlossen sich den NOMA-inspirierten Skeptikern an und behaupteten ebenfalls, es sei Geldverschwen-

dung, Gebete auf diese Weise erforschen zu wollen, weil übernatürliche Einflüsse definitionsgemäß nicht in der Reichweite
der Wissenschaft lägen. Aber eines hatte die Templeton Foundation richtig erkannt, als sie die Studie finanzierte: Die angebliche Wirkung von Fürbittgebeten liegt zumindest prinzipiell
durchaus in Reichweite der Wissenschaft. Man kann einen
Doppelblindversuch anstellen, und er wurde angestellt. Er hätte
ein positives Ergebnis liefern können. Angenommen, das wäre
der Fall gewesen: Könnte man sich vorstellen, dass auch nur ein
einziger Religionsvertreter die Studie abgelehnt hätte, weil ja
wissenschaftliche Forschung für religiöse Fragen keine Bedeutung hat? Natürlich nicht.

Es braucht wohl nicht besonders betont zu werden, dass der
negative Ausgang des Experiments die Gläubigen nicht er-
schütterte. Bob Barth, geistlicher Leiter der Gemeinde in Missouri, die in dem Experiment einen Teil der Gebete vollzog,
meinte dazu: »Ein Mensch des Glaubens würde sagen, dass die
Studie interessant ist, aber wir beten schon seit langer Zeit, und
wir haben gesehen, dass Gebete wirken, wir wissen, dass sie
wirken, und die Erforschung von Gebeten und Spiritualität
steht noch ganz am Anfang.« Genau: Wir wissen *aus unserem
Glauben*, dass Gebete wirken, und wenn sich diese Wirksamkeit wissenschaftlich nicht belegen lässt, dann machen wir einfach weiter, bis wir das Ergebnis bekommen, das wir haben
wollen.

Die Neville-Chamberlain-Schule der Evolutionsanhänger

Jene Wissenschaftler, die an NOMA und der naturwissenschaftlichen Unangreifbarkeit der Gotteshypothese festhalten, haben angesichts eines typisch amerikanischen Problems,
der politischen Bedrohung durch den populistischen Kreationismus, möglicherweise auch Hintergedanken. In manchen

Teilen der Vereinigten Staaten steht die Naturwissenschaft nämlich im Kreuzfeuer gut organisierter, politisch hervorragend vernetzter und vor allem finanziell gut ausgestatteter Gegner; die Behandlung der Evolution im Schulunterricht ist heftig umkämpft. Da muss man es Wissenschaftlern wohl nachsehen, wenn sie sich bedroht fühlen, denn der größte Teil ihrer Forschungsmittel kommt letztlich vom Staat, und die gewählten Volksvertreter müssen nicht nur auf den gebildeten Teil der Wählerschaft Rücksicht nehmen, sondern auch auf jene, bei denen sich Unkenntnis mit Vorurteilen paart.

Als Reaktion auf solche Gefahren hat sich eine Lobby zur Verteidigung der Evolution entwickelt, die vor allem durch das National Center for Science Education (NCSE) vertreten wird. Dessen Leiterin, Eugenie Scott, eine unermüdliche Aktivistin im Dienste der Naturwissenschaft, hat 2004 selbst ein Buch mit dem Titel *Evolution vs. Creationism* herausgebracht. Eines der politischen Hauptziele des NCSE besteht darin, »vernünftige« religiöse Meinungen zu hofieren und zu mobilisieren: Man sucht die Nähe zu Kirchenvertretern und -vertreterinnen, die kein Problem mit der Evolution haben und sie im Zusammenhang mit ihrem Glauben für unbedeutend halten (oder darin seltsamerweise sogar eine Unterstützung sehen). Genau diese Mehrheit von Klerus, Theologen und nicht fundamentalistischen Gläubigen, denen der Kreationismus peinlich ist, weil er die Religion in Misskredit bringt, will die Lobby zur Verteidigung der Evolution ansprechen. Dabei kommt man ihnen sehr weit entgegen und macht sich die NOMA-These zu eigen – alle sind sich einig, dass die Naturwissenschaft keine Bedrohung darstelle, weil sie völlig von den Aussagen der Religion abgekoppelt sei.

Ein anderer prominenter Vertreter dieser Neville-Chamberlain-Schule der Evolutionsanhänger, wie wir sie in Anlehnung an den britischen Appeasement-Politiker der Hitler-Jahre nennen können, ist der Philosoph Michael Ruse. Er kämpft sowohl auf dem Papier als auch vor Gericht sehr energisch gegen den Kreationismus.[41] Ruse bezeichnet sich selbst als Atheisten, vertritt im *Playboy* aber die Ansicht:

> Wir, die wir die Wissenschaft lieben, müssen uns darüber klar werden, dass der Feind unserer Feinde unser Freund ist. Allzu oft verwenden Evolutionsanhänger ihre Zeit darauf, potenzielle Verbündete zu beleidigen. Das gilt ganz besonders für die säkularen Evolutionsanhänger. Atheisten bringen lieber sympathische Christen zur Strecke, als dass sie sich gegen Kreationisten wenden. Als Johannes Paul II. in einem Brief den Darwinismus unterstützte, erklärte Richard Dawkins nur, der Papst sei ein Heuchler, er könne in der Wissenschaft nicht ehrlich sein, und ihm, Dawkins, sei ein ehrlicher Fundamentalist lieber.

Aus rein taktischer Sicht erkenne ich, wie reizvoll bei oberflächlicher Betrachtung Ruses Vergleich mit dem Kampf gegen Hitler ist: »Winston Churchill und Franklin Roosevelt mochten weder Stalin noch den Kommunismus. Aber durch den Kampf gegen Hitler wurde ihnen klar, dass sie mit der Sowjetunion zusammenarbeiten mussten. Ganz ähnlich müssen auch die Evolutionsanhänger jeglicher Couleur gegen den Kreationismus zusammenhalten.« Aber letztlich schlage ich mich doch auf die Seite meines Kollegen, des Genetikers Jerry Coyne aus Chicago, der über Ruse schrieb:

> Er begreift nicht, worum es in dem Konflikt wirklich geht. Es geht nicht um Evolution gegen Kreationismus. Für Wissenschaftler wie Dawkins und Wilson [E. O. Wilson, den berühmten Biologen der Harvard University] tobt der wahre Krieg zwischen Rationalismus und Aberglauben. Naturwissenschaft ist eine Form des Rationalismus, und Religion ist

die am weitesten verbreitete Form des Aberglaubens. Der Kreationismus ist nur ein Symptom dessen, was sie als ihren größeren Feind ansehen: die Religion. Zwar kann Religion ohne Kreationismus existieren, aber einen Kreationismus ohne Religion gibt es nicht.[42]

Eines haben die Kreationisten mit mir gemeinsam. Wie ich, aber anders als die »Chamberlain-Schule«, geben sie sich mit NOMA und ihren getrennten Wissensbereichen nicht zufrieden. Sie respektieren keineswegs ein abgegrenztes Revier der Naturwissenschaft, sondern tun nichts lieber, als darin überall ihre schmutzigen Pflöcke einzuschlagen. Und sie kämpfen auch mit schmutzigen Methoden. Überall in der amerikanischen Provinz suchen die Anwälte der Kreationisten sich für ihre Klagen gezielt bekennende Atheisten aus. Ich weiß, dass – zu meiner großen Verärgerung – auch mein Name zu solchen Zwecken benutzt wurde. Es ist eine wirksame Taktik, denn unter den zufällig ausgewählten Geschworenen sind höchstwahrscheinlich auch Personen, die in dem Glauben aufgewachsen sind, Atheisten seien Teufel in Menschengestalt, die auf einer Stufe mit Pädophilen oder »Terroristen« stehen (der heutigen Entsprechung zu den Hexen von Salem und McCarthys Kommunisten). Jeder Kreationistenanwalt, der mich in den Zeugenstand holt, kann die Jury sofort für sich gewinnen, indem er mir eine einfache Frage stellt: »Haben Ihre Kenntnisse über die Evolution Sie so beeinflusst, dass Sie Atheist geworden sind?« Darauf müsste ich Ja sagen, und ich hätte die Geschworenen gegen mich. Die juristisch korrekte Antwort dagegen müsste aus Sicht eines Säkularisten lauten: »Meine religiösen Überzeugungen oder ihr Fehlen sind meine Privatangelegenheit; sie gehen dieses Gericht nichts an und stehen in keinerlei Zusammenhang mit meiner wissenschaftlichen Arbeit.« Aber so etwas kann ich, wenn ich ehrlich bin, nicht sagen – die Gründe dafür werde ich im vierten Kapitel erläutern.

Die Journalistin Madeleine Bunting schrieb im *Guardian* einen Artikel mit der Überschrift »Warum die Lobby des Intelligent Design Gott für Richard Dawkins danken muss«.[43] Es gibt keine Anhaltspunkte, dass sie außer Michael Ruse noch irgendjemanden befragt hätte, und ihr Artikel könnte ebenso gut von Ruse als Ghostwriter verfasst worden sein.* Die Erwiderung schrieb Daniel Dennett, der völlig zu Recht Uncle Remus zitierte:

Ich finde es amüsant, dass ausgerechnet zwei Briten – Madeleine Bunting und Michael Ruse – auf eine Version einer der beliebtesten Gaunereien der amerikanischen Folklore hereingefallen sind (»Warum die Lobby des Intelligent Design Gott für Richard Dawkins danken muss«, 27. März). Als Brer Rabbit [Bruder Kaninchen] vom Fuchs gefangen wird, bettelt er: »Ach, bitte, bitte, lieber Bruder Fuchs, was du auch tust, lass mich nicht in diesen schrecklichen Dornstrauch fallen!« – wo er am Ende in Sicherheit ist, nachdem der Fuchs genau das getan hat. Wenn der amerikanische Propagandist William Dembski spöttisch an Richard Dawkins schreibt, er solle seine gute Arbeit im Sinne des Intelligent Design weiterführen, fallen Bunting und Ruse darauf herein! »Menschenskind, Bruder Fuchs, deine Behauptung, dass die Evolutionsbiologie die Idee von einem Schöpfergott widerlegt, untergräbt den Biologieunterricht, denn wenn du das lehrst, verstößt du gegen die Trennung von Kirche und Staat!« Richtig. Man sollte auch in der Physiologie

---

* Das Gleiche gilt auch für den Artikel »When Cosmologies Collide« in der *New York Times* vom 22. Januar 2006, verfasst von der angesehenen (und in der Regel besser informierten) Journalistin Judith Shulevitz. Für General Montgomery lautete die erste Regel im Krieg: »Marschiere nicht auf Moskau.« Vielleicht sollte es auch eine erste Regel des Wissenschaftsjournalismus geben: »Erkundige dich noch bei mindestens einer anderen Person außer bei Michael Ruse.«

sehr leise treten, denn die erklärt eine Jungfrauengeburt für unmöglich ...[44]

Das ganze Thema, einschließlich einer unabhängigen Anrufung von Bruder Kaninchen im Dornenstrauch, wird sehr ausführlich von dem Biologen P. Z. Myers erörtert, in dessen Pharyngula-Blog man stets auf einen messerscharfen gesunden Menschenverstand trifft.[45]

Damit will ich nicht sagen, dass meine Kollegen von der Appeasement-Lobby zwangsläufig unehrlich wären. Möglicherweise glauben sie tatsächlich an die NOMA, aber ich muss mich immer wieder fragen, wie gründlich sie die Frage eigentlich durchdacht haben und wie sie die inneren Konflikte in ihrem eigenen Kopf bewältigen. Vorerst brauchen wir das Thema hier nicht weiter zu verfolgen, aber wenn man die veröffentlichten Aussagen von Naturwissenschaftlern zu religiösen Themen liest, darf man nie den politischen Zusammenhang außer Acht lassen – den surrealen Kulturkampf, der heute in den Vereinigten Staaten tobt. NOMA-artige Beschwichtigung wird in einem späteren Kapitel noch einmal eine Rolle spielen. Zunächst kehre ich jedoch zum Agnostizismus zurück und erörtere die Möglichkeit, an unserer Unwissenheit zu rütteln, indem wir unsere Unsicherheit über die Existenz oder Nichtexistenz Gottes Stück für Stück vermindern.

Kleine grüne Männchen

Angenommen, Bertrand Russells Parabel hätte nicht von einer Teekanne im Weltraum gehandelt, sondern von außerirdischem *Leben*, dem Gegenstand von Sagans denkwürdiger Weigerung, mit dem Bauch zu denken. Auch hier ist eine Widerlegung nicht möglich, somit Agnostizismus der einzige streng rationale Standpunkt. Aber die Hypothese gilt heute nicht mehr als unanständig. Sie riecht nicht sofort nach größter Unwahrscheinlichkeit. Man kann auf unvollständigen Belegen eine interessante Diskussion aufbauen, und wir können festhalten, welche Art Belege unsere Unsicherheit vermindern würde. Wenn unsere Regierungen Geld für teure Teleskope ausgeben würden, nur um nach Teekannen in Umlaufbahnen zu suchen, wären wir empört. Aber den finanziellen Aufwand für SETI, die Suche nach extraterrestrischer Intelligenz mit Radioteleskopen, die den Himmel nach Signalen intelligenter Wesen absuchen, können wir gutheißen.

Ich habe Sagan sehr gelobt, weil er sich in der Frage nach außerirdischem Leben nicht auf sein Bauchgefühl verlassen wollte. Aber man kann nüchtern beurteilen, was wir wissen müssten, um die Wahrscheinlichkeit einzuschätzen (und das tat Sagan ja auch). Zu Beginn zählt man dabei vielleicht einfach die einzelnen Punkte unseres Unwissens auf wie in der berühmten Drake-Gleichung, einer Sammlung von Wahrscheinlichkeiten, wie Paul Davies es formulierte. Sie besagt, dass man sieben Zahlen miteinander multiplizieren muss, wenn man die Zahl unabhängig voneinander entstandener Zivilisationen im Universum abschätzen will. Zu diesen sieben gehören die Gesamtzahl der Sterne, die Zahl erdähnlicher Planeten je Stern sowie die Wahrscheinlichkeiten von diesem und jenem – ich brauche nicht alle Punkte aufzuführen, denn mir geht es hier nur darum, dass sie alle unbekannt sind oder nur mit einer sehr großen Fehlerspanne abgeschätzt werden können. Multipliziert man derart viele Zahlen, die alle völlig oder nahezu unbekannt sind, ist das Produkt – die geschätzte Zahl außerirdischer Zivilisationen – mit so gewaltigen Fehlerspannen behaftet, dass Agnostizismus ganz offensichtlich ein sehr vernünftiger oder vielleicht sogar der einzig glaubwürdige Standpunkt ist.

Manche Zahlenwerte aus Drakes Gleichung sind heute schon nicht mehr ganz so unbekannt wie 1961, als er sie erstmals formulierte. Damals kannte man kein anderes Sonnensystem als unser eigenes mit seinen Planeten, die ein Zentralgestirn umkreisen, und als nahe gelegene Analogien standen nur die Trabantensysteme von Jupiter und Saturn zur Verfügung. Schätzungen für die Zahl solcher Systeme im Universum stützten sich auf theoretische Überlegungen in Verbindung mit dem eher informellen »Mittelmäßigkeitsprinzip«: dem Eindruck (gewonnen aus den unbequemen historischen Lehren eines Kopernikus, Hubble und anderer), dass der Ort, an dem wir zufällig leben, keine größeren Besonderheiten aufweisen sollte. Leider wird das Mittelmäßigkeitsprinzip aber seinerseits durch das »anthropische Prinzip« entkräftet (siehe Kapitel 4): Wäre unser Sonnensystem tatsächlich das einzige im Universum, dann können wir als Wesen, die über solche Dinge nachdenken, nirgendwo anders zu Hause sein. Aus der Tatsache unserer Existenz könnten wir dann im Rückblick schließen, dass wir an einem alles andere als durchschnittlichen Ort leben.

Heute stützen sich Schätzungen über die Häufigkeit von Sonnensystemen nicht mehr auf das Mittelmäßigkeitsprinzip, sondern sie werden durch direkte Belege untermauert. Wieder einmal schlägt das Spektroskop zu, der Fluch des Positivismus eines Comte. Planeten, die um andere Sterne kreisen, sind selbst mit den leistungsfähigsten Teleskopen nur in seltenen Fällen unmittelbar zu sehen. Aber der Standort eines Sterns wird durch die Gravitationsanziehung der Planeten beeinflusst, die ihn umkreisen, und zumindest wenn es sich dabei um große Planeten handelt, macht sich die von ihnen verursachte Doppler-Verschiebung des Spektrums im Spektroskop bemerkbar. Vorwiegend dank dieser Methode kennen wir zu der Zeit, da das vorliegende Buch entsteht, bereits 170 Planeten, die außerhalb unseres Sonnensystems insgesamt 147 Sterne umkreisen,[46] und wenn Sie das Buch lesen, wird die Zahl sicher schon wieder gewachsen sein. Bisher handelt es sich ausschließlich um mächtige »Jupiters«, denn nur ein Planet von der Größe des Jupiter kann die Position des Sterns so stark verändern, dass wir es mit unseren heutigen Spektroskopen nachweisen können.

Damit haben wir unsere Schätzungen über eine zuvor rätselhafte Zahl aus der Drake-Gleichung zumindest quantitativ verbessert. Das ermöglicht eine zwar immer noch bescheidene, aber doch deutliche Abschwächung unseres Agnostizismus im Zusammenhang mit dem Endergebnis der Gleichung. Was das Leben auf anderen Himmelskörpern angeht, müssen wir bisher noch Agnostiker bleiben – aber wir sind schon etwas weniger agnostisch, weil unser Unwissen sich ein wenig vermindert hat. Die Wissenschaft kann also den Agnostizismus Stück für Stück abbauen, und zwar auf eine Weise, die Thomas Huxley im Sonderfall Gottes widerwillig leugnete. Ich dagegen vertrete im Gegensatz zur höflichen Zurückhaltung Huxleys, Goulds und anderer die Ansicht, dass die Gottesfrage nicht prinzipiell und für alle Zeiten dem wissenschaftlichen Zugriff entzogen ist. Wie im Fall der Zusammensetzung von Sternen (entgegen Comte) und der Wahrscheinlichkeit, dass es in ihren Umlaufbahnen Leben gibt, kann die Wissenschaft auch in das Revier des Agnostizismus zumindest Schneisen der Wahrscheinlichkeitsaussagen schlagen.

In meiner Definition der Gotteshypothese kommen die Worte »übermenschlich« und »übernatürlich« vor. Um uns den Unterschied klarzumachen, stellen wir uns einmal vor, ein SETI-Radioteleskop würde tatsächlich aus dem Weltraum ein Signal auffangen, das eindeutig zeigt, dass wir im Universum nicht allein sind. Übrigens ist die Frage, wie ein Signal aussehen muss, damit wir von seiner intelligenten Entstehung überzeugt sein können, alles andere als trivial. Nützlich ist es, wenn man die Frage umdreht. Was sollten wir intelligenterweise tun, um extraterrestrischen Zuhörern unsere Existenz bekannt zu machen? Rhythmische Impulse reichen dafür nicht aus. Die Radioastronomin Jocelyn Bell Burnell, die 1967 den ersten Pulsar entdeckte, war von dessen exakt alle 1,33 Sekunden wiederkehrenden Signal so beeindruckt, dass sie es augenzwinkernd als LGM-Signal (für *little green men* – »kleine grüne Männchen«) bezeichnete. Später fand sie an einer anderen Stelle am Himmel einen zweiten Pulsar mit anderem Rhythmus, und damit war die Hypothese mit den kleinen grünen Männchen weitgehend vom Tisch.

Metronomartige Rhythmen können durch viele nicht intelligente Phänomene entstehen, von schwankenden Ästen über tropfendes Wasser und die Zeitverzögerung in selbstregulierenden Rückkopplungsschleifen bis zu rotierenden Himmelskörpern in Umlaufbahnen. Bis heute hat man in unserer Galaxis über tausend Pulsare gefunden, und man ist sich allgemein einig, dass es sich in allen Fällen um rotierende Neutronensterne handelt, die ihre Radiowellen aussenden wie ein Leuchtturm seinen rotierenden Lichtstrahl. Dass ein Stern in Zeiträumen von Sekunden um seine Achse rotieren kann, ist ein verblüffender Gedanke (man stelle sich nur vor, ein Tag auf der Erde würde nicht 24 Stunden dauern, sondern nur 1,33 Sekunden), aber verblüffend ist ohnehin alles, was wir über Neutronensterne wissen. Entscheidend ist aber etwas anderes: Wir wissen heute, dass das Phänomen der Pulsare auf einfache physikalische Gesetzmäßigkeiten zurückzuführen ist und nichts mit Intelligenz zu tun hat.

Mit einem einfachen Rhythmus könnten wir unser intelligentes Dasein dem wartenden Universum also nicht bekannt machen. Als Hilfsmittel unserer Wahl werden häufig die Primzahlen genannt, denn dass diese durch einen rein physikalischen Vorgang entstehen, kann man sich nur schwer vorstellen. Aber ob wir nun Primzahlen oder etwas anderes entdecken: Stellen wir uns einmal vor, SETI würde eindeutige Belege für eine extraterrestrische Intelligenz liefern, gefolgt vielleicht von einem ungeheuren Wissens- und Weisheitstransfer nach Art der Science-Fiction-Romane *A wie Andromeda* von Fred Hoyle oder *Kontakt* von Carl Sagan. Wie sollen wir reagieren? Eine durchaus verzeihliche Reaktion wäre eine Art Anbetung, denn jede Zivilisation, die ein Signal über eine so große Entfernung aussenden kann, muss der unseren weit überlegen sein. Selbst wenn diese Zivilisation zum Zeitpunkt der Aussendung nicht weiter entwickelt wäre als unsere eigene, könnten wir uns aufgrund der riesigen Entfernung ausrechnen, dass sie uns um Jahrtausende voraus sein muss, wenn das Signal bei uns eintrifft (es sei denn, sie hätte sich mittlerweile selbst ausgerottet, was gar nicht so unwahrscheinlich ist).

Ob wir jemals von ihnen erfahren werden oder nicht: Es gibt höchstwahrscheinlich außerirdische Zivilisationen, die übermenschlich und auf eine Weise gottähnlich sind, wie es sich heute kein Theologe vorstellen kann. Ihre technischen Errungenschaften würden uns ebenso übernatürlich vorkommen wie unsere eigenen einem Bauern aus dem Mittelalter, den man ins 21. Jahrhundert versetzen würde. Stellen wir uns nur vor, wie Notebookcomputer, ein Handy, eine Wasserstoffbombe oder ein Jumbojet auf ihn wirken würden. Oder, wie Arthur C. Clarke es in seinem dritten Gesetz formulierte: »Jede ausreichend hoch entwickelte Technologie ist von Zauberei nicht zu unterscheiden.« Die Wunder, die unsere Technik zuwege bringt, wären den Menschen der Antike nicht weniger bemerkenswert erschienen als die Geschichten von Mose, der das Wasser teilt, oder von Jesus, der darauf wandelt. Die Außerirdischen unseres SETI-Signals würden uns wie Götter erscheinen, genau wie die Missionare, die ebenfalls für Götter gehalten wurden (und diese unverdiente Ehre bis zum Gehtnichtmehr ausnutzten), als sie mit Gewehren, Teleskopen und Streichhölzern in steinzeitlichen Kulturkreisen auftauchten und mit ihren Tabellen sogar Sonnen- und Mondfinsternisse auf die Sekunde genau voraussagen konnten.

In welchem Sinn wären die am weitesten fortgeschrittenen

SETI-Außerirdischen demnach *keine* Götter? In welchem Sinn wären sie übermenschlich, aber nicht übernatürlich? Die Antwort lautet: in einer sehr wichtigen Hinsicht, die mit der Kernaussage dieses Buches zu tun hat. Der entscheidende Unterschied zwischen Göttern und gottähnlichen Außerirdischen liegt nicht in ihren Eigenschaften, sondern in ihrer Entstehungsgeschichte. Gebilde, die so komplex sind, dass sie intelligent sein können, sind das Produkt eines Evolutionsprozesses. Ganz gleich, wie gottähnlich sie uns erscheinen, wenn wir ihnen begegnen: Am Anfang waren sie nicht so. Science-Fiction-Autoren wie Daniel F. Galouye mit seinem Buch *Counterfeit World (Welt am Draht)* haben sogar die Vermutung geäußert, dass wir in einer Computersimulation leben, die von einer weit überlegenen Zivilisation programmiert wurde (und ich weiß nicht, wie man diesen Gedanken widerlegen sollte). Aber auch die Simulatoren müssen irgendwoher stammen. Die Gesetze der Wahrscheinlichkeit verbieten jede Idee, wonach sie spontan ohne einfachere Vorläufer entstanden sein könnten. Vermutlich verdanken sie ihre Existenz einer (uns vielleicht unbekannten) Form der darwinistischen Evolution, einem sich Stück für Stück aufbauenden »Kran«, aber keinem »Himmelshaken«, um Daniel Dennetts Terminologie zu benutzen.[47]

Himmelshaken – zu denen auch alle Götter gehören – sind Hokuspokus. Sie leisten keine Deutungsarbeit, sondern erfordern selbst mehr Erklärungen, als sie liefern. Kräne dagegen sind Hilfsmittel, die tatsächlich etwas erklären. Und der leistungsfähigste Kran aller Zeiten ist die natürliche Selektion. Sie hat das Leben aus der urtümlichen Einfachheit auf die Schwindel erregenden Höhen der Komplexität, Schönheit und scheinbaren Gestaltung gehoben, die uns heute so verblüffen. Dies ist das beherrschende Thema im vierten Kapitel des Buches, »Warum es mit ziemlicher Sicherheit keinen Gott gibt«. Bevor ich jedoch meinen wichtigsten Grund darlege, warum ich ganz entschieden nicht an Gottes Existenz glaube, ist es meine Pflicht, die positiven Argumente für den Glauben abzuhaken, die im Laufe der Geschichte genannt wurden.

3 Argumente für die Existenz Gottes

Eine Professur für Theologie sollte in unserer Institution keinen Platz haben.

Thomas Jefferson

Argumente für die Existenz Gottes wurden jahrhundertelang von Theologen schriftlich festgehalten und von anderen ergänzt, darunter auch von Anhängern eines fehlgeleiteten »gesunden Menschenverstandes«.

Die »Beweise« des Thomas von Aquin

Die fünf »Beweise«, die Thomas von Aquin im 13. Jahrhundert formulierte, beweisen überhaupt nichts. Auch wenn ich angesichts von Thomas' Berühmtheit zögere, es zu sagen: Sie als inhaltsleer zu entlarven fällt nicht schwer. Die ersten drei sind nur verschiedene Formulierungen der gleichen Aussage, sodass man sie gemeinsam betrachten kann. Alle »Beweise« beruhen auf einer unendlichen Regression – die Antwort auf eine Frage wirft eine vorausgehende Frage auf, und so weiter *ad infinitum*.

1. *Der unbewegte Beweger.* Nichts bewegt sich, ohne dass es zuvor einen Beweger gibt. Das führt zu einer Regression, und Gott ist der einzige Ausweg. Irgendetwas muss die erste Bewegung veranlasst haben, und dieses Etwas nennen wir Gott.

2. *Die Ursache ohne Ursache.* Nichts wird von sich selbst verursacht. Jede Wirkung hat eine vorausgehende Ursache, und wieder landen wir in der Regression. Diese muss durch eine erste Ursache beendet werden, die wir Gott nennen.
3. *Das kosmologische Argument.* Es muss eine Zeit gegeben haben, in der keine physikalischen Objekte existierten. Da heute aber physikalische Gegenstände vorhanden sind, muss irgendetwas Nichtphysikalisches sie ins Dasein gebracht haben, und dieses Etwas nennen wir Gott.

Alle drei Argumente stützen sich auf den Gedanken der Regression und greifen auf Gott zurück, um sie zu beenden. Sie gehen von der völlig unbewiesenen Voraussetzung aus, dass Gott selbst gegen die Regression immun ist. Sogar wenn wir uns den zweifelhaften Luxus erlauben, willkürlich einen Endpunkt der Regression zu postulieren und ihm einen Namen zu geben, einfach weil wir einen solchen Endpunkt brauchen, besteht keinerlei Anlass, ihn mit den Eigenschaften auszustatten, die Gott normalerweise zugeschrieben werden: Allmacht, Allwissenheit, Güte, kreative Gestaltung, oder gar menschliche Eigenschaften wie das Erhören von Gebeten, Vergebung der Sünden und Lesen unserer innersten Gedanken. Übrigens ist es der Aufmerksamkeit der Logiker nicht entgangen, dass Allwissenheit und Allmacht unvereinbar sind. Wenn Gott allwissend ist, muss er bereits wissen, wie er mit seiner Allmacht eingreifen und den Lauf der Geschichte verändern wird. Das bedeutet aber, dass er es sich mit dem Eingriff nicht mehr anders überlegen kann, und demnach ist er nicht allmächtig. Karen Owens hat dieses geistreiche kleine Paradoxon in ebenso rührende Verse gefasst:

Hat der allwissende Gott, der
Die Zukunft schon kennt,

Allmacht genug, damit sogar er
Zukünftig auf andre Gedanken kommt?

Doch zurück zur unendlichen Regression und der sinnlosen Anrufung Gottes zu ihrer Beendigung. Ökonomischer wäre es, sich auf eine »Urknall-Singularität« oder ein anderes, bisher unbekanntes physikalisches Konzept zu berufen. Die Bezeichnung dieses Konzepts als Gott ist im besten Fall unnütz, und im schlimmsten führt sie heimtückisch in die Irre.

Edward Lear etwa fordert in seinem »Nonsens-Rezept für Krümelkoteletts«: »Man nehme einige Scheiben Rindfleisch, lasse sie in die kleinstmöglichen Stücke schneiden, zerkleinere sie dann nochmals und wiederhole das Ganze acht bis neun Mal.« Manchmal hat die Regression eben ein natürliches Ende. Früher fragten sich die Wissenschaftler, was geschehen würde, wenn man beispielsweise Gold in die kleinstmöglichen Stücke zerteilte. Warum sollte man dann nicht eines dieser Stücke halbieren und so ein noch kleineres Goldbröckchen erzeugen? In diesem Fall ist die Regression beim Atom eindeutig zu Ende. Das kleinstmögliche Stück Gold ist ein Atomkern aus genau 97 Protonen und einer geringfügig größeren Zahl von Neutronen, der von einem Schwarm aus 97 Elektronen begleitet ist. Würde man Gold auf der Ebene des Atoms nochmals »zerschneiden«, wäre das, was übrig bleibt, kein Gold mehr. Das Atom stellt für eine Regression nach Art der Krümelkoteletts das natürliche Ende dar. Dagegen ist durchaus nicht geklärt, ob Gott für die Regressionen des Thomas von Aquin ein natürliches Ende darstellt. Und das ist, wie wir sehen werden, noch milde ausgedrückt. Schauen wir uns nun die weiteren Positionen auf Thomas von Aquins Liste an:

4. *Das Argument der Stufungen.* Wir beobachten, dass die Dinge in der Welt unterschiedlich sind. Es gibt beispielsweise Abstufungen von Tugend oder Vollkommenheit.

Aber solche Abstufungen können wir nur durch den Vergleich mit einem Maximum beurteilen. Menschen können sowohl gut als auch schlecht sein, also kann das Maximum des Gutseins nicht in uns liegen. Es muss ein anderes Maximum geben, das den Maßstab der Vollkommenheit bildet, und dieses Maximum nennen wir Gott.

Das soll ein Argument sein? Ebenso gut kann man sagen: Die Menschen unterscheiden sich in der Stärke ihres Körpergeruchs, aber einen Vergleich können wir nur anhand eines vollkommenen Maximums an vorstellbarem Körpergeruch anstellen. Es muss also einen überragenden Stinker geben, der nicht seinesgleichen hat, und den nennen wir Gott. Oder wir nehmen jede beliebige andere Vergleichsgröße und leiten daraus eine ebenso alberne Schlussfolgerung ab.

5. *Das teleologische Argument, auch Gestaltungsargument genannt.* Die Dinge in der Welt und insbesondere die Lebewesen sehen so aus, als wären sie gezielt gestaltet worden. Nichts, was wir kennen, sieht gestaltet aus, wenn es nicht gestaltet ist.* Also muss es einen Gestalter geben, und den nennen wir Gott. Thomas von Aquin selbst stellte den Vergleich mit einem Pfeil an, der sich auf ein Ziel zubewegt, aber ein modernes Flugabwehrgeschütz mit Wärmesensoren hätte sich für seine Zwecke besser geeignet.

Das Gestaltungsargument wird als einziges noch heute regelmäßig angeführt, und für viele Menschen hört es sich absolut schlagend an. Auch der junge Darwin war davon beeindruckt, als er während seiner ersten Studienjahre in Cambridge die

---

* Dabei muss ich immer an einen unsterblichen Vernunftschluss denken, den ein Schulfreund während unseres gemeinsamen Geometrieunterrichts in einen euklidischen Beweis schmuggelte: »Das Dreieck ABC sieht gleichschenklig aus. Also …«

Natural Theology von William Paley las. Pech für Paley: In späteren Jahren hob Darwin das Argument aus den Angeln. Wohl nie hat jemand auf so verheerende Weise durch kluges Nachdenken eine verbreitete Überzeugung zunichte gemacht wie Charles Darwin, als er das Gestaltungsargument zerstörte. Es kam so unerwartet. Die zentrale Aussage – »nichts, was wir kennen, sieht gestaltet aus, wenn es nicht gestaltet ist« – stimmt dank Darwin eben nicht mehr. Die Evolution durch natürliche Selektion erzeugt ein ausgezeichnetes Scheinbild einer Gestaltung, die in Komplexität und Eleganz gewaltige Höhen erreichen kann. Zu den herausragenden Beispielen für Pseudo-Gestaltung gehören Nervensysteme, die als eine ihrer bescheideneren Leistungen ein Zielsuchverhalten erzeugen. Dieses Verhalten erinnert schon bei einem winzigen Insekt eher an ein wärmegelenktes Geschoss als an einen einfachen Pfeil. Ich werde in Kapitel 4 auf das Gestaltungsargument zurückkommen.

Das ontologische Argument und andere A-priori-Argumente

Die Argumente für die Existenz Gottes lassen sich in zwei Kategorien einteilen – die *A-priori-* und die *A-posteriori-*Argumente. Die fünf Punkte des Thomas von Aquin sind *A-posteriori*-Argumente, die sich auf eine Besichtigung der Welt stützen. Die Grundlage der *A-priori*-Argumente dagegen sind rein theoretische Überlegungen. Am berühmtesten ist der *ontologische Gottesbeweis*, den der heilige Anselm von Canterbury 1078 formulierte und der seither von zahlreichen Philosophen in immer neuer Form wiederholt wurde. Anselms Argument hat einen seltsamen Aspekt: Es richtete sich ursprünglich nicht an die Menschen, sondern an Gott selbst und hatte die Form eines Gebets. (Dabei würde man eigentlich meinen, dass man ein Etwas, das ein Gebet erhören kann, nicht von seiner eigenen Existenz überzeugen muss.)

Man könne sich, sagt Anselm, ein Wesen denken, das so groß ist, dass man sich nichts Größeres mehr vorstellen kann. Ein solches größtmögliches Wesen können sich sogar Atheisten ausmalen; sie würden nur bestreiten, dass es wirklich existiert. Aber, so Anselms Argumentation, ein Wesen, das in der wirklichen Welt nicht existiert, ist allein aufgrund dieser Tatsache nicht vollkommen. Damit haben wir einen Widerspruch, und siehe da, Gott muss existieren.

Ich möchte dieses kindische Argument einmal in eine angemessene Sprache übertragen, nämlich in die Sprache auf dem Spielplatz.

»Wetten, dass ich beweisen kann, dass Gott existiert?«

»Wetten, dass du das nicht kannst?«

»Also gut. Stellen wir uns doch mal das allerallerallervollkommenste Ding vor, das überhaupt möglich ist.«

»Na gut, und dann?«

»Na, gibt es dieses allerallerallervollkommenste Ding wirklich?«

»Nein, das gibt's nur in meinem Kopf.«

»Aber wenn es Wirklichkeit wäre, müsste es ja noch vollkommener sein, denn ein wirklich vollkommenes Ding müsste doch besser sein als so ein blödes altes Ding in der Fantasie. Also habe ich bewiesen, dass es Gott gibt. Ätsch, bätsch, reingelegt! Alle Atheisten sind Toren.«

Dabei lasse ich meinen kindischen Neunmalklugen absichtlich »Toren« sagen. Denn Anselm selbst zitiert den ersten Vers von Psalm 14: »Die Toren sprechen in ihrem Herzen: ›Es ist kein Gott‹«, und besitzt die Unverfrorenheit, die Bezeichnung »Tor« (lateinisch *insipiens*) anschließend für seinen hypothetischen Atheisten zu verwenden:

Deshalb ist selbst der Tor überzeugt, dass es zumindest im Verstehen etwas gibt, sodass man sich nichts Größeres vorstellen kann. Denn wenn er das hört, versteht er es. Und was verstanden wird, existiert im Verständnis. Und sicher kann das, wobei man sich nichts Größeres vorstellen kann, nicht allein im Verständnis existieren. Denn angenommen, es existierte nur im Verständnis allein: Dann kann man sich vorstellen, dass es auch in der Wirklichkeit existiert; welche größer ist.

Schon der Gedanke, dass aus solchen trickreichen Wortverdrehungen großartige Schlussfolgerungen hervorgehen sollen, ist für mich eine ästhetische Beleidigung; deshalb muss ich darauf achten, dass ich mich abschätziger Worte wie »Tor« enthalte. Bertrand Russell (der kein Tor ist) sagte dazu etwas Interessantes: »Die Überzeugung zu gewinnen, dass es [das ontologische Argument] fehlerhaft sein muss, ist einfacher, als herauszufinden, wo der Fehler im Einzelnen liegt.« Russell selbst war als junger Mann für kurze Zeit davon überzeugt:

Ich kann mich noch genau an den Augenblick erinnern. Es war an einem Tag im Jahr 1898, ich ging die Trinity Lane entlang und sah in einem Geistesblitz (oder glaubte zu sehen), dass das ontologische Argument richtig ist. Ich war losgegangen, um mir eine Dose Tabak zu kaufen; auf dem Rückweg warf ich sie plötzlich in die Luft, und als ich sie wieder auffing, rief ich aus: »Mensch Meier, das ontologische Argument stimmt!«

Warum, so frage ich mich, sagte er sich nicht: »Mensch Meier, das ontologische Argument hört sich plausibel an! Aber ist es nicht zu schön, um wahr zu sein, dass sich eine erhabene Erkenntnis über den Kosmos aus einem einfachen Wortspiel ableitet? Vielleicht sollte ich lieber an die Arbeit gehen und es lösen. Vielleicht ist es ja ein Paradox wie das von Zenon.«

Bekanntlich konnten die alten Griechen Zenons »Beweis« nur schwer durchschauen, dass Achill die Schildkröte niemals einholen könne.* Dennoch waren sie vernünftig und zogen nicht den Schluss, Achill werde tatsächlich nicht in der Lage sein, die Schildkröte einzuholen. Stattdessen bezeichneten sie es als Paradox und warteten, bis spätere Mathematikergenerationen es erklären konnten. Natürlich verstand Russell so gut wie kaum ein anderer, warum man keine Tabaksdose in die Luft werfen sollte, um damit zu feiern, dass Achill die Schildkröte nicht einholen kann. Nur, warum ließ er die gleiche Vorsicht nicht auch gegenüber dem heiligen Anselm walten? Ich denke, er war ein Atheist mit übertriebenem Gerechtigkeitssinn, der sich übereifrig desillusionieren ließ, wenn die Logik es zu verlangen schien.** Vielleicht liegt die Antwort aber auch in

---

* Zenons Paradox ist so bekannt, dass die Einzelheiten in einer Fußnote verbleiben können. Achill läuft zehnmal so schnell wie die Schildkröte und gibt ihr deshalb beispielsweise 100 Meter Vorsprung. Achill läuft 100 Meter, und die Schildkröte ist ihm jetzt zehn Meter voraus. Achill läuft die zehn Meter, und die Schildkröte ist ihm einen Meter voraus. Achill läuft den einen Meter, die Schildkröte ist zehn Zentimeter vor ihm ...und so weiter *ad infinitum* – Achill holt die Schildkröte also niemals ein.

** Etwas Ähnliches beobachten wir heute vermutlich bei den öffentlichkeitswirksamen Winkelzügen des Philosophen Anthony Flew, der auf seine alten Tage verkündete, er habe sich zum Glauben an eine Art Gottheit bekehrt (was an vielen Stellen im Internet eine Welle hektischen Nachbetens auslöste). Andererseits war Russell ein großer Philosoph, der mit dem Nobelpreis ausgezeichnet wurde. Vielleicht wird nun Flews angebliche Bekehrung mit dem Templeton-Preis belohnt. Ein erster Schritt in diese Richtung ist seine schändliche Entscheidung, den »Phillip E. Johnson-Preis für Freiheit und Wahrheit« anzunehmen. Der erste Träger dieser Auszeichnung war Phillip E. Johnson, der Anwalt, dem die Erfindung der »Keilstrategie« des Intelligent Design zugeschrieben wird. Flew ist der Zweite, dem der Preis verliehen wurde. Bei der verleihenden Institution handelt es sich um das Bible Institute of Los Angeles (BIOLA). Man muss sich einfach die Frage stellen, ob Flew weiß, dass er benutzt wird. Vgl. Victor Stenger, »Flew's Flawed Science«, *Free Inquiry* 25:2 (2005), S. 17–18; www.secularhumanism.org/index.php?section=library&page=stenger_25_2 (26.3.2007).

den Zeilen, die Russell 1946 schrieb, lange nachdem er das ontologische Argument durchschaut hatte:

Die eigentliche Frage lautet: Können wir uns irgendetwas vorstellen, dessen Existenz außerhalb unserer Gedanken allein dadurch, dass wir daran denken können, beweisbar ist? Jeder Philosoph würde *gern* Ja sagen, denn Philosophen haben die Aufgabe, Erkenntnisse über die Welt nicht durch Beobachten, sondern durch Denken zu finden. Wenn Ja die richtige Antwort ist, gibt es eine Brücke vom reinen Denken zu den Dingen. Wenn nicht, dann nicht.

Ich selbst hätte genau das umgekehrte Gefühl: ein automatisches, tiefes Misstrauen gegenüber jedem Gedankengang, der zu einer derart bedeutsamen Schlussfolgerung gelangt, ohne dass auch nur eine einzige Erkenntnis aus der Wirklichkeit dazu beigetragen hätte. Vielleicht zeigt das einfach nur, dass ich kein Philosoph bin, sondern Naturwissenschaftler. Philosophen haben über Jahrhunderte hinweg das ontologische Argument tatsächlich ernst genommen und sich dafür oder dagegen geäußert. Besonders klarsichtig erörtert diesen Befund der atheistische Philosoph J. L. Mackie in seinem Buch *The Miracle of Theism (Das Wunder des Theismus)*. Und wenn ich jetzt sage, dass man einen Philosophen fast als jemanden definieren könnte, der den gesunden Menschenverstand als Antwort nicht anerkennt, so ist das durchaus als Kompliment gemeint.

Die definitive Widerlegung des ontologischen Gottesbeweises wird in der Regel den Philosophen David Hume (1711–1776) und Immanuel Kant (1724–1804) zugeschrieben. Kant erkannte die Trickkarte in Anselms Ärmel: die fragwürdige Annahme, »Existenz« sei vollkommener als »Nichtexistenz«. Der amerikanische Philosoph Norman Malcolm formulierte es so:

Die Doktrin, Existenz sei Vollkommenheit, ist ausgesprochen seltsam. Sinnvoll und wahr ist es, wenn ich sage, mein zukünftiges Haus werde, wenn es wärmegedämmt ist, besser sein, als wenn es nicht wärmegedämmt ist; aber was soll es bedeuten, wenn man sagt, es sei ein besseres Haus, wenn es existiert, und ein schlechteres, wenn es nicht existiert?[48]

Ein anderer Philosoph, der Australier Douglas Gasking, machte die entscheidende Aussage mit seinem ironischen »Beweis«, dass Gott *nicht* existiert (eine ähnliche *reductio* hatte schon Anselms Zeitgenosse Gaunilo vorgeschlagen):

1. Die Erschaffung der Welt ist die größte vorstellbare Errungenschaft.
2. Der Wert einer Errungenschaft ist das Produkt (a) ihrer inneren Qualität und (b) der Fähigkeiten ihres Schöpfers.
3. Je größer die Unfähigkeit (oder Behinderung) des Schöpfers ist, desto eindrucksvoller ist die Errungenschaft.
4. Die größte Behinderung für einen Schöpfer würde darin bestehen, dass er nicht existiert.
5. Wenn wir also annehmen, dass das Universum das Produkt eines existierenden Schöpfers ist, können wir uns ein noch größeres Wesen vorstellen, nämlich eines, das alles erschaffen hat, obwohl es nicht existiert.
6. Ein existierender Gott wäre also nicht so groß, dass man sich nicht etwas noch Größeres vorstellen könnte, denn ein viel leistungsfähigerer und unglaublicherer Schöpfer wäre ein Gott, den es nicht gibt.
   Also:
7. Gott existiert nicht.[49]

Ich brauche wohl nicht besonders zu betonen, dass Gasking damit nicht wirklich bewiesen hat, dass Gott nicht existiert. Aber ebenso wenig bewies Anselm, dass es ihn gibt. Der einzige Unterschied besteht darin, dass Gasking sich absichtlich einen Scherz erlaubte. Wie er richtig erkannte, ist die Existenz oder Nichtexistenz Gottes eine so große Frage, dass man sie nicht mit »dialektischer Taschenspielerkunst« beantworten kann. Und nach meiner Überzeugung ist die fragwürdige Annahme, Existenz sei ein Zeichen für Vollkommenheit, noch nicht einmal die schlimmste Schwäche dieser Argumentation. Die Einzelheiten habe ich vergessen, aber irgendwann ärgerte ich einmal eine Versammlung von Theologen und Philosophen, indem ich das ontologische Argument umformulierte und damit bewies, dass Schweine fliegen können. Sie hielten es für nötig, auf Modallogik zurückzugreifen, um zu beweisen, dass ich unrecht hatte.

Das ontologische Argument erinnert mich wie alle *A-priori*-Argumente für die Existenz Gottes an den alten Mann in *Point Counter Point (Kontrapunkt des Lebens)* von Aldous Huxley, der einen mathematischen Beweis für die Existenz Gottes entdeckt:

Sie kennen doch die Formel *m* durch Null gleich Unendlich, wobei *m* jede positive Zahl sein kann? Nun ja, warum reduzieren wir nicht die Gleichung auf eine einfachere Form, indem wir beide Seiten mit Null multiplizieren? Dann haben wir *m* gleich Unendlich mal Null. Das heißt, eine positive Zahl ist das Produkt aus Null und Unendlich. Ist damit nicht bewiesen, dass das Universum von einer unendlichen Macht aus dem Nichts erschaffen wurde? Ist das nicht der Beweis?

Die berühmte Geschichte über Diderot (den Enzyklopädisten der Aufklärung) und den Schweizer Mathematiker Euler ist leider von zweifelhaftem Wahrheitsgehalt. Der Legende zufolge organisierte Katharina die Große im 18. Jahrhundert eine Diskussion zwischen den beiden. Der fromme Euler schleuderte dem Atheisten Diderot im Brustton der Überzeugung seine Herausforderung entgegen: »Monsieur, $(a + b^n)/n = x$, also existiert Gott. Ihre Antwort, bitte!«

Das Entscheidende an diesem Mythos: Diderot war angeblich kein Mathematiker und musste deshalb verwirrt den Rückzug antreten. Wie B. H. Brown jedoch 1942 in der Zeitschrift *Mathematical Monthly* darlegte, kannte der Franzose sich in Wirklichkeit ziemlich gut in der Mathematik aus, sodass er auf dieses »Argument der Blendung mit Wissenschaft«, wie man es nennen könnte (in diesem Fall: mit Mathematik), vermutlich nicht hereingefallen wäre. David Mills druckte in seinem Buch *Atheist Universe* ein Radiointerview nach, in dem er von einem Religionsvertreter befragt wurde. Dieser führte das Masse- und Energie-Erhaltungsgesetz an und unternahm damit einen seltsam unwirksamen Versuch, mit Wissenschaft zu blenden: »Wir bestehen doch alle aus Materie und Energie. Macht dieses naturwissenschaftliche Prinzip den Glauben an ein ewiges Leben nicht plausibel?« Mills antwortete geduldiger und höflicher, als ich es getan hätte, denn eigentlich hatte der Interviewer einfach nur gesagt: »Wenn wir sterben, geht keines der Atome aus unserem Körper (und auch nichts von seiner Energie) verloren. Deshalb sind wir unsterblich.«

Selbst mir ist trotz meiner langen Erfahrung nie ein derart törichtes Wunschdenken begegnet. Allerdings bin ich auf viele der wunderschönen »Beweise« gestoßen, die unter http://www.godlessgeeks.com/LINKS/GodProof.htm gesammelt wurden. Diese vergnügliche, nummerierte Liste enthält »Hunderte von Beweisen für die Existenz Gottes«. Ich zitiere hier ein amüsantes halbes Dutzend, angefangen beim Beweis Nummer 36:

36. *Argument der unvollständigen Zerstörung:* Ein Flugzeug ist abgestürzt, 143 Passagiere und Besatzungsmitglieder kamen ums Leben. Aber ein Kind überlebte und trug nur Verbrennungen dritten Grades davon. Also existiert Gott.

37. *Argument der möglichen Welten:* Wenn alles anders gewesen wäre, wäre alles anders. Das wäre schlecht. Also existiert Gott.

38. *Argument des reinen Willens:* Ich glaube an Gott! Ja, ich glaube an Gott! Ich glaube, ich glaube, ich glaube. Ich glaube an Gott! Also existiert Gott.

39. *Argument des Unglaubens:* Die Mehrheit der Weltbevölkerung besteht aus Nichtchristen. Genau das hat Satan gewollt. Also existiert Gott.

40. *Argument des Nach-Todeserlebnisses:* Die Person X ist als Atheist gestorben. Jetzt erkennt sie ihren Fehler. Also existiert Gott.

41. *Argument der emotionalen Erpressung:* Gott liebt dich. Wie kannst du so herzlos sein, nicht an ihn zu glauben? Also existiert Gott.

Das Argument der Schönheit

Eine andere Gestalt in dem zuvor erwähnten Roman von Aldous Huxley beweist die Existenz Gottes, indem sie auf einem Grammofon Beethovens Streichquartett Nr. 15 in a-Moll (»Heiliger Dankgesang«) abspielt. Das mag nicht besonders überzeugend klingen, ist jedoch eine beliebte Argumentation. Ich zähle nicht mehr, wie oft ich schon die mehr oder weniger gehässige Frage gehört habe: »Aber wie erklären Sie dann, dass es Shakespeare gab?« (wobei man Shakespeare je nach persönlichem Geschmack gegen Schubert, Michelangelo usw. austauschen kann). Die Argumentation ist so bekannt, dass ich sie nicht weiter zu dokumentieren brauche. Aber nie wird ausgesprochen, welche Logik dahinter steht, und je länger man darüber nachdenkt, desto genauer erkennt man, wie heimtückisch sie ist. Natürlich sind Beethovens späte Streichquartette erhabene Kunstwerke. Das Gleiche gilt für die Sonette von

Shakespeare. Sie sind erhaben, wenn es einen Gott gibt, und sie sind auch erhaben, wenn es ihn nicht gibt. Sie beweisen nicht die Existenz Gottes, sondern die Existenz Beethovens oder Shakespeares. Ein großer Dirigent soll einmal gesagt haben: »Wenn man Mozart hören kann, wozu braucht man dann noch Gott?«

Ich war einmal »Gast der Woche« in einer britischen Radiosendung mit dem Titel *Desert Island Discs*. Man sollte sich acht Schallplatten aussuchen, die man mitnehmen würde, wenn man auf einer einsamen Insel ausgesetzt würde. Meine Wahl fiel unter anderem auf die Arie »Mache dich mein Herze rein« aus der Matthäuspassion von Bach. Der Interviewer konnte nicht begreifen, warum ich mir geistliche Musik aussuchte, obwohl ich nicht religiös war. Ebenso gut könnte man fragen: Wie kannst du Emily Brontës *Wuthering Heights (Sturmhöhe)* genießen, obwohl du genau weißt, dass es Cathy und Heathcliff nie gegeben hat?

Ich hätte aber noch etwas hinzufügen sollen – und das sollte man immer sagen, wenn der Religion etwa das Verdienst für die Existenz der Sixtinischen Kapelle oder für Raffaels *Verkündigung* zugeschrieben wird. Auch große Künstler müssen ihren Lebensunterhalt verdienen und nehmen Aufträge an, wo diese zu bekommen sind. Ich habe keinen Anlass zu zweifeln, dass Raffael und Michelangelo Christen waren – zu ihrer Zeit bestand praktisch keine andere Möglichkeit –, aber das ist fast ein Zufall. Die Kirche war durch ihren gewaltigen Reichtum zur wichtigsten Mäzenin der Künste geworden. Angenommen, die Geschichte wäre anders verlaufen und Michelangelo hätte den Auftrag erhalten, die Kuppel eines riesigen Wissenschaftsmuseums auszumalen: Hätte er dann nicht etwas mindestens ebenso Inspiriertes geschaffen wie die Sixtinische Kapelle? Schade, dass wir nie Beethovens *Mesozoikum-Symphonie* oder die Mozart-Oper *Das expandierende Universum* hören werden. Und was für eine Schande, dass uns Haydns *Evolutionsoratorium* versagt geblieben ist – was uns aber nicht daran hindert, uns über seine *Schöpfung* zu freuen.

Oder betrachten wir das Argument von der anderen Seite und stellen wir uns das vor, was meine Frau sich zu meinem Entsetzen ausmalte: Was wäre geschehen, wenn Shakespeare gezwungen gewesen wäre, im Auftrag der Kirche zu arbeiten? Mit Sicherheit wären uns *Hamlet, König Lear* und *Macbeth* versagt geblieben. Und was hätten wir im Gegenzug bekommen? Den Stoff, aus dem die Träume sind? Na, dann träumen Sie mal schön weiter!

Wenn irgendein logisches Argument die Existenz großer Kunstwerke an die Existenz Gottes bindet, dann wird es von seinen Vertretern nicht ausgesprochen. Man geht einfach davon aus, dass es offensichtlich sei, was es ganz sicher nicht ist. Vielleicht muss man darin eine andere Version des Gestaltungsarguments sehen: Schuberts musikalisches Gehirn ist ein Wunder der Unwahrscheinlichkeit, viel unwahrscheinlicher sogar als das Wirbeltierauge. Vielleicht ist es auch viel prosaischer der Neid auf das Genie. Wie kann ein anderer Mensch es wagen, so wunderschöne Musik/Dichtung/Kunst zu schaffen, wenn ich dazu nicht in der Lage bin? Da muss Gott doch nachgeholfen haben.

Das Argument des persönlichen »Erlebnisses«

Einer meiner klügeren und reiferen Studienanfängerkollegen, ein tief religiöser junger Mann, fuhr einmal zum Zelten auf eine schottische Insel. Mitten in der Nacht wurden er und seine Freundin in ihrem Zelt von der Stimme des Teufels geweckt – Satan selbst; es bestand kein Zweifel: Die Stimme war in jeder Hinsicht teuflisch. Mein Freund sollte dieses entsetzliche Erlebnis nie mehr vergessen, und es trug später neben anderen Faktoren dazu bei, dass er sich zum Priester weihen ließ. Ich war in jener Jugendzeit von der Geschichte beeindruckt und erzählte sie einmal einer Gruppe von Zoologen, die nach Feierabend in einem Pub namens »Rose and Crown« in Oxford saßen. Zufällig waren zwei erfahrene Ornithologen darunter, und die brachen in Gelächter aus. »Schwarzschnabel-Sturmtaucher!« riefen sie vergnügt wie aus einem Mund. Einer von ihnen fügte hinzu, das diabolische Kreischen und Gackern habe dieser Spezies in verschiedenen Regionen der Erde und in unterschiedlichen Sprachen den Namen »Teufelsvogel« eingetragen.

Viele Menschen glauben an Gott, weil sie überzeugt sind, sie hätten ihn – oder einen Engel, oder eine Jungfrau im blauen Gewand – in einer Vision mit eigenen Augen gesehen. Oder sie hören ihn im eigenen Kopf sprechen. Dieses Argument des persönlichen Erlebnisses überzeugt vor allem diejenigen, die nach ihrer eigenen Behauptung ein solches Erlebnis hatten. Für alle anderen ist es das am wenigsten überzeugende, insbesondere wenn man dann noch über gewisse Kenntnisse in Psychologie verfügt.

Sie sagen, Sie hätten Gott direkt erlebt? Nun ja, manche Menschen haben auch einen rosa Elefanten erlebt, aber das beeindruckt Sie vermutlich nicht. Peter Sutcliffe, der Yorkshire Ripper, hörte ganz deutlich die Stimme Jesu; sie befahl ihm, Frauen umzubringen, und er wurde lebenslänglich eingesperrt. George W. Bush behauptet, Gott habe ihm gesagt, er solle im Irak einmarschieren (schade, dass Gott sich nicht dazu herabließ, ihm zu offenbaren, dass es dort keine Massenvernichtungswaffen gab). Menschen in psychiatrischen Kliniken halten sich für Napoleon oder Charlie Chaplin, und andere glauben, die ganze Welt habe sich gegen sie verschworen oder sie könnten anderen ihre Gedanken in den Kopf senden. Darüber machen wir uns lustig, aber wir nehmen ihre innerlich offenbarten Überzeugungen nicht ernst, vor allem weil nicht viele Menschen sie teilen. Religiöse Erlebnisse sind nur in einer Hinsicht anders:

Zahlreiche Menschen behaupten, sie hätten sie gehabt. Sam Harris war nicht übermäßig zynisch, als er in seinem Buch *The End of Faith* (»Das Ende des Glaubens«) schrieb:

Für Menschen, die viele Überzeugungen ohne rationale Rechtfertigung haben, gibt es verschiedene Bezeichnungen. Sind ihre Überzeugungen sehr weit verbreitet, nennen wir sie »religiös«; ansonsten sagt man gern, sie seien »verrückt«, »psychotisch« oder »wahnsinnig«. [...] Geistige Gesundheit liegt eindeutig in der Anzahl. Und doch ist es nur ein historischer Zufall, dass der Glaube, der Schöpfer des Universums könne unsere Gedanken lesen, in unserer Gesellschaft als normal gilt, während es auf eine geistige Krankheit hindeutet, wenn man glaubt, er wolle uns etwas mitteilen, indem er die Regentropfen im Morsecode an das Schlafzimmerfenster klopfen lässt. Also sind religiöse Menschen zwar nicht generell geistesgestört, aber ihre Kernüberzeugungen sind es durchaus.

Auf das Thema der Halluzinationen werde ich im zehnten Kapitel noch zurückkommen.

Im menschlichen Gehirn läuft eine erstklassige Simulationssoftware. Unsere Augen liefern dem Gehirn kein naturgetreues Foto unserer Umgebung und keinen Film, der genau den zeitlichen Verlauf zeigt. Vielmehr konstruiert unser Gehirn ein ständig aktualisiertes Modell: Die Aktualisierung erfolgt zwar durch die Impulse, die den Sehnerv entlanglaufen, aber ein Konstrukt ist es dennoch. Dies machen optische Täuschungen sehr augenfällig deutlich.[50] Die Täuschungen einer wichtigen Kategorie – ein Beispiel ist der Necker-Würfel – entstehen dadurch, dass die Sinnesinformationen, die das Gehirn erhält, mit zwei verschiedenen Modellen der Realität im Einklang stehen. Da das Gehirn keine Grundlage hat, um zwischen ihnen zu entscheiden, wechselt es zwischen beiden hin und her, und wir erleben ein ständiges »Umschalten« von dem einen inneren Modell zum anderen. Das Bild, das wir betrachten, scheint fast buchstäblich »umzuspringen« und zu etwas anderem zu werden.

Besonders gut ist die Simulationssoftware unseres Gehirns in der Lage, Gesichter und Stimmen zu konstruieren. Auf meinem Fensterbrett steht eine Kunststoffmaske von Einstein. Von vorn sieht sie aus wie ein festes Gesicht, was nicht weiter verwunderlich ist. Etwas anderes aber überrascht: Wenn man sie von hinten – also auf der hohlen Seite – betrachtet, sieht sie ebenfalls wie ein festes Gesicht aus, und wir haben davon eine wahrlich eigenartige Wahrnehmung. Geht man um die Maske herum, scheint das Gesicht sich mitzudrehen, und das nicht nur auf die schwache, wenig überzeugende Weise wie die Blicke der Mona Lisa, die einen angeblich verfolgen. Es sieht *wirklich* aus, als würde die hohle Maske sich bewegen. Wer so etwas noch nie gesehen hat, muss beim ersten Mal vor Verblüffung tief Luft holen. Und was noch seltsamer ist: Stellt man die Maske auf einen langsam rotierenden Drehteller, scheint sie sich in die richtige Richtung zu drehen, solange man auf die feste Seite blickt, aber wenn man die hohle Seite anschaut, hat man den Eindruck, sie würde in *entgegengesetzter* Richtung rotieren. Die Folge: Wenn man den Übergang von der einen zur anderen Seite beobachtet, scheint die ins Blickfeld rückende Seite die andere zu »verschlingen«. Es ist eine verblüffende optische Täuschung, und es lohnt sich durchaus, ein wenig Mühe auf sich zu nehmen, um sie zu sehen. Manchmal kann man sich der hohlen Seite erstaunlich weit nähern und sieht immer noch nicht, dass sie »wirklich« hohl ist. Und wenn man es erkennt, dann wiederum mit einem plötzlichen »Umspringen«, das sich unter Umständen wieder umkehrt.

Warum passiert das? In der Konstruktion der Maske gibt es keinen Trick. Man kann dafür jede hohle Maske nehmen. Der Trick spielt sich im Gehirn des Betrachters ab. Die innere Simulationssoftware empfängt Daten, die auf ein Gesicht hindeuten – das muss nicht mehr sein als zwei Augen, eine Nase und ein Mund, alles ungefähr an den richtigen Stellen. Wenn das Gehirn diese skizzenhaften Anhaltspunkte aufgenommen hat, erledigt es selbst den Rest. Die Gesichts-Simulationssoftware wird aktiv und konstruiert ein vollständiges, festes Modell eines Gesichts, obwohl die Realität, die sich den Augen darstellt, eine hohle Maske ist. Sich klarzumachen, wie die Illusion der Drehung in der falschen Richtung entsteht, ist nicht einfach, doch wenn man genau darüber nachdenkt, erkennt man es: Die Rotation in Gegenrichtung ist die einzige Möglichkeit, die optischen Eindrücke sinnvoll zu interpretieren, wenn eine hohle Maske rotiert, die aber als feste Maske wahrgenommen wird.[51] Es ist die gleiche Illusion wie mit der rotierenden Radarschüssel, die man manchmal an Flughäfen sieht. Solange das Gehirn noch nicht das richtige Modell der Antenne entworfen hat, scheint ein falsches Modell sich auf seltsam schiefe Weise in der umgekehrten Richtung zu drehen.

All das soll hier nur dazu dienen, deutlich zu machen, wie leistungsfähig die Simulationssoftware unseres Gehirns ist. Sie kann ohne weiteres »Visionen« und »Erscheinungen« von höchster Überzeugungskraft konstruieren. Einen Geist, einen Engel oder die Jungfrau Maria zu simulieren wäre für eine derart hoch entwickelte Software ein Kinderspiel. Das Gleiche gilt auch für das Hören. Wenn wir ein Geräusch hören, wird es nicht naturgetreu über die Hörnerven weitergeleitet und an das Gehirn übermittelt wie in einer hochwertigen Stereoanlage. Wie beim Sehen konstruiert das Gehirn auch hier ein Geräuschmodell, das auf den ständig aktualisierten Daten der Gehörnerven basiert. Das ist der Grund, warum wir einen Trompetenstoß als einen einzigen Ton wahrnehmen und nicht als den Akkord reiner Obertöne, die ihm das blecherne Schmettern verleihen. Von einer Klarinette gespielt, klingen die gleichen Töne »holzig«, und eine Oboe klingt »näselnd«, alles wegen unterschiedlich stark ausgeprägter Obertöne. Stellt man einen Klangsynthesizer sorgfältig so ein, dass er die einzelnen Obertöne einen nach dem anderen hinzunimmt, hört das Gehirn sie für kurze Zeit als Kombination reiner Töne, aber dann greift die Simulationssoftware ein, und von da an hören wir einen einzigen reinen Trompeten-, Oboen- oder anderen Ton. Nach ganz ähnlichen Prinzipien werden auch die Vokale und Konsonanten der Sprache konstruiert, und das Gleiche gilt auf einer höheren Ebene auch für Phoneme und Wörter.

Als Kind hörte ich einmal ein Gespenst: Eine Stimme murmelte wie bei einem Vortrag oder Gebet. Die Worte konnte ich fast, aber nicht ganz verstehen, und sie schienen mir einen ernsten, erhabenen Klang zu haben. Ich hatte Geschichten von Geheimkammern in alten Häusern gehört und fürchtete mich ein wenig. Dennoch stand ich auf und schlich mich in die Richtung, aus der das Geräusch kam. Beim Näherkommen wurde es lauter, und dann machte es in meinem Kopf plötzlich »klick«. Ich war jetzt so nahe herangekommen, dass ich erkennen konnte, was es war: Der Wind pfiff durch das Schlüsselloch und machte ein Geräusch, auf dessen Grundlage die Simulationssoftware in meinem Gehirn eine männliche, ehrwürdig klingende Stimme konstruiert hatte. Wäre ich als Kind leichter zu beeindrucken gewesen, ich hätte möglicherweise nicht nur unverständliches Sprechen »gehört«, sondern auch einzelne Wörter oder sogar Sätze verstanden. Und wenn ich nicht nur leicht zu beeinflussen, sondern auch religiös erzogen gewesen wäre, wer weiß, welche Worte mir der Wind dann zugeflüstert hätte.

Ein anderes Mal – ich war ungefähr im gleichen Alter – sah ich in einem Dorf am Meer, wie ein riesiges rundes Gesicht voller unaussprechlicher Boshaftigkeit aus dem Fenster eines ansonsten ganz normalen Hauses schaute. Zitternd ging ich darauf zu, bis ich sehen konnte, was es wirklich war: ein Muster, das durch den zufälligen Fall der Gardinen entstanden war und nur entfernt einem Gesicht ähnelte. Das Gesicht selbst und seinen bösen Ausdruck hatte mein ängstliches Kindergehirn konstruiert. Am 11. September 2001 glaubten fromme Menschen, sie hätten in dem von den Zwillingstürmen aufsteigenden Rauch das Gesicht des Satans gesehen. Unterstützt wurde dieser Aberglaube durch ein Foto, das im Internet veröffentlicht wurde und weite Verbreitung fand.

Modelle zu konstruieren versteht das menschliche Gehirn sehr gut. Geschieht es im Schlaf, bezeichnen wir es als Traum; wenn wir wach sind, sprechen wir von Fantasie oder bei einer besonders lebhaften Ausprägung von Halluzinationen. Wie ich in Kapitel 10 genauer darlegen werde, sehen Kinder, die »Fantasiefreunde« haben, diese manchmal so deutlich vor sich, als wären sie Wirklichkeit. Wenn wir leichtgläubig sind, erkennen wir in Halluzinationen oder lebhaften Träumen nicht das, was sie sind, sondern wir behaupten, wir hätten einen Geist gesehen oder gehört; oder einen Engel; oder Gott; oder – insbesondere wenn wir zufällig weiblich, jung und katholisch sind – die Jungfrau Maria. Solche Visionen und Erscheinungen sind sicher kein stichhaltiger Grund für die Überzeugung, es müsse Geister oder Engel, Götter oder Jungfrauen tatsächlich geben.

Schwieriger sind Massenvisionen abzuhandeln, beispielsweise der Bericht, wonach siebzigtausend Pilger 1917 im portugiesischen Fatima sahen, »wie die Sonne sich vom Himmel losriss und auf die Menge herunterstürzte«.[52] Wie siebzigtausend Menschen die gleiche Halluzination haben können, ist nicht ohne weiteres zu erklären. Aber noch schwieriger ist die Vorstellung zu akzeptieren, dass es wirklich geschah, ohne dass die übrige Welt außerhalb von Fatima es ebenfalls sah – und es geht ja nicht nur um das Sehen, sondern es hätte sich als katastrophale Zerstörung des Sonnensystems bemerkbar machen müssen, mit derart starken Beschleunigungskräften, dass alle

Menschen in den Weltraum geschleudert worden wären. In diesem Zusammenhang fällt einem unweigerlich David Humes prägnantes Kriterium für Wunder ein: »Keine Zeugenaussage reicht aus, um ein Wunder zu belegen, es sei denn, die Zeugenaussage ist so, dass ihre Falschheit noch wundersamer wäre als die Tatsache, von der sie berichtet.«

Dass siebzigtausend Menschen gleichzeitig eine Wahnvorstellung haben oder sich zu einer massenhaften Lüge verabreden, mag unwahrscheinlich sein. Ebenso unwahrscheinlich ist es vielleicht, dass die Historiker mit ihrem Bericht, siebzigtausend Menschen hätten die Sonne tanzen gesehen, einen Fehler gemacht haben, oder dass alle gleichzeitig eine Luftspiegelung gesehen haben (man hatte sie überredet, in die Sonne zu blicken, was für ihr Augenlicht bestimmt nicht gut war). Aber jede dieser offenkundig unwahrscheinlichen Möglichkeiten ist immer noch viel wahrscheinlicher als die Alternative: dass die Erde plötzlich in ihrer Umlaufbahn seitwärts kippte und das Sonnensystem zerstört wurde, ohne dass es außerhalb von Fatima jemand bemerkt hätte. Ich meine, so abgelegen ist Portugal nun wieder nicht.*

Mehr braucht man über persönliche »Erlebnisse« mit Göttern oder anderen religiösen Phänomenen nicht zu sagen. Wer ein solches Erlebnis hatte, glaubt unter Umständen hinterher fest daran, dass es sich wirklich abgespielt hat. Aber man sollte nicht erwarten, dass auch wir anderen es für bare Münze nehmen, insbesondere wenn wir auch nur die geringsten Kenntnisse über das Gehirn und seine große Leistungsfähigkeit besitzen.

---

* Aber zugegeben: Meine Schwiegereltern übernachteten in Paris einmal in einem Hotel namens *Hôtel de l'Univers et du Portugal.*

Das Argument der Heiligen Schrift

Auch heute gibt es noch Menschen, die sich von Belegen in der Bibel überzeugen lassen und dann an Gott glauben. Ein häufig gebrauchtes Argument, das unter anderen auch C. S. Lewis (der es eigentlich besser wissen musste) zugeschrieben wird, lautet: Da Jesus behauptete, er sei der Sohn Gottes, muss er entweder recht gehabt haben, oder er war verrückt oder ein Lügner. »Verrückt, verlogen oder Gott.« Die historischen Belege, wonach Jesus tatsächlich einen göttlichen Status für sich in Anspruch nahm, sind äußerst dünn. Aber selbst wenn man sie als stichhaltig bezeichnen könnte, sind die drei angebotenen Möglichkeiten schrecklich unzureichend. Eine vierte liegt eigentlich so auf der Hand, dass man sie kaum zu erwähnen braucht: Jesus war ehrlich, hatte aber unrecht. Das geht vielen Menschen so. Doch wie gesagt, es gibt ohnehin keine echten historischen Belege, dass er sich überhaupt für ein göttliches Wesen hielt.

Die Tatsache, dass etwas schwarz auf weiß geschrieben steht, überzeugt vor allem Menschen, die an kritische Fragen nicht gewöhnt sind: »Von wem und wann wurde es geschrieben?« »Woher wussten sie, was sie schreiben sollten?« »Haben sie zu ihrer Zeit wirklich das gemeint, was wir in unserer Zeit herauslesen?« »Waren sie unparteiische Beobachter, oder hatten sie bestimmte Ziele, die ihre Schriften beeinflussten?« Seit dem 19. Jahrhundert haben Theologen überwältigende Belege dafür, dass die Evangelien keine zuverlässigen Berichte über die wirklichen historischen Ereignisse darstellen. Alle wurden erst lange nach dem Tod Jesu verfasst, und sie entstanden auch erst nach den Briefen des Apostels Paulus, in denen so gut wie nichts über die angeblichen Tatsachen aus dem Leben Jesu steht. Alle Texte wurden später über viele Generationen der »stillen Post« hinweg immer wieder abgeschrieben (siehe Kapitel 5), und die Schreiber arbeiteten erstens nicht fehlerfrei und hatten zweitens ohnehin ihre eigenen religiösen Ziele.

Ein gutes Beispiel, wie der Text durch religiöse Einstellungen gefärbt wurde, ist der rührende Bericht über die Geburt Jesu in Bethlehem und das nachfolgende Blutbad des Herodes an den unschuldigen Kindern. Als die Evangelien viele Jahre später verfasst wurden, wusste niemand genau, wann Jesus geboren worden war. Aber aufgrund einer Prophezeiung im Alten Testament (Micha 5,2) rechneten die Juden damit, dass der lange erwartete Messias in Bethlehem zur Welt kommen werde. Angesichts dieser Prophezeiung merkt das Johannesevangelium (7,41–42) ausdrücklich an, Jesu Anhänger hätten sich gewundert, dass er *nicht* in Bethlehem geboren wurde: »Andere sprachen: Er ist der Christus. Wieder andere sprachen: Soll der Christus aus Galiläa kommen? Sagt nicht die Schrift: aus dem Geschlecht Davids und aus dem Ort Bethlehem, wo David war, soll der Christus kommen?«

Matthäus und Lukas gehen anders mit dem Problem um: Sie gelangen zu dem Schluss, dass Jesus in jedem Fall in Bethlehem geboren worden sein musste. Aber dorthin gelangen sie auf unterschiedlichen Wegen. Matthäus belässt Maria und Joseph längere Zeit in Bethlehem; nach Nazareth ziehen sie erst lange nach Jesu Geburt auf dem Rückweg von Ägypten, wohin sie vor dem König Herodes und dem Blutbad an den unschuldigen Kindern geflohen sind. Lukas dagegen erkennt an, dass Maria und Joseph in Nazareth lebten, bevor Jesus geboren wurde. Wie konnten sie dann im entscheidenden Augenblick in Bethlehem sein und die Prophezeiung erfüllen? Lukas berichtet, Kaiser Augustus habe zu der Zeit, als Kyrenius (Quirinius) Statthalter in Syrien war, eine allgemeine Volkszählung zu Steuerzwecken angeordnet, und dazu habe sich »ein jeder in seine Stadt« begeben müssen. Joseph war »aus dem Hause und Geschlechte Davids« und musste deshalb »in die Stadt Davids, die da heißt Bethlehem« ziehen. Das klingt nach einer plausiblen Lösung, doch wie A. N. Wilson in *Jesus (Der geteilte Jesus)*, Robin Lane Fox in *The Unauthorized Version (Die Geheimnisse der Bibel richtig entschlüsselt)* und andere dargelegt haben, ist das historisch völliger Unsinn. Wenn David überhaupt existierte, lebte er fast tausend Jahre vor Maria und Joseph. Warum um alles in der Welt hätten die Römer von Joseph verlangen sollen, dass er sich in die Stadt begab, wo fast ein Jahrtausend zuvor einer seiner entfernten Vorfahren gelebt hatte? Es ist, als sollte ich zum Beispiel auf einem Volkszählungsformular angeben, dass meine Heimatstadt Ashby-de-la-Zouch ist, wenn ich meine Abstammung zufällig auf den Seigneur de Dakeyne zurückverfolgen könnte, der mit Wilhelm dem Eroberer nach Großbritannien kam und sich in dieser Ortschaft niederließ.

Außerdem macht Lukas seine Datierung auch dadurch zunichte, dass er so taktlos ist und Ereignisse erwähnt, die man in der Geschichtswissenschaft auch unabhängig von der Bibel nachprüfen kann. Es gab unter dem Statthalter Quirinius tatsächlich eine Steuerschätzung – es war allerdings eine lokale Zählung, die keineswegs vom Kaiser Augustus für das ganze Römische Reich angeordnet wurde –, aber die fand zu spät statt: im Jahr 6 n. Chr., lange nachdem Herodes gestorben war. Lane Fox gelangt zu dem Schluss, Lukas' Geschichte sei historisch falsch und in sich nicht stimmig, doch er hat Mitgefühl mit dem Dilemma des Evangelisten, der unbedingt Michas Prophezeiung erfüllen wollte.

In der Dezemberausgabe 2004 von *Free Inquiry* stellte Tom Flynn, der Redakteur dieser ausgezeichneten Zeitschrift, eine Sammlung von Artikeln zusammen, in denen die großen Lücken und Widersprüche der allseits geliebten Weihnachtsgeschichte dokumentiert werden. Flynn selbst zählt die vielen Widersprüche zwischen Matthäus und Lukas auf, den beiden einzigen Evangelisten, die überhaupt über die Geburt Jesu berichten. Und Robert Gillooly zeigt, wie alle wesentlichen Zu-

taten der Jesuslegende – der Stern im Osten, die Jungfrauengeburt, die Anbetung des Babys durch die Könige, die Wunder,
die Hinrichtung, die Wiederauferstehung und die Himmel-
fahrt – ausnahmslos aus anderen Religionen übernommen
wurden, die es zu jener Zeit im Mittelmeerraum und im Nahen
Osten bereits gab.[53] Nach Flynns Vermutung geriet Matthäus'
Wunsch, im Interesse der jüdischen Leser die Messiasprophe-
zeiungen (Abstammung von David, Geburt in Bethlehem) zu
erfüllen, in einen frontalen Konflikt mit Lukas' Wunsch, das
Christentum für die Nichtjuden aufzubereiten und deshalb die
altbekannten Register der heidnisch-hellenistischen Religionen (Jungfrauengeburt, Anbetung durch Könige usw.) zu ziehen. Die daraus entstehenden Widersprüche fallen sofort ins
Auge, werden aber von den Gläubigen stets geflissentlich übersehen.

Intellektuelle Christen brauchen keinen Gershwin, der ihnen sagt: »The things that you're li'ble/To read in the Bible/It
ain't necessarily so.« (»Was man so in der Bibel liest, das ist
nicht unbedingt so.«) Aber es gibt leider viele nicht intellektuelle Christen, nach deren Ansicht es absolut so sein muss – sie
nehmen die Bibel als buchstäbliche, genaue Beschreibung der
Geschichte sehr ernst und sehen darin einen Beleg, der ihre
eigenen religiösen Überzeugungen stützt. Schlagen diese Menschen eigentlich das Buch, das in ihren Augen die buchstäbliche Wahrheit enthält, niemals auf? Warum bemerken sie die
offenkundigen Widersprüche nicht? Sollte jemand, der die Bibel wörtlich nimmt, sich nicht darüber beunruhigen, dass
Matthäus die Abstammung des Joseph von König David über
28 Zwischengenerationen zurückverfolgt, während es bei Lukas 41 Generationen sind? Und was noch schlimmer ist: Bei
den Namen in den beiden Listen gibt es so gut wie keine Über-
einstimmungen! Und wenn Jesus von einer Jungfrau zur Welt
gebracht wurde, sind Josephs Vorfahren ohnehin bedeutungslos, und man kann sie nicht dazu benutzen, im Sinne Jesu die

alttestamentarische Prophezeiung zu erfüllen, wonach der Messias von David abstammt.

Der amerikanische Bibelforscher Bart Ehrman erläutert in *Whose Word Is It?* (»Wessen Wort?«), welch gewaltige Unsicherheiten die Texte des Neuen Testaments vernebeln.* In der Einleitung des Buches berichtet Professor Ehrman auf bewegende Weise über seine eigene persönliche Entwicklung vom bibelgläubigen Fundamentalisten zum nachdenklichen Skeptiker. Eine wichtige Triebkraft auf diesem Weg war für ihn die wachsende Erkenntnis, wie unglaublich fehlerhaft die heiligen Schriften sind. Was dabei interessant ist: Als er in der Hierarchie der amerikanischen Universitäten aufstieg – von der untersten Stufe am »Moody Bible Institute« über das Wheaton College (das auf der Skala ein wenig höher steht, aber auch die Alma mater von Billy Graham war) bis zum Princeton Theological Seminary –, wurde er jedes Mal gewarnt, es werde schwierig für ihn werden, angesichts des gefährlichen Fortschrittsglaubens seinen christlichen Fundamentalismus aufrechtzuerhalten. Die Prophezeiung bestätigte sich, und wir, seine Leser, sind die Nutznießer. Weitere erfrischend umstürzlerische, bibelkritische Bücher sind das bereits erwähnte *Die Geheimnisse der Bibel richtig entschlüsselt* von Robin Lane Fox und *The Secular Bible: Why Nonbelievers Must Take Religion Seriously* von Jacques Berlinerblau (»Die weltliche Bibel: Warum Ungläubige Religion ernst nehmen müssen«).

Die vier Evangelien, die in den offiziellen Kanon gelangten, wurden mehr oder weniger willkürlich aus einer größeren Zahl ausgewählt. Ursprünglich war es mindestens ein Dutzend, darunter das Thomas-, Petrus-, Nikodemus-, Philipp-, Bartholomäus- und Maria-Magdalena-Evangelium.[54] Diese zusätzlichen Evangelien meinte Thomas Jefferson, als er in seinem schon zitierten Brief an seinen Neffen schrieb:

---

* Ehrman 2006. Die US-Originalausgabe (San Francisco 2005) trägt den Titel *Misquoting Jesus* (»Jesus falsch zitiert«). Warum machen Verlage so etwas?

Als ich vom Neuen Testament sprach, vergaß ich zu erwähnen, dass Du alle Christushistorien lesen solltest, also sowohl jene, bei denen ein Rat von Kirchenleuten für uns entschieden hat, dass ihre Autoren Pseudoevangelisten seien, als auch die, die sie als Evangelisten bezeichnen. Denn diese Pseudoevangelisten geben ebenso Anlass zu Inspiration wie die anderen, und du solltest ihre Berichte mit deinem eigenen Verstand beurteilen, nicht mit dem dieser Kirchenleute.

Die Evangelien, die den Sprung nicht schafften, wurden von den Kirchenleuten vielleicht deshalb weggelassen, weil die in ihnen enthaltenen Geschichten noch unplausibler und damit peinlicher waren als die in den vier kanonischen Berichten. Im Kindheitsevangelium nach Thomas etwa gibt es zahlreiche Anekdoten darüber, wie Jesus als Kind seine magischen Fähigkeiten nach Art einer boshaften Fee missbrauchte: Er verwandelte seine Spielkameraden spitzbübisch in Ziegen, machte Schlamm zu Spatzen oder ging seinem Vater bei der Zimmermannsarbeit zur Hand, indem er ein Stück Holz auf wundersame Weise verlängerte.* Natürlich wird behauptet, so grob-

---

* A. N. Wilson äußerte in seiner Jesus-Biografie ernste Zweifel an der Behauptung, Joseph sei Zimmermann gewesen. Das griechische Wort *tekton* bedeutete tatsächlich »Zimmermann«, es ist aber eine Übersetzung des aramäischen Wortes *naggar*, das auch einen Handwerker oder einen gelehrten Mann bezeichnet. Dies ist nur eine von vielen aufschlussreichen Falschübersetzungen, unter denen die Bibel leidet; am berühmtesten ist die falsche Übersetzung des Wortes *almah* für »junge Frau« in Jesajas Hebräisch, aus dem im Griechischen *parthenos* (»Jungfrau«) wurde. Wie leicht so etwas passieren kann, erkennt man beim Vergleich der Wörter »junge Frau« und »Jungfrau« sofort, aber der Übersetzungsfehler wurde gewaltig aufgeblasen und gab den Anlass zu der ganzen grotesken Legende, wonach die Mutter Jesu eine Jungfrau gewesen sei! Der einzige Konkurrent um den Titel der folgenschwersten Falschübersetzung aller Zeiten hat ebenfalls mit Jungfrauen zu tun. Wie Ibn Warraq vergnügt darlegte, beruht die berühmte Versprechung, jeder muslimische Märtyrer werde 27 Jungfrauen erhalten, ebenfalls auf einem Fehler: »Jungfrauen« ist hier eine falsche Übersetzung für »weiße Trauben von kristallener Klarheit«. Wäre das allgemein bekannt gewesen, wie viele unschuldige Opfer von Selbstmordanschlägen wären noch am Leben? Vgl. Ibn Warraq, »Virgins? What Virgins?«, *Free Inquiry* 26:1 (2006), S. 45 f.

schlächtige Wundergeschichten wie die im Kindheitsevangelium nach Thomas werde ohnehin niemand glauben. Aber es besteht auch nicht mehr und nicht weniger Anlass, den vier kanonischen Evangelien Glauben zu schenken. Bei allen handelt es sich um Legenden, und als Tatsachenberichte sind sie ebenso zweifelhaft wie die Geschichten über König Artus und die Ritter der Tafelrunde.

Die meisten Gemeinsamkeiten der vier kanonischen Evangelien gehen auf eine gemeinsame Quelle zurück, entweder auf das Markusevangelium oder auf ein verlorenes Werk, dessen ältester noch vorhandener Nachkomme das Markusevangelium ist. Wer die vier Evangelisten waren, weiß niemand, aber mit ziemlicher Sicherheit sind sie nie persönlich mit Jesus zusammengetroffen. Ihre Schriften waren zum größten Teil keineswegs ein ehrlicher Versuch, Geschichte zu schreiben, sondern es waren aufgewärmte Inhalte aus dem Alten Testament; die Autoren der Evangelien waren zutiefst überzeugt, das Leben Jesu müsse alttestamentarische Prophezeiungen erfüllen. Man kann sogar eine ernsthafte historische Argumentation konstruieren – die allerdings keine verbreitete Unterstützung erfährt –, wonach Jesus überhaupt nie gelebt hat; diese Ansicht vertrat unter anderem Professor G. A. Wells von der University of London in mehreren Büchern, darunter einem mit dem Titel *Did Jesus Exist?* (»Hat Jesus existiert?«).

Vermutlich hat es Jesus also tatsächlich gegeben, doch sehen renommierte Bibelforscher im Neuen Testament (und natürlich erst recht im Alten Testament) ganz allgemein keinen zuverlässigen Bericht über die tatsächlichen historischen Ereignisse, und deshalb werde ich die Bibel von jetzt an auch nicht mehr als Beleg für irgendeine Art von Gottheit heranziehen. Oder mit den weitsichtigen Worten, die Thomas Jefferson an seinen Amtsvorgänger als Präsident der Vereinigten Staaten, John Adams, schrieb: »Es wird der Tag kommen, an dem die mystische Entstehung Jesu im Leib einer Jungfrau und mit

dem höchsten Wesen als Vater in die gleiche Kategorie einge-
ordnet werden wird wie die Fabel von der Geburt der Minerva
aus dem Kopf Jupiters.«

Der Roman *The Da Vinci Code (Sakrileg)* von Dan Brown
und der danach gedrehte Film gaben in Kirchenkreisen den
Anlass zu gewaltigen Kontroversen. Christen wurden aufgefordert, den Film zu boykottieren und vor den Kinos, die ihn zeigten, Mahnwachen aufzustellen. Tatsächlich ist die Geschichte
von Anfang bis Ende erfunden und reine Fiktion. In dieser Hinsicht gleicht sie genau den Evangelien. Der einzige Unterschied
besteht darin, dass *Sakrileg* eine moderne literarische Erfindung ist, während die Evangelien schon vor sehr langer Zeit erfunden wurden.

Das Argument der bewunderten
religiösen Wissenschaftler

*Intellektuell hervorragende Menschen glauben in ihrer großen
Mehrheit nicht an die christliche Religion, aber in der Öffentlichkeit halten sie diese Tatsache geheim, weil sie Angst haben, ihr Ein-
kommen zu verlieren.*

Bertrand Russell

»Newton war religiös. Wer sind Sie denn, dass Sie sich für klü-
ger halten als Newton, Galilei, Kepler usw. usw. usw.? Wenn
Gott für die gut genug war, was glauben Sie denn, wer Sie
sind?« Bei einer derart verfehlten Argumentation kommt es
darauf zwar auch nicht mehr an, aber manche ihrer Vertreter
fügen sogar noch den Namen Darwin hinzu, von dem in hart-
näckigen, allerdings nachweislich falschen Gerüchten behauptet wird, er habe sich auf dem Sterbebett bekehrt. Solche Geschichten kommen wie ein schlechter Geruch immer wieder

auf,* seit sie absichtlich von einer gewissen »Lady Hope« in die Welt gesetzt wurden: Sie erzählte ein rührendes Märchen, wonach Darwin in der Abendsonne in seinen Kissen gelegen, im Neuen Testament geblättert und gestanden habe, die ganze Evolution sei falsch.

Ich werde mich im vorliegenden Abschnitt vor allem auf Naturwissenschaftler konzentrieren, denn aus naheliegenden Gründen wählen alle, die mit den Namen bewunderter Persönlichkeiten als religiösen Vorbildern hausieren gehen, sehr häufig Vertreter der Naturwissenschaft.

Newton behauptete tatsächlich, er sei religiös, und das Gleiche taten bis zum 19. Jahrhundert fast alle. Denn erst dann ließ – was nach meiner Überzeugung bedeutsam ist – gegenüber früheren Jahrhunderten der gesellschaftliche und juristische Druck nach, sich zur Religion zu bekennen, während gleichzeitig die Wissenschaft mehr Unterstützung bot, um sich von der Religion loszusagen. Natürlich gab es in beiden Richtungen Ausnahmen. Schon vor Darwin waren nicht alle Wissenschaftler gläubig; dies zeigt James Haught in *2000 Years of Disbelief: Famous People with the Courage to Doubt* (»2000 Jahre Unglauben: Berühmte, die den Mut zum Zweifel hatten«). Und umgekehrt waren manche angesehenen Wissenschaftler auch nach Darwins Zeit noch gläubig. Wir haben keinen Anlass, daran zu zweifeln, dass Michael Faraday auch zu einer Zeit, als er über Darwins Arbeiten bereits Bescheid wissen musste, noch ehrliche christliche Überzeugungen hegte. Er gehörte der Sekte der

---

* Selbst mir wurde die Ehre zuteil, dass man mir eine Bekehrung auf dem Sterbebett prophezeite. Solche Voraussagen kehren sogar mit eintöniger Regelmäßigkeit wieder (vgl. z. B. Steer 2003), und jede Wiederholung kommt mit der taufrischen Illusion daher, besonders witzig und überdies die erste zu sein. Vielleicht sollte ich zur Vorsicht ein Tonbandgerät installieren, um meinen posthumen Ruf zu schützen. Meine Frau fügt noch hinzu: »Was soll der Unsinn mit dem Sterbebett? Wenn du Ausverkauf betreiben willst, dann mach es rechtzeitig, gewinn den Templeton-Preis und schieb es dann auf deine Senilität.«

Sandemanisten an, die an eine wörtliche Interpretation der Bibel glaubten (Vergangenheitsform, denn die Sekte ist heute praktisch ausgestorben); neu aufgenommenen Mitgliedern wurden rituell die Füße gewaschen, und man zog Lose, um Gottes Willen festzustellen. Faraday wurde 1860, ein Jahr nach dem Erscheinen der *Entstehung der Arten*, Gemeindeältester und starb 1867 als Mitglied der Sekte. Auch James Clerk Maxwell, als Theoretiker ein Gegenpol zum Experimentalforscher Faraday, war gläubiger Christ. Das Gleiche galt auch für die zweite Säule der britischen Physik im 19. Jahrhundert, William Thomson Lord Kelvin, der nachweisen wollte, dass die Evolution aus Mangel an Entwicklungszeit abwegig sei. Der große Pionier der Thermodynamik ging bei seiner Fehldatierung davon aus, dass die Sonne eine Art Feuer sei, dessen Brennstoff nicht erst nach Jahrmilliarden, sondern schon nach wenigen Dutzend Millionen Jahren zur Neige gehen müsse. Natürlich kann man nicht erwarten, dass Kelvin bereits etwas über Kernenergie wusste. Erfreulicherweise blieb es Sir George Darwin, Charles' zweitem Sohn, vorbehalten, 1903 bei der Tagung der British Association seinen unadeligen Vater zu bestätigen, indem er sich auf die Entdeckung des Radiums durch das Ehepaar Curie berief und so die Schätzung von Lord Kelvin, der damals noch lebte, widerlegen konnte.

Im 20. Jahrhundert findet man nicht mehr so leicht große Wissenschaftler, die sich zur Religion bekennen, aber sonderlich selten sind sie auch nicht. Nach meiner Vermutung waren die meisten von ihnen nur im Sinne Einsteins religiös, und das ist, wie ich in Kapitel 1 dargelegt habe, eine falsche Verwendung des Wortes. Es gibt aber auch einige echte Beispiele für gute Naturwissenschaftler, die im vollständigen, traditionellen Sinn ehrlich gläubig sind. Unter den britischen Wissenschaftlern unserer Zeit tauchen mit der liebenswerten Vertrautheit der Seniorpartner in einer Dickens'schen Anwaltskanzlei im-

mer die gleichen drei Namen auf: Peacocke, Stannard und Polkinghorne. Alle drei wurden entweder mit dem Templeton-Preis
ausgezeichnet oder sitzen im Beirat der Templeton Foundation. Ich habe mit allen dreien sowohl in der Öffentlichkeit als
auch privat liebenswürdige Gespräche geführt. Verblüfft bin
ich immer noch, allerdings weniger über ihren Glauben an eine
Art kosmischen Gesetzgeber als vielmehr über ihr Festhalten
an den Details der christlichen Religion: Auferstehung, Vergebung der Sünden und so weiter.

Entsprechende Beispiele gibt es auch in den Vereinigten
Staaten, darunter Francis Collins, den Verwaltungsleiter des
amerikanischen Zweiges im offiziellen Human-Genomprojekt.* Aber wie in Großbritannien fallen sie auch hier wegen
ihrer Seltenheit auf und sind bei ihren Kollegen in der wissenschaftlichen Welt das Objekt amüsierter Verblüffung. Im
Jahre 1996 interviewte ich meinen Freund Jim Watson, den
genialen Begründer des Human-Genomprojekts. Das Gespräch fand in Cambridge statt, im Garten von Clare, seinem
alten College, und war Teil einer Dokumentarsendung über
Gregor Mendel, den genialen Begründer der gesamten Genetik, die ich für das BBC-Fernsehen vorbereitete. Mendel war
als Augustinermönch natürlich ein religiöser Mann; aber das
war im 19. Jahrhundert, und damals war der Eintritt ins Kloster für den jungen Mann der einfachste Weg, um seine wissenschaftlichen Interessen weiter zu verfolgen. Für ihn war es
das Gleiche wie heute ein Forschungsstipendium. Ich fragte
Watson, ob er in unserer Zeit viele religiöse Wissenschaftler
kenne. Darauf erwiderte er: »So gut wie keinen. Manchmal
treffe ich mit solchen Leuten zusammen, das ist mir dann ein
bisschen peinlich [lacht], weil, weißt du, ich kann einfach

---

* Nicht zu verwechseln mit dem inoffiziellen Human-Genomprojekt, das von dem
hochintelligenten (und nichtreligiösen) »Wissenschafts-Freibeuter« Craig Venter geleitet wurde.

nicht glauben, dass jemand die Wahrheit aufgrund einer Offenbarung anerkennt.«

Francis Crick, neben Watson der zweite Mitbegründer der molekulargenetischen Revolution, legte seine Mitgliedschaft im Churchill College in Cambridge nieder, weil die Institution sich entschlossen hatte, auf Geheiß eines Geldgebers eine Kapelle zu bauen. In meinem Interview am Clare College sprach ich Watson bewusst darauf an, dass manche Menschen im Gegensatz zu Crick und ihm keinen Widerspruch zwischen Naturwissenschaft und Religion erkennen können, weil es in der Wissenschaft ihrer Ansicht nach darum gehe, wie die Dinge funktionieren, in der Religion dagegen, wozu sie da sind. Darauf erwiderte Watson: »Nun ja, ich glaube nicht, dass wir *zu* irgendetwas da sind. Wir sind einfach Produkte der Evolution. Man kann natürlich sagen: ›Igitt, Ihr Leben muss aber ziemlich öde sein, wenn Sie nicht glauben, dass es einen Zweck hat.‹ Aber jetzt freue ich mich auf ein gutes Mittagessen.« Und wir aßen gut zu Mittag.

Die Versuche der Religionsvertreter, in unserer Zeit wirklich angesehene, religiöse Naturwissenschaftler zu finden, haben etwas Verzweifeltes, und sie erzeugen den unverkennbar hohlen Klang von Fässern, an deren Boden gekratzt wird. Ich konnte nur eine einzige Website finden, die angeblich »christliche Wissenschaftler und Nobelpreisträger« aufführte. Sie nannte sechs Namen von mehreren hundert, die den Nobelpreis bis heute erhalten haben. Wie sich dann herausstellte, waren vier der sechs überhaupt keine Nobelpreisträger, und mindestens einer ist, wie ich sicher weiß, nicht gläubig, sondern geht ausschließlich aus gesellschaftlichen Gründen in die Kirche. In einer systematischen Untersuchung von Benjamin Beit-Hallahmi »stellte sich heraus, dass unter den Nobelpreisträgern für Naturwissenschaften und auch für Literatur im Vergleich zu den Bevölkerungsgruppen, aus denen sie stammen, ein bemerkenswertes Ausmaß an Nicht-Religiosität herrscht«.[55]

Eine weitere Studie veröffentlichten Larson und Witham 1998 in der führenden Fachzeitschrift *Nature*: Danach glauben von den US-amerikanischen Naturwissenschaftlern, die bei ihren Kollegen als so hoch qualifiziert gelten, dass sie in die National Academy of Sciences gewählt wurden (was einer Mitgliedschaft in der britischen Royal Society entspricht), nur sieben Prozent an einen persönlichen Gott.[56] Dieses überwältigende Übergewicht der Atheisten ist fast das genaue Gegenteil zum Profil der amerikanischen Gesamtbevölkerung, in der über 90 Prozent der Menschen an irgendein übernatürliches Wesen glauben. Bei den weniger herausragenden Naturwissenschaftlern, die nicht in die Wissenschaftsakademie gewählt wurden, liegt der Wert dazwischen. Wie in der Elitegruppe, so sind die Gläubigen auch hier in der Minderheit, die allerdings mit etwa 40 Prozent größer ist. Das sind genau die Verhältnisse, mit denen ich gerechnet hätte: Amerikanische Naturwissenschaftler sind weniger religiös als die allgemeine amerikanische Bevölkerung, und die angesehensten Wissenschaftler sind unter allen am wenigsten religiös. Bemerkenswert ist der diametrale Gegensatz zwischen der Religiosität der breiten amerikanischen Öffentlichkeit und dem Atheismus ihrer intellektuellen Elite.[57]

Ein ganz klein bisschen amüsant ist dabei, dass »Answers in Genesis«, die führende Website der Kreationisten, die Studie von Larson und Witham ebenfalls zitiert – allerdings nicht als Beleg, dass mit der Religion irgendetwas nicht stimmt, sondern als Waffe in ihrem Streit mit jenen konkurrierenden Religionsvertretern, nach deren Ansicht die Evolution mit der Religion vereinbar ist. Unter der Überschrift »National Academy of Science [sic] ist gottlos bis in die Knochen«[58] zitiert »Answers in Genesis« voller Vergnügen das Ende des Briefes von Larson und Whitman an die *Nature*-Redaktion:

Während wir unsere Befunde zusammenstellten, gab die NAS [National Academy of Sciences] eine Broschüre heraus, die dazu aufforderte, an staatlichen Schulen die Evolution zu unterrichten, was eine Ursache ständiger Reibereien zwischen der wissenschaftlichen Welt und einigen konservativen Christen in den Vereinigten Staaten darstellt. Das Heft versichert dem Leser: »Ob Gott existiert oder nicht, ist eine Frage, in der sich die Naturwissenschaft neutral verhält.« Dazu sagte NAS-Präsident Bruce Alberts: »Es gibt in dieser Akademie viele hervorragende Mitglieder, die sehr religiöse Menschen sind, Menschen, die an die Evolution glauben, viele davon Biologen.« Unsere Untersuchung lässt auf etwas anderes schließen.

Man hat den Eindruck, dass Alberts sich aus den Gründen, die ich im zweiten Kapitel unter der Überschrift »Die Neville-Chamberlain-Schule der Evolutionsforscher« erörtert habe, das NOMA-Prinzip zu eigen machte. »Answers in Genesis« verfolgt ganz andere Ziele.

Das Gegenstück zur US-Academy ist in Großbritannien (und auch im Commonwealth mit Kanada, Australien, Neuseeland, Indien, Pakistan, den Englisch sprechenden afrikanischen Staaten und so weiter) die Royal Society. Während dieses Buch in Druck geht, arbeiten meine Kollegen R. Elizabeth Cornwell und Michael Stirrat an einer vergleichbaren, aber gründlicheren Untersuchung über die religiösen Überzeugungen der Fellows in der Royal Society (FRS). Ihre vollständigen Befunde werden in absehbarer Zeit veröffentlicht; die Autoren haben mir freundlicherweise gestattet, hier einige vorläufige Ergebnisse zu zitieren. Zur Einordnung der Überzeugungen bedienten sie sich eines Standardverfahrens, der Sieben-Punkte-Skala nach Likert. Befragt wurden alle 1074 Fellows der Royal Society, die eine E-Mail-Adresse besaßen (die große Mehrheit), und von diesen antworteten ungefähr 23 Prozent (was für eine solche Untersuchung eine gute Quote ist). Zur Auswahl standen verschiedene Aussagen, wie zum Beispiel: »Ich glaube an einen persönlichen Gott, der sich für einzelne Menschen interessiert, Gebete erhört, sich um Sünden und Fehltritte kümmert und darüber urteilt.« Zu jeder dieser Aussagen sollten sich die Teilnehmer mit einer Zahl zwischen 1 (»stimme überhaupt nicht zu«) und 7 (»stimme völlig zu«) äußern. Die Ergebnisse mit denen der Studie von Larson und Witham zu vergleichen ist nicht ganz einfach, weil diese ihren Befragten keine siebenstufige, sondern nur eine dreistufige Skala vorlegten, aber der Trend ist insgesamt der Gleiche. In ihrer großen Mehrzahl sind die FRS genau wie die US-Akademiker Atheisten. Nur 3,3 Prozent der Fellows äußerten zu der Aussage, es gebe einen persönlichen Gott, starke Zustimmung (das heißt, sie wählten auf der Skala die 7), 78,8 Prozent dagegen lehnten sie völlig ab (1 auf der Skala). Definiert man als »Gläubige« diejenigen, die eine 6 oder 7 wählen, und als »Ungläubige« jene, die sich für 1 oder 2 entscheiden, so stehen einem Übergewicht von 213 Ungläubigen nur 12 Gläubige gegenüber. Außerdem bemerkten Cornwell und Stirrat einen schwachen, aber signifikanten Trend, den auch Larson und Witham festgestellt hatten und der von Beit-Hallahmi und Argyle ebenfalls erwähnt wird: Biologen sind in sogar noch höherem Maße Atheisten als Physiker. Einzelheiten und alle übrigen sehr interessanten Befunde sind dem Artikel selbst nach dessen Erscheinen zu entnehmen.[59]

Lassen wir die naturwissenschaftlichen Eliten der National Academy of Sciences und der Royal Society jetzt beiseite, und fragen wir uns ganz allgemein: Gibt es Anhaltspunkte, dass Atheisten auch in der Gesamtbevölkerung eher unter den gebildeten und intelligenteren Menschen zu finden sind? Mit dem statistischen Zusammenhang zwischen Religiosität und Bildungsniveau oder Religiosität und Intelligenzquotient beschäftigen sich mehrere Untersuchungen. Michael Shermer beschreibt in *How We Believe: The Search for God in an Age of Science* (»Wie wir glauben: Die Suche nach Gott im Zeitalter der Wissenschaft«) eine Umfrage, die er zusammen mit seinem Kollegen Frank Sulloway unter zufällig ausgewählten US-Amerikanern durchführte. Neben vielen anderen interessanten Ergebnissen entdeckten sie, dass zwischen Religiosität und Bildung tatsächlich eine negative Korrelation besteht: Besser gebildete Menschen sind seltener religiös. Ebenso besteht ein negativer Zusammenhang zwischen Religiosität und dem Interesse an Naturwissenschaft und (deutlich) liberalen politischen Einstellungen. Das alles ist ebenso wenig verwunderlich wie die Tatsache, dass zwischen der eigenen Religiosität und der der Eltern eine positive Korrelation besteht. In soziologischen Untersuchungen an britischen Kindern stellte sich heraus, dass nur jeder Zwölfte sich von den religiösen Überzeugungen der Eltern abwendet.

Wie vielleicht nicht anders zu erwarten, wenden die einzelnen Wissenschaftler unterschiedliche Messmethoden an, und das macht es schwierig, ihre Untersuchungen zu vergleichen. Zu diesem Zweck gibt es das Verfahren der Meta-Analyse: Ein Wissenschaftler betrachtet alle veröffentlichten Forschungsarbeiten zu einem Thema und stellt zusammen, wie viele Aufsätze zu der einen oder anderen Schlussfolgerung gelangen. Zum Thema Religion und Intelligenzquotient kenne ich nur eine einzige Meta-Analyse. Sie stammt von Paul Bell und erschien 2002 im *Mensa Magazine* (Mensa ist eine Vereinigung von Menschen mit hohem Intelligenzquotienten, und deshalb ist es nicht verwunderlich, dass ihre Zeitschrift auch Artikel zu dem Thema enthält, das ihre Gemeinsamkeit darstellt). Bell gelangt zu dem Schluss:

Von den 43 Untersuchungen, die seit 1927 zum Zusammenhang zwischen religiöser Überzeugung auf der einen Seite und Intelligenz und/oder Bildungsniveau auf der anderen durchgeführt wurden, fanden alle außer vier einen umgekehrten Zusammenhang. Das heißt, je höher die Intelligenz oder das Bildungsniveau ist, desto geringer ist die Wahrscheinlichkeit, dass jemand religiös ist oder irgendeine Form von »Glaubensüberzeugungen« hat.[60]

Eine Meta-Analyse ist fast immer zwangsläufig weniger detailliert als jede einzelne Untersuchung, die dabei ausgewertet wurde. Es wäre schön, wenn es in dieser Richtung mehr Untersuchungen gäbe, aber auch Studien an den Mitgliedern von Elitekörperschaften und Akademien anderer Länder sowie unter den Trägern wichtiger Auszeichnungen wie Nobelpreis, Crafoord-Preis, Fields Medal, Kyoto-Preis, Cosmos-Preis und andere. Ich hoffe, dass ich solche Befunde in zukünftige Auflagen dieses Buches aufnehmen kann. Die vorhandenen Untersuchungen lassen aber bereits eine vernünftige Schlussfolgerung zu: Religionsvertreter sollten etwas vorsichtiger sein, wenn sie bewunderte Vorbilder nennen, zumindest wenn es dabei um Naturwissenschaftler geht.

Pascals Wette

Der berühmte französische Mathematiker Blaise Pascal machte eine Rechnung auf: So unwahrscheinlich es auch sein mag, dass Gott existiert, noch größer ist die Asymmetrie im Hinblick auf die Strafe, wenn man das Falsche vermutet hat. Man sollte lieber an Gott glauben, denn wenn man recht hat, wird einem die ewige Gnade zuteil, und wenn man unrecht hat, ist es ohnehin egal. Glaubt man aber nicht an Gott und hat damit unrecht, fällt man der ewigen Verdammnis anheim, und wenn man recht hat, ist es wiederum egal. Angesichts dieser Überlegung fällt die Entscheidung leicht. Man sollte lieber an Gott glauben.

Diese Argumentation hat eindeutig etwas Seltsames. Über den Glauben entscheidet man nicht wie über eine taktische Frage. Zumindest ich kann darüber nicht mit meinem Willen entscheiden. Ich kann mich entschließen, in die Kirche zu gehen und das Glaubensbekenntnis zu sprechen, und ich kann mich entscheiden, auf einen Stapel Bibeln zu schwören, von deren Inhalt ich jedes Wort glaube. Aber das alles führt nicht dazu, dass ich wirklich glaube, obwohl ich eigentlich ungläubig bin. Pascals Wette kann höchstens ein Argument dafür sein, dass man *so tut*, als glaubte man an Gott. Dann ist aber der Gott, an den zu glauben man vorgibt, besser nicht einer von der allwissenden Sorte, denn sonst durchschaut er die Täuschung. Die lächerliche Idee, Glaube sei etwas, worüber man *entscheiden* könne, wird von Douglas Adams in *Dirk Gently's Holistic Detective Agency (Der elektrische Mönch)* auf köstliche Weise parodiert: Dort lernen wir den »elektrischen Mönch« kennen, einen Roboter, der uns Mühen erspart, indem er »für uns glaubt«. In der Werbung für das Deluxe-Modell heißt es: »Kann Dinge glauben, an die man nicht einmal in Salt Lake City glaubt.«

Ohnehin stellt sich die Frage: Warum finden wir uns so einfach mit der Vorstellung ab, dass wir nur eines tun müssen, um Gott zu gefallen, nämlich an ihn zu *glauben*? Was ist am Glauben so Besonderes? Ist es nicht ebenso wahrscheinlich, dass Gott Freundlichkeit, Großzügigkeit oder Demut belohnt? Oder Ehrlichkeit? Wie sieht es aus, wenn Gott ein Wissenschaftler ist, der das ehrliche Streben nach Wahrheit als höchste Tugend ansieht? *Musste* der Konstrukteur des Universums nicht sogar ein Wissenschaftler sein? Bertrand Russell wurde einmal gefragt, was er sagen würde, wenn er nach seinem Tod Gott gegenüberstünde und erklären müsste, warum er nicht an ihn geglaubt habe. Russells (ich würde fast sagen: unsterbliche) Antwort lautete: »Keine ausreichenden Anhaltspunkte, Gott, keine ausreichenden Anhaltspunkte.« Müsste Gott nicht vor

Russell und seinem mutigen Skeptizismus (ganz zu schweigen von seinem mutigen Pazifismus, der ihn während des Ersten Weltkriegs ins Gefängnis brachte) weit größeren Respekt haben als vor Pascal mit seinen ängstlichen Berechnungen? Wir können zwar nicht wissen, in welche Richtung Gott springen würde, aber um Pascals Wette abzulehnen, brauchen wir es auch nicht zu *wissen*. Wie gesagt: Wir reden hier von einer Wette, und Pascal behauptete nicht, es gehe darin um etwas anderes als um sehr unterschiedlich große Chancen. Würden wir darauf *wetten*, dass Gott einen unehrlich vorgetäuschten Glauben (oder auch ehrlichen Glauben) höher schätzt als ehrliche Skepsis?

Und nehmen wir außerdem einmal an, der Gott, dem wir nach dem Tod gegenübertreten, ist Baal, und angenommen, Baal ist ebenso eifersüchtig, wie sein alter Konkurrent Jahwe gewesen sein soll. Hätte Pascal dann nicht besser auf gar keinen Gott anstelle des falschen Gottes gewettet? Bringt nicht sogar die schiere Zahl der potenziellen Götter und Göttinnen, auf die man wetten könnte, Pascals ganze Logik zum Einsturz? Vermutlich wollte Pascal einen Witz machen, als er seine Wette formulierte, darum handele ich sie ebenso scherzhaft ab. Aber mir sind – unter anderem in der Fragestunde nach meinen Vorträgen – schon Menschen begegnet, die Pascals Wette ganz ernsthaft als Argument für den Glauben an Gott anführten, und deshalb war es richtig, dass ich mich hier kurz damit beschäftigt habe.

Und schließlich: Ist es möglich, eine Art umgekehrte Pascal-Wette zu vertreten? Gehen wir einmal davon aus, dass es tatsächlich eine geringe Wahrscheinlichkeit für die Existenz Gottes gibt. Dennoch könnte man sagen: Ich kann ein besseres, erfüllteres Leben führen, wenn ich annehme, dass es ihn nicht gibt, sodass ich meine kostbare Zeit nicht damit vergeude, ihn anzubeten, ihm Opfer zu bringen, für ihn zu kämpfen und zu sterben, usw. Ich möchte diese Frage hier nicht weiter verfolgen, aber man sollte sie im Hinterkopf haben, wenn wir uns in späteren Kapiteln mit den bösen Folgen beschäftigen, die aus religiösem Glauben und Gehorsam erwachsen können.

Bayes'sche Argumente

Das seltsamste Argument für die Existenz Gottes, das mir untergekommen ist, vertritt Stephen Unwin in seinem Buch *The Probability of God (Die Wahrscheinlichkeit der Existenz Gottes)*. Ich habe gezögert, seinen Gedankengang hier überhaupt zur Sprache zu bringen, denn er ist weniger stichhaltig und auch weniger durch ein hohes Alter geheiligt als andere. Aber Unwins Buch erregte 2003 bei seinem Erscheinen in der Presse beträchtliche Aufmerksamkeit und bietet tatsächlich die Gelegenheit, verschiedene Erklärungsstränge zusammenzuführen. Ich empfinde für seine Ziele eine gewisse Sympathie, weil die Frage nach der Existenz Gottes, wie ich in Kapitel 2 erläutert habe, in meinen Augen als wissenschaftliche Hypothese der Untersuchung zumindest prinzipiell zugänglich ist. Überdies ist Unwins verschrobener Versuch, der Wahrscheinlichkeit einen Zahlenwert zuzuordnen, eindeutig vergnüglich.

Der Untertitel *Mit einer einfachen Formel auf der Spur der letzten Wahrheit* sieht ganz so aus, als habe der Verlag ihn in letzter Minute hinzugefügt, denn aus Unwins Text spricht durchaus keine sichere Erkenntnis. Besser betrachtet man das Buch als Bedienungsanleitung, als *Bayes-Theorem für Dummies*, wobei die Existenz Gottes als halb scherzhafte Fallstudie dient. Ebenso gut hätte Unwin das Bayes'sche Theorem mithilfe eines Mordfalles im Spiel *Cluedo* beweisen können. Der Kommissar nennt die Indizien. Die Fingerabdrücke auf der Pistole weisen auf Mrs. Peacock hin. Zur quantitativen Erfassung des Verdachts wird der Dame ein Zahlenwert zugeordnet. Aber Professor Plum hat ein Motiv, ihr etwas anzuhängen. Vermindern wir also den Verdacht gegen Mrs. Peacock um den entsprechenden Zahlenwert. Die kriminaltechnische Untersuchung ergibt, dass der Revolver mit einer Wahrscheinlichkeit von 70 Prozent zielgenau aus großer Entfernung abgefeuert wurde, was für einen Täter mit militärischer Ausbildung spricht. Also fassen wir unseren wachsenden Verdacht gegen Colonel Mustard in Zahlen. Das plausibelste Mordmotiv hat indes Reverend Green.* Also setzen wir seine Wahrscheinlichkeit mit einem höheren Zahlenwert an. Andererseits kann das lange blonde Haar auf der Jacke des Opfers nur von Miss Scarlet stammen, und so weiter. Dem Kommissar geht eine Mischung mehr oder weniger subjektiv abgeschätzter Wahrscheinlichkeiten durch den Kopf, die seine Gedanken in unterschiedliche Richtungen lenken. Das Bayes-Theorem soll ihm helfen, zu einer Lösung zu gelangen.

Es handelt sich um ein mathematisches Verfahren, bei dem man viele verschiedene Wahrscheinlichkeiten in Betracht ziehen und am Ende zu einem abschließenden Urteil gelangen kann, das eine eigene quantitative Wahrscheinlichkeitsabschätzung in sich trägt. Natürlich kann diese letzte Schätzung aber nur so gut sein wie die Zahlen, die ursprünglich in sie eingeflossen sind. Diese entspringen in der Regel subjektiven Eindrücken mit allen Zweifeln, die sich daraus meist ergeben. Hier gilt demnach das Müll-rein-Müll-raus-Prinzip (Wer Müll reintut, bekommt auch Müll wieder heraus) – zumal bei Unwins Beispiel, den Argumenten für Gottes Existenz.

Unwin ist Berater für Risikomanagement und ein Bannerträger des Bayes'schen Wahrscheinlichkeitsbegriffs gegenüber statistischen Konkurrenzverfahren. Um das Bayes-Theorem zu

---

* »Reverend Green« ist der Name einer Gestalt in der *Cluedo*-Version, die in Großbritannien (dem Ursprungsland des Spiels), Australien, Indien, Neuseeland und allen anderen englischsprachigen Regionen mit Ausnahme Nordamerikas vertrieben wird. Dort wird er plötzlich zu Mr. Green. Was soll das?

verdeutlichen, unterstellt er keinen Mord, sondern den größten Fall von allen: die Existenz Gottes. Er geht dabei von völliger Unsicherheit aus und entschließt sich, diese mit einer Anfangswahrscheinlichkeit von jeweils 50 Prozent für die Existenz und Nichtexistenz Gottes zu quantifizieren. Dann führt er sechs Tatsachen auf, die für diese Frage eine Rolle spielen könnten, versieht jede mit einer zahlenmäßigen Gewichtung, füttert die Zahlen in die mathematische Maschine des Bayes-Theorems und sieht nach, was herauskommt. Die Schwierigkeit besteht (wie bereits erwähnt) darin, dass es sich bei den sechs Gewichtungen nicht um Messwerte handelt, sondern um Unwins persönliche Beurteilungen, die er für diese mathematische Übung in Zahlen gekleidet hat. Die sechs Tatsachen sind folgende:

1. Wir haben ein Gespür dafür, was gut ist.
2. Menschen tun Böses (Hitler, Stalin, Saddam Hussein).
3. Die Natur tut Böses (Erdbeben, Tsunamis, Hurrikane).
4. Es könnte kleinere Wunder geben (ich habe meinen Schlüsselbund verloren und später wiedergefunden).
5. Es könnte größere Wunder geben (Jesus könnte von den Toten auferstanden sein).
6. Die Menschen haben religiöse Erlebnisse.

Was die Aussage auch wert sein mag (in meinen Augen nichts): Im Bayes'schen Wettrennen geht Gott anfangs in Führung, dann fällt er weit zurück, rettet sich wieder über die 50-Prozent-Linie, von der er ausgegangen war, und am Ende kann er sich darüber freuen, dass er nach Unwins Schätzung mit einer Wahrscheinlichkeit von 67 Prozent existiert.

Unwin gelangt zu dem Schluss, dass das Bayes'sche Urteil von 67 Prozent nicht gut genug ist, und unternimmt einen bizarren Schritt: Er hilft mit einer Notfallinjektion namens »Glauben« nach und treibt die Wahrscheinlichkeit damit auf 95 Prozent in die Höhe. Es hört sich nach einem Witz an, aber so geht er tatsächlich vor. Ich wüsste gern, wie er es rechtfertigt, aber dazu hat er wirklich nichts zu sagen. Ähnliche Absurditäten sind mir auch an anderen Stellen begegnet, wenn ich mich bei religiösen, ansonsten aber intelligenten Wissenschaftlern nach einer Rechtfertigung für ihren Glauben erkundigte, nachdem sie eingeräumt hatten, dass es keine Belege gebe: »Ich gebe zu, man kann es nicht beweisen. Es hat seinen *Grund*, dass man es Glauben nennt.« (Der letzte Satz wird mit beinahe gehässiger Überzeugung geäußert, wobei nichts auf eine Entschuldigung oder Abwehrhaltung hindeutet.)

Erstaunlicherweise enthält Unwins Liste der sechs Aussagen weder das Gestaltungsargument noch Thomas von Aquins fünf »Beweise« und auch keines der ontologischen Argumente. Damit gibt sich Unwin nicht ab; sie tragen zu seiner zahlenmäßigen Abschätzung der Wahrscheinlichkeit Gottes nicht das Geringste bei. Er erörtert sie und tut sie – guter Statistiker, der er ist – als inhaltsleer ab. Das muss man ihm nach meiner Überzeugung zugute halten, auch wenn er das Gestaltungsargument aus anderen Gründen verwirft als ich. Aber die Argumente, die er durch seinen Bayes'schen Filter schlüpfen lässt, sind in meinen Augen ebenso schwach. Damit will ich nur sagen, dass ich ihnen andere subjektive Wahrscheinlichkeitsgewichtungen zuordnen würde als er, doch wen interessieren solche subjektiven Einschätzungen überhaupt? In seinen Augen wiegt die Tatsache, dass wir ein Gespür für Richtig und Falsch haben, schwer zugunsten der Existenz Gottes, ich dagegen kann nicht erkennen, dass die Wahrscheinlichkeit sich dadurch von der anfänglichen geringen Erwartung in die eine oder andere Richtung verschiebt. Wie ich in den Kapiteln 6 und 7 darlegen werde, lässt sich nicht plausibel vertreten, dass unser tatsächlich vorhandenes Gefühl für Richtig und Falsch in irgendeinem eindeutigen Zusammenhang mit der Existenz einer übernatürlichen Gottheit steht. Genau wie unsere Fähigkeit, ein Beethoven-Streichquartett zu schätzen, ist auch unser Gespür für das Gute (allerdings nicht unbedingt unsere Motivation, ihm zu folgen) mit Gott und ohne Gott genau das gleiche.

Andererseits meint Unwin, böse Dinge und insbesondere Naturkatastrophen wie Erdbeben und Tsunamis sprächen stark *gegen* die Wahrscheinlichkeit, dass es Gott gibt. Hier ist Unwins Urteil dem meinen genau entgegengesetzt, aber er befindet sich damit im Einklang mit den unbehaglichen Gefühlen vieler Theologen. Die »Theodizee« (das heißt die Rechtfertigung der göttlichen Vorsehung angesichts des offenkundig vorhandenen Bösen) hat den Theologen schon immer schlaflose Nächte bereitet. Der maßgebliche *Oxford Companion to Philosophy* bezeichnet das Problem des Bösen als »den stärksten Einwand gegen den traditionellen Theismus«. In Wirklichkeit spricht dieses Argument nur gegen die Existenz eines guten Gottes. Aber Güte gehört nicht zur *Definition* der Gotteshypothese, sie ist nur eine wünschenswerte Ergänzung.

Zugegeben: Leute mit theologischen Neigungen sind oft chronisch unfähig, das Wahre vom Wünschenswerten zu unterscheiden. Aber für intelligentere Menschen, die an ein übernatürliches Wesen glauben, ist es kinderleicht, das Problem des Bösen zu bewältigen. Man braucht nur einen boshaften Gott zu postulieren – zum Beispiel einen Gott, wie er uns im Alten Testament auf Schritt und Tritt begegnet. Wer sich dazu nicht bereit finden kann, dem bleibt die Möglichkeit, sich einen eigenen Gott des Bösen zu erfinden, ihn Satan zu nennen und dessen kosmischen Kampf gegen den guten Gott für das Böse in der Welt verantwortlich zu machen. Oder – eine noch raffiniertere Lösung – man postuliert einen Gott, der größere Dinge zu tun hat, als sich mit den kleinen Kümmernissen der Menschen abzugeben. Oder einen Gott, der dem Leiden gegenüber nicht gleichgültig ist, es aber als den Preis für einen freien Willen in einem geordneten Kosmos mit seinen Gesetzen betrachtet. Zu jeder dieser Rationalisierungen kann man Theologen finden, die sie vertreten.

Beim Nachvollzug von Unwins Bayes'scher Berechnung würden mich aus all diesen Gründen weder das Problem des Bösen noch ethische Überlegungen in die eine oder andere Richtung weit von der ursprünglichen Nullhypothese (Unwins 50 Prozent) wegführen. Aber ich möchte in dieser Frage überhaupt nicht mitdiskutieren, weil ich persönliche Meinungen, Unwins genauso wie meine eigenen, nicht für sonderlich spannend halte.

Gibt es doch ein viel schlagkräftigeres Argument, das nicht von subjektiven Beurteilungen abhängt: das Argument der Unwahrscheinlichkeit. Erst dieses Argument führt uns tatsächlich dramatisch weit von den 50 Prozent des Agnostizismus weg, und zwar in den Augen vieler Theisten fast bis zur Extremposition des Theismus, in meinen Augen jedoch bis zum Extrem des Atheismus. Darauf habe ich schon mehrfach angespielt. Die ganze Argumentation dreht sich um eine berühmte Frage, auf die fast jeder denkende Mensch von selbst kommt: Wer hat Gott erschaffen? Strukturierte Komplexität ist mit einem gestaltenden Gott nicht zu erklären, denn jeder Gott, der etwas gestaltet, müsste selbst so komplex sein, dass er für sich selbst wiederum die gleiche Erklärung verlangt. Gott stellt eine unendliche Regression dar und kann uns nicht helfen, daraus zu entkommen.

Wie ich im nächsten Kapitel darlegen werde, kann man mit diesem Argument Gottes Existenz zwar formal-logisch nicht widerlegen, sie aber doch als sehr, sehr unwahrscheinlich erscheinen lassen.

4 Warum es mit ziemlicher Sicherheit keinen Gott gibt

Die höchste Form der Boeing 747

Beim Unwahrscheinlichkeitsargument – es ist im traditionellen Gewand des Gestaltungsarguments die heute mit Abstand beliebteste Begründung für die Existenz Gottes – geht es ums Ganze. Eine erstaunlich große Zahl von Theisten hält dieses Argument für völlig überzeugend, und es ist ja auch sehr stichhaltig und lässt sich kaum widerlegen. Allerdings verläuft seine Stoßrichtung nicht so, wie die Theisten wollen, sondern genau umgekehrt: Richtig angewandt, kommt das Unwahrscheinlichkeitsargument nämlich einem Beweis, dass Gott *nicht* existiert, sehr nahe. Ich habe einen schönen Namen für meinen statistischen Nachweis, dass Gott mit ziemlicher Sicherheit nicht existiert – einen Namen, der aus der Schach-Strategie kommt: Gambit. Mein Gambit heißt »Die höchste Form der Boeing 747«.

Dieser Name geht auf einen amüsanten Vergleich von Fred Hoyle zurück, der von der Entstehung einer Boeing 747 auf dem Schrottplatz handelt. Ob Hoyle selbst diese Analogie je zu

155

Papier gebracht hat, weiß ich nicht genau, aber sie wurde ihm von seinem engen Mitarbeiter Chandra Wickramasinghe zugeschrieben und ist vermutlich authentisch.[61] Hoyle sagte: Die Wahrscheinlichkeit, dass Leben auf der Erde entsteht, ist nicht größer als die, dass ein Wirbelsturm, der über einen Schrottplatz fegt, rein zufällig eine Boeing 747 zusammenbaut. Andere wandten diese Metapher später auf die Evolution kompliziert gebauter Lebewesen an, die ebenfalls eine äußerst geringe Plausibilität besitzt. Die Wahrscheinlichkeit, dass durch zufälliges Durcheinanderwirbeln der Einzelteile ein funktionsfähiges Pferd, ein Käfer oder ein Straußenvogel entstehe, liege im gleichen Bereich wie die des zufälligen Entstehens einer Boeing 747. Das ist, kurz zusammengefasst, das Lieblingsargument der Kreationisten – ein Argument, das man allerdings nur dann vertreten kann, wenn man den wichtigsten Aspekt der natürlichen Selektion nicht begriffen hat und glaubt, diese sei nur eine Theorie der Zufälle, während sie in Wirklichkeit von Chancen im eigentlichen Sinn und damit genau vom Gegenteil handelt.

Die falsche Vereinnahmung des Unwahrscheinlichkeitsarguments durch die Kreationisten hat die immer gleiche allgemeine Form; dabei ist es unerheblich, ob die Kreationisten sich entschließen, dieses Argument in das politisch opportune Gewand des »Intelligent Design« (ID) zu kleiden.* Stets wird ein Phänomen, das man beobachtet – häufig ein Lebewesen oder eines seiner komplizierten Organe, manchmal aber auch alles mögliche andere vom Molekül bis zum ganzen Universum –, zu Recht als statistisch unwahrscheinlich herausgestellt. Manchmal bedient man sich der Sprache der Informatik: Dann soll der Darwinist erklären, woher die vielen Informationen in den Lebewesen stammen, wobei der Informationsgehalt im fach-

---

* Intelligent Design wurde boshaft auch schon als Kreationismus im billigen Smoking bezeichnet.

sprachlichen Sinn als Maß für die Unwahrscheinlichkeit oder den »Überraschungswert« herangezogen wird. Oder man bedient sich des abgedroschenen Mottos der Wirtschaftwissenschaftler: Nichts ist umsonst, von nichts kommt nichts – und wirft dem Darwinismus vor, er wolle etwas umsonst bekommen. Wie ich jedoch in diesem Kapitel nachweisen werde, ist die Darwin'sche natürliche Selektion die einzige bekannte Antwort auf die ansonsten unlösbare Frage, woher die Informationen stammen. Und dann wird sich herausstellen, dass es ausgerechnet die Gotteshypothese ist, die versucht, etwas umsonst zu bekommen. Das Gebilde, das man durch die Berufung auf einen Gestalter erklären will, mag noch so unwahrscheinlich sein, der Gestalter selbst ist es mindestens ebenso. Gott ist letztlich die höchste Form der Boeing 747.

Das Unwahrscheinlichkeitsargument besagt, dass komplizierte Dinge nicht durch Zufall entstanden sein können. Und weil für viele Menschen »Entstehung durch Zufall« gleichbedeutend mit »Entstehung ohne gezielte Gestaltung« ist, sehen sie, wie nicht anders zu erwarten, in der Unwahrscheinlichkeit einen Beleg für Gestaltung. Die Darwin'sche natürliche Selektion zeigt jedoch, dass diese Annahme zumindest im Kontext biologischer Unwahrscheinlichkeit falsch ist. Selbst wenn der Darwinismus für die Welt des Unbelebten – etwa die Kosmologie – nicht unmittelbar gilt, erweitert er unser Bewusstsein auch in jenen Bereichen, die außerhalb seiner eigentlichen biologischen Domäne liegen.

Denn ein tieferes Verständnis des Darwinismus lehrt uns, misstrauisch gegenüber der leichtfertigen Annahme zu sein, Gestaltung sei die einzige Alternative zum Zufall. Stattdessen lernen wir, nach langsam ansteigenden Linien zunehmender Komplexität zu suchen. Schon vor Darwin hatten Philosophen wie Hume begriffen, dass die Unwahrscheinlichkeit des Lebendigen kein Beweis für eine gezielte Gestaltung ist, aber sie konnten sich die Alternative nicht ausmalen. Seit Darwin jedoch sollten wir alle schon der Idee einer bewussten göttlichen Gestaltung zutiefst misstrauen. Die Illusion der Gestaltung ist eine Falle, in die schon viele getappt sind, doch Darwin sollte uns eigentlich durch Erweiterung unseres Bewusstseins dagegen immunisiert haben. Ich wünschte nur, es wäre wirklich so – bei uns allen!

Natürliche Selektion als Bewusstseinserweiterer

In einem Science-Fiction-Raumschiff haben die Astronauten Heimweh: »Wenn man bedenkt, dass zu Hause auf der Erde jetzt Frühling ist!« Vielleicht erkennen Sie nicht sofort, was an diesem Satz nicht stimmt – dafür ist der unbewusste Chauvinismus der Bewohner der Nordhalbkugel unseres Planeten, und vielleicht auch der einiger anderer, einfach zu tief verwurzelt. »Unbewusst« ist genau das richtige Wort. Und genau hier liegt der Ansatzpunkt für eine Bewusstseinserweiterung. Dass man in Australien und Neuseeland Weltkarten kaufen kann, auf denen der Südpol oben liegt, ist nicht nur eine lustige Masche, sondern hat einen tieferen Grund. Welch großartige bewusstseinserweiternde Wirkung hätten solche Karten, wenn man sie in den Klassenzimmern der nördlichen Erdhalbkugel an die Wände hängen würde! Tag für Tag würden die Kinder daran erinnert, dass »Norden« eine willkürliche Bezeichnung ist, die kein Monopol auf das »Oben« hat. Die neue Karte würde sie faszinieren und gleichzeitig ihr Bewusstsein erweitern. Sie würden zu Hause ihren Eltern davon erzählen – und nebenbei bemerkt: Den Kindern etwas zu vermitteln, womit sie ihre Eltern überraschen können, ist eines der größten Geschenke, die ein Lehrer ihnen machen kann.

Mein Bewusstsein für die Bedeutung der Bewusstseinserweiterung wurde durch die Feministinnen geweckt. Das Wort *Herstory* ist natürlich lächerlich, und sei es nur deshalb, weil das

»his« in dem englischen Wort *history* (»Geschichte«) in keinem etymologischen Zusammenhang mit dem männlichen Pronomen *his* steht. (Ein ähnlicher Fall wäre im Deutschen *frau* statt *man*.) Etymologisch sind solche sprachlichen Bildungen ebenso töricht wie die Entlassung eines Washingtoner Beamten im Jahr 1999, der mit dem Wort *niggardly* (»schäbig«) angeblich eine rassistische Beleidigung ausgesprochen hatte. Doch selbst krasse Fälle wie *niggardly* oder *herstory* tragen dazu bei, das Bewusstsein zu erweitern.

Wenn sich unsere philologischen Nackenhaare wieder geglättet und wir das Gelächter eingestellt haben, zeigt uns *herstory* die Historie eben aus einem anderen Blickwinkel. Bei dieser Form der Bewusstseinserweiterung stehen Geschlechtspronomina bekanntlich an vorderster Front. Er oder sie muss sich fragen, ob sein oder ihr Stilgefühl es ihm oder ihr erlaubt, so zu schreiben. Aber wenn wir von den unglücklichen Schwerfälligkeiten der Sprache einmal absehen, wird auf diese Weise unser Bewusstsein für die empfindlichen Punkte bei der Hälfte der Menschheit erweitert. *Man, mankind, »the Rights of Man«, »all men are created equal«, »one man, one vote«* – mit der sprachlichen Gleichsetzung von »Mensch« und »Mann« schließt das Englische die Frauen nur allzu oft aus.*

Als ich noch jung war, wäre ich nie auf die Idee gekommen, dass Frauen sich durch eine Formulierung wie *»the future of man«* hätten gekränkt fühlen können. In den seither vergangenen Jahrzehnten haben wir alle unser Bewusstsein erweitert. Selbst diejenigen, die heute noch *man* statt *human* sagen, tun es mit einem Ausdruck der entschuldigenden Befangenheit – oder aber trotzig, weil sie sich für die traditionelle Sprache

---

* Das Altgriechische und Lateinische waren besser gerüstet. Das lateinische *homo* (griechisch *anthropo-*) bedeutet Mensch im Gegensatz zu *vir* (*andro-*) für »Mann« und *femina* (*gyne-*) für »Frau«. Die Anthropologie beschäftigt sich also mit der gesamten Menschheit, Andrologie und Gynäkologie dagegen sind geschlechtsspezifische Fachgebiete der Medizin.

einsetzen oder sogar gezielt die Feministinnen ärgern wollen. Das Bewusstsein all derer, die dem Zeitgeist huldigen, wurde erweitert, selbst wenn sie anschließend negativ reagierten, sich auf die Hinterbeine stellten und die Beleidigung verdoppelten.

Der Feminismus hat uns gezeigt, wie wirksam die Bewusstseinserweiterung sein kann, und ich möchte das gleiche Verfahren auch auf die natürliche Selektion anwenden. Natürliche Selektion ist nicht nur eine Erklärung für die Gesamtheit alles Lebendigen, sondern sie erweitert auch unser Bewusstsein dafür, dass die Wissenschaft erklären kann, wie aus einfachen Anfängen ohne absichtliche Lenkung organisierte Komplexität entsteht. Umfassende Kenntnisse über die natürliche Selektion ermutigen uns, auch auf anderen Gebieten kühner zu werden. Sie wecken auf diesen anderen Gebieten unser Misstrauen gegen jene falschen Alternativen, von denen auch die Biologie in vordarwinistischer Zeit verseucht war. Wer hätte vor Darwin vermutet, dass etwas scheinbar eindeutig Gestaltetes wie der Flügel einer Libelle oder das Auge eines Adlers in Wirklichkeit das Endprodukt einer langen Reihe nicht zufälliger, aber dennoch rein natürlicher Vorgänge ist?

Wie wirksam der Darwinismus das Bewusstsein erweitert, bezeugt Douglas Adams in seinem rührenden, amüsanten Bericht über seine eigene Bekehrung zum radikalen Atheismus – er bestand auf dem Beiwort »radikal«, damit niemand ihn fälschlich für einen Agnostiker hielt. Ich hoffe, man wird mir die Selbstbeweihräucherung, die in dem nachfolgenden Zitat zum Ausdruck kommt, verzeihen. Meine Entschuldigung dafür: Die Tatsache, dass Douglas durch meine früheren Bücher – mit denen ich niemanden bekehren wollte – bekehrt wurde, war für mich der Anlass, nun das vorliegende Buch – das bekehren will – seinem Andenken zu widmen. In einem Interview, das posthum in seinem Buch *The Salmon of Doubt (Lachs im Zweifel)* erschien, wurde er von einem Journalisten gefragt, wie er zum Atheisten geworden sei. Darauf erklärte er zunächst, wie er Agnostiker wurde, und fuhr dann fort:

> Ich grübelte und grübelte und grübelte. Aber ich hatte nicht genügend Stoff, um weiterzugrübeln, und kam so zu keiner Lösung. Ich hatte größte Zweifel daran, dass ein Gott existiert, wusste aber einfach nicht genug, um ein anderes gut funktionierendes Erklärungsmodell für, nun ja, das Leben, das Universum und den ganzen Rest an seine Stelle zu setzen. Trotzdem blieb ich am Ball und las und grübelte weiter. Irgendwann, etwa mit Anfang dreißig, stieß ich zufällig auf die Evolutionsbiologie, vor allem in Gestalt von Richard Dawkins' Büchern *The Selfish Gene (Das egoistische Gen)* und später *The Blind Watchmaker (Der blinde Uhrmacher)*, und plötzlich (ich glaube, bei der zweiten Lektüre von *The Selfish Gene*) fügte sich eins ins andere. Es war ein ganz erstaunlich einfaches Konzept, aber es ließ ganz unverkrampft Raum für die unendliche und verwirrende Komplexität des Lebens. Neben der Ehrfurcht, die das in mir auslöste, erschien mir die Ehrfurcht, über die Leute im Hinblick auf religiöse Erfahrungen reden, ehrlich gesagt albern. Ich würde die Ehrfurcht des Verstehens jederzeit über die Ehrfurcht der Ignoranz stellen.[62]

Das erstaunlich einfache Konzept, über das er sprach, hatte natürlich nichts mit mir zu tun. Es war Darwins Theorie der Evolution durch natürliche Selektion – der größte wissenschaftliche Bewusstseinserweiterer, den es je gab. (Douglas, du fehlst mir. Du warst nicht nur mein klügster, lustigster, aufgeschlossenster, scharfsinnigster und größter Bekehrter, sondern möglicherweise auch der einzige. Ich hoffe, dieses Buch hätte dich zum Lachen gebracht – wenn auch nicht so sehr, wie du mich zum Lachen gebracht hast.)

Der naturwissenschaftlich sehr bewanderte Philosoph Daniel Dennett machte darauf aufmerksam, dass die Evolution einem unserer ältesten Gedanken zuwiderläuft: »Ich spreche von dem Glauben, es müsse stets einen großen, schlauen Denker geben, um etwas von niedrigerem Rang herzustellen. Ich nenne das Schöpfungstheorie von oben nach unten. Will sagen: Niemals sehen wir einen Speer, der einen Speermacher, niemals ein Hufeisen, das einen Schmied, niemals einen Topf, der einen Töpfer hervorbringt.«[63] Darwins Entdeckung, dass tatsächlich ein automatischer Prozess diese der Intuition widersprechende Leistung vollbringt, war ein wahrhaft revolutionärer Beitrag zum Denken der Menschheit, der unser Bewusstsein ungeheuer stark erweitern kann.

Es ist erstaunlich, wie groß der Bedarf für eine solche Bewusstseinserweiterung ist, und das sogar bei hervorragenden Naturwissenschaftlern aus anderen Fachgebieten als der Biologie. Fred Hoyle war ein ausgezeichneter Physiker und Kosmologe, aber sein Missverständnis mit der Boeing 747 und andere Fehler in der Biologie – er versuchte beispielsweise, den fossilen *Archaeopteryx* als Fälschung abzutun – lassen darauf schließen, dass er eine Bewusstseinserweiterung durch ausgiebigen Kontakt mit der Welt der natürlichen Selektion nötig gehabt hätte. Auf der reinen Vernunftebene verstand er, wie ich meine, die natürliche Selektion durchaus. Aber vielleicht muss man viel damit zu tun haben, darin eintauchen und schwimmen, um ihre wahre Bedeutung einschätzen zu können.

Andere Naturwissenschaften erweitern das Bewusstsein auf anderen Wegen. Fred Hoyles eigene Wissenschaft, die Astronomie, weist uns metaphorisch und buchstäblich unseren Platz zu und stutzt unsere Eitelkeit so zurecht, dass wir auf die winzig kleine Bühne passen, auf der sich unser Leben abspielt: auf einen kleinen Staubkrümel, der von der kosmischen Explosion übrig geblieben ist. Die Geologie erinnert uns daran, wie kurz sowohl unser individuelles Leben als auch das Leben unserer

Spezies ist. Sie erweiterte John Ruskins Bewusstsein und veranlasste ihn 1852 zu seinem denkwürdigen Aufschrei: »Wenn die Geologen mich nur in Ruhe lassen würden, dann ginge es mir gut, aber diese schrecklichen Hämmer! Ihr Klingen höre ich am Ende jeder Kadenz aus den Bibelversen!«

Die gleiche Wirkung auf unser Zeitgefühl hat die Evolution – was nicht verwunderlich ist, denn sie arbeitet in erdgeschichtlichen Zeiträumen. Aber die Darwin'sche Evolution und insbesondere die natürliche Selektion leisten noch mehr. Sie zerstören in der Biologie die Illusion der gezielten Gestaltung und lehren uns, auch in der Physik und Kosmologie gegenüber jeder Gestaltungshypothese misstrauisch zu sein. Daran dachte nach meiner Überzeugung auch der Physiker Leonard Susskind, als er schrieb: »Ich bin kein Historiker, aber ich wage es dennoch, eine Meinung zu äußern: Die moderne Kosmologie begann eigentlich mit Darwin und Wallace. Im Gegensatz zu allen anderen vor ihnen lieferten sie für unser Dasein eine Erklärung, die übernatürliche Kräfte völlig ablehnte. [...] Darwin und Wallace setzten nicht nur für die Biologie einen Maßstab, sondern auch für die Kosmologie.«[64] Andere Physiker, die eine solche Bewusstseinserweiterung schon lange nicht mehr nötig haben, sind Victor Stenger, dessen Buch *Has Science Found God?* (»Hat die Wissenschaft Gott gefunden?«) ich sehr empfehlen kann (die Antwort lautet nein), und Peter Atkins, dessen Werk *Creation Revisited* (»Ein zweiter Blick auf die Schöpfung«) mein Lieblingsbuch mit poetischer naturwissenschaftlicher Prosa ist.*

Erstaunt bin ich immer wieder über Theisten, die ihr Bewusstsein keineswegs auf die von mir vorgeschlagene Weise erweitert haben, sondern die natürliche Selektion als »Gottes

---

* Siehe auch sein 2007 erschienenes Buch *God, the Failed Hypothesis: How Science Shows that God Does Not Exist* (»Die gescheiterte Gotteshypothese: Wie die Wissenschaft zeigt, dass es Gott nicht gibt«).

Methode, seine Schöpfung zu bewerkstelligen«, bejubeln. Sie erkennen an, dass die Evolution durch natürliche Selektion ein sehr einfacher, ordentlicher Weg ist, auf dem eine ganze Welt voller Leben entstehen kann. Gott braucht dabei eigentlich überhaupt nichts mehr zu tun! Diesen Gedankengang führt Peter Atkins in dem gerade erwähnten Buch zu einer plausiblen, gottlosen Schlussfolgerung: Er postuliert einen hypothetischen, faulen Gott, der mit möglichst wenig Anstrengung ein Universum voller Leben erschaffen will. Atkins' Gott ist sogar noch fauler als der deistische Gott der Aufklärer aus dem 18. Jahrhundert: *deus otiosus* – ganz buchstäblich ein Freizeitgott, unbeschäftigt, arbeitslos, überflüssig, nutzlos. Schritt für Schritt gelingt es Atkins, die Arbeitsbelastung des faulen Gottes immer weiter zu verringern, bis er am Ende nichts mehr zu tun hat: Ebenso gut könnte er überhaupt nicht existieren. Mir ist noch lebhaft Woody Allens scharfsinniges Gejammer in Erinnerung: »Wenn sich herausstellt, dass es einen Gott gibt, glaube ich nicht, dass er böse ist. Aber das Schlimmste, was man über Gott sagen kann, ist, dass er so wenig aus seinem Talent gemacht hat.«

Nicht reduzierbare Komplexität

Man kann die Größe des Problems kaum übertreiben, das Darwin und Wallace gelöst haben. Als Beispiele könnte ich die Anatomie, Zellstruktur, Biochemie und Verhaltensweisen buchstäblich aller Lebewesen nennen. Die auffälligsten scheinbar gestalteten Merkmale sind allerdings diejenigen, die sich kreationistische Autoren aus naheliegenden Gründen herauspicken, und es entbehrt nicht einer gewissen Ironie, dass ich mein Beispiel aus einem kreationistischen Buch entnommen habe. *Life – How Did It Get Here? (Das Leben – wie ist es entstanden?)* nennt keinen Autor, wird aber von der Wachtturm

Bibel- und Traktat-Gesellschaft verlegt. Weltweit erscheint es in sechzehn Sprachen und mit einer Auflage von elf Millionen Exemplaren. Es ist also offensichtlich sehr beliebt: Nicht weniger als sechs dieser elf Millionen Exemplare wurden mir unaufgefordert und kostenlos von wohlmeinenden Menschen aus der ganzen Welt zugeschickt.

Schlagen wir zufällig eine Seite dieses anonymen, freigebig verbreiteten Werkes auf, so finden wir einen Schwamm, der unter dem Namen Gießkannenschwamm oder Venusblumenkorb *(Euplectella)* bekannt ist, und daneben steht ein Zitat von keinem Geringeren als Sir David Attenborough: »Wenn man ein so kompliziertes Gebilde aus Kieselsäurenadeln [...] betrachtet, ist man verwirrt. Wie können Zellen, die annähernd selbstständig und mikroskopisch klein sind, zusammenarbeiten, um eine Million glasartiger Nadeln abzusondern und ein so kompliziertes und schönes Gitterwerk zu erzeugen? Wir wissen es nicht.« Und dann fügen die Wachtturm-Autoren eilig ihre eigene Pointe an: »Eines wissen wir aber mit Sicherheit: Der Zufall war hier kaum am Werk.« Stimmt, der Zufall war tatsächlich nicht am Werk. In diesem Punkt sind wir uns alle einig.

Die statistische Unwahrscheinlichkeit von Phänomenen wie dem *Euplectella*-Skelett ist das zentrale Problem, das jede Theorie des Lebendigen lösen muss. Je geringer die Wahrscheinlichkeit, desto weniger plausibel ist der Zufall als Lösung – nichts anderes ist mit Unwahrscheinlichkeit gemeint. Aber die denkbaren Lösungen für das Rätsel sind nicht, wie fälschlich nahegelegt wird, Gestaltung und Zufall. Es sind vielmehr Gestaltung und natürliche Selektion. Zufall ist angesichts der großen Unwahrscheinlichkeit, die wir bei den Lebewesen beobachten, keine Lösung, und kein geistig gesunder Biologe hat dies jemals angenommen. Gestaltung ist, wie wir noch genauer erfahren werden, ebenfalls keine realistische Lösung.

Doch zunächst möchte ich noch genauer deutlich machen, welches zentrale Problem jede Theorie des Lebendigen lösen muss: das Problem, wie man dem Zufall entkommt.

Blättern wir in dem Wachtturm-Buch weiter, so stoßen wir auf die Pfeifenwinde *(Aristolochia trilobata)*, eine wunderschöne Pflanze, deren elegante Teile so aussehen, als seien sie absichtlich zu dem Zweck konstruiert, Insekten einzufangen, mit Pollen zu bepudern und sie dann auf die Reise zu einer anderen Pfeifenwinde zu entlassen. Die raffinierte Eleganz der Blüte veranlasst die Wachtturm-Autoren zu der Frage, ob dies alles wohl durch Zufall oder durch intelligente Gestaltung entstanden sei. Noch einmal: *Natürlich* ist es nicht durch Zufall entstanden. Und noch einmal: Auch intelligente Gestaltung ist keine angemessene Alternative. Die natürliche Selektion ist nicht nur eine sparsame, plausible und elegante Lösung, sie ist auch die einzige jemals vorgeschlagene Alternative zum Zufall, die wirklich funktioniert.

Die intelligente Gestaltung unterliegt dagegen genau dem gleichen Einwand wie der Zufall: Sie ist für das Rätsel der statistischen Unwahrscheinlichkeit keine Lösung. Und je größer die Unwahrscheinlichkeit ist, desto unplausibler wird die intelligente Gestaltung. Bei genauer Betrachtung führt die These von der intelligenten Gestaltung nur zu einer Verdoppelung des Problems, denn, um es noch einmal zu sagen, der Gestalter (die Gestalterin/das Gestaltende) wirft sofort die weitergehende Frage nach seiner eigenen Entstehung auf. Ein Etwas, das etwas so Unwahrscheinliches wie die Pfeifenwinde (oder ein Universum) intelligent gestalten kann, muss noch unwahrscheinlicher sein als die Pfeifenwinde. Die Lösung »Gott« beendet also nicht die unendliche Regression, sondern verstärkt sie ganz gewaltig.

Blättern wir im Wachtturm-Buch nochmals um, so lesen wir eine wortreiche Beschreibung des Mammutbaumes *(Sequoiadendron giganteum)*, einer Pflanze, zu der ich eine besondere

Zuneigung hege, weil ein Exemplar in meinem Garten steht. Es ist noch ein Baby, knapp über hundert Jahre alt, und doch ist es der höchste Baum im weiten Umkreis. »Der winzige Mensch, der vor dem Baum steht, kann nur in stiller Ehrfurcht staunend an diesem Riesen unter den Bäumen emporschauen. Ist es vernünftig, anzunehmen, dass dieser majestätische Riese und das winzige Samenkorn, dem er entspringt, ohne Planung zustande gekommen sind?« Ich kann mich nur wiederholen: Wenn man glaubt, Zufall sei die einzige Alternative zur Gestaltung – nein, dann ist es nicht vernünftig. Aber auch hier erwähnen die Autoren mit keinem Wort die wirkliche Alternative, die natürliche Selektion. Entweder begreifen sie es tatsächlich nicht, oder sie wollen es nicht begreifen.

Alle Pflanzen, von der winzigen Pimpernelle bis zum Mammutbaum, beziehen die Energie zu ihrem Aufbau aus der Photosynthese. Dazu wieder das Wachtturm-Buch:

»An der Photosynthese sind rund siebzig verschiedene chemische Reaktionen beteiligt«, sagte ein Biologe. »Die Photosynthese ist wahrhaftig etwas Wunderbares.« Die Pflanzen sind die »Fabriken« der Natur genannt worden – schöne, ruhige, saubere Sauerstoffproduktionsstätten, Wasserrückgewinnungsanlagen und Nahrungsmittelfabriken für die ganze Welt. Sind sie einfach durch Zufall ins Dasein gekommen? Kann man das wirklich glauben?

Nein, man kann es nicht glauben; aber ein Beispiel nach dem anderen wiederzukäuen bringt uns nicht weiter. Die »Logik« der Kreationisten ist immer die Gleiche: Irgendein Naturphänomen ist statistisch so unwahrscheinlich, so komplex, so schön, so ehrfurchtgebietend, dass es nicht durch Zufall entstanden sein kann. Und die Autoren können sich zum Zufall keine andere Alternative vorstellen als die absichtliche Gestaltung. Also muss es ein Gestalter getan haben.

Auch die Antwort der Wissenschaft auf diese falsche Logik ist immer die gleiche: Gestaltung ist nicht die einzige Alternative zum Zufall. Eine viel bessere Alternative ist die natürliche Selektion. Eigentlich ist Gestaltung überhaupt keine Alternative, denn sie wirft ein viel größeres Problem auf als das, welches sie zu lösen vorgibt: Wer gestaltete den Gestalter? Für das Problem der statistischen Unwahrscheinlichkeit versagen Zufall und Gestaltung als Lösung gleichermaßen, denn der Zufall *ist* das Problem, und die Gestaltung läuft durch Regression darauf hinaus. Dagegen ist die natürliche Selektion eine echte Lösung. Sie ist die einzige funktionierende Lösung, die jemals vorgeschlagen wurde. Und sie funktioniert nicht nur, sie ist auch von verblüffender Eleganz und Kraft.

Wie kommt es, dass die natürliche Selektion das Problem der Unwahrscheinlichkeit lösen kann, während Zufall und Gestaltung von vornherein zum Scheitern verurteilt sind? Die Antwort lautet: Natürliche Selektion ist ein additiver Prozess, der das Problem der Unwahrscheinlichkeit in viele kleine Teile zerlegt. Jedes dieser Teile ist zwar immer noch ein wenig unwahrscheinlich, aber nicht so sehr, dass sich ein echtes Hindernis ergeben würde. Folgen viele solcher mäßig unwahrscheinlichen Ereignisse in einer Reihe aufeinander, so ist das Endprodukt der Anhäufung tatsächlich so unwahrscheinlich, dass es weit außerhalb der Reichweite des Zufalls liegt. Diese Endprodukte sind der Gegenstand der gebetsmühlenhaft wiederholten kreationistischen Argumente.

Der Kreationist geht völlig am Wesentlichen vorbei, weil er (Frauen sollten sich hier ausnahmsweise nichts daraus machen, dass sie durch das Pronomen ausgeschlossen werden) darauf besteht, das Eintreten des statistisch Unwahrscheinlichen als ein einziges Ja-Nein-Ereignis zu betrachten. Die Leistung der *Akkumulation* begreift er einfach nicht.

In meinem Buch *Climbing Mount Improbable (Gipfel des Unwahrscheinlichen)* habe ich diese Aussage in die Form einer Parabel gekleidet. Auf einer Seite des Berges ist eine Felswand, die man unmöglich besteigen kann, aber auf der anderen Seite führt eine sanfte Böschung zum Gipfel. Auf dem Gipfel steht ein komplexes Gebilde, beispielsweise ein Auge oder der Flagellenmotor der Bakterien. Die absurde Vorstellung, diese Komplexität könne sich spontan selbst bilden, wird durch den Sprung vom Fuß der Felswand zum Gipfel symbolisiert. Die Evolution dagegen begibt sich auf die andere Seite des Berges und kriecht über die sanfte Steigung zum Gipfel – das ist ganz leicht. Das Prinzip des Aufstiegs über die sanfte Böschung im Gegensatz zum Sprung über die Felswand ist so einfach, dass man sich eigentlich fragen muss, warum es so lange dauerte, bis ein Darwin auf der Bildfläche erschien und es entdeckte. Als ihm das gelang, waren seit Newtons *annus mirabilis* fast zweihundert Jahre vergangen, obwohl dessen Erkenntnisse allem Anschein nach viel schwieriger zu gewinnen waren als die Darwins.

Eine andere beliebte Metapher für extreme Unwahrscheinlichkeit ist das Zahlenschloss an einem Banktresor. Theoretisch könnte ein Bankräuber Glück haben und rein zufällig die richtige Kombination treffen. In der Praxis ist das Schloss mit einem so großen Unwahrscheinlichkeitsfaktor konstruiert, dass ein solches Szenario quasi ausgeschlossen ist – es ist fast ebenso unwahrscheinlich wie die Entstehung von Fred Hoyles Boeing 747. Aber stellen wir uns einmal ein minderwertiges Zahlenschloss vor, das uns nach und nach kleine Anhaltspunkte liefert – die Entsprechung zu den »Wärmer, wärmer«-Rufen von Kindern beim Topfschlagen oder Ostereiersuchen mit verbundenen Augen. Angenommen, die Tür öffnet sich jedes Mal ein kleines Stück weiter, wenn man der richtigen Einstellung näher kommt, und jedes Mal fällt ein wenig Geld heraus. Dann hätte der Räuber den Tresor in kürzester Zeit ausgeräumt.

Kreationisten, die das Unwahrscheinlichkeitsargument für ihre Zwecke nutzbar machen wollen, unterstellen immer, biologische Anpassung sei ein Alles-oder-Nichts-Phänomen. Ein anderer Name für das »Alles oder Nichts« lautet »Nicht reduzierbare Komplexität« (NRK). Entweder das Auge kann sehen, oder es kann nicht sehen. Entweder der Flügel fliegt, oder er fliegt nicht. Man geht davon aus, dass es keine nützlichen Zwischenformen gibt. Aber das ist schlicht und einfach falsch. In Wirklichkeit findet man solche Zwischenformen in Hülle und Fülle – und genau das würde man nach der Theorie auch erwarten. Das Zahlenschloss des Lebendigen ist eine »Wärmer, kälter, wieder wärmer«-Ostereiersuchmaschine. Das wirkliche Leben sucht sich die sanften Böschungen auf der Rückseite des Unwahrscheinlichkeitsberges. Die Kreationisten dagegen sind blind für alles mit Ausnahme der steil aufragenden Felswand auf der Vorderseite.

Darwin widmete ein ganzes Kapitel seiner *Entstehung der Arten* den »Verschiedenen Einwänden gegen die Theorie der natürlichen Zuchtwahl«, und man kann mit Fug und Recht behaupten, dass er in diesem kurzen Kapitel alle seither geäußerten Einwände schon vorwegnahm und abhandelte. Die größte Schwierigkeit bieten Darwins »Organe von äußerster Vollkommenheit und Zusammengesetztheit«, die manchmal fälschlich auch als »nicht reduzierbar komplex« bezeichnet werden. Als besonders schwieriges Thema griff Darwin das Auge heraus: »Die Annahme, dass sogar das Auge mit allen seinen unnachahmlichen Vorrichtungen, um den Focus den mannigfaltigsten Entfernungen anzupassen, verschiedene Lichtmengen zuzulassen und die sphärische und chromatische Abweichung zu verbessern, nur durch natürliche Zuchtwahl zu dem geworden sei, was es ist, erscheint, ich will es offen gestehen, im höchsten möglichen Grade absurd zu sein.«

Diesen einen Satz zitieren die Kreationisten vergnügt immer und immer wieder. Dass sie jedoch niemals sagen, wie Darwins Text weitergeht, versteht sich fast von selbst. Sein übertrieben freimütiges Geständnis erweist sich dabei als rhetorisches Mittel. Er ließ seine Gegner nahe an sich heran, damit der nachfolgende Schlag sie umso härter treffen konnte. Und dieser Schlag bestand natürlich darin, dass Darwin mühelos erklären konnte, wie sich das Auge in der Evolution ganz allmählich entwickelt hat. Er verwendete dabei keine Formulierungen wie »nicht reduzierbare Komplexität« oder »sanfte Böschung zum Gipfel des Unwahrscheinlichkeitsgebirges«, aber das Prinzip, um das es in solchen Formulierungen geht, hatte er natürlich verstanden.

Das Argument der »nicht reduzierbaren Komplexität« wird häufig in Formulierungen wie »Wozu ist ein halbes Auge gut?« oder »Was nützt ein halber Flügel?« gekleidet. Man bezeichnet ein Gebilde als nicht reduzierbar komplex, wenn es seine Funktion völlig verliert, sobald man ein Einzelteil entfernt. Das schien für Augen und Flügel auf der Hand zu liegen. Doch sobald man etwas genauer darüber nachdenkt, erkennt man den Irrtum sofort. Eine Patientin, der man wegen grauem Star die Augenlinse herausoperiert hat, sieht ohne Brille kein scharfes Bild mehr, aber ihr Sehvermögen reicht trotzdem noch dafür aus, dass sie nicht gegen einen Baum rennt oder eine Klippe hinunterstürzt.

Ein halber Flügel ist natürlich nicht so gut wie ein ganzer Flügel, aber immer noch besser als überhaupt kein Flügel. Ein halber Flügel kann einem Tier beispielsweise das Leben retten, weil er den Sturz von einem hohen Baum abbremst. Und 51 Prozent eines Flügels sind vielleicht die Rettung, wenn der Baum ein wenig höher ist. Ganz gleich, wie viel Prozent eines Flügels man besitzt: Immer gibt es eine Fallhöhe, bei der das Flügelfragment noch lebensrettend wirkt, ein etwas kleineres Fragment aber nicht mehr. Das Gedankenexperiment mit dem Sturz von unterschiedlich hohen Bäumen ist nur eine von vielen Möglichkeiten, das theoretische Prinzip zu verdeutlichen: Es muss eine ununterbrochene Steigerung der Nützlichkeit geben, die von einem Prozent eines Flügels bis zu 100 Prozent reicht. In den Wäldern der Erde gibt es eine Fülle von Tieren, die durch die Luft segeln oder sich fallen lassen; an ihnen kann man die vielen Schritte an dieser speziellen Böschung des Unwahrscheinlichkeitsgebirges auch in der Praxis erkennen.

Analog zu der Situation mit den unterschiedlich hohen Bäumen kann man sich auch ohne weiteres Situationen vorstellen, in denen ein halbes Auge einem Tier das Leben rettet, während es mit 49 Prozent eines Auges gestorben wäre. Sanfte Abstufungen ergeben sich hier durch unterschiedliche Lichtverhältnisse oder unterschiedliche Abstände, aus denen ein Beutetier – oder ein Verfolger – erkannt wird. Und wie bei den Flügeln oder Flughäuten, so kann man sich plausible Zwischenstufen auch hier nicht nur ausmalen, sondern es gibt sie im Tierreich in Hülle und Fülle. Ein Plattwurm besitzt ein Auge, das nach allen vernünftigen Maßstäben weniger als die Hälfte eines menschlichen Auges ist. Ein Nautilus hat (wie vielleicht auch seine ausgestorbenen Vettern, die Ammoniten, die im Paläozoikum und Mesozoikum die Meere beherrschten) ein Auge, das mit seiner Qualität in der Mitte zwischen Plattwürmern und Menschen steht. Während das Auge der Plattwürmer zwar Hell und Dunkel wahrnimmt, aber kein Bild erzeugt, produziert das »Lochkameraauge« des Nautilus eine echte Abbildung, die aber im Vergleich zu der in unserem eigenen Auge unscharf und düster ist. Dieser Verbesserung einen Zahlenwert zuzuordnen wäre eine Pseudogenauigkeit, aber kein vernunftbegabter Mensch kann abstreiten, dass die Augen der Wirbellosen und vieler anderer im Tierreich besser sind als gar kein Auge, und alle liegen auf der ununterbrochenen, flachen Steigung, die zum Gipfel des Unwahrscheinlichen führt. Unsere eigenen Augen liegen fast ganz oben – nicht am allerhöchsten Punkt, aber doch an einem recht hohen. In *Gipfel des Unwahrscheinlichen* habe ich den Augen und Flügeln ein ganzes Kapitel gewidmet und nachgewiesen, wie leicht sich beide in der Evolution durch langsame (oder vielleicht auch gar nicht so langsame), stufenweise Verbesserung entwickeln konnten; deshalb werde ich das Thema hier nicht weiter ausführen.

Wir haben also gesehen, dass Augen und Flügel keine Komplexität besitzen, die nicht reduzierbar wäre; doch interessanter als diese Einzelbeispiele ist die allgemeine Lehre, die wir daraus ziehen können. Die Tatsache, dass so viele Menschen in diesen ganz offenkundigen Fällen völlig Unrecht haben, sollte uns auch bei anderen, weniger naheliegenden Beispielen eine Warnung sein – insbesondere wenn Kreationisten, die sich heute hinter dem politisch opportunen Begriff einer »Intelligent-Design-Theorie« verschanzen, Behauptungen über Zellen und Biochemie herumposaunen.

Die beschriebenen Beispiele mahnen zur Vorsicht, und die Lehre, die wir daraus ableiten können, lautet: Erkläre nicht einfach, irgendetwas sei von nicht reduzierbarer Komplexität; es besteht eine hohe Wahrscheinlichkeit, dass du die Details nicht gründlich genug untersucht oder nicht eingehend genug darüber nachgedacht hast. Andererseits dürfen wir auch auf der Seite der Wissenschaft nicht zu dogmatisch-selbstsicher sein. Vielleicht gibt es in der Natur tatsächlich etwas, das durch seine *echte*, nicht reduzierbare Komplexität die sanfte Steigung zum Gipfel des Unwahrscheinlichen ausschließt. In einem Punkt haben die Kreationisten recht: Könnte man eine solche echte, nicht reduzierbare Komplexität irgendwo stichhaltig nachweisen, wäre Darwins Theorie am Ende. Das sagte schon Darwin selbst:

Ließe sich irgendein zusammengesetztes Organ nachweisen, dessen Vollendung nicht möglicherweise durch zahlreiche kleine aufeinanderfolgende Modifikationen hätte erfolgen können, so müsste meine Theorie unbedingt zusammenbrechen. Ich vermag jedoch keinen solchen Fall aufzufinden.

173

Darwin konnte keinen derartigen Fall finden, und seit seiner Zeit ist es trotz angestrengter und sogar verzweifelter Versuche auch sonst niemandem gelungen. Für diesen heiligen Gral des Kreationismus wurden viele Kandidaten vorgeschlagen, aber keiner hielt einer gründlichen Analyse stand.

Ohnehin muss man fragen: Selbst wenn man irgendwann echte, nicht reduzierbare Komplexität finden und damit Darwins Theorie ruinieren würde, wer sagt denn, dass dann nicht auch die Theorie des Intelligent Design am Ende wäre? In Wirklichkeit *ist* die Theorie des Intelligent Design bereits am Ende, denn wie ich immer und immer wieder betonen werde, können wir eines mit Sicherheit sagen: So wenig wir auch über Gott wissen, er muss in jedem Fall sehr, sehr komplex sein, und diese Komplexität ist vermutlich nicht reduzierbar!

Die Anbetung der Lücken

Die Suche nach Einzelbeispielen für nicht reduzierbare Komplexität ist grundsätzlich eine unwissenschaftliche Vorgehensweise, ein Sonderfall der Argumentation aufgrund derzeitigen Unwissens. Sie spricht die gleiche fehlerhafte Logik an wie die Strategie des »Gottes der Lücken«, die der Theologe Dietrich Bonhoeffer verurteilte. Kreationisten suchen eifrig nach einer Lücke im heutigen Kenntnisstand. Finden sie eine solche scheinbare Lücke, *unterstellen* sie, man müsse die Leere automatisch mit Gott ausfüllen. Nachdenkliche Theologen wie Bonhoeffer sind beunruhigt über den Gedanken, dass die Lücken mit dem Fortschritt der Wissenschaft immer kleiner werden; es droht die Gefahr, dass ein solcher Gott am Ende nichts mehr zu tun hat und sich nirgendwo verstecken kann. Die Wissenschaftler indes beunruhigt etwas anderes. Es ist ein wesentlicher Teil der wissenschaftlichen Arbeitsweise, dass man

Unwissen eingesteht und sich sogar darüber freut, weil Unwissen eine Herausforderung darstellt und Anlass zu weiterer Forschung gibt. Mein Freund Matt Ridley schrieb einmal: »Die meisten Wissenschaftler finden das, was bereits entdeckt ist, langweilig. Was sie antreibt, ist das Unwissen.« Mystiker schwelgen im Geheimnisvollen und wollen, dass das Mysteriöse erhalten bleibt. Wissenschaftler schwelgen ebenfalls im Geheimnisvollen, aber aus einem anderen Grund: Es verschafft ihnen die Möglichkeit, etwas zu tun. In allgemeiner Form werde ich im achten Kapitel nochmals darauf zurückkommen, dass es zu den wirklich schlimmen Auswirkungen der Religion gehört, dass sie uns lehrt, es sei eine Tugend, sich mit dem Nichtwissen zufriedenzugeben.

Das Eingeständnis, etwas, das vorläufig ein Rätsel bleibt, nicht zu wissen, ist ein unentbehrlicher Bestandteil guter Wissenschaft. Deshalb ist es, vorsichtig ausgedrückt, eine unglückselige Strategie der kreationistischen Propaganda, nach Lücken in den wissenschaftlichen Kenntnissen zu suchen und dann zu behaupten, man müsse sie wie selbstverständlich mit »Intelligent Design« füllen. Die folgende Unterhaltung ist hypothetisch, aber ganz und gar typisch.

Der Kreationist sagt: »Das Ellenbogengelenk des Kleinen gefleckten Wieselfrosches besitzt eine nicht reduzierbare Komplexität. Kein Teil davon war zu irgendetwas nütze, bevor nicht das Ganze zusammengefügt war. Ich wette, Sie können sich keinen Weg vorstellen, auf dem sich der Ellenbogen des Wieselfrosches in kleinen, allmählichen Schritten entwickelt haben könnte.« Kann der Wissenschaftler darauf nicht sofort eine erschöpfende Antwort geben, zieht der Kreationist *automatisch* seinen Schluss: »Sehen Sie, dann hat die Alternativtheorie des ›Intelligent Design‹ recht.« Man beachte die einseitige Logik: Wenn Theorie A für einen Einzelfall keine Erklärung liefert, muss Theorie B stimmen. Es braucht wohl nicht besonders betont zu werden, dass die Argumentation nie andersherum angewandt wird. Man fordert uns auf, uns der Alternativtheorie anzuschließen, ohne auch nur zu prüfen, ob sie in dem untersuchten Einzelfall vielleicht ebenso versagt wie die Theorie, an deren Stelle sie treten soll. Der Theorie des Intelligent Design (ID) wird ein Freibrief ausgestellt, und sie wird wie von Zauberhand von den strengen Anforderungen befreit, denen man die Evolutionstheorie unterwirft.

Hier geht es mir aber vor allem darum, dass die kreationistische Taktik die natürliche – und sogar notwendige – Freude der Naturwissenschaftler an (vorübergehender) Unsicherheit untergräbt. Ein Naturwissenschaftler wird heute möglicherweise aus rein politischen Gründen zögern, bevor er sagt: »Hm, interessante Beobachtung. Ich frage mich, *wie* sich das Ellenbogengelenk bei den Vorfahren des Wieselfrosches entwickelt hat. Wieselfrösche sind nicht mein Spezialgebiet, da muss ich erst mal in die Universitätsbibliothek gehen und nachsehen. Das könnte ein interessantes Projekt für einen Doktoranden werden.« Sobald ein Naturwissenschaftler so etwas sagt – und lange bevor der Doktorand mit seinem Forschungsprojekt begonnen hat –, würde die automatisch gezogene Schlussfolgerung in einem kreationistischen Pamphlet zur Schlagzeile werden: »Wieselfrosch kann nur von Gott gestaltet worden sein.«

Es besteht also eine unglückselige Verknüpfung zwischen der methodischen Notwendigkeit in der Naturwissenschaft, sich Bereiche des Nichtwissens als Themen der zukünftigen Forschung zu suchen, und dem Bedürfnis der ID-Vertreter, Bereiche des Nichtwissens zu suchen, um sich anschließend zum automatischen Sieger zu erklären. Gerade *weil* die ID-Theorie selbst keine Belege vorzuweisen hat, sondern wie ein Unkraut in den verbliebenen Lücken der naturwissenschaftlichen Kenntnisse gedeiht, steht sie in unbehaglicher Nähe zum Bedürfnis der Naturwissenschaft, eben diese Lücken als

Vorspiel zu ihrer Erforschung erst einmal zu erkennen und bekannt zu machen. In dieser Hinsicht steht die Naturwissenschaft im Bündnis mit klugen Theologen wie Bonhoeffer gegen die gemeinsamen Feinde – eine naive, populistische Theologie und die Lückentheologie des Intelligent Design.

Die Liebesbeziehung der Kreationisten zu »Lücken« bei den Fossilfunden steht symbolisch für ihre gesamte Lückentheologie. Einmal begann ich ein Kapitel über die sogenannte Kambrische Explosion mit dem Satz: »Es ist, als wären die Fossilien ohne jede Evolutionsvergangenheit dorthin gestellt worden.« Auch dies war ein rhetorisches Vorspiel, das die Neugier des Lesers auf die nachfolgende, vollständige Erklärung wecken sollte. Im Nachhinein kam mir die traurige Erkenntnis, dass ich es hätte vorhersehen müssen: Meine geduldige Erklärung wurde weggelassen und die Einleitung in Zitaten unbekümmert aus dem Zusammenhang gerissen. Die Kreationisten schwärmen für »Lücken« bei den Fossilfunden, genau wie sie Lücken ganz allgemein lieben.

Viele entwicklungsgeschichtliche Übergänge sind sehr elegant durch mehr oder weniger kontinuierliche Reihen von Fossilien mit stufenweisen Veränderungen dokumentiert. In manchen Fällen ist das nicht der Fall, und das sind dann die berühmten »Lücken«. Eine geistreiche Bemerkung dazu machte Michael Shermer: Wenn man ein neues Fossil findet, das genau in die Mitte einer »Lücke« passt und sie auf diese Weise zweiteilt, behaupten die Kreationisten sogleich, es gebe nun doppelt so viele Lücken! Ohnehin setzt dann auch wieder der unbegründete Automatismus ein. Ist ein postulierter entwicklungsgeschichtlicher Übergang nicht durch Fossilien belegt, so wird automatisch unterstellt, es habe einen solchen Übergang nicht gegeben und deshalb müsse Gott eingegriffen haben.

Vollständige Belege für jeden Schritt einer Entwicklung zu

fordern ist in der Evolution wie in jeder anderen Wissenschaft vollkommen unlogisch. Ebenso könnte man verlangen, jemand solle nur dann wegen Mordes verurteilt werden, wenn jeder seiner Schritte zu dem Verbrechen in einer Filmaufnahme festgehalten wurde, ohne dass auch nur ein einziges Bild fehlt. Nur ein winziger Bruchteil aller toten Organismen wird zu Fossilien, und wir haben Glück, dass wir bereits so viele fossile Zwischenformen besitzen. Es wäre ohne weiteres vorstellbar, dass es überhaupt keine Fossilien gibt, und auch dann wären die Belege für die Evolution, beispielsweise aus Molekulargenetik oder geografischer Verteilung, immer noch überwältigend stark. Andererseits sagt die Evolutionstheorie eindeutig eines voraus: Nur *ein einziges* Fossil, das man in der falschen geologischen Schichtung findet, würde die ganze Theorie aus den Angeln heben. Von einem eifrigen Popper-Anhänger gefragt, wie man die Evolution überhaupt widerlegen könne, gab J. B. S. Haldane die berühmte mürrische Antwort: »Durch Kaninchenfossilien im Präkambrium.« In Wirklichkeit wurden solche echt anachronistischen Fossilien nie gefunden; kreationistische Legenden über Menschenschädel in Kohleflözen und menschliche Fußabdrücke zwischen Dinosaurierspuren wurden stets widerlegt.

Lücken werden in den Köpfen der Kreationisten automatisch durch Gott gefüllt. Das Gleiche gilt für alle scheinbaren Steilhänge des Unwahrscheinlichkeitsgebirges, wenn der sanfte Abhang nicht sofort zu erkennen ist oder aus anderen Gründen übersehen wird. Wenn in irgendwelchen Bereichen die Daten oder Kenntnisse fehlen, wird automatisch angenommen, sie seien die Domäne Gottes. Der eilige Rückgriff auf die lautstarke Behauptung, irgendwo gebe es eine »nicht reduzierbare Komplexität«, spiegelt ein Versagen der Fantasie wider. Irgendein biologisches Organ – wenn es nicht das Auge ist, dann vielleicht der Flagellenmotor der Bakterien oder ein biochemischer Reaktionsweg – wird mit einer einfachen *Behauptung* und ohne weitere Begründung für nicht reduzierbar komplex erklärt, ohne dass man auch nur versucht hätte, die nicht reduzierbare Komplexität *nachzuweisen*. Trotz aller warnenden Berichte über Augen, Flügel und vieles andere wird bei jedem Kandidaten für diese zweifelhafte Ehre aufs Neue unterstellt, er sei ganz offensichtlich und selbstverständlich von nicht reduzierbarer Komplexität – sein Status wird durch Dekret festgelegt. Denken wir darüber doch einmal genauer nach. Da die nicht reduzierbare Komplexität als Argument für gezielte Gestaltung herangezogen wird, sollte man sie ebenso wenig durch Dekret festlegen wie die Gestaltung selbst. Genauso könnte man einfach behaupten, der Wieselfrosch (oder der Bombardierkäfer usw.) sei ein Beleg für Gestaltung, ohne dass man dies weiter begründen oder rechtfertigen müsste. *So* kann man keine Wissenschaft betreiben.

Letztlich ist die Logik dieser Argumentation nicht überzeugender als die folgende: »Ich [man setze den eigenen Namen ein] bin persönlich nicht in der Lage, einen Weg zu erkennen, auf dem [man setze ein biologisches Phänomen ein] Schritt für Schritt aufgebaut werden konnte. Deshalb besitzt dieses Phänomen eine nicht reduzierbare Komplexität. Und daraus folgt, dass es gestaltet wurde.« Formuliert man es so, dann wird die Fragwürdigkeit einer solchen Formulierung auf Anhieb erkennbar. Jetzt braucht nur ein Wissenschaftler daherzukommen, der eine Zwischenform findet oder sich zumindest eine solche Zwischenform ausmalen kann. Und selbst wenn keine wissenschaftliche Erklärung geliefert wird, ist die Annahme, die »Gestaltung« sei eine bessere Begründung, einfach nicht logisch. Hinter der Theorie des »Intelligent Design« steht eine bequeme, defätistische Denkweise – es ist die klassische Vorstellung vom »Gott der Lücken«. Ich selbst habe sie früher einmal als Argument des persönlichen Unglaubens bezeichnet.

Angenommen, wir sehen einen wirklich guten Zaubertrick,

zum Beispiel vom berühmten Magierduo Penn und Teller. Die beiden haben einen Programmpunkt, bei dem sie gleichzeitig scheinbar mit Pistolen aufeinander schießen und jeder die Kugel des anderen mit den Zähnen aufzufangen scheint. Vor dem Laden der Pistolen werden die Kugeln aufwendig mit eingekerbten Markierungen gekennzeichnet; der ganze Vorgang wird von Freiwilligen aus dem Publikum, die Erfahrung im Umgang mit Feuerwaffen haben, aus nächster Nähe beaufsichtigt; und es scheint, als wären alle Möglichkeiten für einen Trick beseitigt. Am Ende ist Tellers markierte Kugel in Penns Mund, und die von Penn landet im Mund von Teller. Nun kann ich, Richard Dawkins, mir absolut nicht vorstellen, wie hier ein Trick funktionieren soll. Das Argument des persönlichen Unglaubens ist ein Aufschrei aus den Tiefen der vorwissenschaftlichen Gehirnareale, und es zwingt mich fast zu sagen: »Das muss ein Wunder sein. Es gibt dafür keine wissenschaftliche Erklärung. Übernatürliche Mächte müssen ihre Hand im Spiel haben.«

Aber die leise Stimme der wissenschaftlichen Bildung sagt etwas anderes. Penn und Teller sind Weltklasse-Illusionisten. Es gibt eine völlig ausreichende Erklärung. Ich bin nur zu naiv, zu unaufmerksam oder zu fantasielos, deshalb komme ich nicht darauf. Das ist die richtige Reaktion auf einen Zaubertrick. Und es ist auch die richtige Reaktion auf ein biologisches Phänomen, das scheinbar von nicht reduzierbarer Komplexität ist. Menschen, die von ihrer persönlichen Verblüffung über ein Naturphänomen den Sprung zur eiligen Beschwörung des Übernatürlichen vollziehen, sind nicht besser als jene Dummköpfe, die einem Zauberkünstler beim Verbiegen eines Löffels zusehen und dann zu der Schlussfolgerung gelangen, dies sei »paranormal«.

Auf einen weiteren Gesichtspunkt weist der schottische Chemiker A. G. Cairns-Smith in seinem Buch *Seven Clues to the Origin of Life (Biologische Botschaften: Eine Detektivge-*

schichte der Evolution) hin und bedient sich dabei der Analogie eines Torbogens. Ein frei stehender Torbogen aus grob behauenen, ohne Mörtel zusammengefügten Steinen kann durchaus ein stabiles Bauwerk sein, aber er besitzt eine nicht reduzierbare Komplexität: Zieht man nur einen Stein heraus, bricht er zusammen. Wie wurde er dann ursprünglich aufgebaut? Eine Möglichkeit bestünde darin, dass man zunächst einen festen Steinhaufen auftürmt und dann vorsichtig einen Stein nach dem anderen entfernt. Allgemeiner betrachtet gibt es viele Strukturen, die in diesem Sinn von nicht reduzierbarer Komplexität sind: Sie überleben nicht, wenn ein beliebiges Teil fehlt, aber errichtet wurden sie mithilfe eines Gerüstes, das später abgebaut wurde und jetzt nicht mehr zu sehen ist. Wenn das Bauwerk fertig ist, kann man das Gerüst gefahrlos entfernen, und die eigentliche Struktur bleibt stehen. Auch in der Evolution hatten Organe oder Strukturen, die wir heute sehen, bei irgendeinem Vorfahren vielleicht ein Gerüst, das später verschwand.

Die Vorstellung von »nicht reduzierbarer Komplexität« ist nichts Neues, der Ausdruck jedoch wurde 1996 von dem Kreationisten Michael Behe erfunden.[65] Ihm gebührt das Verdienst (wenn man es denn »Verdienst« nennen will), den Kreationismus auf ein neues Gebiet ausgeweitet zu haben: auf die Biochemie und Zellbiologie, die nach seiner Auffassung vielleicht ein besseres Revier für die Jagd auf Lücken sind als Augen oder Flügel. Sein bester Versuch an einem guten Beispiel (das dennoch ein schlechtes war) betraf den Flagellenmotor der Bakterien.

Der Flagellenmotor der Bakterien ist ein Wunder der Natur. Er treibt die einzige frei drehbare Achse an, die man außerhalb unserer menschlichen Technik kennt. Große Tiere mit Rädern wären, denke ich, ein echter Fall von nicht reduzierbarer Komplexität – und das ist wahrscheinlich der Grund, warum es sie nicht gibt. Wie sollen Nerven und Blutgefäße das Achslager überspannen?* Die Flagelle ist ein fadenförmiger Propeller, mit dem das Bakterium sich seinen Weg durch das Wasser gräbt. Ich sage absichtlich »gräbt« und nicht »schwimmt«, weil Wasser sich im Größenmaßstab der Bakterien nicht – wie für uns – als Flüssigkeit anfühlt. Es wirkt eher wie Sirup, Gelee oder gar Sand, und Bakterien schwimmen darin nicht, sondern sie graben oder winden sich hindurch. Anders als die sogenannten Flagellen der Protozoen und anderer größerer Lebewesen schwingt die Bakterienflagelle nicht wie eine Peitsche hin und her, und sie bewegt sich auch nicht wie ein Ruder. Vielmehr hat sie eine echte, frei drehbare Achse, die in einem Lager rotiert und von einem bemerkenswerten kleinen Molekülmotor angetrieben wird. Auf molekularer Ebene funktioniert dieser Motor im Wesentlichen nach dem gleichen Prinzip wie die Muskeln, er erzeugt aber keine vorübergehende Kontraktion, sondern eine freie Drehung.** Man hat ihn treffend als kleinen Außenbordmotor bezeichnet (der allerdings nach technischen Maß-

---

* Ein Beispiel gibt es in der Belletristik. Der Kinderbuchautor Philip Pullman malt sich in dem Buch *His Dark Materials* (»Seine dunklen Zutaten«) die Tierart der »Mulefa« aus; diese leben in Symbiose mit Bäumen zusammen, die völlig runde Samen mit einem Loch in der Mitte produzieren. Diese Samen dienen den Mulefa als Räder. Da sie kein Teil des Tierkörpers sind, haben sie auch keine Nerven oder Blutgefäße, die sich um die »Achse« (eine kräftige Klaue aus Horn oder Knochen) herumwickeln könnten. Der scharfsinnige Pullman fügt aber eine weitere Aussage hinzu: Das System funktioniert nur deshalb, weil der Planet mit natürlichen Basaltstreifen gepflastert ist, die als »Straßen« dienen. In unebenem Gelände sind Räder ungeeignet.

** Faszinierend ist, dass das Prinzip der Muskelbewegung bei manchen Insekten (Fliegen, Bienen und Wanzen) noch auf eine dritte Weise genutzt wird. Dabei ist die Flugmuskulatur durch ihren Aufbau auf eine Hin- und Herbewegung angelegt, wie ein Kolbenmotor. Während andere Insekten – beispielsweise Grillen – wie die Vögel für jeden einzelnen Flügelschlag einen Nervenimpuls aussenden, erteilt das Nervensystem der Bienen nur die Anweisung, den Motor ein- oder auszuschalten. Der Mechanismus der Bakterien sorgt weder für eine einzelne Kontraktion (wie die Flugmuskulatur der Vögel) noch für eine Hin- und Herbewegung (wie die Flugmuskulatur der Bienen), sondern er erzeugt eine echte Rotation: In dieser Hinsicht gleicht er einem Elektro- oder Wankelmotor.

stäben sehr ineffizient arbeitet – was für einen biologischen Mechanismus ungewöhnlich ist).

Ohne ein Wort der Rechtfertigung, Begründung oder Erläuterung *behauptet* Behe einfach, der Flagellenmotor der Bakterien sei von nicht reduzierbarer Komplexität. Da er keine Argumente zur Begründung seiner Aussage nennt, können wir zunächst einmal vermuten, dass ihn seine Fantasie im Stich gelassen hat. Weiter behauptet er, die biologische Fachliteratur habe dieses Problem nicht zur Kenntnis genommen. Wie falsch diese Behauptung ist, wurde 2005 auf drastische und (für Behe) peinliche Weise in Pennsylvania in einem Gerichtsverfahren unter dem Richter John E. Jones nachgewiesen. Dort sagte Behe als Sachverständiger zugunsten einer Gruppe von Kreationisten aus, die den Kreationismus als »Intelligent Design« im Biologielehrplan der örtlichen Schule unterbringen wollten – ein Ansinnen von »atemberaubender Albernheit«, wie Richter Jones es formulierte (was dem Zitat und dem Mann dauerhaften Ruhm einbringen sollte). Wie wir noch sehen werden, war es nicht die einzige Peinlichkeit, die Behe in diesem Verfahren erdulden musste.

Der Schlüssel zum Nachweis nicht reduzierbarer Komplexität ist ganz einfach: Man muss zeigen, dass keines der Einzelteile allein von Nutzen ist. Alle gemeinsam mussten bereits an Ort und Stelle sein, bevor sie irgendeine positive Wirkung entfalten können (Behes Lieblingsvergleich ist eine Mausefalle). In Wirklichkeit finden die Molekularbiologen ohne weiteres Teile, die außerhalb des Ganzen funktionieren, und zwar sowohl beim Flagellenmotor der Bakterien als auch bei Behes anderen Beispielen für angeblich nicht reduzierbare Komplexität. Sehr gut formulierte Kenneth Miller von der Brown University die entscheidende Aussage; er ist nach meiner Einschätzung der überzeugendste Gegner des »Intelligent Design«, und zwar nicht zuletzt deshalb, weil er gläubiger Christ ist. Religiösen Menschen, die mir schreiben, nachdem sie von Behe übers

Ohr gehauen wurden, empfehle ich häufig Millers Buch *Finding Darwin's God* (»Darwins Gott«).

Im Zusammenhang mit dem Rotationsmotor der Bakterien macht Miller auf das »Typ-III-Sekretionssystem« (*Type Three Secretory System*, TTSS) aufmerksam.[66] Das TTSS dient nicht zur Erzeugung von Drehbewegungen, sondern wird von parasitisch lebenden Bakterien dazu verwendet, toxische Substanzen durch ihre Zellwand nach außen zu pumpen, um ihren Wirtsorganismus zu vergiften. In unserem menschlichen Größenmaßstab könnten wir uns vorstellen, wir würden eine Flüssigkeit durch ein Loch schütten oder pressen; aber auch hier sieht die Sache im Größenmaßstab der Bakterien anders aus. Jedes Molekül der ausgeschiedenen Substanz ist ein großes Protein mit genau festgelegter Raumstruktur, und es ist ungefähr ebenso groß wie das TTSS selbst. Es ähnelt weniger einer Flüssigkeit als vielmehr einer festen Skulptur. Die Substanz »fließt« also nicht einfach durch ein Loch, sondern jedes Molekül wird einzeln durch einen genau passend geformten Mechanismus geschleust – wie bei einem Automaten, der Spielzeuge oder Getränkeflaschen ausgibt. Der »Automat« selbst besteht dabei aus einer relativ geringen Zahl von Proteinmolekülen, von denen jedes einzelne in Größe und Komplexität mit den durchgeschleusten Proteinmolekülen vergleichbar ist. Interessanterweise ähneln sich diese Molekülautomaten häufig auch bei Bakterienarten, die ansonsten nur entfernt verwandt sind. Die Gene zu ihrer Herstellung wurden vermutlich durch »Kopieren und Einfügen« von anderen Bakterien übernommen: Diesen Vorgang beherrschen Bakterien erstaunlich gut, und er ist selbst wiederum ein faszinierendes Thema. Aber ich darf mich nicht verzetteln …

Die Proteinmoleküle, die als Bausteine des TTSS dienen, ähneln stark den Bestandteilen des Flagellenmotors. Für den Evolutionsforscher ist klar, dass die TTSS-Proteine während der Evolution des Flagellenmotors für eine neue, aber nicht gänzlich andere Funktion zweckentfremdet wurden. Das TTSS schleust Moleküle durch die Zellwand, und wie nicht anders zu erwarten, bedient es sich dabei in rudimentärer Form eines ganz ähnlichen Prinzips wie der Flagellenmotor, der die Moleküle immer wieder um eine Achse rotieren lässt. Offensichtlich waren entscheidende Bestandteile des Flagellenmotors bereits vorhanden und funktionsfähig, bevor sich der Motor selbst entwickelte. Die Zweckentfremdung vorhandener Mechanismen ist ein naheliegender Weg, wie ein Apparat von scheinbar nicht reduzierbarer Komplexität den Gipfel des Unwahrscheinlichen erklimmen kann.

Natürlich sind hier noch viele weitere Forschungsarbeiten notwendig, und ich habe keinen Zweifel, dass man sie in Angriff nehmen wird. Aber solche Arbeiten würden nicht getan, wenn die Wissenschaftler sich faul mit einem Automatismus wie der Theorie des »Intelligent Design« zufriedengeben würden. Ein imaginärer Vertreter des »Intelligent Design« könnte den Wissenschaftlern ungefähr Folgendes sagen: »Wenn ihr nicht versteht, wie etwas funktioniert – macht euch nichts draus. Gebt einfach auf und sagt, dass Gott es gemacht hat. Ihr wisst nicht, wie ein Nervenimpuls zustande kommt? Gut! Ihr versteht nicht, wie Erinnerungen im Gehirn gespeichert werden? Ausgezeichnet! Die Photosynthese ist ein atemberaubend komplexer Prozess? Hervorragend! Bitte arbeitet nicht weiter an solchen Fragen! Gebt einfach auf und beruft euch auf Gott! Lieber Wissenschaftler, steck bitte keine *Arbeit* in deine Fragestellungen! Gib uns einfach deine Rätsel, die können wir gut gebrauchen. Verspiel nicht dein kostbares Unwissen, indem du es durch Forschung verminderst. Wir brauchen diese prachtvollen Lücken – als letzte Zuflucht für Gott.« Der heilige Augustinus sprach es ganz offen aus:

Es gibt noch eine weitere Art der Versuchung, die noch stärker mit Gefahren verbunden ist. Es ist die Krankheit der

Neugier. Sie treibt uns dazu, dass wir die Geheimnisse der Natur aufdecken wollen, jene Geheimnisse, die außerhalb unseres Verständnisses liegen, die uns nichts nützen und die zu kennen wir uns nicht wünschen sollten.[67]

Ein anderes Lieblingsbeispiel von Behe für angeblich nicht reduzierbare Komplexität ist das Immunsystem. Erteilen wir dazu doch einfach Richter Jones das Wort:

> Im Kreuzverhör wurde Professor Behe nach seiner 1996 gemachten Behauptung gefragt, wonach die Wissenschaft nie in der Lage sein werde, das Immunsystem mit der Evolution zu erklären. Ihm wurden achtundfünfzig wissenschaftlich begutachtete Artikel, neun Bücher und mehrere Kapitel aus Lehrbüchern der Immunologie über die Evolution des Immunsystems vorgelegt; dennoch beharrte er einfach darauf, dies sei kein hinreichender Beleg für die Evolution, und es sei nicht »gut genug«.

Im Kreuzverhör, das Eric Rothschild als Chefanwalt der Kläger führte, musste Behe dann allerdings zugeben, dass er die meisten der achtundfünfzig wissenschaftlich begutachteten Fachartikel nicht gelesen hatte. Das ist eigentlich nicht verwunderlich, denn Immunologie ist harte Arbeit. Weniger verzeihlich ist, dass Behe solche Arbeiten als »nicht fruchtbar« abtat. Sie sind sicher nicht fruchtbar, wenn man das Ziel hat, Propaganda bei leichtgläubigen Laien und Politikern zu machen, statt wichtige Erkenntnisse über die Wirklichkeit zu gewinnen. Nachdem Rothschild sich Behes Ausführungen angehört hatte, fasste er zusammen, was jeder aufrichtige Zuhörer im Gerichtssaal empfunden haben muss:

> Glücklicherweise gibt es Wissenschaftler, die sich um Antworten auf die Frage nach dem Ursprung des Immunsystems

bemühen. [...] Es ist unsere Verteidigung gegen schreckliche, tödliche Krankheiten. Die Wissenschaftler, die diese Bücher und Artikel geschrieben haben, mühen sich im Verborgenen ab, ohne Buchtantiemen und Vortragshonorare. Ihre Anstrengungen helfen uns, schwere Gesundheitsstörungen zu bekämpfen und zu heilen. Dagegen tun Professor Behe und die ganze Intelligent-Design-Bewegung nichts, um die wissenschaftlichen oder medizinischen Kenntnisse voranzubringen. Und zukünftigen Wissenschaftlergenerationen sagen sie, sie sollten sich die Mühe nicht machen.[68]

Der amerikanische Genetiker Jerry Coyne formulierte es in seiner Rezension über Behes Buch so: »Wenn die Geschichte der Naturwissenschaft uns etwas lehrt, dann dieses: Unser Unwissen ›Gott‹ zu nennen führt nirgendwohin.« Oder, in den Worten eines wortgewaltigen Bloggers, der einen von mir und Coyne verfassten Artikel im *Guardian* über Intelligent Design kommentierte:

Warum heißt es, Gott sei die Erklärung für irgendetwas? Er ist es nicht – er ist die Unfähigkeit zu erklären, ein Schulterzucken, ein »Ich weiß nicht«, gekleidet in Spiritualität und Rituale. Wenn wir irgendetwas auf Gott schieben, heißt das in der Regel, dass wir keine Ahnung haben, und deshalb berufen wir uns auf irgendeine unerreichbare, unerklärliche Himmelsfee. Fragt man dann, woher dieser Gott kommt, erhält man aller Wahrscheinlichkeit nach eine unbestimmte, pseudophilosophische Antwort, es habe ihn immer gegeben oder er stehe außerhalb der Natur. Womit natürlich nichts erklärt ist.[69]

Der Darwinismus erweitert unser Bewusstsein auch in anderer Hinsicht. Durch Evolution entstandene Organe sind zwar vielfach elegant und leistungsfähig, sie lassen aber auch aufschlussreiche Schwachpunkte erkennen – genau wie man es erwartet, wenn sie eine Entwicklungsgeschichte hinter sich haben, und wie man es nicht erwarten würde, wenn jemand sie gezielt gestaltet hätte. Beispiele dafür habe ich in früheren Büchern erörtert, etwa den rückläufigen Kehlkopfnerv, der auf einem riesigen, verschwenderischen Umweg zu seinem Zielpunkt verläuft und damit seine Evolutionsvergangenheit verrät. Auch viele unserer Erkrankungen, von Rückenschmerzen über Leistenbruch und Gebärmuttervorfall bis zur Anfälligkeit für Nebenhöhlenentzündungen, sind eine unmittelbare Folge der Tatsache, dass wir heute aufrecht gehen, während die Form unseres Körpers sich über Hunderte von Jahrmillionen hinweg für den Gang auf allen vieren entwickelt hat. Ebenso wird unser Bewusstsein durch die Grausamkeit und Verschwendung der natürlichen Selektion erweitert. Raubtiere sind wunderschön so »gestaltet«, dass sie Beutetiere fangen können, und die Beutetiere sind ebenso schön dazu »gestaltet«, ihnen davonzulaufen. Auf welcher Seite steht nun Gott?[70]

Das anthropische Prinzip: die planetare Version

Wenn Lückentheologen die Augen und Flügel, Flagellenmotoren und Immunsysteme aufgegeben haben, machen sie ihre letzte Hoffnung häufig am Ursprung des Lebens fest. Evolution wurzelt in der nicht biologischen Chemie, und das scheint irgendwie eine größere Lücke zu sein als irgendein einzelner Übergang in der späteren Evolution. In einem gewissen Sinn ist die Lücke tatsächlich größer. Aber das gilt nur in einer ganz bestimmten Hinsicht und bietet den Religionsvertretern keinen Trost. Die Entstehung des Lebens musste sich nur einmal ereignen. Deshalb können wir den Gedanken zulassen, dass es ein sehr unwahrscheinliches Ereignis war – wie ich noch genauer darlegen werde, war es sogar um mehrere Größenordnungen unwahrscheinlicher, als den meisten Menschen klar ist. Die späteren Evolutionsschritte fanden auf mehr oder weniger ähnliche Weise unabhängig voneinander bei Millionen und Abermillionen biologischen Arten statt, und zwar ständig und immer wieder während der gesamten Erdgeschichte. Wenn wir die Evolution komplexer Lebensformen erklären wollen, können wir also nicht auf die statistischen Überlegungen zurückgreifen, die wir auf den Ursprung allen Lebens anwenden. Die Vorgänge der alltäglichen Evolution können – im Gegensatz zu dem einen Ursprung (und vielleicht einigen anderen besonderen Ereignissen) – nicht besonders unwahrscheinlich gewesen sein.

Diese Unterscheidung mag auf den ersten Blick rätselhaft erscheinen; ich muss sie näher erklären und bediene mich dazu des sogenannten anthropischen Prinzips. Diese Bezeichnung wurde 1974 von dem Mathematiker Brandon Carter geprägt; die Physiker John Barrow und Frank Tipler entwickelten sie später in einem Buch weiter.[71] In der Regel wird das anthropische Prinzip auf den Kosmos angewandt, und auch darauf werde ich noch zu sprechen kommen. Einführen möchte ich den Gedanken aber im kleineren Maßstab unseres Planeten.

Wir befinden uns hier auf der Erde. Deshalb muss die Erde ein Planet sein, der uns hervorbringen und am Leben erhalten kann, selbst dann, wenn sie damit ein sehr ungewöhnlicher oder sogar einzigartiger Planet wäre. So ist unsere Art von Leben beispielsweise unbedingt auf flüssiges Wasser angewiesen. Auch wenn Exobiologen nach Anzeichen für außerirdisches Leben forschen, suchen sie in der Praxis das Weltall nach Anzeichen für Wasser ab. Rund um einen typischen Stern wie unsere Sonne gibt es eine sogenannte »Goldilocks-Zone«, in der es nicht zu heiß und nicht zu kalt ist, sodass dort flüssiges Wasser auf den Planeten existieren kann. In einem schmalen Bereich liegen diese Umlaufbahnen zwischen solchen, die vom Stern zu weit entfernt sind, sodass das Wasser gefriert, und solchen, die dem Stern so nahe sind, dass das Wasser verdampft.

Vermutlich muss eine lebensfreundliche Planetenumlaufbahn auch nahezu kreisförmig sein. Auf einer stark elliptischen Bahn wie der des neu entdeckten zehnten Planeten Xena würde der Planet nur einmal alle paar (Erd)-Jahrzehnte oder -Jahrhunderte kurz die Goldilocks-Zone durchqueren. Xena selbst berührt diese Zone bei seiner stärksten Annäherung an die Sonne, die alle 560 Erdjahre einmal stattfindet, überhaupt nicht. Die Temperatur auf dem Halleyschen Kometen schwankt zwischen ungefähr 47 °C am sonnennächsten und minus 270 °C am sonnenfernsten Punkt. Genau genommen bewegt sich auch die Erde wie alle Planeten auf einer elliptischen Umlaufbahn (sie ist der Sonne im Januar am nächsten und im Juli am weitesten von ihr entfernt*), aber auch ein Kreis ist ein Spezialfall der Ellipse, und die Erdumlaufbahn kommt der Kreisform so nahe, dass sie die Goldilocks-Zone nie verlässt.

Auch in anderer Hinsicht ist die Erde im Sonnensystem in einer besonders vorteilhaften Lage, sodass sie sich als einziger Planet für die Evolution des Lebens eignet. Der riesige Gravitationsstaubsauger Jupiter liegt genau an der richtigen Stelle und lenkt Asteroiden ab, die uns ansonsten mit tödlichen Kollisionen gefährden könnten. Der eine, relativ große Mond der Erde stabilisiert die Rotationsachse unseres Planeten[72] und begünstigt das Leben auch sonst in mehrfacher Hinsicht. Unsere Sonne ist etwas Besonderes, weil sie nicht zu einem Doppelsternsystem gehört und sich nicht mit einem Begleitstern in einer gemeinsamen Umlaufbahn befindet. Doppelsterne können zwar ebenfalls Planeten haben, aber deren Umlaufbahnen

* Wer das verwunderlich findet, leidet vielleicht an dem auf Seite 158 beschriebenen Chauvinismus der Nordhalbkugelbewohner.

sind wahrscheinlich so chaotisch und veränderlich, dass sie die Evolution von Leben nicht unterstützen.

Für die besondere Lebensfreundlichkeit der Erde wurden zwei Erklärungen gegeben. Nach der Theorie der Gestaltung hat Gott die Welt gemacht, unseren Planeten in die Goldilocks-Zone gesetzt und alle Details gezielt so eingerichtet, wie es für uns gut ist. Die anthropische Erklärung lautet ganz anders und hat entfernte Anklänge an den Darwinismus. Die Planeten im Universum befinden sich in ihrer großen Mehrzahl nicht in der Goldilocks-Zone ihrer jeweiligen Sterne und eignen sich darum nicht für das Leben. Auf keinem dieser Planeten gibt es Lebewesen. Aber so klein die Minderheit der Planeten auch sein mag, die für das Leben die richtigen Voraussetzungen bieten, wir müssen uns zwangsläufig auf einem davon befinden, denn nur deshalb sind wir da und können darüber nachdenken.

Nebenbei bemerkt ist es eigentlich seltsam, dass das anthropische Prinzip bei den Religionsvertretern so beliebt ist. Aus einem völlig widersinnigen Grund glauben sie, es würde für ihre Haltung sprechen. Das Gegenteil ist richtig. Das anthropische Prinzip ist wie die natürliche Selektion eine *Alternative* zur Gestaltungshypothese. Es liefert eine vernünftige Erklärung für die Tatsache, dass wir uns in einer Situation befinden, die unser Dasein ermöglicht, und diese Erklärung kommt ohne göttliche Gestaltung aus. Die Verwirrung im religiösen Denken kommt meiner Meinung nach dadurch zustande, dass das anthropische Prinzip immer nur im Zusammenhang mit dem Problem erwähnt wird, das es löst – der Tatsache, dass wir uns an einem lebensfreundlichen Ort befinden. Was dem religiösen Denken dann allerdings entgeht, ist, dass für dieses Problem *zwei* Lösungsvorschläge angeboten werden. Der eine ist Gott, der andere das anthropische Prinzip. Es handelt sich um *Alternativvorschläge*.

Flüssiges Wasser ist eine Vorbedingung für Leben, wie wir es kennen, aber es reicht allein bei Weitem nicht aus. Im Wasser muss das Leben erst einmal entstehen, und dies dürfte ein sehr unwahrscheinlicher Vorgang gewesen sein. Nachdem das Leben einmal da war, konnte die Darwin'sche Evolution fröhlich voranschreiten. Aber wie fing das Leben an? Die Entstehung des Lebens war jenes chemische Ereignis oder jene Kette von Ereignissen, durch die sich zum ersten Mal die unentbehrlichen Voraussetzungen für die natürliche Selektion ergaben. Der wichtigste Bestandteil war dabei die Vererbung, entweder durch DNA oder (wahrscheinlicher) durch etwas, das wie DNA – allerdings mit geringerer Genauigkeit – kopiert wurde, beispielsweise die mit ihr verwandte Verbindung RNA. Erst nachdem die entscheidende Zutat – irgendeine Art von Erbmolekülen – vorhanden war, konnte die echte darwinistische Selektion einsetzen, und daraus entwickelten sich schließlich die komplexen Lebensformen. Aber die spontane, zufällige Entstehung des ersten Erbmoleküls erscheint vielfach als höchst unwahrscheinlich. Vielleicht ist sie tatsächlich sehr, sehr unwahrscheinlich; damit möchte ich mich ausführlicher befassen, denn es ist für diesen Abschnitt des Buches von zentraler Bedeutung.

Die Entstehung des Lebens ist Gegenstand eines lebendigen, allerdings auch spekulativen Forschungsgebietes. Man braucht dafür Fachkenntnisse in Chemie, und die ist nicht mein Gebiet. Ich bin hier nur ein Zaungast voll engagierter Neugier, und es würde mich nicht wundern, wenn Chemiker irgendwann in den kommenden Jahren berichten würden, dass es ihnen gelungen ist, neues Leben im Labor entstehen zu lassen. Bisher ist das allerdings noch nicht geschehen, sodass man nach wie vor behaupten kann, die Wahrscheinlichkeit, dass es geschieht, sei äußerst gering und sei es auch immer gewesen – obwohl es ja tatsächlich einmal geschehen ist!

Hier können wir genauso argumentieren wie bei den Goldilocks-Umlaufbahnen: So unwahrscheinlich die Entstehung des Lebens gewesen sein mag, wir wissen, dass sie sich auf der

Erde ereignet hat, denn wir sind hier! Wie bei der Temperatur, so kann man dafür auch hier zwei Erklärungen geben: eine Gestaltungshypothese und eine wissenschaftliche oder »anthropische« Hypothese. Die Gestaltungshypothese postuliert einen Gott, der absichtlich ein Wunder vollbrachte, die Ursuppe mit göttlichem Feuer anreicherte und die DNA oder etwas Entsprechendes auf ihre folgenschwere Laufbahn schickte.

Die Alternative ist wie beim Goldilocks-Gürtel statistischer Natur. Wissenschaftler berufen sich auf die Magie der großen Zahlen. In unserer Galaxis gibt es nach Schätzungen zwischen einer Milliarde und 30 Milliarden Planeten, und das Universum enthält 100 Milliarden Galaxien. Streichen wir aus Gründen der ganz normalen Vorsicht ein paar Nullen weg, so gelangen wir für die Zahl der Planeten, die im Universum zur Verfügung stehen, zu einer vorsichtigen Schätzung von einer Milliarde Milliarden. Nehmen wir nun an, die Entstehung des Lebens, das heißt die spontane Entstehung einer Entsprechung zur DNA, sei wirklich ein unglaublich unwahrscheinliches Ereignis. Angenommen, es ist so unwahrscheinlich, dass es sich nur auf einem unter einer Milliarde Planeten ereignet. Eine Forschungsförderungsorganisation würde jeden Chemiker auslachen, der in seinem Finanzierungsantrag einräumt, sein Forschungsvorhaben habe nur eine Erfolgsaussicht von eins zu hundert. Und hier reden wir über eine Chance von eins zu einer Milliarde. Und doch, selbst bei einer derart absurd geringen Wahrscheinlichkeit wäre immer noch auf einer Milliarde Planeten Leben entstanden – und einer davon ist natürlich die Erde.[73]

Das ist eine derart überraschende Schlussfolgerung, dass ich sie noch einmal wiederholen will. Wenn die Wahrscheinlichkeit, dass auf einem Planeten spontan Leben entsteht, bei eins zu einer Milliarde liegt, findet dieses unglaublich unwahrscheinliche Ereignis dennoch auf einer Milliarde Planeten statt. Die Chance, einen dieser Milliarde von lebentragenden Planeten zu finden, erinnert an die sprichwörtliche Nadel im Heu-haufen. Dennoch brauchen wir nicht lange nach einer solchen Nadel zu suchen, denn wegen des anthropischen Prinzips müs-sen alle Wesen, die sich überhaupt auf die Suche begeben kön-nen, zwangsläufig schon auf einer dieser ungeheuer seltenen Nadeln sitzen, bevor sie überhaupt zu suchen beginnen.

Jede Aussage über Wahrscheinlichkeiten steht im Kontext eines gewissen Ausmaßes an Unwissenheit. Wenn wir nichts über einen Planeten wissen, können wir für ihn beispielsweise eine Wahrscheinlichkeit von eins zu einer Milliarde für die Ent-stehung von Leben postulieren. Führen wir in die Schätzung aber weitere Annahmen ein, so ändert sich alles. Ein bestimm-ter Planet kann besondere Eigenschaften haben, beispielsweise eine bestimmte Häufigkeitsverteilung der chemischen Ele-mente in seinem Gestein; dann verschiebt sich die Wahrschein-lichkeit zugunsten der Entstehung von Leben. Mit anderen Worten: Manche Planeten sind »erdähnlicher« als andere. Und am erdähnlichsten ist natürlich die Erde selbst! Das sollte für unsere Chemiker, die das Ereignis im Labor nachvollziehen wollen, eine Ermutigung sein, denn damit verringert sich die Chance auf einen Misserfolg.

Doch wie ich zuvor mit meiner Berechnung gezeigt habe, würde selbst ein Modell, das nur eine Erfolgswahrscheinlich-keit von eins zu einer Milliarde unterstellt, dennoch die Ent-stehung von Leben auf einer Milliarde Planeten im Universum voraussagen. Und das Schöne am anthropischen Prinzip ist, dass es uns gegen jede Intuition sagt: Ein chemisches Modell muss nur für *einen* unter einer Milliarde Milliarden Planeten die Entstehung von Leben voraussagen, und doch haben wir eine gute, völlig zufriedenstellende Erklärung dafür, dass es bei uns Leben gibt.

In Wirklichkeit glaube ich keinen Augenblick lang, dass die Entstehung des Lebens auch nur annähernd so unwahrschein-lich war. Nach meiner Überzeugung lohnt es sich auf jeden

Fall, Geld aufzuwenden, um den Vorgang im Labor nachzuvollziehen, und aus den gleichen Gründen ist es auch richtig, das SETI-Projekt zur Suche nach außerirdischer Intelligenz zu finanzieren; ich halte es für sehr wahrscheinlich, dass es auch anderswo intelligentes Leben gibt.

Selbst wenn man die Wahrscheinlichkeit, dass Leben spontan entsteht, sehr pessimistisch einschätzt, ist diese statistische Argumentation der Todesstoß für jeden Gedanken, man müsse gezielte Gestaltung, »Intelligent Design«, postulieren, um die Lücke zu füllen. Wie alle scheinbaren Lücken im Evolutionsverlauf erscheint auch diese nur dann als unüberbrückbar, wenn unser Denken darauf geeicht ist, Wahrscheinlichkeiten und Risiken allein nach unseren Alltagsmaßstäben abzuschätzen, etwa nach den Maßstäben, die Forschungsförderungsorganisationen an die Finanzierungsanträge von Chemikern anlegen. Indes, selbst eine derart große Lücke lässt sich mit statistisch untermauerter Wissenschaft ohne weiteres füllen. Dagegen schließt die Statistik einen göttlichen Schöpfer nach der bereits im Abschnitt über die Boeing 747 beschriebenen Gesetzmäßigkeit definitiv aus.

Aber kehren wir nun zu der interessanten Frage zurück, die den Ausgangspunkt dieses Abschnitts bildet. Angenommen, jemand wollte das allgemeine Phänomen der biologischen Anpassung nach den gleichen Prinzipien erklären, die wir gerade auf die Entstehung des Lebens angewandt haben, und beriefe sich dabei auf eine ungeheuer große Zahl verfügbarer Planeten. Die beobachtete Tatsache lautet: Alle biologischen Arten und alle Organe, die man jemals bei irgendeiner Art untersucht hat, erfüllen ihre Aufgaben gut. Die Flügel von Vögeln, Bienen und Fledermäusen eignen sich gut zum Fliegen. Mit Augen kann man gut sehen. Blätter können gut Photosynthese betreiben. Wir sind auf unserem Planeten von vielleicht zehn Millionen Arten umgeben, und jede davon lässt unabhängig von den anderen eine eindringliche Illusion gezielter Gestaltung entstehen. Jede Spezies eignet sich gut für ihre jeweilige Lebensweise. Können wir auch diese einzelnen Illusionen einer gezielten Gestaltung mit dem Argument der »Riesenzahl von Planeten« erklären? Nein, das können wir nicht. Ich wiederhole: Wir können es *nicht*. Und wir sollten nicht einmal auf die Idee kommen. Das ist wichtig, denn es zielt auf den Kern des schlimmsten Missverständnisses im Zusammenhang mit dem Darwinismus.

Ganz gleich, mit wie vielen Planeten wir jonglieren, die Wahrscheinlichkeit könnte nie so groß sein, dass wir damit die üppige Vielfalt und Komplexität des Lebens auf der Erde genauso erklären könnten wie die Tatsache, dass überhaupt Leben existiert. Die Evolution des Lebendigen ist etwas ganz anderes als seine Entstehung, denn – ich wiederhole es noch einmal – der Ursprung des Lebens war ein einzigartiges, einmaliges Ereignis (oder hätte es sein können). Die Anpassung einer Art an ihre Umgebung jedoch findet millionenfach statt und setzt sich ständig fort.

Es ist klar, dass wir es hier auf der Erde mit einem *allgemeinen Prozess* zur Optimierung biologischer Arten zu tun haben, der überall auf unserem Planten, auf allen Kontinenten und Inseln ständig abläuft. Eines können wir mit Sicherheit voraussagen: Wenn wir noch einmal zehn Millionen Jahre abwarten, wird ein ganz neues Spektrum biologischer Arten an die herrschenden Lebensbedingungen ebenso gut angepasst sein wie die heutigen Arten an ihre. Das ist kein statistischer Glücksfall, den man erst im Nachhinein erkennt, sondern ein immer wiederkehrendes, vorhersagbares, vielfach ablaufendes Phänomen. Und dank Darwin wissen wir, wie es zustande kommt: durch natürliche Selektion.

Mit dem anthropischen Prinzip lassen sich die vielgestaltigen Details der Lebewesen dagegen nicht erklären. Um eine Begründung für die Vielfalt des Lebens auf der Erde und insbesondere für die umfassende Illusion gezielter Gestaltung zu finden, brauchen wir Darwins leistungsfähigen »Kran«. Die Entstehung des Lebens dagegen liegt außerhalb der Reichweite dieses Krans, denn ohne sie kann die natürliche Selektion nicht einsetzen. Nur an dieser Stelle kommt das anthropische Prinzip ins Spiel. Die einmalige Entstehung des Lebens können wir erklären, indem wir eine sehr große Zahl von Gelegenheiten auf den Planeten postulieren. Nachdem sich der erste Glücksfall einmal ergeben hatte – und nach dem anthropischen Prinzip hatte er sich bei uns ergeben –, übernahm die natürliche Selektion das Ruder. Und natürliche Selektion ist nun ausdrücklich keine Frage von Glück oder Zufall.

Allerdings wäre es denkbar, dass der Ursprung des Lebens in der Evolutionsgeschichte nicht die einzige große Lücke ist, die durch reines Glück überbrückt und dann anthropisch gerechtfertigt wurde. Mein Kollege Mark Ridley äußerte beispielsweise in seinem Buch *Mendel's Demon* (»Mendels Dämon«, das vom amerikanischen Verlag völlig grundlos und zur allgemeinen Verwirrung den neuen Titel *The Cooperative Gene* erhielt) die Vermutung, die Entstehung der Eukaryontenzellen (das heißt der Zellen, aus denen auch wir Menschen bestehen, mit Zellkern, Mitochondrien und verschiedenen anderen komplizierten Einzelteilen, die bei Bakterien nicht vorhanden sind) sei ein sogar noch folgenschwereres, schwierigeres und statistisch unwahrscheinlicheres Ereignis gewesen als die Entstehung des Lebens selbst.

Ein weiterer wichtiger Sprung, der möglicherweise ähnlich unwahrscheinlich war, könnte die Entstehung des Bewusstseins gewesen sein. Alles-oder-Nichts-Ereignisse wie diese lassen sich möglicherweise mit dem anthropischen Prinzip erklären, und zwar nach folgenden Grundsätzen: Es mag Milliarden Planeten geben, auf denen sich Leben auf dem Niveau von Bakterien entwickelte, aber nur ein winziger Bruchteil dieser Lebensformen schaffte jemals den Sprung zu einem Gebilde wie der Eukaryontenzelle. Und von diesen wiederum überschritt ein noch kleinerer Anteil den Rubikon zum Bewusstsein. Wenn es sich in diesen beiden Fällen um Alles-oder-Nichts-Ereignisse handelt, haben wir es hier, anders als bei der normalen, alltäglichen biologischen Anpassung nicht mit einem allgegenwärtigen, umfassenden *Prozess* zu tun. Die Aussage des anthropischen Prinzips lautet: Da wir lebendige Eukaryonten sind und ein Bewusstsein haben, muss unser Planet zu den wenigen gehören, auf denen alle drei Lücken überbrückt wurden.

Die natürliche Selektion funktioniert, weil sie eine additive Einbahnstraße in Richtung der Verbesserung ist. Nur damit sie in Gang kommt, ist ein Glücksfall nötig, und dieses Glück wird durch das anthropische Prinzip der »Milliarden Planeten« garantiert. Vielleicht war das Glück auch bei einigen späteren Evolutionslücken von Bedeutung, und auch hier lässt es sich anthropisch rechtfertigen. Aber was wir auch sonst vielleicht sagen, *Gestaltung* funktioniert als Erklärung für das Lebendige sicher nicht, denn Gestaltung ist letztlich nicht additiv, und deshalb wirft sie mehr Fragen auf, als sie beantwortet – sie bringt uns geradewegs zurück zur unendlichen Regression (siehe den Abschnitt über die Boeing 747).

Wie befinden uns auf einem Planeten, der unsere Art von Leben begünstigt, und wir haben zwei Gründe kennen gelernt, warum das so ist. Erstens hat sich das Leben im Laufe seiner Evolution so entwickelt, dass es unter den Bedingungen, die dieser Planet bietet, gedeihen kann. Das liegt an der natürlichen Selektion. Der zweite Grund ist anthropischer Natur. Es gibt im Universum Milliarden von Planeten, und ganz gleich, wie klein der Anteil der evolutionsfreundlichen Welten unter ihnen auch sein mag, unsere Erde muss zwangsläufig dazugehören. Jetzt ist es an der Zeit, das anthropische Prinzip zu einem früheren Stadium zurückzuverfolgen. Kehren wir von der Biologie zurück zur Kosmologie.

Das anthropische Prinzip: die kosmologische Version

Wir leben nicht nur auf einem freundlichen Planeten, sondern auch in einem freundlichen Universum. Da wir existieren, müssen die Gesetze der Physik so freundlich sein, die Entstehung von Leben zuzulassen. Dass wir bei einem Blick zum Nachthimmel die Sterne sehen, ist kein Zufall: Sterne sind eine unabdingbare Voraussetzung für die Existenz der meisten chemischen Elemente, und ohne Chemie gäbe es kein Leben. Die Physiker haben es genau berechnet: Wären die physikalischen Gesetze und Konstanten auch nur geringfügig anders, hätte sich das Universum so entwickelt, dass Leben nicht möglich gewesen wäre. Einzelne Physiker formulieren es unterschiedlich, aber die Schlussfolgerung ist immer mehr oder weniger die gleiche. Martin Rees nennt in seinem Buch *Just Six Numbers* (»Nur sechs Zahlen«) sechs Grundkonstanten, die nach heutiger Kenntnis überall im Universum gelten. Jede dieser sechs Zahlen ist genau abgestimmt: Wäre sie nur geringfügig anders, sähe das Universum völlig anders aus und wäre vermutlich für das Leben nicht geeignet.*

Eine von Rees' sechs Zahlen ist die Stärke der sogenannten »starken Wechselwirkung«, jener Kraft, die für den Zusammenhalt der Bausteine eines Atomkerns sorgt. Diese »Kernkraft« muss überwunden werden, wenn ein Atomkern gespalten wird. Sie wird als E bezeichnet und entspricht jenem Anteil an der Masse eines Wasserstoffatomkerns, der in Energie umge-

---

* »Vermutlich« sage ich, weil wir einerseits nicht wissen, wie stark sich fremde Lebensformen von uns unterscheiden könnten, und weil wir andererseits möglicherweise auch einen Fehler machen, wenn wir nur fragen, wie sich die Änderung einer einzigen Konstante auswirkt. Könnte es für die Größe der sechs Zahlen andere *Kombinationen* geben, die sich als lebensfreundlich erweisen, was wir aber nicht bemerken, wenn wir jeweils nur eine Zahl betrachten? Dennoch werde ich im weiteren Verlauf der Einfachheit halber davon ausgehen, dass sich die offenkundige Feinabstimmung der sechs Grundkonstanten nur sehr schwer erklären lässt.

wandelt wird, wenn Wasserstoffatome zu Helium verschmelzen. Diese Zahl hat in unserem Universum den Wert 0,007, und allem Anschein nach muss sie auch sehr nahe bei diesem Wert liegen, damit es überhaupt eine Chemie geben kann (die ihrerseits die Vorbedingung für Leben ist).

Chemie, wie wir sie kennen, besteht aus der Kombination und Neukombination der rund neunzig natürlich vorkommenden Elemente des Periodensystems. Das einfachste und am weitesten verbreitete dieser Elemente ist der Wasserstoff. Aus ihm entstehen letztlich durch Kernverschmelzung alle anderen Elemente im Universum. Die Kernverschmelzung oder Kernfusion ist ein schwieriger Vorgang, der sich in der ungeheuren Hitze im Inneren der Sterne (und auch in der Wasserstoffbombe) abspielt. In relativ kleinen Sternen wie unserer Sonne entstehen dabei nur leichte Elemente wie das Helium, das im Periodensystem mit seinem einfachen Aufbau an zweiter Stelle hinter dem Wasserstoff steht. Die hohen Temperaturen, die zum Zusammenbau der meisten schweren Elemente erforderlich sind, werden nur in größeren, heißeren Sternen erreicht; dort läuft eine ganze Kaskade von Kernfusionsprozessen ab, deren Einzelheiten von Fred Hoyle und zwei seiner Kollegen aufgeklärt wurden (eine Leistung, für die Hoyle rätselhafterweise im Gegensatz zu den beiden anderen keinen Anteil am Nobelpreis erhielt). Diese großen Sterne können als Supernovae explodieren, sodass sich ihr Material einschließlich der Elemente des Periodensystems auf kosmische Staubwolken verteilt. Die Staubwolken kondensieren irgendwann zu neuen Sternen und Planeten, darunter auch zu unserem eigenen. Das ist der Grund, warum die Erde reich an Elementen ist, die schwerer und größer sind als der allgegenwärtige Wasserstoff – Elemente, ohne die Chemie und damit auch Leben nicht möglich wären.

Für unseren Zusammenhang ist dabei entscheidend, dass der Zahlenwert der starken Wechselwirkung darüber bestimmt, wie weit hinauf im Periodensystem die Fusionskaskade reicht.

Wäre er zu klein – beispielsweise 0,006 statt 0,007 –, würde das Universum nichts anderes enthalten als Wasserstoff, und es könnte keine interessante Chemie entstehen. Wäre er aber mit 0,008 zu groß, wären alle Wasserstoffatome zu schwereren Elementen verschmolzen. Und in einer Chemie ohne Wasserstoff wäre Leben, wie wir es kennen, ebenfalls nicht möglich. Vor allem gäbe es dann nämlich kein Wasser. Der Goldilocks-Wert 0,007 ist genau der Richtige und macht die Vielfalt der Elemente möglich, die wir für eine interessante, lebensfreundliche Chemie benötigen.

Rees' übrige fünf Zahlen möchte ich hier nicht genauer betrachten. Die Aussage ist unter dem Strich immer die Gleiche. Der tatsächliche Zahlenwert liegt in einem Goldilocks-Bereich, und außerhalb davon wäre Leben nicht möglich. Was sollen wir davon halten? Auch hier haben wir auf der einen Seite die theistische und auf der anderen die anthropische Antwort. Der Theist sagt: Als Gott das Universum einrichtete, stimmte er die physikalischen Konstanten so ab, dass sie in der Goldilocks-Zone lagen und Leben möglich machten. Es ist, als hätte Gott sechs Knöpfe, an denen er drehen kann, und er stellte jeden Knopf sorgfältig auf den Goldilocks-Wert ein. Eine solche theistische Antwort ist wie immer zutiefst unbefriedigend, weil sie die Existenz Gottes unerklärt lässt. Ein Gott, der die Goldilocks-Werte für die sechs Zahlen ausrechnen kann, muss mindestens ebenso unwahrscheinlich sein wie die fein abgestimmte Zahlenkombination selbst, und die ist tatsächlich sehr unwahrscheinlich – von dieser Voraussetzung waren wir hier in unserer ganzen Erörterung ausgegangen. Demnach bringt uns die theistische Antwort, was die Lösung des angesprochenen Problems angeht, keinen Schritt voran. Ich sehe keine andere Möglichkeit, als sie zu verwerfen, aber gleichzeitig staune ich darüber, wie viele Menschen das Problem überhaupt nicht erkennen und sich mit dem Argument des »göttlichen Knöpfedrehers« zufriedengeben.

Die psychologischen Gründe für diese verblüffende Blindheit haben vielleicht damit zu tun, dass viele Menschen ihr Bewusstsein anders als die Biologen nicht durch die Beschäfti-
gung mit der natürlichen Selektion und ihrer Fähigkeit zur
Zähmung des Unwahrscheinlichen erweitert haben. J. Anderson Thomson wies mich aus seiner Perspektive als evolutions-
orientierter Psychiater noch auf einen weiteren Grund hin: Wir
alle haben die psychologische Neigung, unbelebte Gegenstände als handelnde Agenten zu personifizieren. Oder, wie
Thomson es formuliert: Wir halten eher einen Schatten für
einen Einbrecher als einen Einbrecher für einen Schatten. Eine
falsch-positive Interpretation ist unter Umständen Zeitvergeu-
dung, eine falsch-negative jedoch kann tödlich sein. In einem
Brief an mich äußerte er die Vermutung, in unserer Entwicklungsgeschichte könne die größte umweltbedingte Herausforderung für unsere Vorfahren von ihnen selbst ausgegangen
sein. »Unser Erbe besteht darin, dass wir automatisch eine
menschliche Absicht unterstellen und uns häufig davor fürchten. Wir haben große Schwierigkeiten, irgendetwas als *nicht*
von Menschen verursacht zu betrachten.« Dies haben wir dann
natürlich in verallgemeinerter Form auch auf göttliche Absichten übertragen. Auf die fatale Attraktion von »Agenten« werde
ich im fünften Kapitel zurückkommen.

Biologen sind sich stärker als andere bewusst, wie gut man
mit der natürlichen Selektion die Entwicklung unwahrscheinlicher Dinge erklären kann, und deshalb geben sie sich in der
Regel nicht mit einer Theorie zufrieden, die dem Problem der
Unwahrscheinlichkeit völlig aus dem Weg geht. Und die theistische Antwort auf das Unwahrscheinlichkeitsrätsel *ist* eine
Ausflucht ungeheuren Ausmaßes. Sie ist nicht nur eine Neu-
formulierung des Problems, sondern sie verschärft es noch auf
geradezu groteske Weise. Wenden wir uns deshalb der anthropischen Alternative zu.

In ihrer allgemeinsten Form lautet die anthropische Antwort: Wir können die Frage überhaupt nur in einem Universum erörtern, das uns Menschen hervorbringen konnte. Unsere Existenz bedingt also, dass die physikalischen Grundkonstanten jeweils in ihrer Goldilocks-Zone liegen müssen. Dabei machen sich einzelne Physiker für die Erklärung des Rätsels unserer Existenz unterschiedliche Spielarten dieser anthropischen Antwort zu eigen.

Hartgesottene Physiker sagen, die sechs Knöpfe seien von vornherein überhaupt nicht drehbar gewesen. Wenn wir eines Tages die lang ersehnte physikalische Einheitstheorie für alles haben, wird sich herausstellen, dass die sechs Zahlen voneinander oder von etwas bisher Unbekanntem abhängen, und zwar auf eine Weise, die wir uns heute noch nicht vorstellen können. Vielleicht stellt sich dann heraus, dass die sechs Zahlen ebenso wenig schwanken können wie das Verhältnis von Umfang und Durchmesser eines Kreises. Es wird sich zeigen, dass ein Universum nur auf eine einzige Art und Weise existieren kann. Wir brauchen keinen Gott, der an den Knöpfen dreht, weil es die Knöpfe überhaupt nicht gibt.

Andere Physiker, unter ihnen auch Martin Rees, finden eine solche Antwort unbefriedigend, und ich stimme darin mit ihnen überein. Dass ein Universum nur auf eine Art und Weise existieren kann, ist ganz und gar plausibel. Aber warum war es gerade diese eine Art und Weise, die alle Voraussetzungen für unsere Evolution schuf? Warum musste es gerade ein Universum sein, das »gewusst haben muss, dass wir kommen«, wie es der theoretische Physiker Freeman Dyson formulierte? Der Philosoph John Leslie nennt als Analogie einen Häftling, der zum Tod durch ein Exekutionskommando verurteilt wird. Nun kann man sich vorstellen, dass alle zehn Mann des Erschießungskommandos ihr Ziel verfehlen. Im Rückblick kann der Überlebende dann über sein Glück nachdenken und fröhlich sagen: »Nun ja, natürlich mussten sie danebenschießen, sonst könnte ich mir jetzt keine Gedanken darüber machen.« Aber man kann es ihm sicher nachsehen, wenn er sich dennoch fragt, warum keiner getroffen hat, und dann die Hypothese in Erwägung zieht, dass alle bestochen oder betrunken waren.

Diesen Einwand kann man mit einem Gedanken beantworten, den auch Martin Rees selbst unterstützt: Danach gibt es viele Universen, die nebeneinander existieren wie die Blasen im Schaum und die ein »Multiversum« bilden (oder ein »Megaversum«, wie Leonard Susskind es lieber nennt).* Die Gesetze und Konstanten in jedem einzelnen Universum – auch in dem, das wir beobachten können – sind demnach nur dort gültig, und das Megaversum als Ganzes besitzt eine Fülle unterschiedlicher Systeme solcher Gesetzmäßigkeiten. Das anthropische Prinzip erklärt dann, dass wir uns in einem jener Universen (die vermutlich eine Minderheit bilden) befinden müssen, deren Gesetze zufällig gerade die Voraussetzungen für die spätere Evolution schufen und damit das Nachdenken über das Problem ermöglichten.

Eine faszinierende Version dieser Multiversum-Theorie ergibt sich, wenn man über das endgültige Schicksal unseres Universums nachdenkt. Je nachdem, welchen Wert Zahlen wie die sechs Konstanten von Martin Rees haben, wird unser Universum sich entweder unendlich weit ausdehnen, oder es stabilisiert sich irgendwann in einem Gleichgewichtszustand, oder die Expansion kehrt sich letztendlich um und wird zu einer Schrumpfung, an deren Ende der sogenannte »große Zusammenbruch« oder »Big Crunch« steht. In manchen Modellen folgt auf den »Big Crunch« wiederum eine Expansion und so immer weiter, wobei ein Zyklus etwa zwanzig Milliarden Jahre dauert. Nach dem Standardmodell unseres Universums ent-

---

* Susskind 2006 vertritt auf großartige Weise das anthropische Prinzip im Megaversum. Nach seinen Angaben haben die meisten Physiker etwas gegen diese Idee. Ich verstehe nicht, warum. In meinen Augen ist sie von großer Schönheit – was ich vielleicht nur deshalb erkennen kann, weil mein Bewusstsein durch Darwin erweitert wurde.

stand vor 13 Milliarden Jahren mit dem Urknall nicht nur der Raum, sondern auch die Zeit. Das Modell der aufeinander folgenden großen Zusammenbrüche würde diese Vorstellung erweitern: Unser Raum und unsere Zeit begannen tatsächlich mit dem Urknall, aber der war nur der bislang letzte in einer langen Reihe von Urknallen, die jeweils nach dem Ende des vorherigen Universums durch einen »Big Crunch« in Gang gesetzt wurden. Was sich in den Singularitäten des Urknalls abspielt, weiß niemand, und es ist durchaus vorstellbar, dass dabei jedes Mal auch die physikalischen Gesetze und Konstanten auf neue Werte eingestellt werden. Wenn der Kreislauf aus Urknall, Ausdehnung, Schrumpfung und Zusammenbruch immer wieder wie ein kosmisches Akkordeon abläuft, haben wir es nicht mit einer parallelen, sondern mit einer seriellen Form des Multiversums zu tun. Auch hier wird das anthropische Prinzip seiner Erklärungsfunktion gerecht. Unter allen Universen in der Reihe sind die Zahlen nur bei einer Minderheit so eingestellt, dass sie Leben ermöglichen. Und natürlich muss unser derzeitiges Universum zu dieser Minderheit gehören, denn wir existieren darin. Mittlerweile gilt diese serielle Version des Multiversums als weniger wahrscheinlich, denn neuere Befunde führen vom Modell des »Big Crunch« weg. Heute sieht es eher danach aus, als würde unser Universum sich für alle Zeiten weiter ausdehnen.

Lee Smolin, auch er theoretischer Physiker, entwickelte eine verblüffend darwinistische Variante der Multiversumtheorie, die sowohl serielle als auch parallele Elemente enthält. Seine Ideen legt er in dem Buch *The Life of the Cosmos (Warum gibt es die Welt?)* dar. Dreh- und Angelpunkt ist für ihn die Theorie, dass Tochteruniversen aus Elternuniversen geboren werden, und zwar nicht durch einen richtigen »Big Crunch«, sondern eher lokal in schwarzen Löchern. Smolin bezieht auch eine Art Vererbung mit ein: Die grundlegenden Konstanten eines Tochteruniversums sind gegenüber denen seines Elternuniversums

geringfügig »mutiert«. Vererbung ist der entscheidende Bestandteil der Darwin'schen natürlichen Selektion, und auch in
Smolins Theorie ergibt sich der Rest ganz von selbst. Universen, die aufgrund ihrer Eigenschaften »überleben« und »sich
fortpflanzen«, gewinnen im Multiversum die Oberhand. Zu
diesen notwendigen Eigenschaften gehört auch, dass sie lange
genug erhalten bleiben, um sich »fortpflanzen« zu können. Da
die Fortpflanzung selbst in schwarzen Löchern stattfindet,
müssen erfolgreiche Universen die Voraussetzungen für die
Entstehung schwarzer Löcher bieten. Diese Fähigkeit schließt
mehrere weitere Eigenschaften ein. Eine Voraussetzung für die
Entstehung schwarzer Löcher ist beispielsweise die Fähigkeit
der Materie, zu Wolken und dann zu Sternen zu kondensieren.
Und die Sterne sind, wie wir bereits erfahren haben, auch die
Vorläufer in der Entwicklung interessanter chemischer Vorgänge – und damit des Lebens. Demnach, so Smolins Vermutung, hat unter den Universen im Multiversum eine Darwin'sche
natürliche Selektion stattgefunden, die direkt die Fähigkeit
zum Hervorbringen schwarzer Löcher und indirekt die Entstehung des Lebens begünstigte. Nicht alle Physiker sind von Smolins Ideen begeistert, aber der Physiknobelpreisträger Murray
Gell-Mann soll gesagt haben: »Smolin? Ist das nicht der junge
Bursche mit den verrückten Ideen? Er hat vielleicht nicht Unrecht.«[74] Ein boshafter Biologe würde sich unter Umständen
fragen, ob nicht auch manchen anderen Physikern ein wenig
darwinistische Bewusstseinserweiterung gut täte.

Allerdings sind auch viele Autoren auf den verlockenden Gedanken gekommen, dass eine ganze Sammlung von Universen
zu postulieren möglicherweise ein Luxus sei, den man sich nicht
gestatten sollte. Wenn wir die exotische Vorstellung von einem
Multiversum zulassen, so die Argumentation, können wir den
ganzen Zirkus auch lassen und uns gleich für Gott entscheiden.
Sind nicht beide gleichermaßen verschwenderische, zusammen-
gestoppelte Hypothesen, und sind sie nicht gleichermaßen un-

befriedigend? Indes, wer so denkt, hat sein Bewusstsein noch nicht durch Gedanken an die natürliche Selektion erweitert. Der wichtigste Unterschied zwischen der wirklich weit hergeholten Gotteshypothese und der scheinbar weit hergeholten Hypothese vom Multiversum liegt in der statistischen Unwahrscheinlichkeit. Das Multiversum ist bei aller Exotik einfach. Gott oder jedes intelligente Agens, das Berechnungen vornimmt und Entscheidungen trifft, muss dagegen höchst unwahrscheinlich sein – unwahrscheinlich in demselben statistischen Sinn wie die Gebilde, die es angeblich erklärt. Das Multiversum mag exotisch erscheinen, was die schiere *Zahl* der Universen betrifft. Aber jedes dieser Universen ist in seinen Grundgesetzen einfach – das heißt, wir postulieren nichts, was höchst unwahrscheinlich wäre. Über jede Art von Intelligenz indes müsste man genau das Gegenteil sagen.

Manche Physiker sind bekanntermaßen religiös – als Beispiele aus Großbritannien habe ich Russell Stannard und den Reverend John Polkinghorne erwähnt. Wie nicht anders zu erwarten, berufen sie sich darauf, wie unwahrscheinlich es ist, dass alle physikalischen Konstanten auf ihre mehr oder weniger schmale Goldilocks-Zone abgestimmt sind; demnach, so ihre Vermutung, muss es eine kosmische Intelligenz geben, welche die Abstimmung vorgenommen hat. Ich habe bereits dargelegt, warum alle diese Gedanken mehr Probleme aufwerfen, als sie lösen. Aber mit welchen Antworten haben sich die Theisten bemüht, darauf zu reagieren? Was sagen sie zu dem Argument, dass jeder Gott, der ein sorgfältig, weitsichtig abgestimmtes Universum gestalten kann und so die Voraussetzungen für unsere Evolution schafft, ein höchst komplexes, unwahrscheinliches Etwas sein muss und demnach noch schwieriger zu erklären ist als die Dinge, für die er eine Erklärung sein soll?

Wie Sie mittlerweile vielleicht schon ahnen, glaubt der Theologe Richard Swinburne, er habe eine Antwort auf diese Frage, und die legt er in seinem Buch *Is There a God? (Gibt es einen Gott?)* dar. Zunächst zeigt er, dass er das Herz am rechten Fleck hat: Er weist überzeugend nach, warum wir uns immer für die einfachste Hypothese entscheiden sollten, die zu den Tatsachen passt. Die Naturwissenschaft erklärt komplexe Dinge mit den Wechselbeziehungen zwischen einfacheren Dingen, letztlich also mit den Interaktionen der Elementarteilchen. Ich (und ich wage zu sagen: auch jeder andere) halte es für einen großartig einfachen Gedanken, dass alle Dinge aus Grundbausteinen bestehen, die zwar äußerst zahlreich sind, aber alle zu einer kleinen, endlichen Gruppe von Teilchen*typen* gehören. Wenn wir skeptisch sind, dann wahrscheinlich deshalb, weil wir diese Idee für zu einfach halten. Aber für Swinburne ist sie überhaupt nicht einfach – ganz im Gegenteil.

Angesichts der Tatsache, dass die Zahl der Teilchen eines Typs – beispielsweise der Elektronen – so groß ist, kann es nach Swinburnes Ansicht kein Zufall sein, dass so viele von ihnen die gleichen Eigenschaften haben. *Ein* Elektron, das könnte er noch verkraften. Aber Milliarden und Abermilliarden Elektronen, *alle mit den gleichen Eigenschaften*, das erregt sein ungläubiges Kopfschütteln. Für ihn wäre es einfacher, natürlicher, weniger erklärungsbedürftig, wenn alle Elektronen sich voneinander unterscheiden würden. Und was noch schlimmer ist: In seinen Augen dürfte eigentlich kein Elektron seine Eigenschaften länger als einen kurzen Augenblick beibehalten; jedes Teilchen sollte sich von einem Augenblick zum nächsten launisch, zufällig und flüchtig verändern. So sieht nach Swinburnes Ansicht der einfache, ursprüngliche Stand der Dinge aus. Alles, was einheitlicher (Sie oder ich würden sagen: einfacher) ist, verlangt nach einer besonderen Erklärung: »Die Dinge sind nur deshalb jetzt so, wie sie sind, weil Elektronen und Kupferstücke und alle anderen materiellen Gegenstände im 21. Jahrhundert die gleichen Kräfte wie im 19. Jahrhundert haben.«

An dieser Stelle kommt Gott ins Spiel. Gott bringt die Rettung, weil er die Eigenschaften der Abermilliarden Elektronen und Kupferstücke absichtlich und ständig aufrechterhält, womit er die Neigung zu wilden, zufälligen Schwankungen, die ihnen eigentlich innewohnt, unwirksam macht. Deshalb wissen wir über alle Elektronen Bescheid, wenn wir eines gesehen haben; deshalb verhalten sich Kupferstücke immer wie Kupferstücke, und jedes Elektron und jedes Kupferstück bleibt von Mikrosekunde zu Mikrosekunde wie auch von Jahrhundert zu Jahrhundert gleich. Es liegt nur daran, dass Gott ständig seine Finger auf jedes einzelne Teilchen hält, dessen freche Unbotmäßigkeiten in die Schranken weist und es mit seinen Kollegen in eine Reihe zwingt, sodass sie alle immer gleich sind.

Aber wie kann Swinburne behaupten, diese Hypothese, der zufolge Gott seine Quadrillionen Finger auf unzählige Elektronen hält, sei *einfach*? Sie ist natürlich genau das Gegenteil von einfach. Swinburne bewerkstelligt das Kunststück zu seiner eigenen Zufriedenheit mit einem atemberaubenden Akt der intellektuellen Unverfrorenheit. Er behauptet ohne jede Begründung, Gott sei nur *eine einzige* Substanz. Welch hervorragend sparsame Ursachenerklärung im Vergleich zu dem Gedanken, die unzähligen unabhängigen Elektronen seien rein zufällig alle gleich!

Der Theismus behauptet, dass jeder existierende Gegenstand durch *eine* Substanz in seiner Existenz verursacht und erhalten wird, nämlich Gott. Und er behauptet, dass jede Eigenschaft eines jeden Gegenstandes von Gott verursacht oder zugelassen wird. Es ist ein Merkmal einer einfachen Erklärung, nur wenige Ursachen anzunehmen. In dieser Hinsicht kann es keine einfachere Erklärung geben als eine, die nur eine Ursache postuliert. Der Theismus ist einfacher als der Polytheismus. Ferner nimmt der Theismus an, dass diese eine Ursache die Eigenschaften, die für Personen wesentlich sind, in unendlichem Maße hat: unendliche Macht (Gott kann alles logisch Mögliche tun), unendliches Wissen (Gott weiß alles, was zu wissen logisch möglich ist) und unendliche Freiheit.[75]

Großzügig gesteht Swinburne zu, dass Gott keine Werke vollbringen kann, die *logisch* unmöglich sind, und man ist ihm für diese Nachsicht geradezu dankbar. Aber davon abgesehen gibt es für die Erklärungen, für die man Gottes unendliche Macht heranziehen kann, keine Grenzen. Die Wissenschaft hat gewisse Schwierigkeiten, X zu erklären? Kein Problem. Man sollte X keines Blickes mehr würdigen. Wir berufen uns einfach auf Gottes unendliche Macht und erklären X (genau wie alles andere) ganz mühelos; das ist immer eine höchst *einfache* Erklärung, denn schließlich gibt es ja nur einen Gott. Was könnte einfacher sein?

Nun ja, in Wirklichkeit fast alles. Ein Gott, der ständig den Zustand jedes einzelnen Teilchens im Universum überwacht und kontrolliert, *kann nicht* einfach sein. Seine Existenz erfordert schon als solche eine ungeheuer umfangreiche Erklärung. Und was unter dem Gesichtspunkt der Einfachheit noch schlimmer ist: Andere Winkel von Gottes Bewusstsein werden durch die Taten, Gefühle und Gebete jedes einzelnen Menschen mit Beschlag belegt – und vielleicht auch von den intelligenten Wesen auf anderen Planeten in unserer und 100 Milliarden anderen Galaxien. Nach Swinburnes Ansicht muss er sich überdies sogar ständig zurückhalten, um *nicht* einzugreifen und uns durch ein Wunder zu retten, wenn wir Krebs bekommen. Das ginge einfach nicht, denn »wenn Gott die meisten der Gebete um Heilung eines Verwandten von Krebs beantworten würde, dann wäre Krebs nicht länger ein Problem, für welches die Menschen eine Lösung suchen«.[76] Ja, was sollten wir dann bloß mit unserer Zeit anfangen?

So weit wie Swinburne gehen nicht alle Theologen. Die bemerkenswerte Vorstellung, die Gotteshypothese sei *einfach*, findet sich allerdings auch in anderen modernen theologischen Schriften. Sehr entschieden äußerte sich beispielsweise Keith Ward, damals Regius Professor of Divinity in Oxford, in seinem 1996 erschienenen Buch *God, Chance and Necessity* (»Gott, Zufall und Notwendigkeit«):

> Der Theist würde natürlich behaupten, dass Gott eine sehr elegante, sparsame und fruchtbare Erklärung für die Existenz des Universums darstellt. Sparsam ist sie, weil sie Dasein und Natur von absolut allem im Universum auf ein einziges Wesen zurückführt, auf eine letzte Ursache, die den Grund für die Existenz von allem darstellt, einschließlich ihrer selbst. Elegant ist sie, weil sie aus einem Schlüsselgedanken heraus – der Vorstellung von dem vollkommensten Wesen, das möglich ist – das Wesen Gottes und die Existenz des Universums auf verständliche Weise erklären kann.

Doch wie Swinburne hat auch Ward eine falsche Vorstellung davon, was es heißt, etwas zu erklären; und ebenso versteht er anscheinend nicht, was es bedeutet, wenn man etwas als einfach bezeichnet. Mir ist nicht klar, ob Ward wirklich der Ansicht ist, Gott sei einfach, oder ob der zitierte Absatz nur eine vorübergehende Übung »um der Argumentation willen« darstellt. Sir John Polkinghorne zitiert in *Science and Christian Belief* (»Naturwissenschaft und christlicher Glaube«) Wards frühere Kritik an den Gedanken des Thomas von Aquin: »Ihr grundlegender Fehler ist die Annahme, Gott sei logisch einfach – ›einfach‹ nicht nur in dem Sinn, dass sein Dasein unteilbar ist, sondern auch in dem viel stärkeren Sinn, dass alles, was für irgendeinen Teil Gottes gilt, auch für Gott als Ganzes wahr ist. Es ist aber eine widerspruchsfreie Annahme, dass Gott zwar unteilbar, gleichzeitig aber auch innerlich komplex ist.« An dieser Stelle hat Ward recht. Der Biologe Julian Huxley definierte Komplexität 1912 sogar als »Heterogenität der Teile«, womit er eine ganz bestimmte Art der funktionellen Unteilbarkeit meinte.[77]

An anderer Stelle lässt Ward erkennen, wie schwer es dem theologischen Geist fällt, zu begreifen, wie es zur Komplexität des Lebendigen kommt. Er zitiert den Biochemiker Arthur Peacocke, einen weiteren Theologen und Naturwissenschaftler (den dritten in meinem Trio der religiösen britischen Naturwissenschaftler), mit der Behauptung, lebende Materie habe eine »Neigung zu zunehmender Komplexität«. Ward versteht darunter »eine gewisse Gewichtung des entwicklungsgeschichtlichen Wandels, welche die Komplexität begünstigt«. Im weiteren Verlauf äußert er die Vermutung, ein solches Ungleichgewicht könne »eine Gewichtung des Mutationsprozesses sein, die dafür sorgt, dass immer komplexere Mutationen entstehen«. Ward ist gegenüber dieser Vermutung skeptisch, und das sollten auch wir sein. Der Evolutionstrend in Richtung zunehmender Komplexität erwächst in den Abstammungslinien, in denen er überhaupt vorhanden ist, weder aus einer inneren Neigung zur Komplexität noch aus einem Ungleichgewicht der Mutationen. Seine Triebkraft ist vielmehr die natürliche Selektion, jener Prozess, der nach heutiger Kenntnis als Einziger letztlich in der Lage ist, Komplexität aus Einfachem entstehen zu lassen. Die Theorie der natürlichen Selektion ist wirklich einfach. Ebenso einfach ist ihr Ausgangspunkt. Was sie andererseits erklärt, ist über alle Maßen komplex – komplexer als alles, was wir uns vorstellen können, aber immer noch nicht so komplex wie ein Gott, der in der Lage sein soll, diese Komplexität zu gestalten.

Zwischenspiel in Cambridge

Kürzlich vertrat ich in Cambridge auf einer Tagung über Naturwissenschaft und Religion die Argumentation, die ich hier unter der Überschrift »Die höchste Form der Boeing 747« wiedergegeben habe. Dabei stieß ich, gelinde gesagt, auf aufrichtige Unfähigkeit, in der Frage nach Gottes Einfachheit eine gemeinsame geistige Grundlage herzustellen. Es war ein aufschlussreiches Erlebnis, und deshalb möchte ich gern darüber berichten.

Zunächst sollte ich beichten (das ist vermutlich das richtige Wort), dass die Tagung von der Templeton Foundation finanziert wurde. Das Publikum bestand aus einer geringen Zahl handverlesener Wissenschaftsjournalisten aus Großbritannien und den Vereinigten Staaten. Unter den achtzehn eingeladenen Vortragenden war ich der Vorzeigeatheist. Nach Angaben des Journalisten John Horgan hatte jeder Zuhörer zusätzlich zu allen Spesen die hübsche Summe von 15 000 Dollar erhalten, damit er an der Konferenz teilnahm. Darüber wunderte ich mich. Aus meiner langjährigen Erfahrung mit wissenschaftlichen Konferenzen war mir kein Fall bekannt, in dem das Publikum (im Gegensatz zu den Vortragenden) ein Honorar für die Teilnahme bekam. Hätte ich das gewusst, wäre ich sofort misstrauisch geworden. Wollte Templeton mit dem Geld die Journalisten bestechen und ihre wissenschaftliche Integrität untergraben? John Horgan stellte später die gleiche Frage und schrieb über die ganze Veranstaltung einen Artikel. Darin enthüllte er etwas, das ich sehr bedauerte. Die Ankündigung, dass ich einen Vortrag halten würde, hatte bei ihm und anderen die Zweifel zerstreut:

Der britische Biologe Richard Dawkins, dessen Teilnahme an der Tagung mich und andere von ihrer Seriosität überzeugte, war unter allen Vortragenden der Einzige, der religiöse Überzeugungen als mit der Naturwissenschaft unvereinbar, irrational und schädlich bezeichnete. Die anderen Redner – drei Agnostiker, ein Jude, ein Deist und zwölf Christen (ein muslimischer Philosoph hatte in letzter Minute abgesagt) – vertraten eine offenkundig einseitige Sichtweise zugunsten von Religion und Christentum.[78]

Horgans Artikel selbst ist von liebenswürdiger Zweideutigkeit. Trotz seiner Befürchtungen wusste er manche Aspekte der Veranstaltung durchaus zu schätzen (und mir ging es, wie im Folgenden noch deutlich werden wird, genauso). Horgan schrieb:

> Meine Gespräche mit den Gläubigen vertieften mein Verständnis dafür, warum manche intelligenten, gebildeten Menschen sich eine Religion zu eigen machen. Ein Vortragender berichtete über das Erlebnis des Zungenredens, ein anderer beschrieb seine intime Beziehung zu Jesus. Meine Überzeugungen änderten sich nicht, aber bei anderen war das der Fall. Mindestens ein Kollege sagte, sein Glaube sei durch Dawkins' Analyse der Religion ins Wanken geraten. Wenn die Templeton Foundation dazu beiträgt, dass auch nur ein derart winziger Schritt in Richtung meiner Vision von einer Welt ohne Religion vollzogen wird – kann sie dann wirklich schlecht sein?

Ein zweites Forum für Horgans Artikel schuf der Literaturagent John Brockman auf seiner Website »Edge« (die häufig als wissenschaftlicher Online-Salon bezeichnet wird). Dort gab der Beitrag Anlass zu mehreren Erwiderungen, darunter auch eine von dem theoretischen Physiker Freeman Dyson. Als Antwort auf Dyson zitierte ich aus seinem Preisvortrag anlässlich der Verleihung des Templeton-Preises. (Ob es ihm gefiel oder nicht, indem er diese Auszeichnung annahm, vermittelte Dyson der ganzen Welt ein eindringliches Signal. Man musste es so verstehen, als hätte sich einer der angesehensten Physiker der Welt für die Religion ausgesprochen.) In Dysons Preisvortrag heißt es:

> Ich gebe mich damit zufrieden, zu den vielen Christen zu gehören, die sich nicht viel um die Lehre von der Dreifaltigkeit oder um den historischen Wahrheitsgehalt der Evangelien scheren.

Würde nicht ein atheistischer Naturwissenschaftler genau das sagen, wenn er sich christlich anhören wollte? Ich zitierte noch weitere Passagen aus Dysons Preisvortrag und fügte (in kursiv gekennzeichneter Rollenprosa) satirisch-imaginäre Fragen an einen Templeton-Funktionär ein:

Ach. Sie hätten es gern etwas tiefschürfender? Wie wäre es mit ...
»Ich treffe keine klare Unterscheidung zwischen Geist und Gott. Wenn der Geist den Rahmen unserer Verständnisfähigkeit hinter sich gelassen hat, wird er zu Gott.«
Habe ich jetzt genug gesagt, und kann ich mich jetzt wieder der Physik widmen? Ach, es reicht noch nicht? Na gut, wie wäre es dann damit:
»Selbst in der grausigen Geschichte des 20. Jahrhunderts erkenne ich einen gewissen Fortschritt der Religion. Die beiden Menschen, die in unserem Jahrhundert zu Musterbeispielen für das Böse wurden – Adolf Hitler und Josef Stalin – waren bekennende Atheisten.«*
Darf ich jetzt gehen?

Dyson könnte die Folgerungen aus seinen Zitaten aus der Templeton-Preisrede ohne weiteres zurückweisen; dazu müsste er nur eindeutig erklären, welche Anhaltspunkte ihn dazu veranlassen, an Gott zu glauben, und zwar stärker als in dem Einstein'schen Sinn, den wir, wie ich in Kapitel 1 erläutert habe, alle leicht unterschreiben könnten. Wenn ich Horgan richtig verstehe, korrumpiert das Geld der Templeton Foundation die Naturwissenschaft. Ich bin mir aber sicher, dass Freeman Dyson sich nicht korrumpieren lässt. Dennoch war seine Preisrede unglücklich, weil sie anderen ein Vorbild gibt. Das Preisgeld des Templeton-Preises ist hundertmal größer als der

---

* Mit dieser Verleumdung befasse ich mich in Kapitel 7.

Anreiz, den man den Journalisten in Cambridge geboten hatte, und der Preis wurde ausdrücklich so angelegt, dass die Dotierung höher ist als beim Nobelpreis. In einer faustischen Stimmung sagte mein Freund, der Philosoph Daniel Dennett, einmal im Scherz zu mir: »Also Richard, wenn es dir irgendwann mal schlecht gehen sollte …«

Wie dem auch sei, ich nahm zwei Tage lang an der Konferenz in Cambridge teil, hielt selbst einen Vortrag und beteiligte mich an den Diskussionen zu mehreren anderen Beiträgen. Die Theologen fragte ich nach ihrer Antwort auf meine Aussage, dass ein Gott, der ein Universum oder irgendetwas anderes gestalten könne, komplex und damit statistisch unwahrscheinlich sein müsse. Die energischste Erwiderung lautete jedoch, ich würde der Theologie gegen ihren Willen eine naturwissenschaftliche Erkenntnistheorie überstülpen.* Die Theologen hätten Gott immer als einfach definiert. Was ich, der Naturwissenschaftler, mir denn herausnähme, den Theologen vorschreiben zu wollen, dass ihr Gott komplex sein müsse? Naturwissenschaftliche Argumente, an deren Anwendung ich aus meinem eigenen Fachgebiet gewohnt sei, eigneten sich hier eben nicht, denn die Theologen hätten schon immer gesagt, dass Gott außerhalb der Naturwissenschaft angesiedelt sei.

Ich hatte nicht den Eindruck, dass die Theologen, die diese ausweichende Abwehrposition aufbauten, absichtlich unehrlich waren. Nein, ich hielt sie für aufrichtig. Gleichwohl wurde ich unweigerlich an Peter Medawars Kommentar zu dem Buch *Der Mensch im Kosmos* von Pater Teilhard de Chardin erinnert – den vielleicht großartigsten Verriss aller Zeiten: »Man kann dem Autor seine Unehrlichkeit nur deshalb nachsehen, weil er andere erst täuschen konnte, nachdem er große Mühe darauf verwendet hatte, sich selbst zu täuschen.«[79] Bei meiner Diskus-

---

* Dieser Vorwurf erinnert an NOMA, mit deren überzogenen Behauptungen ich mich in Kapitel 2 beschäftigt habe.

sion in Cambridge begaben sich die Theologen *per definitionem* in eine erkenntnistheoretische Schutzzone, in der man sie mit vernünftigen Argumenten nicht mehr erreichen konnte, weil sie *kategorisch erklärt* hatten, dass dies nicht möglich sei. Wer war ich denn, dass ich behauptete, rationale Argumente seien die einzig zulässige Art von Argumenten? Neben naturwissenschaftlichen Kenntnissen gebe es eben noch andere Arten des Wissens, und eine davon müsse man anwenden, um Gott kennen zu lernen.

Wie sich dann herausstellte, war die wichtigste dieser anderen Arten von Wissen die persönliche, subjektive Gotteserfahrung. In Cambridge behaupteten mehrere Diskussionsteilnehmer, Gott habe innerlich zu ihnen gesprochen, und zwar ebenso lebhaft und persönlich wie ein anderer Mensch. Mit Illusionen und Halluzinationen (dem »Argument des persönlichen Erlebnisses«) habe ich mich bereits in Kapitel 3 befasst, aber auf der Tagung in Cambridge fügte ich noch zwei weitere Punkte an. Erstens: Wenn Gott den Menschen tatsächlich etwas mitteilt, liegt diese Tatsache ganz eindeutig nicht außerhalb der Naturwissenschaft. Gott platzt aus seinem wie auch immer gearteten außerweltlichen Revier, das sein gewöhnlicher Aufenthaltsort ist, in unsere Welt, wo seine Mitteilungen von menschlichen Gehirnen aufgenommen werden können – und dieses Phänomen soll nichts mit Wissenschaft zu tun haben? Und zweitens: Ein Gott, der an Millionen Menschen zur gleichen Zeit verständliche Signale sendet und von allen gleichzeitig Signale empfängt, kann bei allen Eigenschaften, die er sonst noch besitzt, nicht einfach sein. Was für eine Bandbreite! Gott hat vielleicht weder ein Gehirn aus Nervenzellen noch einen Prozessor aus Silizium, aber wenn er über die Fähigkeiten verfügt, die ihm zugeschrieben werden, muss er etwas weitaus Raffinierteres und nicht zufällig Konstruiertes besitzen als das größte Gehirn oder die größten Computer, die wir kennen.

Immer und immer wieder kamen meine theologischen

Freunde auf den Punkt zurück, dass es einen Grund haben müsse, warum es etwas und nicht nichts gibt. Alles müsse eine erste Ursache haben, und die könnten wir genauso gut als Gott bezeichnen. Ja, erwiderte ich, aber diese Ursache muss einfach sein, und wie wir sie auch nennen, Gott ist dafür kein angemessener Name (es sei denn, wir befreien ihn ganz bewusst von dem ganzen Ballast, den das Wort »Gott« in den Köpfen der meisten Gläubigen mit sich herumschleppt). Die erste Ursache, nach der wir suchen, muss das einfache Fundament für eine »Kran-Konstruktion« sein, die sich selbst aufbaut und schließlich jene Welt errichtet, die wir mit ihrer heutigen komplexen Existenz kennen. Die Vorstellung, der ursprüngliche erste Beweger sei so kompliziert gewesen, dass er intelligente Gestaltung vollbringen konnte – ganz zu schweigen vom gleichzeitigen Gedankenlesen bei Millionen Menschen –, ist gleichbedeutend mit der Idee, man würde sich selbst beim Bridge ein perfektes Blatt geben.

Sehen wir uns um in der Welt des Lebendigen, im Amazonasregenwald mit seinem Gewirr aus Lianen, Bromelien, Luft- und Brettwurzeln, mit seinen Heerscharen von Ameisen, mit Jaguaren, Pekaris, Baumfröschen und Papageien. Was wir dort sehen, ist die statistische Entsprechung zu einem perfekten Blatt beim Kartenspiel (man denke nur daran, auf wie viele Arten man die Einzelteile austauschen könnte, und nichts davon würde funktionieren), aber hier wissen wir, wie sie zustande gekommen ist: durch den langsam arbeitenden Kran der natürlichen Selektion. Nicht nur Wissenschaftler protestieren gegen die stillschweigende Annahme, etwas so Unwahrscheinliches könne von selbst entstanden sein; auch der gesunde Menschenverstand stellt sich quer. Mit der Vorstellung, die erste Ursache, der große Unbekannte, der dafür gesorgt hat, dass es etwas statt nichts gibt, könne das Universum gezielt gestalten und zu Millionen Menschen gleichzeitig sprechen, entzieht man sich völlig der Verantwortung, eine Erklärung zu finden. Es ist die entsetzliche Zurschaustellung einer selbstzufriedenen, das Denken leugnenden Wundergläubigkeit.

Ich vertrete hier keine engstirnig-naturwissenschaftliche Denkweise. Aber wer ehrlich nach der Wahrheit sucht, muss sich zumindest daranmachen, so ungeheuer unwahrscheinliche Phänomene wie einen Regenwald oder ein Korallenriff mit einem Kran und nicht mit einem Himmelshaken zu erklären. Bei dem Kran muss es sich nicht unbedingt um die natürliche Selektion handeln. Zwar ist bisher noch niemand auf einen besseren gestoßen, aber es könnte andere geben, die noch nicht entdeckt worden sind. Vielleicht erweist sich die »Inflation«, die in der Physik für den ersten winzigen Sekundenbruchteil im Dasein des Universums postuliert wird, bei genauerer Untersuchung als kosmologischer Kran, der neben Darwins biologischem Kran bestehen kann. Vielleicht handelt es sich bei dem schwer fassbaren Kran, nach dem die Kosmologen suchen, aber auch um eine weitere Version von Darwins Idee – um Smolins Modell oder etwas Ähnliches. Vielleicht ist es auch das Multiversum in Verbindung mit dem anthropischen Prinzip, wie Martin Rees und andere es annehmen. Es könnte sogar ein übermenschlicher Gestalter sein – aber wenn es so ist, wird es mit ziemlicher Sicherheit kein Gestalter sein, der plötzlich ins Dasein trat oder schon immer da war. Wenn unser Universum gezielt gestaltet wurde (was ich keine Sekunde lang glaube), und wenn der Gestalter darüber hinaus auch unsere Gedanken liest und allwissende Ratschläge, Vergebung und Erlösung verteilt, muss dieser Gestalter selbst das Endprodukt einer additiven Leiter oder eines Krans sein, vielleicht das Produkt einer Version des Darwinismus aus einem anderen Universum.

Als meinen Kritikern in Cambridge keine andere Verteidigung mehr einfiel, gingen sie zum Angriff über. Meine ganze Weltanschauung wurde als »neunzehntes Jahrhundert« verurteilt. Das ist ein so schlechtes Argument, dass ich es eigentlich gar nicht erwähnen wollte, aber leider begegnet es mir recht häufig. Es braucht wohl nicht besonders betont zu werden: Wer ein Argument als »neunzehntes Jahrhundert« bezeichnet, hat damit noch nicht erklärt, was falsch daran ist. Manche Gedanken aus dem 19. Jahrhundert, nicht zuletzt Darwins eigene gefährliche Idee, waren sehr gut. Jedenfalls wirkte gerade diese Beschimpfung besonders gewichtig, kam sie doch von jemandem (einem angesehenen Geologen aus Cambridge, der auf dem faustischen Weg zum Templeton-Preis sicher schon ein ganzes Stück vorangekommen war), der sich zur Rechtfertigung seines eigenen christlichen Glaubens auf die »Historizität des Neuen Testaments« berief, wie er es nannte. Gerade im 19. Jahrhundert, als man sich der Befunderhebungsmethoden der Geschichtsforschung bediente, kamen doch den Theologen, insbesondere in Deutschland, ernste Zweifel an dieser angeblichen Historizität. Darauf machten auch die auf der Tagung in Cambridge anwesenden Theologen eilig aufmerksam.

Jedenfalls kenne ich den Vorwurf »neunzehntes Jahrhundert« schon seit langem. Er kommt häufig zusammen mit dem Spott über den »Dorfatheisten« und dem Vorwurf »Im Gegensatz zu Ihren Vorstellungen, hahaha, glauben wir nicht mehr an einen alten Mann mit langem weißem Bart, hahaha.« Alle drei Witze sind der verschlüsselte Ausdruck von etwas anderem, genau wie »law and order«, das Ende der Sechzigerjahre des 20. Jahrhunderts, als ich in den Vereinigten Staaten lebte, der Politikerausdruck für Vorurteile gegen Schwarze war.*

Welche verschlüsselte Bedeutung hat demnach »Sie kommen aus dem 19. Jahrhundert« im Zusammenhang einer Diskussion über Religion? Im Klartext bedeutet es: »Sie sind so grob und ungeschlacht, wie können Sie so unsensibel und

---

* In Großbritannien hat »Innenstädte« die gleiche verschlüsselte Bedeutung, was Auberon Waugh zu einer boshaft-unbekümmerten Anspielung auf die »Innenstädte beiderlei Geschlechts« veranlasste.

schlecht erzogen sein, mir eine direkte, zugespitzte Frage wie ›Glauben Sie an Wunder?‹ oder ›Glauben Sie, dass Jesus von einer Jungfrau zur Welt gebracht wurde?‹ zu stellen? Wissen Sie nicht, dass man solche Fragen in gepflegter Gesellschaft nicht stellt? Solche Fragen waren schon im 19. Jahrhundert aus der Mode.« Aber überlegen wir einmal, warum es unhöflich ist, religiösen Menschen heute eine solche Frage zu stellen. Es ist peinlich! Aber das Peinliche ist die Antwort, wenn sie Ja lautet.

Welche Verbindung dabei zum 19. Jahrhundert besteht, ist mir nicht ganz klar. Im 19. Jahrhundert war es für einen gebildeten Menschen zum letzten Mal möglich, an Wunder wie die Jungfrauengeburt zu glauben, ohne dass es peinlich gewesen wäre. Hakt man genauer nach, so sind viele Christen auch heute noch so loyal, dass sie Jungfrauengeburt und Auferstehung nicht leugnen wollen. Andererseits ist es ihnen aber peinlich, denn mit ihrem rationalen Verstand wissen sie, dass es absurd ist. Also wollen sie lieber nicht gefragt werden. Wenn dann jemand wie ich auf der Frage beharrt, wirft man mir vor, ich sei »aus dem 19. Jahrhundert«. Bei genauem Nachdenken ist das eigentlich ganz lustig.

Am Ende der Tagung war ich angeregt und energiegeladen, hatte sie mich doch in meiner Überzeugung bestärkt, dass das Unwahrscheinlichkeitsargument – das Spiel mit der »höchsten Form der Boeing 747« – sehr ernsthaft gegen die Existenz Gottes spricht. Trotz vieler Gelegenheiten und Aufforderungen habe ich darauf noch von keinem Theologen eine überzeugende Antwort bekommen. Dan Dennett bezeichnet dieses Argument zu Recht als »unwiderlegbare Zurückweisung, die heute noch genauso verheerend ist wie vor zweihundert Jahren, als in Humes *Dialogen* Philo sein Gegenüber Cleanthes damit überfuhr. Ein Himmelshaken wäre im besten Fall nur eine Verschiebung des Problems, aber Hume konnte sich keine Kräne vorstellen, also gab er klein bei.«[80] Erst Darwin lieferte den unentbehrlichen Kran, an dem Hume natürlich seine helle Freude gehabt hätte.

In diesem Kapitel habe ich die zentrale Argumentation meines Buches vorgetragen, und auch auf die Gefahr hin, dass das Ganze nach Wiederholung aussieht, möchte ich sie noch einmal in sechs nummerierten Punkten zusammenfassen:

1. Eine der größten Herausforderungen für den menschlichen Geist war über viele Jahrhunderte hinweg die Frage, wie im Universum der komplexe, unwahrscheinliche Anschein von gezielter Gestaltung entstehen konnte.

2. Es ist eine natürliche Versuchung, den Anschein von Gestaltung auf tatsächliche Gestaltung zurückzuführen. Bei Produkten der Menschen, beispielsweise einer Uhr, war der Gestalter tatsächlich ein intelligenter Ingenieur. Man ist leicht versucht, die gleiche Logik auch auf ein Auge oder einen Flügel, eine Spinne oder einen Menschen anzuwenden.

3. Diese Versuchung führt in die Irre, denn die Gestalterhypothese wirft sofort die umfassendere Frage auf, wer den Gestalter gestaltet hat. Das Problem, von dem wir ausgegangen waren, betraf die Erklärung der statistischen Unwahrscheinlichkeit. Zu diesem Zweck etwas noch Unwahrscheinlicheres zu postulieren ist offenkundig keine Lösung. Wir brauchen keinen »Himmelshaken«, sondern eine »Kran-Konstruktion«, denn nur der Kran kann die Aufgabe erfüllen, von etwas Einfachem auszugehen und dann allmählich und auf plausible Weise eine ansonsten unwahrscheinliche Komplexität aufzubauen.

4. Der genialste und leistungsfähigste »Kran«, den man bisher entdeckt hat, ist die darwinistische Evolution durch

natürliche Selektion. Darwin und seine Nachfolger haben uns gezeigt, wie Lebewesen mit ihrer ungeheuren statistischen Unwahrscheinlichkeit und ihrer scheinbaren Gestaltung sich langsam und allmählich aus einfachen Anfängen heraus entwickelt haben. Heute können wir mit Sicherheit sagen, dass die Illusion der gezielten Gestaltung von Lebewesen genau das ist: eine Illusion.

5. Einen entsprechenden »Kran« für die Physik kennen wir nicht. Im Prinzip könnte eine Art Multiversumtheorie in der Physik die gleiche Erklärungsarbeit leisten wie der Darwinismus in der Biologie. Auf den ersten Blick ist eine solche Erklärung weniger befriedigend als die biologische Version des Darwinismus, weil sie größere Anforderungen an den Zufall stellt. Aber wegen des anthropischen Prinzips dürfen wir viel mehr Zufall postulieren, als es unserer begrenzten menschlichen Intuition angenehm erscheint.

6. Wir sollten die Hoffnung nicht aufgeben, dass auch in der Physik noch ein besserer »Kran« gefunden wird, der ebenso leistungsfähig ist wie der Darwinismus in der Biologie. Indes, selbst wenn ein völlig befriedigender, dem biologischen ebenbürtiger »Kran« noch fehlt, sind die relativ schwachen heutigen Kräne der Physik in Verbindung mit dem anthropischen Prinzip ganz offenkundig besser als die Himmelshaken-Hypothese von einem intelligenten Gestalter, die ich selbst widerlegt habe.

Wenn man die Argumentation dieses Kapitels anerkennt, ist die Grundvoraussetzung der Religion – die Gotteshypothese – nicht mehr haltbar. Gott existiert mit ziemlicher Sicherheit nicht. Daraus ergeben sich verschiedene Fragen. Spricht nicht selbst dann vieles für die Religion, wenn wir anerkennen, dass es keinen Gott gibt? Ist sie nicht tröstlich? Motiviert sie nicht die Menschen, Gutes zu tun? Woher sollen wir wissen, was gut ist, wenn es keine Religion gibt? Und warum soll man überhaupt so feindselig sein? Warum haben alle Kulturkreise der Welt ihre Religion, wenn sie falsch ist? Ob richtig oder falsch, Religion ist allgegenwärtig, woher also kommt sie? Dieser letzten Frage wenden wir uns nun als Nächstes zu.

5 Die Wurzeln der Religion

> *Für den Evolutionspsychologen lassen die weltweit verbreiteten,*
> *exotischen religiösen Rituale mit ihrem Aufwand an Zeit,*
> *Ressourcen, Schmerzen und Entbehrungen so eindeutig wie das Hinterteil*
> *eines Mandrills darauf schließen, dass Religion der Anpassung dient.*
>
> Marek Kohn

Die darwinistische Zwangsläufigkeit

In der Frage, wie die Religion entstanden und warum sie in allen Kulturkreisen der Menschen anzutreffen ist, hat jeder seine Lieblingstheorie. Die Religion spendet Trost und Geborgenheit. Sie fördert das Gemeinschaftsgefühl in Gruppen. Sie befriedigt unser Bestreben, zu verstehen, warum wir existieren. Auf solche Erklärungen werde ich im Folgenden zurückkommen. Aber zuvor möchte ich eine andere Frage stellen, die aus naheliegenden Gründen Vorrang hat: eine darwinistische Frage zur natürlichen Selektion.

Wir wissen, dass wir Produkte der Darwin'schen Evolution sind; deshalb stellt sich die Frage, welchen Druck die natürliche Selektion ausübte, sodass die Hinwendung zur Religion begünstigt wurde. Besonders drängend ist diese Frage vor dem Hintergrund der Überlegungen zur darwinistischen Ökonomie. Religion ist verschwenderisch und extravagant, die darwinistische Selektion indes richtet sich gewöhnlich gegen Verschwendung und merzt sie aus. Die Natur ist ein kleinlicher Buchhalter: Sie dreht jeden Pfennig um, sieht auf die Uhr und bestraft jedes

225

Über-die-Stränge-Schlagen. Wie Darwin schrieb, ist die natürliche Zuchtwahl:

> täglich und stündlich durch die ganze Welt beschäftigt, eine jede, auch die geringste Abänderung zu prüfen, sie zu verwerfen, wenn sie schlecht, und sie zu erhalten und zu vermehren, wenn sie gut ist. Still und unmerkbar ist sie *überall und allezeit, wo sich die Gelegenheit darbietet,* mit der Vervollkommnung eines jeden organischen Wesens in Bezug auf dessen organische und unorganische Lebensbedingungen beschäftigt.

Führt ein wildes Tier immer wieder irgendeine nutzlose Tätigkeit aus, so wird die natürliche Selektion jene Konkurrenten begünstigen, die Zeit und Energie stattdessen auf Überleben und Fortpflanzung verwenden. Die Natur kann sich leichtfertige Spielereien nicht leisten. Erbarmungslose Nützlichkeit ist Trumpf, auch wenn es nicht immer den Anschein hat.

Der Schwanz eines Pfaus scheint auf den ersten Blick eine Spielerei *par excellence* zu sein. Er begünstigt sicher nicht das Überleben seines Besitzers. Aber er ist nützlich für die Gene, die den betreffenden Pfau von seinen weniger auffälligen Konkurrenten unterscheiden. Der Schwanz ist Reklame und erkauft sich seinen Platz in der Ökonomie der Natur dadurch, dass er Weibchen anlockt. Das Gleiche gilt für den männlichen Laubenvogel, der Kraft und Zeit in seinen Bau steckt – eine Art äußeren Schwanz aus Gras, Zweigen, bunten Beeren, Blüten und, sofern verfügbar, auch Glasperlen, Nippsachen und Kronkorken. Oder, um ein Beispiel zu nennen, das nichts mit Werbung zu tun hat: Manche Vögel, beispielsweise Eichelhäher, haben die eigenartige Gewohnheit, in Ameisennestern zu baden oder sich die Flügel auf andere Weise mit Ameisen zu besetzen. Welchen Nutzen das für sie hat, weiß niemand genau – vielleicht dient es der Hygiene, weil Parasiten aus dem

Gefieder entfernt werden; es gibt noch mehrere andere Hypothesen, von denen jedoch keine durch eindeutige Befunde belegt wird. Aber solche Unsicherheiten in den Details halten einen Darwinisten nicht davon ab, mit großer Sicherheit zu unterstellen, dass die Ameisenbehandlung »für« irgendetwas gut ist. In diesem Fall dürfte der gesunde Menschenverstand es ähnlich beurteilen, aber in der darwinistischen Logik gibt es für solche Annahmen einen bestimmten Grund: Würden die Vögel es nicht tun, hätten sie statistisch geringere Aussichten auf genetischen Erfolg, auch wenn wir die genaue Art der Schädigung noch nicht kennen. Diese Schlussfolgerung ergibt sich aus zwei Voraussetzungen: Erstens bestraft die natürliche Selektion jede Zeit- und Energieverschwendung, und zweitens beobachtet man regelmäßig, dass die Vögel Zeit und Energie auf das »Ameisenbad« verwenden.

Wenn man dieses »Anpassungsprinzip« in einem Satz zusammenfassen kann, dann so, wie es der angesehene Genetiker Richard Lewontin von der Harvard University – zugegebenermaßen in extremer Form und leicht übertrieben – formulierte: »Das ist der eine Punkt, in dem sich meiner Meinung nach alle Evolutionsforscher einig sind: Es ist praktisch unmöglich, eine Aufgabe besser zu erfüllen als es ein Lebewesen in seiner jeweiligen Umwelt tut.«[81] Hätte das Ameisenbad keinen Nutzen für Überleben und Fortpflanzung, dann hätte die natürliche Selektion schon längst jene Individuen begünstigt, die es unterlassen. Als Darwinist ist man versucht, das Gleiche auch für die Religion anzunehmen; deshalb ist die nachfolgende Erörterung nötig.

Für den Evolutionsforscher sind – mit Dan Dennetts Worten – religiöse Rituale so auffällig »wie ein Pfau auf einer sonnenbeschienenen Lichtung«. Religiöses Verhalten ist bei den Menschen die leicht erkennbare Entsprechung zum Ameisenbad oder dem Bau der Laubenvögel. Es verbraucht Zeit und Energie und ufert oft ebenso aus wie das Gefieder eines Paradiesvogels. Religion kann für das Leben eines einzelnen frommen Menschen, aber auch für andere zur Gefahr werden. Tausende von Menschen hielten an ihrer Religion fest und wurden deshalb gefoltert – verfolgt von Eiferern, die in vielen Fällen einer kaum unterscheidbaren anderen Glaubensrichtung angehörten. Religion frisst Ressourcen, und das manchmal in gewaltigem Umfang. Der Bau einer mittelalterlichen Kathedrale erforderte zehntausend Mannjahre, und doch wurde sie nie als Wohnung oder zu einem anderen erkennbar nützlichen Zweck verwendet. War sie eine Art architektonischer Pfauenschwanz? Und wenn ja, auf wen zielte die Werbung? Geistliche Musik und Heiligenbilder vereinnahmten in Mittelalter und Renaissance nahezu alle Begabungen. Gläubige Menschen starben für ihre Götter, töteten für sie; sie peitschten sich den Rücken blutig, gelobten im Dienste der Religion lebenslangen Zölibat oder einsames Schweigen. Wozu das alles? Welchen Nutzen hat Religion?

Mit »Nutzen« meint der Darwinist in der Regel, dass die Überlebensaussichten für die Gene eines Individuums sich verbessern. Dabei bleibt aber ein wesentlicher Punkt außer Acht: Darwinistischer Nutzen beschränkt sich nicht auf die Gene eines einzelnen Lebewesens, sondern er kann sich auch auf insgesamt drei andere Ziele richten. Eines davon ergibt sich aus der Theorie der Gruppenselektion, auf die ich später noch zurückkommen werde. Das zweite ist eine Folgerung aus der Theorie, die ich in meinem Buch *The Extended Phenotype* (»Der erweiterte Phänotyp«) vertreten habe: Das Individuum, das wir beobachten, ist möglicherweise unter dem manipulativen Einfluss der Gene eines anderen Individuums tätig, beispielsweise eines Parasiten. Dennett erinnert uns daran, dass die gewöhnliche Erkältung unter allen Bevölkerungsgruppen der Menschen ebenso verbreitet ist wie die Religion, und doch werden wir nicht vermuten, dass die Erkältung uns nützt. Man kennt viele Beispiele, in denen Tiere manipuliert werden und sich so verhalten, dass es der Übertragung eines Parasiten auf den nächsten Wirtsorganismus dienlich ist. Ich habe diese Aussage in meinem »zentralen Theorem des erweiterten Phänotyps« zusammengefasst: »Das Verhalten eines Tieres sorgt in der Regel für das bestmögliche Überleben der Gene ›für‹ dieses Verhalten, und zwar unabhängig davon, ob diese Gene zum Körper des Tieres gehören, welches das Verhalten zeigt.«

Drittens kann man den Begriff »Gene« in diesem Theorem auch durch den allgemeineren Begriff »Replikatoren« ersetzen. Da Religion allgemein verbreitet ist, war sie vermutlich für irgendetwas von Nutzen, aber dieses Etwas müssen nicht wir oder unsere Gene gewesen sein. Möglicherweise diente sie nur den religiösen Überzeugungen selbst, die sich demnach als »Replikatoren« ein wenig wie Gene verhielten. Auf diesen Gedanken werde ich unter der Überschrift »Bitte leise treten, Sie trampeln auf meinen Memen herum« zurückkommen. Zunächst möchte ich mich jedoch mit den eher traditionellen Interpretationen des Darwinismus beschäftigen. Danach versteht man unter »Nutzen« den Nutzen für Überleben und Fortpflanzung des Individuums.

Noch heute leben manche Völker als Jäger und Sammler, beispielsweise die Stämme der australischen Ureinwohner (Aborigines), vermutlich in gewisser Hinsicht ähnlich wie unsere entfernten Vorfahren. In ihrem Leben, darauf macht der neuseeländisch-australische Wissenschaftsphilosoph Kim Sterelny aufmerksam, ist ein auffälliger Kontrast zu beobachten. Einerseits können die Aborigines unter Bedingungen, die ihre praktischen Fähigkeiten bis zum Äußersten fordern, hervorragend überleben. Aber, so Sterelny weiter, so intelligent unsere Spezies auch sein mag, es ist eine *perverse* Intelligenz. Die gleichen Völker, die in der Natur so schlau sind und wissen, wie man überlebt, verstopfen sich ihren Geist mit Glaubensüberzeugungen, die spürbar falsch sind und für die das Wort »nutzlos« eine nachsichtige Untertreibung darstellt. Sterelny selbst kennt sich besonders gut bei den Ureinwohnern von Papua-Neuguinea aus. Diese überleben unter harten Bedingungen bei knapper Nahrungsversorgung durch »ihre legendären genauen Kenntnisse ihrer biologischen Umwelt. Doch diese Kenntnisse sind bei ihnen mit besessenen, destruktiven Vorstellungen über Hexerei und die Schmutzigkeit der weiblichen Menstruation verbunden. Viele der lokalen Kulturkreise quälen sich mit Ängsten vor Hexerei und Magie, aber auch mit der Gewalt, die solche Ängste begleitet.« Daraus ergibt sich Sterelnys provozierende Frage, wie Menschen »gleichzeitig so klug und so dumm sein können«.[82]

Die Einzelheiten sind in den verschiedenen Regionen der Erde unterschiedlich, aber in keiner Kultur fehlt irgendeine Form jener zeitaufwendigen, Wohlstand verschlingenden, Feindseligkeiten provozierenden Rituale, jener tatsachenfeindlichen, kontraproduktiven Fantasien der Religion. Manche gebildeten Menschen haben sich von der Religion losgesagt, aber alle sind in einer religiösen Kultur aufgewachsen, und in der Regel mussten sie sich bewusst für die Loslösung entscheiden. Der alte nordirische Scherz »Ja, aber bist du nun ein protestantischer oder ein katholischer Atheist?« birgt eine bittere Wahrheit. Religiöses Verhalten kann man genauso als allgemeinmenschliche Eigenschaft bezeichnen wie das heterosexuelle Verhalten. Beide Verallgemeinerungen lassen individuelle Ausnahmen zu, aber all diese Ausnahmen bestätigen nur allzu gut die Regel, von der sie sich abheben. Und allgemeine Eigenschaften einer Spezies verlangen nach einer darwinistischen Erklärung.

Der darwinistische Vorteil sexuellen Verhaltens liegt natürlich sofort auf der Hand. Es dient dazu, Babys zu produzieren, und das sogar in Fällen, in denen das Prinzip durch Verhütung oder Homosexualität scheinbar außer Kraft gesetzt ist. Aber wie steht es mit dem religiösen Verhalten? Warum fasten die Menschen, warum machen sie Kniefälle, geißeln sich, verbeugen sich in besessenem Rhythmus vor einer Mauer, gehen auf Kreuzzüge oder engagieren sich für andere aufwendige Tätigkeiten, die ein ganzes Leben in Anspruch nehmen und im Extremfall auch sein Ende herbeiführen können?

Unmittelbare Vorteile der Religion

Gewisse Indizien sprechen dafür, dass religiöser Glaube vor stressbedingten Krankheiten schützt. Die Belege sind nicht besonders stichhaltig, aber es wäre nicht verwunderlich, wenn sie stimmen, und zwar aus dem gleichen Grund, aus dem auch Wunderheilungen in manchen Fällen funktionieren. Ich wünschte, ich müsste hier nicht ausdrücklich hinzufügen, dass solche nützlichen Effekte durchaus nicht den Wahrheitsgehalt der Behauptungen der jeweiligen Religion belegen. Denn, wie George Bernard Shaw es formulierte, »die Tatsache, dass ein gläubiger Mensch glücklicher ist als ein Skeptiker, trägt zur Sache nicht mehr bei als die Tatsache, dass ein betrunkener Mensch glücklicher ist als ein nüchterner«.

Zu den Dingen, die ein Arzt dem Patienten vermitteln kann, gehören auch Trost und Beruhigung. Dies sollte man nicht leichterhand abtun. Mein Arzt praktiziert keine buchstäblichen Geistheilungen durch Handauflegen, aber schon mehr als einmal war ich sofort von geringfügigen Beschwerden »geheilt«, als eine ruhige Stimme, die aus einem intelligenten, von einem Stethoskop umrahmten Gesicht kam, auf mich einredete. Der Placeboeffekt ist gut dokumentiert und noch nicht einmal besonders rätselhaft. Pillenattrappen ohne jeden pharmazeutischen Wirkstoff verbessern nachweislich die Gesundheit. Das ist der Grund, warum man Doppelblindversuche mit Placebopräparaten als Kontrolle durchführen muss. Es ist der Grund, warum homöopathische Arzneien zu wirken scheinen, obwohl sie so stark verdünnt sind, dass sie eine ebenso geringe

Wirkstoffkonzentration enthalten wie die Placebokontrolle – nämlich null Moleküle.

Nebenbei bemerkt: Die immer stärkere Einmischung von Anwälten in den ärztlichen Tätigkeitsbereich hatte auch die bedauerliche Nebenwirkung, dass Ärzte sich heute in der normalen Praxis nicht mehr trauen, Placebos zu verschreiben. Oder sie sind durch bürokratische Vorschriften verpflichtet, das Placebo in schriftlichen Aufzeichnungen, zu denen der Patient Zugang hat, zu benennen – was natürlich die beabsichtigte Wirkung vereitelt. Homöopathen haben relativ häufig Erfolg, weil es ihnen im Gegensatz zu den Schulmedizinern immer noch gestattet ist, Placebos zu verabreichen – wenn auch unter einem anderen Namen. Außerdem haben sie mehr Zeit, sich mit dem Patienten zu unterhalten und einfach freundlich zu sein. In der Anfangszeit ihrer langen Geschichte verbesserte sich der Ruf der Homöopathie sogar unabsichtlich dadurch, dass ihre Arzneien keine Wirkung hatten – im Gegensatz zu schulmedizinischen Maßnahmen wie dem Aderlass, die echten Schaden anrichteten.

Ist Religion ein Placebo, das den Stress vermindert und dadurch das Leben verlängert? Möglich wäre es; allerdings muss diese Theorie sich gegen jene Skeptiker behaupten, die darauf hinweisen, dass Religion in vielen Fällen den Stress nicht vermindert, sondern ihn überhaupt erst verursacht. So kann man sich beispielsweise kaum vorstellen, dass die nahezu ständigen Schuldgefühle eines Katholiken, der mit den normalen menschlichen Schwächen und unterdurchschnittlicher Intelligenz ausgestattet ist, der Gesundheit zuträglich sind. Vielleicht ist es unfair, hier die Katholiken herauszugreifen. Die amerikanische Komikerin Cathy Ladman stellte fest: »Alle Religionen sind gleich: Religion, das sind vor allem Schuldgefühle mit unterschiedlichen Feiertagen.« Ohnehin ist die Placebotheorie nach meiner Überzeugung dem gewaltigen, weltweiten Phänomen der Religion nicht angemessen. Dass es Religionen gibt, liegt in meinen Augen nicht daran, dass sie bei unseren Vorfahren den Stress verminderten. Das reicht als Gesamterklärungsmuster nicht aus, eine ergänzende Rolle könnte es allerdings gespielt haben. Religion ist ein umfassendes Phänomen, darum brauchen wir zu ihrer Erklärung auch eine umfassende Theorie.

Andere Theorien lassen die Notwendigkeit einer darwinistischen Erklärung völlig außer Acht. Damit meine ich Vorschläge wie »Religion befriedigt unsere Neugier auf das Universum und unseren Platz darin« oder »Religion ist ein Trost«. Wie wir in Kapitel 10 genauer erfahren werden, liegt in beiden Aussagen wahrscheinlich eine gewisse psychologische Wahrheit, aber für sich genommen sind es keine darwinistischen Erklärungen. Zur Theorie, Religion sei Trost, bemerkt Steven Pinker in seinem Buch *How the Mind Works (Wie das Denken im Kopf entsteht)* zutreffend:

Dann [stellt sich] die Frage [...], *warum* sich ein Gehirn dahin entwickeln sollte, in Überzeugungen Trost zu finden, die es eindeutig als falsch erkennen kann. Ein frierender Mensch findet keinen Trost in dem Glauben, dass ihm warm sei; ein Mensch, der sich einem Löwen gegenübersieht, lässt sich nicht von dem Glauben beruhigen, dass es sich um ein Kaninchen handele.[83]

Zumindest muss man die Tröstungstheorie in einen darwinistischen Rahmen übertragen, und das ist schwieriger, als man meinen könnte. Psychologische Begründungen in dem Sinn, dass die Menschen eine Überzeugung angenehm oder unangenehm finden, sind vordergründig und keine letztgültigen Erklärungen.

Dieser Unterschied zwischen vordergründigen und letztgültigen Erklärungen ist für Darwinisten sehr wichtig. Die naheliegende Erklärung dafür, dass im Zylinder eines Verbrennungsmotors eine Explosion stattfindet, ist der Zündfunke. Die letztgültige Erklärung hat mit dem Zweck zu tun, den die Explosion erfüllen soll: Sie soll einen Kolben aus dem Zylinder drücken und damit die Kurbelwelle in Drehung versetzen. Die naheliegende Ursache der Religion ist vielleicht die übermäßige Aktivität irgendeines Gehirnareals. Die neurologische Idee eines »Gotteszentrums« im Gehirn werde ich hier nicht weiter verfolgen, denn es geht mir nicht um vordergründige Erklärungen, ohne dass ich diese damit kleinreden wollte. Eine prägnante Erörterung des Themas findet sich zum Beispiel in Michael Shermers Buch *How We Believe: The Search for God in an Age of Science* (»Wie wir glauben: Die Suche nach Gott im Zeitalter der Wissenschaft«); dort wird auch eine Vermutung von Michael Persinger und anderen erwähnt, wonach visionäre religiöse Erlebnisse mit einer Schläfenlappenepilepsie zusammenhängen.

Im vorliegenden Kapitel dagegen geht es mir um *letztgültige* darwinistische Erklärungen. Wenn die Neurowissenschaftler im Gehirn tatsächlich ein »Gotteszentrum« finden, werden die darwinistischen Evolutionsforscher immer noch klären wollen, durch welchen Selektionsdruck es begünstigt wurde. Warum konnten diejenigen unter unseren Vorfahren, die eine genetische Disposition zur Entwicklung eines Gotteszentrums hatten, besser überleben und mehr Enkel haben als ihre Konkurrenten, die keine solche Neigung besaßen? Die darwinistische Frage nach den letzten Gründen ist nicht besser, nicht tiefgreifender und nicht wissenschaftlicher als die naheliegende Frage der Neurowissenschaft. Aber es ist die Frage, die ich hier erörtern möchte.

Auch mit politischen Erklärungen wie »Religion ist das Mittel, mit dem die herrschende Klasse die Unterschicht unterdrückt« geben Darwinisten sich nicht zufrieden. Sicher, die schwarzen Sklaven in Amerika wurden mit der Aussicht auf ein besseres Jenseits vertröstet, was ihre Unzufriedenheit milderte und ihren Besitzern nützte. Die Frage, ob Religionen gezielt von zynischen Priestern oder Herrschern konstruiert werden, ist interessant und sollte von Historikern genauer untersucht werden. Aber auch dies ist für sich betrachtet keine darwinistische Frage. Auch hier will der Darwinist wissen, warum die Menschen *anfällig* für die Verlockungen der Religion sind und sich so der Ausbeutung durch Priester, Politiker und Könige aussetzen.

Ein zynischer Herrscher könnte auch die sexuelle Lust als Mittel der politischen Macht einsetzen, aber dann brauchen wir ebenfalls eine darwinistische Erklärung dafür, warum es funktioniert. Im Fall der sexuellen Lust ist die Antwort einfach: Unser Gehirn ist so eingerichtet, dass Sex uns Spaß macht, weil Sex im Naturzustand der Produktion von Nachkommen dient. Ein politischer Herrscher kann seine Ziele auch mit Folter durchsetzen. Wiederum muss der Darwinist einen Grund dafür benennen, warum Folter ihren Zweck erreicht – warum wir also fast alles dafür tun, heftige Schmerzen zu vermeiden. Auch hier erscheint die Antwort beinahe banal, aber der Darwinist muss sie dennoch formulieren: Die natürliche Selektion hat Schmerzen zu einem Zeichen für lebensbedrohliche körperliche Schäden gemacht und uns darauf programmiert, sie zu vermeiden. Die wenigen Menschen, die keine Schmerzen empfinden oder sich nicht darum kümmern, sterben in der Regel schon in jungen Jahren an Verletzungen, denen wir anderen aktiv aus dem Weg gegangen wären. Aber was ist die Ursache für die Lust auf Götter? Ob sie nun zynisch ausgenutzt wird oder sich von selbst manifestiert – wie lautet die letztgültige Erklärung dafür?

Gruppenselektion

Manche angeblich letztgültigen Erklärungen erweisen sich als Theorien der »Gruppenselektion« oder wurden sogar ausdrücklich als solche bezeichnet. Unter Gruppenselektion versteht man die umstrittene Vorstellung, dass die darwinistische Selektion zwischen biologischen Arten oder anderen *Gruppen* von Individuen unterscheidet. Der Archäologe Colin Renfrew aus Cambridge äußerte die Vermutung, das Christentum habe durch eine Art Gruppenselektion überlebt, weil es Loyalität und brüderliche Liebe innerhalb der Gruppe förderte, was es den religiösen Gruppen erleichterte, auf Kosten nichtreligiöser Gruppen zu überleben. D. S. Wilson, der amerikanische Apostel der Gruppenselektion, entwickelte unabhängig davon in seinem Buch *Darwin's Cathedral: Evolution, Religion and the Nature of Society* (»Darwins Kathedrale: Evolution, Religion und das Wesen der Gesellschaft«) eine ausführlichere, im Wesentlichen aber ähnliche Vorstellung.

Wie eine solche Gruppenselektionstheorie für die Religion aussehen könnte, möchte ich an einem erfundenen Beispiel deutlich machen. Ein Stamm mit einem rührigen, streitsüchtigen »Kriegsgott« gewinnt Konflikte mit Nachbarstämmen, deren Götter Frieden und Harmonie verlangen, und auch mit Stämmen, die überhaupt keine Götter haben. Krieger, die unbeirrbar daran glauben, dass sie nach einem Märtyrertod sofort ins Paradies kommen, kämpfen tapfer und geben bereitwillig ihr Leben. Stämme mit einer solchen Religion überleben in den Stammeskriegen also eher, stehlen den unterworfenen Stämmen das Vieh und nehmen sich deren Frauen als Konkubinen. Solche erfolgreichen Stämme bringen zahlreiche Tochterstämme hervor, die abwandern und wiederum Tochterstämme produzieren, wobei alle den gleichen Stammesgott anbeten. Die Vorstellung, dass Gruppen Tochtergruppen hervorbringen wie ein Bienenvolk, von dem sich Schwärme abspalten, ist übrigens durchaus plausibel. Eine solche Aufspaltung von Dörfern dokumentierte beispielsweise der Anthropologe Napoleon Chagnon in seiner berühmten Untersuchung über die »wilden Menschen«, die Yanomamö im südamerikanischen Regenwald.[84]

Chagnon ist kein Anhänger der Gruppenselektion, und ich bin es auch nicht. Es gibt stichhaltige Einwände dagegen. Da ich in der Kontroverse parteiisch bin, muss ich mich davor hüten, hier mein Steckenpferd zu reiten und mich zu weit vom Thema des Buches zu entfernen. Manche Biologen lassen jedoch erkennen, dass sie die echte Gruppenselektion wie in meinem hypothetischen Beispiel des Kriegsgottes mit etwas anderem verwechseln, das sie ebenfalls als Gruppenselektion bezeichnen, das sich aber bei näherem Hinsehen entweder als Verwandtenselektion oder als wechselseitiger Altruismus entpuppt (siehe Kapitel 6).

Auch diejenigen, die wie ich die Gruppenselektion nicht für besonders wichtig halten, räumen jedoch ein, dass sie prinzipiell ablaufen kann. Die Frage ist nur, ob sie nennenswerten Einfluss auf die Evolution gewonnen hat. Stellt man sie als Alternative neben die Selektion auf niedrigerem Niveau – beispielsweise wenn die Gruppenselektion als Erklärung für individuelle Selbstaufopferung genannt wird –, ist die Selektion auf niedrigerer Ebene wahrscheinlich stärker. Stellen wir uns nur einmal vor, in der Armee unseres hypothetischen Stammes gäbe es unter den vielen ehrgeizigen Märtyrern, die für den Stamm sterben und sich eine himmlische Belohnung sichern wollen, einen einzigen egoistischen Soldaten. Die Wahrscheinlichkeit, dass er auf der Seite der Sieger ist, obwohl er sich im Kampf zurückhält und so seine eigene Haut rettet, ist nur unwesentlich geringer. Dann nützt ihm das Märtyrertum seiner Kameraden mehr, als es der ganzen Gruppe im Durchschnitt nützt, denn alle anderen sind am Ende tot. Er wird sich besser fortpflanzen als die anderen, und die Gene für die Ablehnung des Märtyrertums gelangen in größerer Zahl in die nächste Generation. Deshalb nimmt die Neigung zum Märtyrertod in den späteren Generationen immer weiter ab.

Das Beispiel ist stark vereinfacht, aber es macht ein hartnäckiges Problem der Gruppenselektion deutlich. Theorien der Gruppenselektion durch individuelle Selbstaufopferung sind immer anfällig für die Zersetzung von innen. Fortpflanzung und Tod der Individuen spielen sich schneller und häufiger ab als das Aussterben oder die Aufspaltung von Gruppen. In mathematischen Modellen kann man besondere Bedingungen konstruieren, unter denen die Gruppenselektion eine wichtige Evolutionskraft ist. Im Hinblick auf die Natur sind diese besonderen Bedingungen meistens unrealistisch, aber man kann die Ansicht vertreten, dass die Religionen in den Stammesgruppen der Menschen genau diese ansonsten unrealistischen Bedingungen begünstigen. Das ist eine interessante Denkrichtung, die ich hier aber nicht weiter verfolgen möchte; allerdings muss ich einräumen, dass Darwin selbst, ansonsten ein standhafter Verfechter der Selektion auf der Ebene des einzelnen Lebewesens, der Gruppenselektion in einer Beschreibung von Menschenstämmen sehr nahe kam:

Kamen zwei Stämme des Urmenschen, welche in demselben Lande wohnten, miteinander in Konkurrenz, so wird, wenn der eine Stamm bei völliger Gleichheit aller übrigen Umstände eine größere Zahl mutiger, sympathischer und treuer Glieder umfasste, welche stets bereit waren, einander vor Gefahr zu warnen, einander zu helfen und zu verteidigen, dieser Stamm ohne Zweifel am besten gediehen sein und den anderen besiegt haben. [...] Selbstsüchtige und streitsüchtige Leute werden nicht zusammenhalten, und ohne Zusammenhalten kann nichts ausgerichtet werden. Ein Stamm, welcher die oben genannte Eigenschaft in hohem Grade besitzt, wird sich verbreiten und anderen Stämmen gegenüber siegreich sein; aber im Laufe der Zeit wird, nach dem Zeugnis der ganzen vergangenen Geschichte, auch er an seinem Teil von irgendeinem andern und noch höher begabten Stamme überflügelt werden.[85]

Um die Spezialisten unter den Biologen zufrieden zu stellen, die diesen Abschnitt vielleicht lesen, sollte ich noch etwas hinzufügen: Streng genommen dachte Darwin hier nicht an Gruppenselektion im engeren Sinn, wonach erfolgreiche Gruppen irgendwann Tochtergruppen hervorbringen, deren Häufigkeit man in der Metapopulation der Gruppen quantitativ erfassen könnte. Darwin stellte sich vielmehr Stämme mit altruistischen, kooperativen Mitgliedern vor, die sich ausbreiteten und als Individuen zahlreicher wurden. Sein Modell ähnelt eher der Ausbreitung der Grauhörnchen in Großbritannien auf Kosten der Eichhörnchen: Es handelt sich nicht um echte Gruppenselektion, sondern um ökologische Verdrängung.

Religion als Nebenprodukt von etwas anderem

Wie dem auch sei, ich möchte die Gruppenselektion jetzt beiseite lassen und mein eigene Ansicht über den darwinistischen Überlebenswert der Religion darlegen. Ich gehöre zu der wachsenden Zahl von Biologen, die in der Religion ein *Nebenprodukt* von etwas anderem sehen. Allgemeiner gesagt, bin ich überzeugt, dass wir »in Nebenprodukten denken müssen«, wenn wir Vermutungen über darwinistische Überlebensvorteile anstellen. Wenn wir nach dem Überlebenswert vor irgendetwas fragen, haben wir unser Anliegen vielleicht schon falsch formuliert. Wir müssen die Frage in eine nützliche neue Form bringen. Vielleicht hat das Merkmal, für das wir uns interessieren (in diesem Fall die Religion), selbst keinen unmittelbaren Überlebenswert, sondern es ist ein Nebenprodukt von etwas anderem, das einen solchen Wert besitzt. Nach meiner Überzeugung ist es hilfreich, wenn ich den Gedanken an Nebenprodukte an einem Beispiel aus meinem eigenen Fachgebiet verdeutliche: der Verhaltensforschung.

Motten fliegen in eine Kerzenflamme, und wenn man sie

dabei beobachtet, sieht es nicht nach einem Unfall aus. Sie machen extra einen Umweg, um sich selbst als Brandopfer darzubringen. Wir könnten von »Selbstvernichtungsverhalten« sprechen und uns angesichts dieses provokativen Namens fragen, wie die natürliche Selektion so etwas begünstigen konnte. Mir geht es darum, dass wir zunächst die Frage anders formulieren müssen, bevor wir überhaupt anfangen können, nach einer intelligenten Antwort zu suchen. Selbstmord ist es nicht. Der scheinbare Selbstmord ist eine unerwünschte Nebenwirkung oder ein Nebenprodukt von etwas anderem. Aber wovon? Nun ja, ich möchte eine Möglichkeit nennen, die meine Aussage gut verdeutlicht.

Künstliches Licht ist auf der Bühne der Nacht eine relativ neue Erscheinung. Bis vor nicht allzu langer Zeit waren Mond und Sterne nachts die einzigen Lichter. Sie sind unter optischen Gesichtspunkten unendlich weit entfernt, das heißt, ihre Lichtstrahlen fallen parallel ein. Deshalb eignen sie sich zur Orientierung. Insekten nutzen bekanntermaßen Himmelskörper wie Sonne und Mond, um genau in gerader Linie ihre Richtung einzuhalten, und mit dem gleichen Kompass finden sie unter umgekehrten Vorzeichen auch nach der Nahrungssuche wieder nach Hause. Das Nervensystem der Insekten ist darauf ausgelegt, vorübergehend eine Faustregel nach folgendem Schema aufzustellen: »Steuere einen Kurs, bei dem die Lichtstrahlen deine Augen in einem Winkel von 30 Grad treffen.« Da die Insekten Komplexaugen besitzen, in denen gerade Röhren oder Lichtleiter vom Mittelpunkt des Auges ausgehen wie die Stacheln eines Igels, ergibt sich daraus in der Praxis ganz einfach, dass das Licht immer in einem bestimmten Einzelauge (Ommatidium) festgehalten wird.

Aber der Lichtkompass beruht auf der entscheidenden Voraussetzung, dass der Himmelskörper sich in der optischen Unendlichkeit befindet. Ist das nicht der Fall, sind die Strahlen nicht parallel, sondern sie streben auseinander wie die Speichen eines Rades. Ein Nervensystem, das der Faustregel zufolge einen Winkel von 30 Grad (oder jeden anderen spitzen Winkel) zu einer in der Nähe befindlichen Kerze einhält, als wäre sie der unendlich weit entfernte Mond, steuert die Motte auf einer spiralförmigen Bahn in die Flamme. Man kann es sich aufzeichnen; setzt man dabei einen spitzen Winkel wie 30 Grad voraus, ergibt sich eine elegante logarithmische Spirale, die in die Flamme führt.

In diesem speziellen Fall hat die Faustregel für die Motte also tödliche Folgen, aber im Durchschnitt ist sie dennoch nützlich, denn der Anblick einer Kerze ist für Motten im Vergleich zum Anblick des Mondes selten. Die vielen hundert Motten, die sich in aller Stille und sehr effizient am Mond, einem hellen Stern oder auch dem entfernten Lichtkegel einer Großstadt orientieren, bemerken wir nicht. Wie sehen nur die Motte, die in unsere Kerze torkelt, und stellen die falsche Frage: Warum begehen alle diese Motten Selbstmord? Stattdessen sollten wir uns dafür interessieren, warum sie ein Nervensystem haben, das die Richtung angibt, indem es einen festen Winkel zu Lichtstrahlen einhält – eine Methode, die uns nur dann auffällt, wenn sie schiefgeht. Formuliert man die Frage anders, löst sich das Rätsel in Wohlgefallen auf. Es war nie berechtigt, von Selbstmord zu sprechen. Wir haben es mit einem danebengegangenen Nebeneffekt eines normalerweise nützlichen Kompasses zu tun.

Wenden wir nun dieses Prinzip des Nebenprodukts auf das religiöse Verhalten der Menschen an. Wir beobachten, dass eine große Zahl von Menschen – in vielen Regionen sogar 100 Prozent – religiöse Überzeugungen hat, die nachgewiesenen wissenschaftlichen Tatsachen und auch den konkurrierenden Religionen anderer Menschen krass widersprechen. Die Menschen hegen solche Überzeugungen nicht nur mit leidenschaftlichem Selbstbewusstsein, sondern sie verwenden auch Zeit und Ressourcen auf aufwendige Tätigkeiten, die aus diesen

Überzeugungen erwachsen. Sie sterben dafür oder töten dafür. Darüber staunen wir genauso wie über das »Selbstmordverhalten« der Motten. Verblüfft fragen wir nach dem Warum. Mir geht es darum zu zeigen, dass wir auch hier die falsche Frage stellen. Das religiöse Verhalten könnte eine Fehlfunktion sein, ein unglückseliges Nebenprodukt einer grundlegenden psychologischen Neigung, die unter anderen Umständen nützlich sein kann oder früher einmal nützlich war. Die Neigung, die bei unseren Vorfahren von der natürlichen Selektion begünstigt wurde, war demnach nicht die Religion als solche, sondern sie hatte einen anderen Nutzeffekt, der sich nur nebenher zufällig als religiöses Verhalten manifestiert. Wir werden das religiöse Verhalten erst dann verstehen, wenn wir ihm einen anderen Namen gegeben haben.

Wenn Religion also das Nebenprodukt von etwas anderem ist, was ist dann dieses andere? Was ist die Entsprechung zur Gewohnheit der Motten, sich anhand der Himmelskörper zu orientieren? Wie sieht das primitiv-vorteilhafte Merkmal aus, das manchmal falsch funktioniert und dann die Religion entstehen lässt? Ich werde *einen* Vorschlag genauer ausführen, aber ich muss darauf hinweisen, dass es sich nur um ein Beispiel handelt: Diese *Art* von Dingen meine ich, und ich werde auch auf Parallelvorschläge anderer Autoren zu sprechen kommen. Mir geht es weniger um eine ganz bestimmte Einzelantwort als vielmehr um das allgemeine Prinzip, dass man die Frage richtig stellen und im Bedarfsfall neu formulieren muss.

Meine eigene Hypothese hat mit Kindern zu tun. Mehr als jede andere Spezies nutzen wir zum Überleben die Erfahrungen früherer Generationen, und diese Erfahrungen müssen wir an die Kinder weitergeben, um für ihren Schutz und ihr Wohlergehen zu sorgen. Theoretisch könnten Kinder durch eigene Erfahrungen lernen, nicht zu nahe an den Rand einer Felsklippe zu gehen, nicht unbesehen rote Beeren zu essen oder nicht in einem Gewässer voller Krokodile zu schwimmen. Aber für ein Kindergehirn bedeutet es, gelinde gesagt, einen Selektionsvorteil, wenn es die Faustregel erlernt: »Glaube alles, was die Erwachsenen dir sagen, ohne weiter nachzufragen. Gehorche deinen Eltern; gehorche den Stammesältesten, insbesondere wenn sie in feierlichem, bedrohlichem Ton zu dir sprechen. Vertraue den Älteren, ohne Fragen zu stellen.« Das ist für ein Kind in der Regel ein sehr nützlicher Grundsatz. Aber wie bei den Motten kann auch hier etwas schiefgehen.

Ich habe nie eine beängstigende Predigt vergessen, die in der Kapelle meiner Schule gehalten wurde, als ich ein kleiner Junge war. Beängstigend war sie aus heutiger Sicht – damals nahm mein Kindergehirn sie so hin, wie der Prediger es beabsichtigte. Er erzählte uns eine Geschichte über einen Trupp Soldaten, die neben einer Eisenbahnlinie eine Übung abhielten. Der Vorgesetzte war in einem entscheidenden Augenblick abgelenkt und versäumte es, den Befehl zum Stehenbleiben zu geben. Die Soldaten waren so darauf gedrillt, Befehle ohne Nachfragen zu befolgen, dass sie immer weiter dem näher kommenden Zug entgegenmarschierten. Heute glaube ich die Geschichte natürlich nicht mehr, und ich hoffe, der Prediger glaubte sie auch nicht. Aber als ich neun war, hielt ich sie für wahr, weil ich sie von einer erwachsenen Autoritätsperson gehört hatte. Und ob der Geistliche sie glaubte oder nicht, in jedem Fall wollte er, dass wir Kinder uns die Soldaten zum Vorbild nahmen, die noch den absurdesten Befehl sklavisch und unhinterfragt befolgten, wenn er von einem Vorgesetzten kam. Soweit ich mich erinnere, bewunderten wir sie tatsächlich.

Als Erwachsener kann ich mir kaum noch vorstellen, dass mein kindliches Ich sich tatsächlich fragte, ob ich den Mut aufbringen würde, meine Pflicht zu tun und mich vom Zug überfahren zu lassen. Aber genau so habe ich meine Gefühle in Erinnerung, was immer das bedeuten mag. Die Predigt hinterließ bei mir offensichtlich einen tiefen Eindruck, denn ich habe sie noch heute im Gedächtnis und kann darüber berichten.

Der Fairness halber muss ich hinzufügen: Ich glaube, der Prediger wollte uns mit seiner Geschichte keine religiöse Botschaft vermitteln. Sie war wohl weniger religiös und eher militaristisch, ganz im Geist von Tennysons Gedicht »Charge of the Light Brigade« (1854), das er durchaus hätte zitieren können:

>»Forward, the Light Brigade!«
>Was there a man dismayed?
>Not though the soldier knew
>Someone had blundered:
>Their's not to make reply,
>Their's not to reason why,
>Their's but to do and die:
>Into the valley of Death
>Rode the six hundred.

>[»Vorwärts, leichte Brigade!«
>War ein Einziger entsetzt?
>Nein, obwohl die Soldaten,
>Wussten, man hatt' einen Fehler gemacht.
>Es ist nicht an ihnen, zu widersprechen,
>Es ist nicht an ihnen, sich den Kopf zu zerbrechen,
>An ihnen ist nur, zu kämpfen und zu sterben.
>So ritten sie denn ins Tal des Todes,
>Sechshundert Mann mit den Pferden.]

(In einer der ältesten und kratzigsten Tonaufnahmen einer menschlichen Stimme liest Lord Tennyson selbst dieses Gedicht; der Eindruck, dass er dabei in einen langen, dunklen, aus den Tiefen der Vergangenheit aufsteigenden Tunnel spricht, erscheint auf gespenstische Weise angemessen.) Aus der Sicht des Oberkommandos wäre es vollkommen töricht, wenn man jedem einzelnen Soldaten gestatten würde, selbst zu entscheiden, ob er Befehle befolgt oder nicht. Staaten, deren Infanteristen nicht gehorchen, sondern aus Eigeninitiative handeln, werden ihre Kriege in der Regel verlieren. Aus Sicht der Staaten ist dies also nach wie vor ein gutes allgemeines Prinzip, auch wenn es im Einzelfall manchmal in die Katastrophe führt. Soldaten sind darauf gedrillt, so weit wie möglich zu Automaten oder Computern zu werden.

Ein Computer tut, was man ihm befiehlt. Er gehorcht sklavisch den Anweisungen, die ihm in seiner eigenen Programmiersprache erteilt werden. Deshalb kann er nützliche Tätigkeiten wie Textverarbeitung und Tabellenkalkulation ausführen. Aber das hat zwangsläufig einen Nebeneffekt: Er befolgt ebenso roboterhaft auch schlechte Anweisungen. Ob ein Befehl gute oder schlechte Auswirkungen haben wird, kann er nicht unterscheiden. Er gehorcht ganz einfach, genau wie Soldaten es tun sollen. Computer sind wegen ihres Kadavergehorsams nützlich, aber genau dieser Gehorsam macht sie zwangsläufig auch anfällig für Infektionen durch Softwareviren und -würmer. Ein in böser Absicht geschriebenes Programm, das dem Computer sagt: »Kopiere mich und schicke mich an jede Adresse, die du auf der Festplatte findest«, wird einfach ausgeführt, und die Ausführung wiederholt sich in exponentieller Vervielfachung auf den nächsten Computern, an die das Programm geschickt wird. Die Konstruktion eines Computers, der gehorsam, nützlich und gleichzeitig immun gegen Viren ist, ist schwierig oder gar unmöglich.

Wenn ich gute Vorarbeit geleistet habe, sollte meine Argumentation über Kindergehirn und Religion jetzt bereits klar sein. Die natürliche Selektion stattet das Gehirn eines Kindes mit der Neigung aus, den Eltern oder Stammesältesten alles zu glauben, was sie erzählen. Ein solcher vertrauensvoller Gehorsam dient wie bei der Motte, die sich am Mond orientiert, dem

Überleben. Aber die Kehrseite des vertrauensvollen Gehorsams ist sklavische Leichtgläubigkeit. Das unvermeidliche Nebenprodukt ist die Anfälligkeit für Infektionen mit geistigen Viren. Aus stichhaltigen Gründen, die mit dem darwinistischen Überleben zu tun haben, muss das Kindergehirn den Eltern vertrauen und ebenso auch anderen älteren Menschen, die von den Eltern als vertrauenswürdig bezeichnet werden. Dies hat automatisch zur Folge, dass der Mensch, der vertraut, nicht zwischen guten und schlechten Ratschlägen unterscheiden kann. Das Kind kann nicht wissen, dass »Plansch nicht in einem Teich voller Krokodile« ein guter Ratschlag ist, während »Du sollst bei Vollmond eine Ziege opfern, sonst bleibt der Regen aus« im besten Fall eine Vergeudung von Zeit und Ziegen darstellt.

Beide Ratschläge klingen gleichermaßen vertrauenswürdig. Beide stammen aus einer angesehenen Quelle und werden mit feierlichem Ernst vorgetragen, der Respekt gebietet und Gehorsam fordert. Das Gleiche gilt für alle Aussagen über die Welt, den Kosmos, unsere Moral und das Wesen der Menschen. Wenn das Kind dann erwachsen wird und selbst wieder Kinder hat, wird es aller Wahrscheinlichkeit nach wie selbstverständlich das Ganze – Sinnvolles und Unsinn – wieder auf die gleiche ansteckende, gewichtige Weise an den eigenen Nachwuchs weitergeben.

Nach dieser Vorstellung würden wir damit rechnen, dass in den einzelnen geografischen Regionen ganz unterschiedliche willkürliche Überzeugungen tradiert werden, die alle keine Grundlage in den Tatsachen haben, aber mit der gleichen Überzeugung für traditionelle Weisheiten gehalten werden wie der Glaube, dass Jauche gut für die Feldpflanzen ist. Man sollte also erwarten, dass Aberglaube und andere nicht tatsachengebundene Überzeugungen sich lokal weiterentwickeln und im Laufe der Generationen verändern; das geschieht entweder durch zufällige Verschiebungen oder durch eine Art Entsprechung zur darwinistischen Evolution, sodass sich schließlich ein Muster mit einem gemeinsamen Ausgangspunkt und einer deutlichen späteren Auseinanderentwicklung zeigt. Sprachen, die einen gemeinsamen Vorfahren haben, entwickeln sich bei einer ausreichend langfristigen geografischen Trennung auseinander (auf diesen Punkt werde ich in Kürze zurückkommen). Das Gleiche gilt offenbar auch für unbegründete, willkürliche Überzeugungen und Vorschriften, die von Generation zu Generation weitergegeben werden – Überzeugungen, die vielleicht durch die nützliche Programmierbarkeit des Kindergehirns begünstigt wurden.

Religionsführer wissen genau, wie anfällig Kindergehirne sind und wie wichtig es ist, dass die Indoktrination frühzeitig stattfindet. Die Prahlerei der Jesuiten »Gib mir das Kind während seiner ersten sieben Jahre, dann gebe ich dir den Mann zurück« ist zwar abgedroschen, aber deshalb nicht weniger wahr (und bedrohlich). In jüngerer Zeit ist James Dobson, der Gründer der berüchtigten Bewegung »Focus on Family«,* mit dem Prinzip genauso vertraut: »Wer darüber bestimmt, was junge Menschen lernen und erleben – was sie sehen, denken und glauben –, der bestimmt die Zukunft der Nation.«[86]

Aber wie gesagt, meine Vermutung über die nützliche Leichtgläubigkeit des kindlichen Geistes ist nur ein Beispiel dafür, wo Entsprechungen zur Orientierung der Motte an den Sternen zu suchen wären. Unabhängig davon vertreten der Verhaltensforscher Robert Hinde in *Why Gods Persist* (»Warum die Götter so hartnäckig sind«) sowie die Anthropologen Pascal Boyer in *Religion Explained (Und Mensch schuf Gott)* und Scott Atran in *In Gods We Trust* (»Wir vertrauen auf Götter«)

---

* Ich war belustigt, als ich auf einem Autoaufkleber in Colorado den Spruch »Focus on your own damn Family« las, aber heute kommt er mir nicht mehr so lustig vor. Vielleicht müssten manche Kinder vor der Indoktrination durch die eigenen Eltern geschützt werden (siehe Kapitel 9).

allgemein den Gedanken, Religion sei ein Nebenprodukt normaler psychologischer Neigungen – ich sollte vielleicht besser sagen: *viele* Nebenprodukte, denn vor allem die Anthropologen sind sehr darauf bedacht, die Unterschiede zwischen den Religionen der Welt herauszustellen, nicht nur die Gemeinsamkeiten. Die Befunde der Anthropologen erscheinen uns nur deshalb so seltsam, weil sie uns nicht vertraut sind. Alle religiösen Überzeugungen kommen denen, die nicht mit ihnen aufgewachsen sind, seltsam vor. Pascal Boyer erforschte das Volk der Fang in Kamerun. Dort ...

wird erzählt, Zauberer hätten ein tierähnliches inneres Zusatzorgan, das nachts davonfliegt und anderer Leute Ernten zerstört oder ihr Blut vergiftet. Ferner heißt es, von Zeit zu Zeit würden sich diese Zauberer zu einem gigantischen Festmahl versammeln, bei dem sie ihre Opfer verzehren und künftige Angriffe planen. Von vielen Fang hört man auch, der Freund eines Freundes habe nachts selbst gesehen, wie die Zauberer über das Dorf hinwegflogen; dabei hätten sie auf einem Bananenblatt gesessen oder auch Zauberpfeile auf ahnungslose Opfer abgeschossen.

Dann fährt Boyer mit einer Anekdote aus seinem eigenen Leben fort:

Als ich diese und andere Merkwürdigkeiten beim Essen in einem Cambridger College erzählte, drehte sich einer unserer Gäste, ein bekannter katholischer Theologe, zu mir um und sagte: »Genau das macht die Ethnologie so faszinierend und zugleich so schwierig. Sie muss erklären, *wie Menschen an solch einen Unsinn glauben können.*« Ich war sprachlos. Bevor mir noch die richtige Erwiderung einfiel, die den Nagel auf den Kopf getroffen hätte, wurde bereits über anderes geredet.[87]

Geht man davon aus, dass besagter Theologe der Hauptrichtung der Theologie angehörte, so glaubte er wahrscheinlich an irgendeine Kombination folgender Aussagen:

- Zur Zeit unserer Vorfahren wurde ein Mann als Sohn einer Frau geboren, die Jungfrau war; ein biologischer Vater war daran nicht beteiligt.
- Derselbe vaterlose Mann sprach zu einem Freund namens Lazarus, der schon so lange tot war, dass er stank, und Lazarus erwachte sofort wieder zum Leben.
- Der vaterlose Mann selbst wurde wieder lebendig, nachdem er tot und seit drei Tagen begraben war.
- Vierzig Tage später stieg der vaterlose Mann auf einen Berg und verschwand dann mit seinem ganzen Körper im Himmel.
- Wenn man sich private Gedanken durch den Kopf gehen lässt, kann der vaterlose Mann (und auch sein »Vater«, der er selbst ist) die Gedanken hören und möglicherweise daraufhin etwas unternehmen. Gleichzeitig hört er auch die Gedanken aller anderen Menschen auf der Welt.
- Wenn man etwas Schlechtes oder etwas Gutes tut, kann der vaterlose Mann es sehen, auch wenn es sonst niemand sieht. Entsprechend werden wir belohnt oder bestraft, zum Teil auch nach unserem Tod.
- Die jungfräuliche Mutter des vaterlosen Mannes ist nicht gestorben, sondern wurde körperlich in den Himmel »aufgenommen«.
- Wenn Brot und Wein von einem Priester (der aber Hoden haben muss) gesegnet werden, »verwandeln« sie sich in Fleisch und Blut des vaterlosen Mannes.

Was würde wohl ein unvoreingenommener Anthropologe, der noch nie etwas von diesen Überzeugungen gehört hätte und zur Feldforschung nach Cambridge käme, davon halten?

Psychologisch für Religion disponiert

Die Idee von den psychologischen Nebenprodukten ergibt sich ganz natürlich aus dem wichtigen, in schneller Entwicklung befindlichen Wissenschaftsgebiet der Evolutionspsychologie.[88] Ihre Grundaussage lautet: Genau wie das Auge, das sich in der Evolution zu einem Sehorgan entwickelt hat, und der Flügel, dessen Evolution zur Flugfähigkeit führte, so ist auch das Gehirn eine Ansammlung von Organen (oder »Modulen«) zur Ausführung spezialisierter Datenverarbeitungsaufgaben. Ein Modul regelt den Umgang mit Verwandten, ein anderes den zwischenmenschlichen Austausch, ein drittes das Einfühlungsvermögen, und so weiter. Religion entsteht nach dieser Vorstellung durch Fehlfunktionen einzelner Module, beispielsweise jener, die Theorien über den Geist anderer Menschen aufstellen, Koalitionen bilden oder zugunsten der eigenen Gruppenangehörigen gegen Fremde entscheiden. Jedes derartige Modul könnte beim Menschen die Entsprechung zur Orientierung der Motten an den Himmelskörpern sein und wäre demnach für Fehlfunktionen ebenso anfällig, wie ich es für die kindliche Leichtgläubigkeit beschrieben habe. Der an der Yale University lehrende Psychologe Paul Bloom, auch er ein Vertreter der Vorstellung von »Religion als Nebenprodukt«, weist auf die natürliche Neigung der Kinder zu einer *dualistischen* Theorie des Geistes hin.[89] Religion ist in seinen Augen ein Nebenprodukt eines solchen instinktiven Dualismus. Wir Menschen und insbesondere die Kinder sind nach dieser Vorstellung von Natur aus geborene Dualisten.

Der Dualist geht davon aus, dass zwischen Materie und Geist ein grundlegender Unterschied besteht. Ein Monist dagegen glaubt, dass Geist eine Ausdrucksform der Materie ist, Material in einem Gehirn oder einem Computer, das ohne Materie nicht existieren kann. Der Dualist hält den Geist oder die Seele für eine Art körperloses Gebilde, das den Körper be-

wohnt; deshalb kann er sich auch vorstellen, dass dieses Gebilde den Körper verlässt und dann irgendwo anders existiert. Dualisten interpretieren geistige Krankheiten bereitwillig als »Teufelsbesessenheit« – die Teufel sind dann Geister, die sich des Körpers vorübergehend bemächtigt haben und »ausgetrieben« werden können. Ebenso personifizieren Dualisten bei der kleinsten Gelegenheit unbelebte Gegenstände und sehen sogar in Wasserfällen oder Wolken Geister und Dämonen.

Der 1882 erschienene Roman *Vice Versa* von F. Anstey* erscheint einem Dualisten durchaus sinnvoll, sollte aber für einen eingefleischten Monisten wie mich eigentlich unverständlich sein. Mr. Bultitude und sein Sohn finden auf rätselhafte Weise heraus, dass sie ihre Körper getauscht haben. Der Vater ist zum Vergnügen seines Sohnes gezwungen, in dessen Körper zur Schule zu gehen. Gleichzeitig treibt der Sohn im Körper seines Vaters dessen Geschäft durch seine unüberlegten Entscheidungen fast in den Ruin. Eine ähnliche Handlung erdachte auch P. G. Wodehouse in *Laughing Gas (Was macht der Lord in Hollywood?)*. Darin werden der Earl von Havershot und ein Kinderfilmstar zur gleichen Zeit in den nebeneinander stehenden Stühlen eines Zahnarztes in Narkose versetzt und wachen jeweils im anderen Körper wieder auf. Auch diese Geschichte erscheint nur einem Dualisten sinnvoll. In Lord Havershot muss irgendetwas sein, das nicht zu seinem Körper gehört. Wie könnte er sonst im Körper eines Kinderstars wieder aufwachen?

Ich bin wie die meisten Naturwissenschaftler kein Dualist, aber ich habe dennoch ohne weiteres Spaß an *Vice Versa* oder *Was macht der Lord in Hollywood?* Warum? Paul Bloom würde sagen: Weil ich mit meiner Vernunft gelernt habe, Monist zu sein, während ich gleichzeitig als Mensch auch ein Tier bin, bei

---

* Pseudonym des Autors Thomas Anstey Guthrie, 1856–1934.

dem sich in der Evolution dualistische Instinkte entwickelt haben. Der Gedanke, dass hinter meinen Augen ein *Ich* steckt, das zumindest im Roman in einen anderen Kopf wandern kann, ist in mir und jedem anderen Menschen tief verwurzelt – ganz gleich, wie stark wir intellektuell den Monismus bevorzugen. Zur Unterstützung seiner Überzeugung führt Bloom experimentelle Befunde an, wonach Kinder – und zwar vor allem sehr kleine Kinder – sehr viel stärker zum Dualismus neigen als Erwachsene. Dies lässt darauf schließen, dass eine Tendenz zum Dualismus im Gehirn vorhanden ist, und die, so Bloom, schafft eine natürliche Neigung, sich religiöse Gedanken zu eigen zu machen.

Bloom äußert auch die Vermutung, wir besäßen eine angeborene Neigung, Kreationisten zu ein. Denn die natürliche Selektion erscheine »intuitiv sinnlos«. Besonders Kinder neigen dazu, allem einen Zweck zuzuschreiben. Das erklärt uns auch die Psychologin Deborah Keleman in ihrem Artikel »Are Children ›Intuitive Theists‹?« (»Sind Kinder ›intuitive Theisten‹?«) Wolken sind für Kinder »zum Regnen« da. Spitze Felsen haben ihre Form, »damit Tiere sich daran reiben können, wenn es sie juckt«.[90] Allem einen Zweck zuzuschreiben nennt man Teleologie. Kinder sind von Geburt an Teleologen, und manche wachsen nie heraus.

Der angeborene Dualismus und die angeborene Teleologie schaffen in uns unter geeigneten Bedingungen eine Neigung zur Religion, genau wie der lichtgesteuerte »Kompass« der Motten in ihnen eine Neigung zum »Selbstmord« schafft. Unser angeborener Dualismus bereitet uns darauf vor, an eine »Seele« zu glauben, die kein untrennbarer Bestandteil unseres Körpers ist, sondern nur in ihm wohnt. Dass ein solcher körperloser Geist nach dem Tod des Körpers an einen anderen Ort wandert, kann man sich leicht vorstellen. Ebenso kann man sich dann eine Gottheit ausmalen, die reiner Geist ist und nicht als emergente Eigenschaft aus der Materie erwächst, sondern von ihr unabhängig ist. Und noch klarer liegt auf der Hand, dass die kindliche Teleologie in uns die Voraussetzungen für eine Religion schafft. Wenn hinter allem eine Absicht steht, wessen Absicht ist es dann? Die Absicht Gottes natürlich.

Aber wo liegt die Entsprechung zur *Nützlichkeit* des Motten-Lichtkompasses? Warum sollte die natürliche Selektion den Dualismus und die Teleologie im Gehirn unserer Vorfahren und ihrer Kinder begünstigt haben? Bisher habe ich in meinem Bericht über die Theorie des »angeborenen Dualismus« einfach postuliert, dass Menschen von Geburt an Dualisten und Teleologen sind. Aber welchen darwinistischen Vorteil hat das? Für unser Überleben ist es wichtig, dass wir das Verhalten anderer Gebilde in unserer Umwelt vorhersagen können, und deshalb, so sollte man annehmen, hat die natürliche Selektion unser Gehirn so gestaltet, dass es diese Aufgabe schnell und effizient erfüllen kann. Könnten Dualismus und Teleologie uns dabei dienlich sein? Ein wenig besser versteht man diese Hypothese vielleicht, wenn man sie unter dem Gesichtspunkt dessen betrachtet, was Daniel Dennett als intentionalen Standpunkt bezeichnet hat.

Dennett nimmt für die »Standpunkte«, die wir einnehmen, wenn wir das Verhalten von Tieren, Maschinen und allen anderen Gebilden verstehen und vorhersagen wollen, eine sehr nützliche dreifache Klassifikation vor.[91] Er unterscheidet zwischen dem physikalischen Standpunkt, dem Gestaltungsstandpunkt und dem intentionalen Standpunkt. Der *physikalische Standpunkt* funktioniert im Prinzip immer, weil alle Dinge letztlich den Gesetzen der Physik gehorchen. Aber vom physikalischen Standpunkt aus etwas herauszufinden kann unter Umständen sehr lange dauern. Wenn wir uns erst hinsetzen und alle Wechselbeziehungen zwischen den beweglichen Teilen eines komplizierten Gegenstandes berechnen wollen, kommen wir mit unserer Voraussage über dessen Verhalten vermutlich zu spät. Für Gegenstände, die tatsächlich gezielt gestaltet sind wie eine Waschmaschine oder eine Armbrust, ist der *Gestaltungsstandpunkt* eine bequeme Abkürzung. Wir können Vermutungen darüber anstellen, wie sich der Gegenstand verhalten wird, wenn wir die Physik außer Acht lassen und uns unmittelbar mit seiner Gestaltung beschäftigen. Dennett meint dazu:

> Fast jeder kann schon nach oberflächlicher äußerer Betrachtung eines Weckers voraussagen, wann er klingeln wird. Man weiß nicht oder kümmert sich nicht darum, ob er von einer Feder, einer Batterie oder dem Sonnenlicht angetrieben wird, ob er Messingzahnräder, Edelsteinlager oder Siliziumchips enthält – man geht einfach davon aus, dass er so gestaltet ist, dass er zur eingestellten Zeit ein Signal abgibt.

Lebewesen sind nicht gezielt gestaltet, aber die darwinistische natürliche Selektion macht auch bei ihnen eine Form des Gestaltungsstandpunktes möglich. Das Herz verstehen wir schneller, wenn wir unterstellen, dass es dazu »gestaltet« ist, Blut zu pumpen. Karl von Frisch fühlte sich veranlasst, das Farbensehen der Bienen zu erforschen (zuvor herrschte allgemein die Ansicht, sie seien farbenblind), weil er davon ausging, die bunten Farben der Blüten seien so »gestaltet«, dass sie Insekten anlocken. Die Anführungszeichen sollen verlogene Kreationisten abschrecken, die sonst den großen österreichischen Zoologen als einen der Ihren vereinnahmen würden. Es braucht wohl nicht besonders betont zu werden, dass von Frisch hervorragend in der Lage war, den Gestaltungsstandpunkt in richtige darwinistische Begriffe zu übersetzen.

Eine weitere Abkürzung ist der *intentionale Standpunkt*, und der geht noch einen Schritt weiter als der Gestaltungsstandpunkt. Man unterstellt, ein Gebilde sei nicht nur für einen bestimmten Zweck gestaltet, sondern es sei oder enthalte eine Instanz, einen *Agenten*, der sein Verhalten absichtsvoll steuert.

Wenn wir einen Tiger sehen, sollten wir mit unserer Voraussage über sein mutmaßliches Verhalten nicht lange zögern. Die Physik seiner Moleküle? Egal. Die Gestaltung seiner Gliedmaßen, Klauen und Zähne? Egal. Die Katze will uns fressen, und sie wird ihre Gliedmaßen, Klauen und Zähne vielseitig und fantasievoll einsetzen, um diese Absicht zu verwirklichen. Der schnellste Weg zur Einschätzung ihres Verhaltens lässt Physik und Physiologie außer Acht und geht sofort vom intentionalen Standpunkt aus. Was dabei wichtig ist: Genau wie der Gestaltungsstandpunkt sich auch auf Dinge anwenden lässt, die nicht gestaltet sind, so funktioniert auch der intentionale Standpunkt sowohl bei Dingen, die keine bewussten Absichten haben, als auch bei solchen, die sie besitzen.

Mir erscheint es völlig plausibel, dass der intentionale Standpunkt als Gehirnmechanismus einen Überlebensvorteil bietet: Er beschleunigt Entscheidungsprozesse in gefährlichen Augenblicken und entscheidenden zwischenmenschlichen Situationen. Dagegen leuchtet nicht sofort ein, dass der Dualismus eine notwendige Begleiterscheinung des intentionalen Standpunkts ist. Ich möchte das Thema hier nicht weiter vertiefen, aber nach meiner Überzeugung sollte man eine Argumentation entwickeln, wonach hinter dem intentionalen Standpunkt eine Art Theorie über den Geist anderer steht, die man mit Fug und Recht als dualistisch bezeichnen könnte; das gilt vermutlich insbesondere in komplizierten zwischenmenschlichen Situationen und vor allem dann, wenn Intentionalität *höherer Ordnung* ins Spiel kommt.

Dennett spricht von *Intentionalität dritter Ordnung* (der Mann glaubt, dass die Frau weiß, dass er hinter ihr her ist), *vierter Ordnung* (der Frau wird klar, dass der Mann glaubte, sie wisse, dass er hinter ihr her war) und sogar *fünfter Ordnung* (der Schamane vermutet, der Frau müsse klar geworden sein, dass der Mann glaubte, die Frau wisse, dass er hinter ihr her war). Intentionalität sehr hoher Ordnung gibt es wahrscheinlich nur in der Literatur, als Satire beispielsweise in dem vergnüglichen Roman *The Tin Men (Blechkumpel)* von Michael Frayn:

> Als er Nunopoulos so betrachtete, wusste Rick, dass Anna mit ziemlicher Sicherheit Fiddlingchilds Mangel an Verständnis für ihre Gefühle Fiddlingchild gegenüber leidenschaftlich verachtete, und auch ihr war klar, dass Nina wusste, dass sie selbst über Nunopoulos' Wissen Bescheid wusste…

Aber die Tatsache, dass uns solche verwickelten Vermutungen über das Denken anderer zum Lachen reizen, sagt vermutlich etwas Wichtiges darüber aus, wie unser von der natürlichen Selektion gestalteter Geist in der Realität funktioniert.

Zumindest auf seinen unteren Ebenen spart der intentionale Standpunkt wie der Gestaltungsstandpunkt viel Zeit, und das kann über Leben und Tod entscheiden. Deshalb hat die natürliche Selektion unser Gehirn so geformt, dass wir uns des intentionalen Standpunktes als Abkürzung bedienen. Wir sind biologisch darauf programmiert, Gebilden, deren Verhalten für uns wichtig ist, eine Absicht zu unterstellen. Auch hier führt Paul Bloom experimentelle Befunde an, wonach Kinder besonders gern den intentionalen Standpunkt einnehmen. Wenn ein Baby sieht, wie ein Gegenstand einem anderen (beispielsweise auf einem Computerbildschirm) folgt, geht es davon aus, dass es eine aktive Jagd eines intentionalen Agenten miterlebt; dies erkennt man daran, dass das Kind überrascht ist, wenn der vermeintliche Agent seine Jagd nicht fortsetzt.

Der Gestaltungsstandpunkt und der intentionale Standpunkt sind nützliche Gehirnmechanismen: Sie beschleunigen unsere Mutmaßungen über Dinge, die für unser Überleben von Bedeutung sind, beispielsweise über natürliche Feinde oder potenzielle Paarungspartner. Aber wie andere Gehirnmechanismen können auch diese Standpunkte falsch funktionieren.

Kinder und Naturvölker sehen eine Absicht hinter dem Wetter, hinter Wellen und Strömungen oder abstürzenden Felsen. Die gleiche Neigung haben wir alle im Zusammenhang mit Maschinen, insbesondere wenn sie uns im Stich lassen. Manch einer wird sich noch voller Mitgefühl daran erinnern, wie Basil Fawltys Auto in der Serie *Fawlty Towers* eine Panne hat, während er gerade die lebenswichtige Aufgabe hat, den Gourmetabend vor der Katastrophe zu bewahren. Er warnt den Wagen rechtzeitig, zählt bis drei, steigt aus, greift nach einem Ast und prügelt wie ein Besessener darauf ein. Solche Impulse hat wahrscheinlich fast jeder schon einmal zumindest einen Augenblick lang gehabt – wenn nicht mit einem Auto, dann vielleicht mit dem Computer.

Justin Barrett prägte die Abkürzung HADD für »hyperactive agent detection device« (»überaktives Gerät zum Aufspüren von Agenten«). Voller Überaktivität sehen wir Agenten, wo gar keine sind, und dann vermuten wir Bös- oder Gutartigkeit, obwohl die Natur in Wirklichkeit nur völlig gleichgültig ist. Ich ertappe mich selbst immer wieder dabei, dass ich eine wilde Abneigung gegenüber einem völlig unschuldigen unbelebten Gegenstand wie meiner Fahrradkette empfinde. Kürzlich gab es einen traurigen Bericht über einen Mann, der im Fitzwilliam Museum in Cambridge über einen offenen Schnürsenkel stolperte, eine Treppe hinunterstürzte und drei unbezahlbare Vasen aus der Quing-Dynastie zertrümmerte: »Er landete mitten zwischen den Vasen, und die zersplitterten in unzählige Stücke. Er saß noch wie betäubt da, als das Personal hinzukam. Alle standen schweigend im Kreis, wie in einem Schockzustand. Dann zeigte der Mann auf sein Schnürband und sagte: ›Schauen Sie, das da ist schuld!‹«[92]

Andere Erklärungen über Religion als Nebenprodukt stammen von Hinde, Shermer, Boyer, Atran, Bloom, Dennett, Keleman und anderen. Dennett erwähnt eine besonders faszinierende Möglichkeit: Danach wäre die Irrationalität der Religion das Nebenprodukt eines ganz bestimmten eingebauten Irrationalitätsmechanismus in unserem Gehirn – unserer genetisch wahrscheinlich vorteilhaften Neigung, uns zu verlieben.

Die Anthropologin Helen Fisher beschrieb in ihrem Buch *Why We Love (Warum wir lieben)* sehr eindringlich, wie verrückt die romantische Liebe ist und wie übertrieben sie im Vergleich zu den Dingen wirkt, die unbedingt nötig zu sein scheinen. Betrachten wir es einmal so: Aus der Sicht eines Mannes ist es höchst unwahrscheinlich, dass irgendeine Frau in seinem Bekanntenkreis hundertmal liebenswerter ist als die nächste Konkurrentin, und doch würde er es wahrscheinlich genau so beschreiben, wenn er in sie verliebt ist. Nüchtern besehen, ist eine Art »Viellieberei« viel vernünftiger als das fanatisch-monogame Engagement, zu dem wir neigen. (Als Viellieberei, *polyamory*, bezeichne ich die Überzeugung, dass man gleichzeitig mehrere Angehörige des anderen Geschlechts lieben kann, so wie man auch mehrere Weine, Komponisten, Bücher oder Sportarten liebt.) Wir akzeptieren ohne weiteres, dass wir mehrere Kinder, Eltern, Geschwister, Lehrer, Freunde oder Haustiere lieben. Ist es vor diesem Hintergrund nicht ausgesprochen seltsam, dass wir von der Liebe in einer Partnerschaft völlige Ausschließlichkeit fordern? Dennoch erwarten wir genau das und setzen alles daran, es zu erreichen. Dafür muss es einen Grund geben.

Wie Helen Fisher und andere nachgewiesen haben, ist Verliebtheit von ganz besonderen Gehirnzuständen begleitet; unter anderem werden dabei neurologisch aktive chemische Substanzen (eigentlich also natürliche Drogen) ausgeschüttet, die für diesen Zustand spezifisch und charakteristisch sind. Evolutionspsychologen sind wie Fisher der Ansicht, dass der irrationale Verliebtheitszustand wahrscheinlich als biologischer Mechanismus dafür sorgt, dass man einem zweiten Elternteil so lange treu ist, bis man gemeinsam ein Kind großgezogen hat. Aus darwinistischer Sicht ist es zweifellos aus allen möglichen

Gründen wichtig, einen guten Partner auszuwählen. Hat man aber einmal die Wahl getroffen – selbst wenn es eine schlechte Wahl war – und ein Kind gezeugt, ist es wichtiger, zumindest so lange auf Biegen und Brechen an dieser Wahl festzuhalten, bis das Kind aus dem Gröbsten heraus ist.

Könnte die irrationale Religion ein Nebenprodukt der irrationalen Mechanismen sein, die ursprünglich von der natürlichen Selektion ins Gehirn eingepflanzt wurden, damit wir uns verlieben? Religiöser Glaube hat sicher einige Gemeinsamkeiten mit dem Zustand der Verliebtheit (und beide ähneln in vielerlei Hinsicht dem von einem Suchtmittel erzeugten Rauschzustand).* Der Neuropsychiater John Smythies weist allerdings darauf hin, dass durch diese beiden Formen der Manie zum Teil unterschiedliche Gehirnareale aktiviert werden. Dennoch fallen auch ihm gewisse Gemeinsamkeiten auf:

Zu den vielen Gesichtern der Religion gehört als eine wichtige Facette die innige Liebe, die sich auf eine übernatürliche Person, also auf Gott richtet, und die Verehrung von Symbolen für diese Person. Das Leben der Menschen wird vorwiegend von unseren egoistischen Genen und den verschiedenen Verstärkungsvorgängen vorangetrieben. Aus der Religion erwächst eine Menge positive Verstärkung: warme, tröstliche Gefühle der Liebe und Geborgenheit in einer gefährlichen Welt, Verlust der Angst vor dem Tod, Hilfe von oben als Antwort auf Gebete in schwerer Zeit, und so weiter. Die romantische Liebe zu einer realen Person (die in der Regel dem anderen Geschlecht angehört) lässt die gleiche starke Konzentration auf den anderen und die damit verbundenen positiven Verstärkungen erkennen. Solche Gefühle können durch Symbole des anderen ausgelöst werden, beispiels-

---

* Vgl. meine Ausführungen zu dem gefährlichen Betäubungsmittel Geriniol: R. Dawkins, »Gerin Oil«, *Free Inquiry* 24:1 (2003), S. 9 ff.

weise durch Briefe, Fotos oder sogar, wie in viktorianischer Zeit, durch Haarlocken. Der Zustand des Verliebtseins hat viele physiologische Begleiterscheinungen wie zum Beispiel das heiße Schmachten.[93]

Ich selbst habe den Vergleich zwischen Verliebtsein und Religion schon 1993 angestellt: Damals machte ich darauf aufmerksam, dass die Symptome eines von Religion infizierten Menschen »unter Umständen verblüffend an die Symptome erinnern, die man in der Regel mit sexueller Liebe in Verbindung bringt. Diese ist im Gehirn eine höchst wirksame Kraft, und deshalb ist es kein Wunder, dass in der Evolution mehrere Viren entstanden sind, die sie ausnutzen.« (»Viren« ist hier eine Metapher für die Religionen: Mein Artikel trug die Überschrift »Viren des Geistes«.) Die berühmte, von einem Orgasmus begleitete Vision der heiligen Theresa von Avila ist so berühmt-berüchtigt, dass ich sie hier nicht noch einmal beschreiben muss. Ernsthafter und nicht auf einer so grob-sinnlichen Ebene berichtet der Philosoph Anthony Kenny mit bewegenden Worten, welch reines Entzücken jene erwartet, denen es gelingt, an das Geheimnis der Transsubstantiation zu glauben. Zunächst beschreibt er, wie er zum katholischen Priester geweiht und durch Handauflegen zum Zelebrieren der Messe ermächtigt wurde; anschließend erinnert er sich eher lebhaft

an den Überschwang der ersten Monate, in denen ich die Macht hatte, die Messe zu lesen. War ich beim morgendlichen Aufstehen normalerweise langsam und träge gewesen, so sprang ich jetzt frühzeitig, hellwach und voller Aufregung aus dem Bett, ganz im Gedanken daran, welch folgenschwere Handlung zu vollziehen ich berechtigt war. [...]
Am meisten bezauberte es mich, den Leib Christi zu berühren und Jesus als Priester ganz nahe zu sein. Nach den Worten der Wandlung starrte ich die Hostie an, mit wei-

chem Blick wie ein Liebhaber, der in die Augen der Geliebten blickt. […] Jene ersten Tage als Priester sind mir als Tage der Erfüllung und des bebenden Glücks in Erinnerung geblieben – etwas Kostbares und doch viel zu Zerbrechliches, als dass es von Dauer hätte sein können, so wie eine romantische Liebesaffäre, die von der Realität einer schlechten Ehe eingeholt wird.

Die Entsprechung zum Verhalten der Motte, die sich an Lichtern orientiert, ist unsere irrationale, aber nützliche Gewohnheit, uns in einen und nur einen Angehörigen des anderen Geschlechts zu verlieben. Das durch Fehlfunktion entstandene Nebenprodukt – vergleichbar dem Flug in die Kerzenflamme – ist die Liebe zu Jahwe (oder zur Jungfrau Maria oder zu einer Oblate oder zu Allah) mit allen dadurch motivierten irrationalen Handlungen.

Der Biologe Lewis Wolpert äußert in seinem Buch *Six Impossible Things Before Breakfast: The Evolutionary Origins of Belief* (»Sechs unmögliche Dinge schon vor dem Frühstück: Die evolutionären Ursprünge von Überzeugungen«) einen Gedanken, in dem man eine Verallgemeinerung der Vorstellung von konstruktiver Irrationalität sehen kann. Seine zentrale Aussage lautet: Eine irrationale, starke Überzeugung schützt vor geistigem Wankelmut. »Wäre an lebensrettenden Überzeugungen nicht energisch festgehalten worden, so hätte dies in der Frühzeit der menschlichen Evolution einen Nachteil bedeutet. Es wäre zum Beispiel höchst unvorteilhaft gewesen, wenn die Menschen es sich beim Jagen oder bei der Werkzeugherstellung ständig wieder anders überlegt hätten.«

Wolperts Argumentation läuft darauf hinaus, dass es zumindest unter manchen Umständen besser ist, an einer irrationalen Überzeugung festzuhalten, als immer wieder ins Schwanken zu geraten, selbst wenn neue Anhaltspunkte oder logische Gedanken für einen Wechsel sprechen. Wie man leicht erkennt, ist das »Sich-Verlieben« dann nur ein Sonderfall, und ebenso leicht erkennt man in Wolperts »irrationalem Festhalten« eine weitere nützliche psychologische Neigung, mit der man wichtige Aspekte des irrationalen religiösen Verhaltens erklären kann: Auch hier ist es ein Nebenprodukt.

Robert Trivers erläutert in seinem Buch *Social Evolution* sehr ausführlich seine 1976 veröffentlichte Theorie über die Evolution der Selbsttäuschung. Durch Selbsttäuschung, so Trivers,

> verbergen wir die Wahrheit vor unserem Bewusstsein, um sie besser vor anderen verbergen zu können. Bei unserer eigenen Spezies erkennen wir, dass unsteter Blick, feuchte Handflächen und eine raue Stimme Anzeichen für den Stress sein können, der sich mit dem Bewusstsein eines Täuschungsversuchs verbindet. Ist der Lügner sich seines Täuschungsversuchs dagegen nicht bewusst, so verbirgt er solche Anzeichen auch vor dem Beobachter. Dann kann er lügen, ohne dass sich die mit einer Täuschung verbundene Nervosität einstellt.

Etwas Ähnliches schreibt auch der Anthropologe Lionel Tiger in seinem Buch *Optimism: The Biology of Hope*. Die Verbindung zur eben beschriebenen konstruktiven Irrationalität ist in Trivers' Abschnitt über die »Abwehr bei der Wahrnehmung« zu erkennen:

> Menschen neigen dazu, bewusst das zu sehen, was sie sehen wollen. Sie haben richtiggehende Schwierigkeiten, Dinge mit negativen Konnotationen zu sehen, und gleichzeitig fällt es ihnen immer leichter, positive Dinge wahrzunehmen. Beispielsweise müssen Wörter, die sich aufgrund der persönlichen Vorgeschichte eines Menschen oder durch experimentelle Manipulationen mit Angst verbinden, deutli-

cher dargestellt werden, bevor sie überhaupt wahrgenommen werden.

Welche Bedeutung so etwas für das Wunschdenken der Religion hat, brauche ich wohl nicht genauer zu erläutern.

Die allgemeine Theorie, wonach Religion ein Nebenprodukt ist – eine Fehlfunktion eines eigentlich nützlichen Mechanismus –, möchte auch ich vertreten. In den Einzelheiten ist sie vielgestaltig, kompliziert und diskussionsbedürftig. Zur Verdeutlichung werde ich mich weiterhin meiner Theorie der »leichtgläubigen Kinder« bedienen, die stellvertretend für die »Nebenprodukttheorien« im Allgemeinen stehen soll. Diese Theorie, dass das Kindergehirn aus guten Gründen anfällig für eine Infektion mit »geistigen Viren« ist, mag manchen Lesern unvollständig erscheinen. Der Geist mag anfällig sein, aber warum wird er gerade von *diesem* Virus infiziert und nicht von einem anderen? Gelingt es manchen Viren besonders gut, einen anfälligen Geist zu infizieren? Warum findet die »Infektion« ihren Ausdruck in der Religion und nicht in … ja, worin? Unter anderem will ich damit sagen, dass es keine Rolle spielt, welche besondere Form von Unsinn das Kindergehirn befällt. Einmal angesteckt, wächst das Kind auf und infiziert die nächste Generation mit dem gleichen Unsinn, wie er auch aussehen mag.

Anthropologische Übersichtsdarstellungen wie *Der goldene Zweig* von James Frazer machen deutlich, dass es unter den Menschen eine beeindruckende Vielfalt irrationaler Überzeugungen gibt. Einmal in einer Kultur verwurzelt, können sie sich halten, weiterentwickeln und immer vielgestaltiger werden – ein Vorgang, der stark an die biologische Evolution erinnert. Frazer erkennt jedoch gewisse allgemeine Prinzipien, beispielsweise die »homöopathische Magie«, bei der Zaubersprüche und Beschwörungen irgendeinen symbolischen Aspekt des realen Gegenstandes einbeziehen, auf den sie angeblich wirken sollen. Ein Beispiel mit tragischen Folgen ist der Glaube, Nashornpulver wirke als Aphrodisiakum. Diese schicksalsschwere Legende geht auf die angebliche Ähnlichkeit des Horns mit einem erigierten Penis zurück. Dass die »homöopathische Magie« so weit verbreitet ist, lässt darauf schließen, dass es sich bei dem Unsinn, der ein anfälliges Gehirn infiziert, nicht ausschließlich um zufälligen, beliebigen Unsinn handelt.

Man ist leicht versucht, die biologische Analogie noch weiter zu treiben und zu fragen, ob auch hier etwas Ähnliches wie die natürliche Selektion am Werk ist. Verbreiten manche Ideen sich leichter als andere, weil sie innere Reize oder Vorzüge haben oder weil sie sich besser mit vorhandenen psychologischen Voraussetzungen vertragen? Lassen sich Wesen und Eigenschaften der Religion, wie wir sie beobachten, damit auf ähnliche Weise erklären wie die Entstehung der Lebewesen, die wir mit natürlicher Selektion begründen? Wichtig ist hier der Hinweis, dass mit »Vorzüge« nur die Fähigkeit zum Überleben und zur Verbreitung gemeint ist. Es bedeutet nicht, dass der betreffende Gedanke ein positives Werturteil verdient hätte und etwas wäre, worauf wir aus menschlicher Sicht stolz sein können.

Selbst in einem evolutionsorientierten Modell muss es nicht unbedingt eine natürliche Selektion geben. Biologen wissen, dass ein Gen sich in einer Population nicht nur dann ausbreiten kann, wenn es ein gutes Gen ist, sondern auch wenn es einfach Glück hat. So etwas bezeichnet man als Gendrift. Welche Bedeutung sie als Gegenstück zur natürlichen Selektion hat, war umstritten. Heute ist sie aber in Form der sogenannten neutralen Theorie der Molekulargenetik allgemein anerkannt. Wenn ein Gen mutiert, sodass verschiedene Formen mit gleicher Wirkung entstehen, sind die Unterschiede neutral und die natürliche Selektion kann keine Version gegenüber einer anderen begünstigen. Dennoch kann die neue Mutante durch das, was die Statistiker als Stichprobenfehler bezeichnen, im Laufe der Generationen die frühere Form im Genpool verdrängen. Dies ist auf molekularer Ebene ein echter entwicklungsgeschichtlicher Wandel (auch wenn wir am vollständigen Lebewesen keine Veränderung erkennen). Die Evolution hat zu einer neutralen Veränderung geführt, die nicht im Mindesten der natürlichen Selektion zu verdanken ist.

In der Kultur gibt es als Gegenstück zur Gendrift eine allgegenwärtige Möglichkeit, die wir nicht außer Acht lassen können, wenn wir uns mit der Evolution der Religion befassen. Die Sprache entwickelt sich auf quasi-biologische Weise weiter, und ihre Evolution scheint genau wie die zufällige Gendrift keiner festgelegten Richtung zu folgen. Sie wird in einer kulturellen Entsprechung zur Genetik weitergegeben und ist über die Jahrhunderte einem allmählichen Wandel unterworfen, bis schließlich verschiedene Abstammungslinien entstanden sind, deren Vertreter sich gegenseitig nicht mehr verstehen. Möglicherweise wird auch die Evolution der Sprache von einer Art natürlicher Selektion gelenkt, aber die Argumente, die dafür sprechen, erscheinen nicht sonderlich überzeugend. Wie ich noch genauer erläutern werde, wurden solche Mechanismen für wichtige Schritte der Sprachentwicklung postuliert, beispielsweise für die große Vokalverschiebung, die zwischen dem 15. und dem 18. Jahrhundert im Englischen stattfand. Aber das meiste, was wir beobachten, können wir auch ohne solche funktionsorientierten Hypothesen erklären. Es erscheint durchaus plausibel, dass Sprache sich normalerweise durch eine kulturelle Entsprechung zur zufälligen Gendrift weiterentwickelt. In verschiedenen Regionen Europas veränderte sich das Lateinische auf unterschiedliche Weise und wurde zu Spanisch, Portugiesisch, Italienisch, Französisch, Rätoromanisch und den verschiedenen Dialekten dieser Sprachen. Dass sich in solchen unterschiedlichen Entwicklungen regionale Vorteile oder eine Art »Selektionsdruck« widerspiegeln sollen, liegt, vorsichtig ausgedrückt, nicht gerade auf der Hand.

Nach meiner Vermutung machen Religionen wie Sprachen

eine derart zufällige Evolution durch, und auch die Ausgangs-
punkte sind so willkürlich, dass die verblüffende – und manchmal gefährliche – Vielfalt entsteht, die wir heute tatsächlich
beobachten. Gleichzeitig ist es durchaus vorstellbar, dass eine
Form der natürlichen Selektion in Verbindung mit grundlegenden, einheitlichen psychologischen Eigenschaften der Menschen dafür sorgt, dass die verschiedenen Religionen gewisse
bedeutsame Aspekte gemeinsam haben. So lehren beispielsweise viele Religionen die objektiv unplausible, subjektiv aber
reizvolle Idee, dass unsere Persönlichkeit nach dem Tod des
Körpers weiterlebt. Der Gedanke an Unsterblichkeit überlebt
und verbreitet sich, weil er das Wunschdenken bedient. Und
Wunschdenken ist wichtig, weil es in der menschlichen Psychologie eine nahezu allumfassende Neigung gibt, Überzeugungen
durch Wünsche zu färben (»Dein Wunsch war des Gedankens
Vater, Heinrich«, wie Heinrich IV. in Teil II von Shakespeares
Historiendrama zu seinem Sohn sagt).

Es kann wohl nicht bezweifelt werden, dass viele Aspekte
der Religion bestens geeignet sind, der Religion selbst und
ebendiesen Aspekten beim Überleben im Durcheinander der
menschlichen Kulturen zu helfen. Damit erhebt sich die Frage,
ob diese Eignung durch »intelligente Gestaltung« oder durch
natürliche Selektion zuwege gebracht wird. Die Antwort lautet: vermutlich durch beides.

Was die Gestaltung angeht, so sind Religionsführer meistens
hervorragend in der Lage, die Kunstgriffe, die dem Überleben
der Religion dienen, in Worte zu fassen. Martin Luther etwa
war sich voll und ganz bewusst, dass die Vernunft der Erzfeind
der Religion ist, und warnte häufig vor ihren Gefahren: »Die
Vernunft ist das größte Hindernis in Bezug auf den Glauben,
weil alles Göttliche ihr ungereimt zu sein scheint, dass ich
nicht sage, dummes Zeug«, heißt es zum Beispiel in den *Tischreden*.[94] Und an anderer Stelle: »Wer ein Christ sein will, der
steche seiner Vernunft die Augen aus.« Kurz, die Vernunft solle

man allen Christen lieber austreiben. Luther verstand sich hervorragend darauf, die unintelligenten Aspekte einer Religion intelligent zu gestalten und ihnen damit das Überleben zu erleichtern. Doch das bedeutet nicht zwangsläufig, dass er oder irgendein anderer *die Religion* gestaltet hätte. Sie könnte sich auch durch eine (nicht genetische) Form der natürlichen Selektion entwickelt haben; dann war Luther nicht ihr Gestalter, sondern ein schlauer Beobachter ihrer Leistungsfähigkeit.

Zwar könnte auch die herkömmliche darwinistische Selektion der Gene gewisse psychologische Neigungen begünstigt haben, die als Nebenprodukt Religionen hervorbringen, aber dass sie alle Details geprägt hat, ist unwahrscheinlich. Ich habe es bereits angedeutet: Wenn wir auf diese Details eine Art Selektionstheorie anwenden wollen, sollten wir uns nicht mit den Genen beschäftigen, sondern mit ihrer kulturellen Entsprechung. Bestehen Religionen aus dem Stoff, aus denen die Meme sind?

Bitte leise treten, Sie trampeln auf meinen Memen herum

Was ist Wahrheit? In Fragen der Religion einfach die Anschauung, die überlebt hat.

Oscar Wilde

Dieses Kapitel hat mit einer Feststellung begonnen: Da die darwinistische natürliche Selektion jegliche Verschwendung verabscheut, muss jedes allgemein verbreitete Merkmal einer Spezies – auch die Religion – dieser Spezies einen gewissen Vorteil verschafft haben, sonst hätte es nicht überlebt. Zugleich habe ich auch darauf hingewiesen, dass ein solcher Vorteil sich nicht unbedingt auf das Überleben oder den Fortpflanzungserfolg des Individuums auswirken muss. So ist der Vorteil für die Gene eines Erkältungsvirus eine ausreichende Erklärung dafür, dass diese unangenehme Erkrankung in unserer Spezies so weit verbreitet ist. Und nicht einmal die Gene müssen einen Nutzen davon haben. An ihre Stelle kann jeder *Replikator* treten. Die Gene sind nur das bekannteste Beispiel für Replikatoren. Andere sind Computerviren, oder auch die Meme, Einheiten der kulturellen Vererbung, die das Thema dieses Abschnitts bilden. Wenn wir Meme verstehen wollen, müssen wir uns zunächst ein wenig genauer ansehen, wie die natürliche Selektion im Einzelnen funktioniert.

Ganz allgemein formuliert, muss die natürliche Selektion zwischen verschiedenen Replikatoren unterscheiden. Ein Replikator ist ein Stück codierte Information, das exakte Kopien seiner selbst erzeugt, wobei gelegentlich auch ungenaue Kopien oder »Mutationen« vorkommen. An dieser Stelle setzt der darwinistische Mechanismus an. Varianten des Replikators, die zufällig besonders gut kopiert werden, werden auf Kosten der anderen, deren Kopierfähigkeit weniger gut ist, zahlreicher. Das ist natürliche Selektion in ihrer allereinfachsten Form. Das Musterbeispiel eines Replikators ist ein Gen – ein DNA-Abschnitt, der sich über eine unendliche Zahl von Generationen hinweg fast immer mit äußerster Genauigkeit verdoppelt. Die zentrale Frage der Memtheorie lautet: Gibt es auch Einheiten der kulturellen Vererbung, die sich wie Gene als echte Replikatoren verhalten? Ich behaupte nicht, Meme seien zwangsläufig eine direkte Entsprechung zu den Genen, aber je ähnlicher sie den Genen sind, desto besser funktioniert die Memtheorie. In diesem Abschnitt möchte ich die *Frage* stellen, ob sich die Memtheorie auf den Spezialfall der Religion anwenden lässt.

In der Welt der Gene sorgen die gelegentlichen Verdoppelungsfehler (Mutationen) dafür, dass der Genpool von jedem Gen verschiedene Varianten enthält, die »Allele«, die untereinander in Konkurrenz treten können. Worum konkurrieren sie? Um die Stelle auf dem Chromosom, den »Locus«, der zu dieser

Allelgruppe gehört. Und wie konkurrieren sie? Nicht durch den direkten Kampf Molekül gegen Molekül, sondern über Stellvertreter. Diese Stellvertreter sind die »phänotypischen Merkmale«, Dinge wie Beinlänge oder Fellfarbe: Ausdrucksformen der Gene in Anatomie, Physiologie, Biochemie oder Verhalten. Das Schicksal eines Gens ist in der Regel an die Körper gebunden, in denen es sich nacheinander niederlässt. In dem gleichen Maß, in dem es in diesen Körpern eine Wirkung entfaltet, beeinflusst es auch seine eigenen Chancen, im Gesamtbestand der Gene erhalten zu bleiben. Im Laufe der Generationen nimmt die Häufigkeit einzelner Gene im gesamten Genpool auf dem Weg über ihre phänotypischen Stellvertreter zu oder ab.

Könnte das Gleiche auch für die Meme gelten? In einer Hinsicht unterscheiden sie sich ganz deutlich von Genen: Es gibt keine eindeutig erkennbare Entsprechung zu Chromosomen, Loci, Allelen oder sexueller Vermischung. Der Mempool ist weniger strukturiert und organisiert als der Bestand an Genen. Dennoch ist es nicht offenkundig absurd, von einem Mempool zu sprechen, in dem einzelne Meme mit einer bestimmten »Häufigkeit« vorkommen, wobei sich diese Häufigkeit durch Konkurrenzbeziehungen zu anderen Memen ändern kann.

Gegen Erklärungen, die sich auf Meme stützen, wurden verschiedene Einwände erhoben; diese erwachsen in der Regel aus der Tatsache, dass Meme nicht völlig den Genen gleichen. Die stoffliche Natur der Gene kennen wir heute genau (es sind DNA-Abschnitte); bei den Memen ist das nicht der Fall, und verschiedene Memetiker stiften Verwirrung, indem sie von einem physischen Medium zum anderen wechseln. Existieren Meme nur im Gehirn? Oder hat beispielsweise jedes mit einem Limerick bedruckte Papier und jede elektronische Kopie ebenfalls ein Anrecht darauf, als Mem bezeichnet zu werden? Außerdem verdoppeln sich Gene sehr präzise; ist dagegen die

Kopiergenauigkeit der Meme nicht sehr gering – vorausgesetzt, sie vervielfältigen sich überhaupt?

Diese angeblichen Probleme der Memtheorie werden übertrieben. Der wichtigste Einwand ist die Behauptung, Meme würden so ungenau verdoppelt, dass sie nicht als darwinistische Replikatoren fungieren könnten. Wenn die »Mutationsrate« in jeder Generation sehr hoch ist, so die Vermutung, ist das Mem durch die Mutationen bereits verschwunden, bevor die darwinistische Selektion sich überhaupt auf seine Häufigkeit im Mempool auswirken kann. Aber das ist nur ein Scheinproblem. Man stelle sich einen Schreinermeister oder einen prähistorischen Steinwerkzeughersteller vor, der einem jungen Lehrling eine bestimmte Fähigkeit beibringt. Würde der Lehrling ganz genau jede Handbewegung des Meisters nachahmen, müsste man tatsächlich damit rechnen, dass das Mem schon nach wenigen »Generationen« der Weitergabe bis zur Unkenntlichkeit mutiert ist. Aber der Lehrling kopiert natürlich nicht genau jede Handbewegung. Das wäre lächerlich. In Wirklichkeit merkt er, welches Ziel der Meister erreichen will, und ahmt es nach. Er schlägt einen Nagel ein, bis der Nagelkopf versenkt ist, und führt die dazu erforderliche Zahl von Hammerschlägen aus – und das muss nicht die gleiche sein, die der Meister gebraucht hat. Solche Regeln können ohne Mutation über eine unbegrenzte Zahl von Nachahmungs»generationen« weitergegeben werden, und dabei spielt es keine Rolle, ob sich die Ausführung in den Einzelheiten von einer Person zur nächsten oder von Fall zu Fall unterscheidet. Die Stiche beim Nähen, die Knoten in Seilen oder Fischernetzen, Origami-Faltmuster, nützliche Kniffe bei Holz- oder Keramikarbeiten: All das lässt sich auf abgegrenzte Elemente zurückführen, für die tatsächlich die Aussicht besteht, dass sie unverändert über eine unbegrenzte Zahl von Nachahmungsgenerationen weitergereicht werden. Die Einzelheiten mögen individuellen Veränderungen unterworfen sein, aber das Wesentliche bleibt unverändert.

Mehr brauchen wir nicht, damit die Analogie zwischen Memen und Genen funktioniert.

In meinem Vorwort zu Susan Blackmores Buch *The Meme Machine (Die Macht der Meme)* habe ich beispielhaft eine Origami-Anleitung zur Herstellung einer chinesischen Dschunke aus Papier entwickelt. Es ist eine recht komplizierte Vorschrift, in der das Papier 32-mal gefaltet oder auf ähnliche Weise behandelt werden muss. Das Endergebnis (die chinesische Dschunke) ist ein hübscher Gegenstand, aber hübsch sind auch mindestens drei Zwischenstufen ihrer »Embryonalentwicklung«: der »Katamaran«, die »Schachtel mit zwei Deckeln« und der »Bilderrahmen«. Der ganze Ablauf erinnert mich tatsächlich an die Faltung und Einstülpung der Membranen eines Embryos, der sich von der Blastula über die Gastrula zur Neurula weiterentwickelt. Wie man die chinesische Dschunke bastelt, lernte ich als Junge von meinem Vater, und der hatte das Gleiche in seinem Internat gelernt. Die Hausdame der Schule hatte damals eine Begeisterung für die Herstellung chinesischer Dschunken ausgelöst, und die hatte sich in der Schule wie eine Masernepidemie verbreitet; anschließend war sie – ebenfalls wie eine Masernepidemie – wieder verschwunden. 26 Jahre später – die Hausdame war längst nicht mehr da – besuchte ich die gleiche Schule. Ich löste wiederum die Begeisterung aus, und wiederum verbreitete sie sich wie eine neue Masernepidemie, um dann erneut zu verschwinden. Die Tatsache, dass eine solche Fähigkeit, die man lehren und lernen kann, sich wie eine Epidemie verbreitet, liefert Aufschlüsse über die hohe Genauigkeit der Memweitergabe. Wir können sicher sein, dass die Dschunken, die von der Schülergeneration meines Vaters in den Zwanzigerjahren des 20. Jahrhunderts gebastelt wurden, sich nicht nennenswert von denen aus meiner Generation in den Fünfzigerjahren unterschieden.

Systematischer könnte man das Phänomen mit einem Experiment untersuchen, das eine Abwandlung des Kinderspiels

»Stille Post« darstellt: Wir nehmen zweihundert Personen, die noch nie zuvor eine Dschunke aus Papier gefaltet haben, und teilen sie in zwanzig Teams von je zehn Personen ein. Dann versammeln wir die Leiter der Teams um einen Tisch und zeigen ihnen, wie man die Dschunke bastelt. Anschließend muss jeder in seinem Team eine zweite Person auswählen und dieser ganz allein wiederum vorführen, wie die Dschunke herzustellen ist. Jede Person aus dieser »zweiten Generation« unterrichtet jemanden aus der dritten Generation, und so weiter, bis in allen Teams die zehnte Person erreicht wurde. Alle Dschunken werden aufbewahrt und sowohl mit der Nummer des Teams als auch mit der Zahl der Generation gekennzeichnet. Am Ende kann man dann alle Produkte besichtigen.

Ich habe das Experiment nicht gemacht, würde es aber sehr gern tun. Dennoch bin ich mir ziemlich sicher, wie das Ergebnis aussehen würde. Es wird nicht allen Teams gelingen, die Fähigkeit bis zum zehnten Mitglied in unveränderter Form weiterzugeben, aber bei einem beträchtlichen Anteil wird es der Fall sein. In manchen Teams werden Fehler auftreten: Vielleicht hat eine Kette ein schwaches Glied, sodass ein Schritt der Anleitung vergessen wird, und dann gelingt natürlich allen nachfolgenden Personen in der Kette der Zusammenbau nicht mehr. Vielleicht gelangt das Team Nummer 4 bis zum »Katamaran« und scheitert dann. Das Mitglied Nummer 8 im Team Nummer 13 erzeugt möglicherweise irgendwo zwischen der »Schachtel mit zwei Deckeln« und dem »Bilderrahmen« eine »Mutante«, sodass die neunte und zehnte Person in dieser Gruppe die veränderte Version nachbauen.

Für die Teams, in denen die Fähigkeit erfolgreich bis zur zehnten Generation weitergegeben wird, mache ich eine weitere Aussage. Ordnet man die Dschunken in der Reihenfolge der »Generationen« an, wird man von Generation zu Generation keine systematische Qualitätsabnahme beobachten. Würde man dagegen ein Experiment machen, das in jeder Hinsicht genauso verliefe, außer dass es nicht um den Nachbau einer Dschunke ginge, sondern um das *Nachzeichnen,* so würde die Genauigkeit der Zeichnungen von der ersten bis zur zehnten Generation mit Sicherheit abnehmen.

In einem solchen Experiment mit Zeichnungen würden alle Bilder aus der zehnten Generation eine gewisse Ähnlichkeit mit denen der Generation Nummer 1 aufweisen, und innerhalb jedes Teams würde die Ähnlichkeit im Laufe der Generationen mehr oder weniger stetig abnehmen. In der Origami-Version dagegen ist ein Fehler ein Alles-oder-Nichts-Ereignis: Hier spielen sich »digitale« Mutationen ab. Entweder macht ein Team keine Fehler und die Generation 10 ist im Durchschnitt nicht schlechter als die Generation 5 oder 1, oder in einer Generation spielt sich eine »Mutation« ab, und alle nachfolgenden Bemühungen, in denen die Mutation meist genau nachvollzogen wird, sind völlig zum Scheitern verurteilt.

Wo liegt der entscheidende Unterschied zwischen den beiden Experimenten? Origami besteht aus einer Abfolge genau abgegrenzter Handgriffe, von denen jeder einzelne leicht zu erlernen ist. Die meisten Einzelschritte sind Anweisungen wie »Beide Seiten zur Mitte falten«. Selbst wenn ein einzelner Teamangehöriger diese Anweisung vielleicht unvollkommen ausführt, ist für den nächsten dennoch klar, was er tun *wollte.* Origami besteht aus »selbstnormalisierenden« Einzelschritten, die damit »digital« sind. Es ist das Gleiche wie bei dem Schreinermeister: Seine Absicht, den Nagelkopf bündig ins Holz zu schlagen, ist für den Lehrling ohne weiteres zu erkennen – die Details der einzelnen Hammerschläge spielen dabei keine Rolle. Entweder man führt einen Schritt der Origami-Anleitung aus, oder man führt ihn nicht aus. Zeichnen dagegen ist ein analoger Vorgang. Versuchen kann es jeder, aber manche Menschen kopieren eine Zeichnung genauer als andere, und niemand kopiert sie hundertprozentig exakt. Wie originalgetreu eine Kopie ist, hängt aber auch davon ab, wie viel Zeit und Sorgfalt man auf ihre Anfertigung verwendet, und das sind stufenlos veränderliche Größen. Darüber hinaus werden manche Teammitglieder das Vorbild aus der vorigen Generation nicht genau nachzeichnen, sondern ausschmücken und »verbessern«.

Worte sind – zumindest wenn sie verstanden werden – ebenso selbstnormalisierende Gebilde wie die Handgriffe beim Origami. In dem ursprünglichen »Stille Post«-Spiel hört das erste Kind eine Geschichte oder einen Satz, den es dem nächsten Kind weitersagen soll, und so weiter. Umfasst der Satz weniger als sieben Wörter in der Muttersprache der Kinder, wird er mit hoher Wahrscheinlichkeit über zehn Generationen hinweg ohne Mutationen überleben. Handelt es sich dagegen um eine Fremdsprache, sodass die Kinder nicht Wort für Wort nachsprechen können, sondern den Klang phonetisch nachahmen müssen, bleibt der Inhalt nicht erhalten. Der Verfall läuft dann über die Generationen hinweg nach dem gleichen Prinzip ab wie bei der Zeichnung, und der Inhalt geht verloren. Wenn die Nachricht in der Muttersprache der Kinder einen Sinn hat und keine ungewohnten Wörter wie »Phänotyp« oder »Allel« enthalten sind, bleibt er erhalten. Dann ahmt das Kind die Laute nicht phonetisch nach, sondern erkennt jedes Wort als Element eines begrenzten Wortschatzes, und wenn es die Nachricht an das nächste Kind weitergibt, wählt es wieder das gleiche Wort, auch wenn es vermutlich in einem etwas anderen Tonfall ausgesprochen wird. Auch geschriebene Sprache normalisiert sich selbst: Ganz gleich, wie die Haken und Kringel auf dem Papier sich in den Einzelheiten unterscheiden, sie stammen alle aus einem endlichen Alphabet von (beispielsweise) 26 Buchstaben.

Die Tatsache, dass Meme durch solche selbstnormalisierenden Vorgänge manchmal sehr originalgetreu weitergegeben werden, ist eine ausreichende Antwort auf die häufigsten Einwände gegen die Analogie von Genen und Memen. Ohnehin verfolgt die Memtheorie in ihrem jetzigen frühen Entwicklungsstadium nicht das Ziel, eine umfassende Erklärung für die

Kultur zu liefern und sich auf eine Stufe mit der Watson-Crick-Genetik zu stellen. Ursprünglich entwickelte ich die Idee der Meme, weil ich dem Eindruck entgegenwirken wollte, das einzige darwinistische Phänomen sei das Gen – es bestand die Gefahr, dass mein Buch *The Selfish Gene (Das egoistische Gen)* einen solchen Eindruck vermittelte.

Auf diesen Punkt weisen auch Peter Richerson und Robert Boyd in ihrem wertvollen, gut durchdachten Buch *Not by Genes Alone* (»Nicht allein durch Gene«) hin. Zugleich nennen sie aber Gründe, warum man nicht das Wort »Mem« verwenden, sondern lieber von »kulturellen Varianten« sprechen sollte. Stephen Shennan bezog die Anregungen für sein Werk *Genes, Memes and Human History* (»Gene, Meme und die menschliche Geschichte«) teilweise aus einem älteren, ebenfalls sehr guten Buch von Boyd und Richerson mit dem Titel *Culture and the Evolutionary Process* (»Kultur und der evolutionäre Prozess«). Weitere Abhandlungen in Buchform über Meme sind *The Electric Meme* (»Das elektrische Mem«) von Robert Augner, *The Selfish Meme* (»Das egoistische Mem«) von Kate Distin und *Virus of the Mind: The New Science of the Meme* (»Viren des Geistes: Die neue Wissenschaft von den Memen«) von Richard Brodie.

Weiter als alle anderen jedoch trieb Susan Blackmore die Memtheorie in ihrem Buch *Die Macht der Meme oder die Evolution von Kultur und Geist*. Sie zeichnet immer wieder eine Welt voller Gehirne (oder anderer Behältnisse oder Schaltkreise, beispielsweise Computer oder Funkfrequenzbänder), in der Meme darum kämpfen, diese »Lebensräume« zu besiedeln. Wie bei den Genen im Genpool, so behalten auch unter den Memen diejenigen die Oberhand, die sich selbst gut vervielfältigen können. Das kann daran liegen, dass sie einen direkten Reiz ausüben – dies trifft vermutlich bei manchen Menschen auf das Unsterblichkeitsmem zu. Oder aber sie gedeihen in Gegenwart anderer Meme, die sich im Mempool bereits stark vermehrt haben. Auf diese Weise entstehen Memkomplexe oder »Memplexe«. Wie immer, wenn es um Meme geht, so gewinnen wir auch hier neue Aufschlüsse, wenn wir uns den genetischen Wurzeln der Analogie zuwenden.

Bisher habe ich die Gene aus didaktischen Gründen so dargestellt, als seien sie isolierte Einheiten, die unabhängig voneinander wirken. In Wirklichkeit sind sie natürlich nicht unabhängig, und das zeigt sich auf zweierlei Weise. Erstens sind Gene auf den Chromosomen linear hintereinander aufgereiht und wandern deshalb in der Regel in Gesellschaft ganz bestimmter anderer Gene, die benachbarte Positionen auf den Chromosomen besetzen, durch die Generationen. In der Wissenschaft bezeichnet man eine solche Verbindung als *Kopplung*; ich werde mich darüber hier nicht weiter äußern, denn bei Memen gibt es weder Chromosomen noch Allele oder sexuelle Rekombination. Aber neben der genetischen Kopplung sind die Gene noch in anderer Hinsicht voneinander abhängig, und in diesem Fall gibt es bei den Memen eine gute Analogie. Es hat mit der Embryonalentwicklung zu tun, die ein ganz anderes Gebiet ist als die Genetik – eine Tatsache, die häufig nicht verstanden wird. Ein Organismus entsteht nicht wie ein Puzzle aus vielen phänotypischen Einzelteilen, die jeweils von einem bestimmten Gen beigesteuert werden. Einen Eins-zu-eins-Zusammenhang zwischen bestimmten Genen und einzelnen Aspekten von Anatomie und Verhalten gibt es nicht. Gene programmieren im Zusammenwirken mit Hunderten anderer Gene die Entwicklungs*prozesse*, an deren Ende der fertige Organismus steht, ganz ähnlich wie die Wörter in einem Kochrezept einen Vorgang beschreiben, der mit dem fertigen Gericht endet. Auch hier entspricht nicht jedes Wort des Rezepts einer bestimmten Kochzutat.

Gene wirken also beim Aufbau eines Organismus gruppenweise zusammen – das ist eine der wichtigsten Gesetzmäßigkeiten der Embryologie. Man ist leicht versucht zu behaupten, die natürliche Selektion würde solche Genkomplexe in einer

Art Gruppenselektion gegenüber anderen Genkomplexen begünstigen. Aber das ist ein Irrtum. In Wirklichkeit stellen die anderen Gene des Genbestandes einen wichtigen Teil der *Umwelt* dar, in der jedes Gen im Vergleich zu seinen anderen Allelen der Selektion unterliegt. Da jedes Gen so selektiert wird, dass es in Gegenwart der anderen – die auf ähnliche Weise selektiert werden – erfolgreich ist, *ergeben sich* Gruppen zusammenwirkender Gene. Wir haben es hier eher mit einem freien Markt als mit einer Planwirtschaft zu tun. Es gibt einen Metzger und einen Bäcker, aber vielleicht existiert eine Marktlücke für einen Hersteller von Kerzenleuchtern. Diese Lücke wird durch die unsichtbare Hand der natürlichen Selektion geschlossen. Das ist ganz etwas anderes, als wenn eine zentrale Planungsinstanz das Dreiergespann Metzger/Bäcker/Kerzenleuchterhersteller begünstigt. Wie wir noch sehen werden, ist die Idee von zusammenwirkenden Gruppen, die von unsichtbarer Hand zusammengestellt werden, für unser Verständnis der religiösen Meme und ihrer Funktionsweise von entscheidender Bedeutung.

In den verschiedenen Genpools bilden sich unterschiedliche Gengruppen heraus. Gene im Genpool der Raubtiere programmieren Sinnesorgane zum Aufspüren von Beutetieren, Klauen zum Festhalten der Beute, Reißzähne, Fleisch verdauende Enzyme und vieles andere mehr; alle diese Gene sind genau so abgestimmt, dass sie gut zusammenwirken. Gleichzeitig werden im Genpool der Pflanzenfresser andere Gruppen untereinander verträglicher Gene wegen ihres Zusammenwirkens begünstigt. Dass ein Gen bevorzugt wird, wenn der zugehörige Phänotyp zur äußeren Umwelt der Spezies – Wüste, Wald oder was auch immer – passt, ist für uns ein vertrauter Gedanke. Mit geht es jetzt darum, dass es auch begünstigt wird, wenn es sich gut mit den anderen Genen seines jeweiligen Genpools verträgt. Ein Raubtiergen würde im Genpool eines Pflanzenfressers nicht erhalten bleiben, und umgekehrt.

Aus der langfristigen Sicht der Gene stellt der Genpool einer Spezies – der Gesamtbestand der Gene, die durch die sexuelle Fortpflanzung immer wieder neu gemischt werden – die genetische Umwelt dar, in der jedes einzelne Gen anhand seiner Fähigkeit zum Zusammenwirken selektiert wird. Auch wenn Mempools weniger stark reglementiert und strukturiert sind als Genpools, können wir den Mempool als wichtigen Bestandteil der »Umwelt« jedes Mems im Memplex bezeichnen.

Ein Memplex ist eine Gruppe von Memen, die allein nicht unbedingt eine gute Überlebensfähigkeit besitzen, in Gegenwart der anderen Meme ihres Memplexes jedoch erhalten bleiben. Im vorangegangenen Abschnitt habe ich bezweifelt, dass die Evolution der Sprache in ihren Details von irgendeiner Form der natürlichen Selektion begünstigt wurde. Ich habe die Vermutung geäußert, dass die Sprachevolution vielmehr durch zufällige Verschiebungen vorangetrieben wird. Allerdings kann man sich vorstellen, dass bestimmte Vokale oder Konsonanten in gebirgigem Gelände besser über große Entfernungen tragen und deshalb beispielsweise zu charakteristischen Merkmalen der Dialekte von Schweizern, Tibetanern oder Andenvölkern wurden, während andere Laute sich eher für das Flüstern im dichten Wald eignen und deshalb Eingang in die Sprachen von Pygmäen oder Amazonasindianern fanden. Aber die frühneuenglische Vokalverschiebung, die ich als Beispiel für die natürliche Selektion in der Sprachentwicklung genannt habe, gehört nicht in diese Kategorie. Sie hat vielmehr damit zu tun, dass Meme in wechselseitig verträgliche Memplexe passen. Zunächst verschob sich ein Vokal aus unbekannten Gründen – vielleicht als modische Nachahmung einer bewunderten oder mächtigen Person, wie es bei der Entstehung der spanischen Lispellaute gewesen sein soll. Aber ganz gleich, wie die frühneuenglische Vokalverschiebung begann: Nachdem sich der erste Vokal verändert hatte, mussten sich nach dieser Theorie in der Folge auch andere wandeln, damit Zweideutigkeiten vermieden wurden, und so immer weiter. In diesem zweiten Entwicklungsstadium wurden Meme vor dem Hintergrund bereits vorhandener Mempools selektiert und bildeten einen neuen Memplex aus untereinander verträglichen Memen.

Damit haben wir nun endlich die Voraussetzungen geschaffen, um uns der memetischen Theorie der Religion zuwenden zu können. Manche religiösen Gedanken überleben vielleicht wie manche Gene wegen ihrer absoluten Leistung. Solche Meme würden in jedem Mempool erhalten bleiben, ganz gleich, von welchen anderen Memen sie umgeben sind. (Ich muss noch einmal daran erinnern, dass »Leistung« hier nur »Überlebensfähigkeit im Mempool« bedeutet. Darüber hinaus verbindet sich mit dem Wort kein Werturteil.) Manche religiösen Ideen überleben, weil sie sich mit anderen Memen vertragen, die im Mempool bereits in großer Zahl vorhanden sind – das heißt, sie werden zu Teilen eines Memplexes. Die nachfolgende unvollständige Liste führt religiöse Meme auf, von denen man sich ohne weiteres vorstellen kann, dass sie im Mempool entweder wegen ihrer absoluten »Leistung« oder wegen ihrer Verträglichkeit mit dem vorhandenen Memplex erhalten bleiben:

- Du lebst nach dem Tod weiter.
- Wenn du als Märtyrer stirbst, kommst du in einen besonders schönen Teil des Paradieses, wo dir zweiundsiebzig Jungfrauen zu Diensten sind (man denke auch einmal kurz an diese unglückseligen Jungfrauen!).
- Ketzer, Gotteslästerer und Abtrünnige sollte man umbringen (oder auf andere Weise bestrafen, zum Beispiel indem sie von ihren Familien geächtet werden).
- Der Glaube an Gott ist eine hohe Tugend. Wenn du merkst, dass dein Glaube ins Wanken gerät, gib dir alle Mühe, ihn wiederherzustellen, und bete zu Gott, dass er dir gegen deinen Unglauben hilft. (In meiner Beschreibung der Pascal-

Wette habe ich die alte Annahme erwähnt, dass Gott eigentlich nur eins von uns verlangt: dass wir an ihn glauben. Dort habe ich das als Kuriosität abgetan. Jetzt haben wir eine Erklärung dafür.)

- Glauben ohne Belege ist eine Tugend. Je mehr dein Glaube den Belegen widerspricht, desto tugendhafter bist du. Besonders großer Lohn erwartet die Glaubensvirtuosen, die es schaffen, entgegen aller Begründung und Vernunft an etwas wirklich Seltsames zu glauben, das nicht belegt ist und sich nicht belegen lässt.

- Alle Menschen – selbst die, die keine religiösen Überzeugungen haben – müssen solchen Überzeugungen automatisch und ohne weiteres Nachfragen ein höheres Maß an Respekt entgegenbringen, als man es anderen Überzeugungen zugesteht (dieses Thema ist uns schon im ersten Kapitel begegnet).

- Es gibt seltsame Dinge (beispielsweise die Dreifaltigkeit, die Wandlung oder die Wiedergeburt), die wir gar nicht verstehen *sollen*. Wir dürfen uns nicht darum *bemühen*, sie zu verstehen, denn ein solcher Versuch könnte sie zerstören. Lernen wir lieber, Erfüllung darin zu finden, dass wir sie als *Geheimnisse* bezeichnen. Man denke nur daran, auf welch boshafte Weise Martin Luther die Vernunft verdammte (Zitat auf Seite 266) und wie er damit solche Meme vor dem Aussterben schützte.

- Schöne Musik, Kunst und Schriften sind sich selbst vermehrende Zeichen religiöser Gedanken.*

---

* Man kann verschiedene Kunstschulen und -genres als unterschiedliche Memplexe analysieren: Künstler kopieren die Ideen und Motive früherer Künstler, und neue Motive überleben nur dann, wenn sie zum Vorhandenen passen. Man kann sogar das ganze Fachgebiet der Kunstgeschichte, die auf raffinierte Weise den Bedeutungswandel von Bildern und Symbolen nachzeichnet, als hoch entwickelte Memplexforschung betrachten. Einzelne Details wurden durch bereits vorhandene Mitglieder des Mempools begünstigt oder unterdrückt, und bei diesen Mitgliedern handelt es sich häufig um religiöse Meme.

Einige Gedanken aus dieser Liste haben wahrscheinlich einen absoluten Überlebenswert und würden in jedem Memplex gedeihen. Aber manche Meme bleiben wie Gene nur vor dem Hintergrund anderer Meme erhalten, was zum Aufbau unterschiedlicher Memplexe führt. Zwei verschiedene Religionen kann man als verschiedene Memplexe betrachten. Vielleicht entspricht der Islam einem Fleisch fressenden und der Buddhismus einem Pflanzen fressenden Genkomplex. Die Ideen einer Religion sind nicht in einem absoluten Sinn »besser« als die einer anderen, genau wie die Gene eines Raubtiers nicht »besser« sind als die eines Pflanzenfressers. Solche religiösen Meme besitzen nicht zwangsläufig eine absolute Überlebensfähigkeit, aber eines können sie gut: Sie gedeihen in Gegenwart anderer Meme ihrer eigenen Religion, nicht aber, wenn Meme anderer Religionen zugegen sind. Nach dieser Vorstellung wurden beispielsweise der Katholizismus und der Islam nicht unbedingt von einzelnen Menschen gestaltet, sondern sie entwickelten sich getrennt voneinander als unterschiedliche Ansammlungen von Memen, die in Gegenwart anderer Mitglieder des gleichen Memplexes gut gedeihen.

Organisierte Religionen werden von Menschen organisiert: von Priestern und Bischöfen, Rabbinern, Imamen und Ayatollahs. Aber um noch einmal das zu betonen, was ich schon im Zusammenhang mit Martin Luther gesagt habe: Dies bedeutet nicht, dass sie von Menschen erdacht und gestaltet wurden. Selbst wenn Religionen zum Nutzen mächtiger Personen ausgenutzt und manipuliert wurden, bleibt immer noch durchaus die Möglichkeit, dass die Form einer Religion in ihren Einzelheiten vor allem durch unbewusste Evolution geprägt ist. Dabei handelt es sich nicht um genetische natürliche Selektion, denn die ist so langsam, dass man mit ihr die schnelle Evolution und Auseinanderentwicklung der Religionen nicht erklären kann. Die genetische natürliche Selektion hat in diesem Zusammenhang die Funktion, das Gehirn mit seinen Vorlieben und Voreingenommenheiten zur Verfügung zu stellen – die Hardwareplattform und die Basis-Software, die den Hintergrund für die memetische Selektion bilden.

Vor diesem Hintergrund erscheint mir eine Art memetische natürliche Selektion eine plausible Erklärung dafür zu sein, warum sich bestimmte Religionen in den Einzelheiten so und nicht anders entwickelt haben. In ihren ersten Evolutionsstadien, bevor die Überzeugung zu einer organisierten Religion wird, überleben einfache Meme ausschließlich dadurch, dass sie auf die Psyche der Menschen ganz allgemein einen Reiz ausüben. An dieser Stelle überschneiden sich die Memtheorie der Religion und die Theorie, wonach die Religion ein psychologisches Nebenprodukt ist. Die späteren Phasen, in denen die Religion organisiert, weiterentwickelt und von anderen Religionen abgegrenzt wird, lassen sich mit der Theorie der Memplexe gut beschreiben – eine Religion besteht dann aus Gruppen untereinander verträglicher Meme. Das schließt eine zusätzliche absichtliche Manipulation durch Priester und andere nicht aus. Religionen sind vermutlich zumindest teilweise intelligent gestaltet, ganz ähnlich wie die verschiedenen Schulen und Moden in der Kunst.

Eine Religion, die fast in ihrer Gesamtheit intelligent gestaltet wurde, ist Scientology, aber nach meiner Vermutung handelt es sich dabei um eine Ausnahme. Ein weiterer Kandidat für eine vollständig gestaltete Religion ist das Mormonentum. Joseph Smith, dessen geschäftstüchtiger, verlogener Erfinder, schrieb mit großem Aufwand ein ganz neues heiliges Buch, das Buch Mormon. Er erfand aus dem Nichts eine neue amerikanische Pseudogeschichte, die in pseudoaltem Englisch verfasst war. Aber das Mormonentum hat sich seit seiner Konstruktion im 19. Jahrhundert weiterentwickelt und ist heute in den Vereinigten Staaten eine der angesehenen Hauptreligionen – nach den Angaben seiner Vertreter sogar die am schnellsten wachsende; mittlerweile heißt es sogar, man wolle einen eigenen Präsidentschaftskandidaten aufstellen.

Die meisten Religionen entwickeln sich weiter. Ganz gleich, welche Theorie der religiösen Evolution wir uns zu Eigen machen, sie muss in jedem Fall erklären, warum die Evolution der Religion unter geeigneten Voraussetzungen so erstaunlich schnell voranschreiten kann. Dazu eine Fallstudie:

Cargo-Kulte

Zu den vielen Dingen, die Monty Python in *Das Leben des Brian* gut begriffen hatten, gehörte auch die Tatsache, dass ein neuer religiöser Kult ungeheuer schnell Zulauf gewinnen kann. Er entsteht unter Umständen fast über Nacht und wird in eine Kultur integriert, wo er dann eine beunruhigend dominante Rolle spielt. Das berühmteste reale Beispiel sind die »Cargo-Kulte« im Pazifikraum (Melanesien und Neuguinea). Ihre gesamte Geschichte von der Entstehung bis zum Erlöschen ist noch in lebendiger Erinnerung. Anders als der Jesuskult, dessen Ursprünge nicht zuverlässig belegt sind, können wir hier den gesamten Ablauf der Ereignisse genau verfolgen (und doch sind auch hier, wie wir noch sehen werden, manche Einzelheiten verloren gegangen). Es ist eine faszinierende Vermutung, dass der christliche Kult praktisch genauso begann und sich anfangs mit der gleichen hohen Geschwindigkeit ausbreitete.

Die wichtigste Quelle für meine Kenntnisse über die Cargo-Kulte ist das Buch *Quest in Paradise* (»Suche im Paradies«), das sein Autor David Attenborough mir freundlicherweise zum Geschenk machte. Die Gesetzmäßigkeiten sind bei all diesen Kulten immer wieder die gleichen, von den ältesten im 19. Jahrhundert bis zu den heute bekannteren, die sich im Gefolge des Zweiten Weltkrieges entwickelten. Anscheinend waren die Inselbewohner in allen Fällen völlig hingerissen von den wundersamen Besitztümern der weißen Einwanderer, also der Beamten, Soldaten und Missionare. Vielleicht wurden sie zu Opfern des dritten Gesetzes von Arthur C. Clarke, das ich bereits in Kapitel 2 zitiert habe: »Jede ausreichend hoch entwickelte Technologie ist von Zauberei nicht zu unterscheiden.«

Den Inselbewohnern fiel auf, dass die Weißen, die sich solcher Wunderdinge erfreuten, diese nie selbst herstellten. Musste ein Gegenstand repariert werden, schickte man ihn irgendwohin, und neue Gegenstände kamen als Fracht (»Cargo«) mit Schiffen oder später mit Flugzeugen. Es war, so Attenborough, nie zu beobachten, dass die Weißen irgendetwas herstellten oder reparierten – ja, eigentlich taten sie überhaupt nichts, was als nützliche Arbeit zu erkennen gewesen wäre. (Hinter einem Schreibtisch zu sitzen war offenbar eine Form der religiösen Verehrung.) Demnach musste die »Fracht« also übernatürlichen Ursprungs sein. Und als wollten die Weißen diese Vorstellung bestätigen, vollzogen sie Handlungen, bei denen es sich nur um rituelle Zeremonien handeln konnte:

Sie bauen hohe Masten auf und befestigen Drähte daran; sie sitzen lauschend vor kleinen Kisten, in denen Lichter glimmen und die seltsame Geräusche oder krächzende Stimmen von sich geben; sie veranlassen die Bewohner der Gegend, sich gleich zu kleiden, und lassen sie dann auf und ab marschieren – eine nutzlosere Tätigkeit kann man sich kaum ausmalen. Dann plötzlich erkennt der Einheimische, dass er des Rätsels Lösung gefunden hat. Diese unbegreiflichen Tätigkeiten sind die Rituale, mit denen der weiße Mann die Götter dazu bringt, ihnen Fracht zu schicken. Wenn der Einheimische die Fracht haben will, muss er ebenfalls solche Dinge tun.

Auffälligerweise entstanden die Cargo-Kulte unabhängig voneinander auf verschiedenen Inseln, zwischen denen geografisch und kulturell große Abstände lagen. Attenborough berichtet:

Die Anthropologen stellten zwei getrennte Ausbrüche in Neukaledonien fest, vier auf den Salomonen, vier auf den Fidschi-Inseln, sieben auf den Neuen Hebriden und über fünfzig in Neuguinea, die meisten davon unabhängig und ohne Zusammenhang mit anderen. In ihrer Mehrzahl behaupteten diese Religionen, ein bestimmter Messias werde die Fracht bringen, wenn der Tag des Weltunterganges gekommen sei.

Dass so viele ähnliche Kulte unabhängig voneinander aufblühten, lässt auf einheitliche allgemeine Eigenschaften der menschlichen Psyche schließen.

Einen berühmten Kult auf der Insel Tanna, die zu den Neuen Hebriden (seit 1980 Vanuatu) gehört, gibt es noch heute. In seinem Mittelpunkt steht eine Messiasgestalt namens John Frum. Erwähnungen von John Frum in offiziellen staatlichen Dokumenten reichen bis in die Vierzigerjahre des 20. Jahrhunderts zurück, doch man weiß, obwohl der Mythos noch so jung ist, nicht genau, ob ein echter Mensch dieses Namens existiert hat. Einer Legende zufolge war er ein kleiner Mann mit hoher Stimme und ausgeblichenen Haaren, der einen Mantel mit glänzenden Knöpfen trug. Er machte seltsame Prophezeiungen und gab sich große Mühe, die Menschen gegen die Missionare aufzuwiegeln. Schließlich kehrte er zu den Vorfahren zurück, nachdem er versprochen hatte, er werde im Triumph zurückkehren und üppige Fracht mitbringen. Seine Vision der Apokalypse beinhaltete »eine große Katastrophe; die Berge werden flach zusammenfallen, und die Täler werden aufgefüllt«.* Alte Menschen sollten ihre Jugend wiedergewinnen, Krankheiten sollten verschwinden; die Weißen würden von der Insel ver-

---

* Man vergleiche dies mit Jesaja 40,4: »Alle Täler sollen erhöht werden, und alle Berge und Hügel sollen erniedrigt werden.« Diese Ähnlichkeit ist allerdings wohl kein Zeichen für eine grundlegende Eigenschaft der menschlichen Psyche oder für das Jung'sche »kollektive Unbewusste«. Denn diese Inseln waren schon lange von Missionaren verseucht.

trieben werden und nie wiederkommen; und die Fracht werde in großen Mengen eintreffen, sodass alle so viel bekämen, wie sie haben wollten.

Beunruhigender für die Regierung war eine zweite Prophezeiung von John Frum: Er erklärte, bei seiner Wiederkehr werde er neue Münzen mitbringen, auf denen das Bild einer Kokosnuss eingeprägt sei. Deshalb müssten die Menschen ihr ganzes Geld in der Währung der Weißen loswerden. Dies führte 1941 zu einer gewaltigen Orgie des Geldausgebens; die Menschen arbeiteten nicht mehr, und die Wirtschaft der Insel nahm schweren Schaden. Die Kolonialverwaltung ließ die Rädelsführer verhaften, aber was sie auch unternahm, sie konnte den Kult nicht abwürgen; Missionskirchen und -schulen standen leer.

Etwas später machte sich eine neue Lehre breit: Danach war John Frum König von Amerika. Wie es das Schicksal wollte, kamen ungefähr zu dieser Zeit amerikanische Truppen auf die Neuen Hebriden, und Wunder über Wunder, unter ihnen waren auch Schwarze, die nicht arm waren wie die Inselbewohner, sondern

ebenso reich mit Fracht ausgestattet wie die weißen Soldaten. Auf Tanna machte sich heftige Aufregung breit. Der Tag der Apokalypse musste unmittelbar bevorstehen. Anscheinend bereiteten sich alle auf die Wiederkehr von John Frum vor. Einer der Anführer sagte, John Frum werde mit dem Flugzeug aus Amerika kommen, also rodeten Hunderte von Männern das Buschwerk in der Mitte der Insel, damit das Flugzeug eine Landebahn hatte.

Neben der Landepiste stand ein Kontrollturm aus Bambus, und darin saßen »Fluglotsen«, die Kopfhörerattrappen aus Holz trugen. Auf der »Startbahn« standen Flugzeugattrappen, die als Täuschung dienen und John Frums Flugzeug anlocken sollten.

In den Fünfzigerjahren reiste der junge David Attenborough mit dem Kameramann Geoffrey Mulligan nach Tanna, um den John-Frum-Kult genauer zu erforschen. Sie fanden viele Spuren der Religion und wurden schließlich mit dem Oberpriester bekannt gemacht, einem Mann namens Nambas. Dieser nannte seinen Messias ganz vertraulich John und behauptete, er würde regelmäßig über »Funk« mit ihm sprechen. Das Funkgerät (»Funk gehören John«) bestand aus einer alten Frau, die sich einen Draht um die Taille gewickelt hatte, in Trance verfiel und Kauderwelsch redete, das Nambas dann als die Worte John Frums deutete. Der Priester behauptete auch, er habe schon vorher gewusst, dass Attenborough zu ihm kommen werde, denn das habe John Frum ihm über »Funk« mitgeteilt. Attenborough wollte das Funkgerät sehen, aber dieses Ansinnen wurde erwartungsgemäß abgelehnt. Er wechselte das Thema und erkundigte sich, ob Nambas den Messias John Frum schon einmal gesehen hätte:

Nambas nickte heftig. »Ich ihn gesehen viele Male.«
»Wie sieht er aus?«
Nambas deutete mit dem Finger auf mich. »Er aussehen wie du. Er haben weiß Gesicht. Er großer Mann. Er lange leben Südamerika.«

Dieses Detail steht im Widerspruch zu der zuvor wiedergegebenen Legende, wonach John Frum ein kleiner Mann war. So geht es, wenn Legenden ihre Evolution durchmachen.

Man glaubt, John Frum werde an einem 15. Februar wiederkehren, nur das Jahr ist nicht bekannt. Jedes Jahr zu diesem Datum versammeln sich seine Anhänger, um ihn mit einer religiösen Zeremonie willkommen zu heißen. Bisher ist er nicht gekommen, aber die Gemeinde lässt sich nicht entmutigen. David Attenborough sagte zu Sam, einem Anhänger des Kults:

»Aber Sam, es ist schon neunzehn Jahre her, seit John gesagt hat, die Fracht werde kommen. Er verspricht und verspricht, aber die Fracht kommt nicht. Sind neunzehn Jahre nicht eine lange Zeit zum Warten?«

Sam hob den Blick vom Boden und sah mich an. »Wenn ihr zweitausend Jahre auf Jesus Christus wartet, und er kommt nicht, dann kann ich auch mehr als neunzehn Jahre auf John warten.«

Robert Buckman zitiert in seinem Buch *Can We Be Good without God?* (»Können wir ohne Gott gut sein?«) die gleiche bewundernswerte Antwort eines John-Frum-Jüngers; dieser gab sie vierzig Jahre nach David Attenboroughs Begegnung einem kanadischen Journalisten.

Im Jahr 1974 besuchten die britische Königin und Prinz Philip die Region; anschließend wurde der Prinzgemahl in einer Neuauflage des John-Frum-Kults ebenfalls vergöttlicht. (Auch hier fällt auf, wie schnell sich die Details in der religiösen Evolution wandeln können.) Der Prinz, ein gut aussehender Mann, machte in seiner weißen Marineuniform mit dem federgeschmückten Helm sicher eine gute Figur, und vielleicht ist es schon deshalb nicht verwunderlich, dass er und nicht die Königin in den Götterstand erhoben wurde; abgesehen davon wäre es in der Kultur der Inselbewohner ohnehin schwierig gewesen, eine weibliche Gottheit anzuerkennen.

Ich möchte mich nicht allzu sehr an den Cargo-Kulten des Südpazifikraumes festbeißen. Aber sie bieten uns ein faszinierendes, modernes Beispiel dafür, wie Religionen nahezu aus dem Nichts entstehen können. Insbesondere können wir daraus vier allgemeine Lehren über den Ursprung von Religionen ziehen, und die möchte ich hier kurz darlegen. Erstens kann ein Kult ungeheuer schnell entstehen. Zweitens verwischen sich die Spuren des Entstehungsprozesses sehr schnell. *Wenn* John Frum überhaupt gelebt hat, dann zu einer Zeit, für die es heute noch Zeitzeugen gibt. Aber obwohl der zeitliche Abstand so gering ist, steht nicht genau fest, ob es ihn überhaupt gab. Die dritte Lektion ergibt sich aus der Tatsache, dass ähnliche Kulte unabhängig voneinander auf verschiedenen Inseln entstanden. Die systematische Untersuchung dieser Ähnlichkeiten liefert Aufschlüsse über die menschliche Psyche und ihre Anfälligkeit für Religionen. Und viertens sind die Cargo-Kulte nicht nur untereinander ähnlich, sondern sie ähneln auch älteren Religionen. Das Christentum und andere Religionen, die heute weltweit verbreitet sind, waren anfangs vermutlich ebenso lokal begrenzte Kulte wie der um John Frum.

Wissenschaftler wie Geza Vermes, Professor für jüdische Studien an der Universität Oxford, äußerten sogar die Vermutung, Jesus sei nur eine von vielen charismatischen Gestalten gewesen, die ungefähr zur gleichen Zeit in Palästina auftraten und um die sich ähnliche Legenden rankten. Die meisten dieser Kulte verschwanden wieder; nur einer, so diese Vorstellung, überlebte und begegnet uns heute noch. Im Laufe der Jahrhunderte wurde er durch weitere Evolution (durch memetische Selektion, wenn man es so formulieren will – was aber nicht unbedingt nötig ist) zu dem raffinierten System – oder eigentlich zu auseinanderstrebenden Nachfolgesystemen – geformt, das heute in weiten Teilen der Welt eine beherrschende Stellung einnimmt. Eine gute Gelegenheit, den Aufstieg von Kulten und ihre weitere memetische Evolution zu studieren, bietet der Tod charismatischer Gestalten aus unserer Zeit wie Haile Selassie, Elvis Presley oder Prinzessin Diana.

Damit möchte ich meine Erörterung über die Wurzeln der Religion abschließen. Ich werde nur im zehnten Kapitel noch einmal darauf zurückkommen, wenn ich im Zusammenhang mit den psychologischen »Bedürfnissen«, die von der Religion erfüllt werden, das Phänomen des »imaginären Freundes« in der Kindheit diskutiere.

Häufig herrscht die Ansicht, Ethik habe ihre Wurzeln in der

Religion; diese Auffassung möchte ich im nächsten Kapitel infrage stellen. Ich werde darlegen, wie man auch die Entstehung der Ethik einer darwinistischen Fragestellung unterwerfen kann. Die Frage, worin der darwinistische Überlebenswert der Religion besteht, können wir genauso auch im Zusammenhang mit der Ethik stellen. Die Ethik ist vermutlich sogar älter als die Religion. Genau wie wir uns bei der Religion von der Frage abgewandt und sie neu formuliert haben, werden wir auch bei der Ethik feststellen, dass man sie vermutlich am besten als *Nebenprodukt* von etwas anderem betrachtet.

6 Die Wurzeln der Moral:
Warum sind wir gut?

*Seltsam ist unsere Situation hier auf Erden. Jeder von uns kommt
zu einem kurzen Besuch, ohne zu wissen warum, und doch
anscheinend manchmal um einen Zweck zu erfüllen.
Es gibt jedoch eines, das wir mit Sicherheit wissen: Der Mensch ist hier
um der anderen Menschen willen – vor allem für jene,
von deren Lächeln und Wohlergehen unser eigenes Glück abhängt.*

Albert Einstein

Viele religiöse Menschen können sich kaum vorstellen, wie
man ohne Religion Gutes tun oder auch nur das Bedürfnis
dazu empfinden kann. Mit solchen Fragen werde ich mich in
diesem Kapitel beschäftigen. Aber die Verunsicherung geht
noch tiefer – so tief, dass sie manche religiösen Menschen zu
Hasstiraden gegen alle treibt, die nicht ihren Glauben teilen.
Das ist insofern wichtig, als sich ethische Erwägungen auch
hinter religiösen Einstellungen zu anderen Themen verbergen,
die in keinem echten Zusammenhang mit der Ethik stehen.
Die Opposition gegen die Evolutionslehre hat zu einem großen Teil nicht mit der Evolution selbst oder überhaupt mit naturwissenschaftlichen Fragen zu tun, sondern ihr Motiv ist moralische Empörung. Das Spektrum reicht von einem naiven
»Wenn du meinen Kindern beibringst, dass sie von Affen ab-
stammen, werden sie sich auch wie Affen benehmen« bis zur
raffinierten Motivation für die »Keilstrategie« der »Intelligent
Design«-Bewegung, die von Barbara Forrest und Paul Gross in
ihrem Buch *Creationism's Trojan Horse: The Wedge of Intelligent*

Design (»Das Trojanische Pferd des Kreationismus: Der Keil des Intelligent Design«) gnadenlos offengelegt wird.

Ich bekomme von den Lesern meiner Bücher zahlreiche Briefe.* Die meisten sind begeistert und freundlich, manche enthalten nützliche Kritik, und ein paar sind auch gehässig oder gar heimtückisch. Leider muss ich berichten, dass die gehässigsten Zuschriften fast immer religiös motiviert sind. Solche unchristlichen Beschimpfungen erleben all jene, die als Feinde des Christentums wahrgenommen werden, sehr häufig. Der folgende Brief wurde im Internet veröffentlicht. Sein Adressat ist Brian Flemming, der Autor und Regisseur des Films *The God Who Wasn't There* (»Der Gott, den es nicht gab«)[95] – ein Film, der sich aufrichtig und anrührend für den Atheismus einsetzt. Unter der Überschrift »Brenne, während wir lachen« und mit dem Datum vom 21. Dezember 2005 heißt es in dem Brief an Flemming:

> Ihr habt eindeutig nicht alle Tassen im Schrank. Am liebsten würde ich ein Messer nehmen, euch Idioten den Bauch aufschlitzen und vor Freude schreien, wenn euer Inneres vor euch nach außen quillt. Ihr wollt einen heiligen Krieg anzetteln, aber dabei werden ich und meinesgleichen eines Tages das Vergnügen haben, Taten wie die gerade erwähnte zu begehen.

An dieser Stelle ereilte den Schreiber offenbar die verspätete Einsicht, dass er sich einer nicht gerade christlichen Sprache bediente, denn er fährt versöhnlicher fort:

> Aber GOTT lehrt uns, nicht nach Rache zu streben, sondern für Menschen wie euch zu beten.

---

* Es sind so viele, dass ich sie nicht alle angemessen beantworten kann. Dafür bitte ich um Entschuldigung.

Indes, seine Nächstenliebe ist nicht von langer Dauer:

> Mich tröstet die Gewissheit, dass die Strafe, die GOTT euch auferlegen wird, tausendmal schlimmer ist als alles, was *ich* euch antun könnte. Das Beste dabei ist noch, dass ihr ewig für diese Sünden büßen werdet, von denen ihr überhaupt nichts wisst. Der Zorn GOTTES wird keine Gnade kennen. Um eurer selbst willen hoffe ich, dass euch die Wahrheit offenbart wird, bevor das Messer sich in euer Fleisch senkt. Frohe WEIHNACHTEN!
>
> P. S. Ihr habt wirklich keine Ahnung, was euch noch erwartet ... Ich danke GOTT, dass ich nicht bin wie ihr.

Für mich ist es ein echtes Rätsel, wie eine schlichte theologische Meinungsverschiedenheit Anlass zu so viel Gehässigkeit geben kann. Das folgende Beispiel stammt aus dem Posteingang der Redaktion von *Freethought Today* (»Freidenkertum heute«), einer Zeitschrift, die von der Freedom from Religion Foundation (FFRF) herausgegeben wird und in den Vereinigten Staaten friedlichen Widerstand gegen die schleichende Unterwanderung der verfassungsmäßigen Trennung von Kirche und Staat leistet:

> Hallo, ihr Käse fressender Abschaum. Von uns Christen gibt es viel mehr als von euch Verlierertypen. Es gibt KEINE Trennung von Kirche und Staat, und ihr Heiden werdet verlieren ...

Wie war das doch gleich mit dem Käse? Amerikanische Freunde sagten mir, das könne als Anspielung auf den berüchtigt liberalen US-Bundesstaat Wisconsin gemeint sein, der sowohl Sitz der FFRF als auch Heimat einer großen Molkereiindustrie ist. Aber steckt nicht doch mehr dahinter? Und wie steht es mit den französischen »Käse fressenden Kapitulationsaffen«, auf die der konservative Journalist Jonah Goldberg vor Beginn des Irakkrieges eindrosch? Welchen Symbolwert hat Käse? Aber lesen wir weiter:

> Teufelsanbetender Abschaum … Bitte sterbt und fahrt zur Hölle … Ich hoffe, ihr bekommt eine schmerzhafte Krankheit, zum Beispiel Arschkrebs, und sterbt dann einen schmerzhaften langsamen Tod, damit ihr euren Gott treffen könnt, den SATAN … Ey Leute, dieses Zeug mit der Religionsfreiheit, das ist doch geil … Also ihr Schwulis und Lesben, nehmt's leicht und passt auf, wo ihr hingeht, denn Gott erwischt euch, wenn ihr's am wenigsten erwartet … Wenn euch dieses Land und das, weswegen es gegründet wurde, nicht gefällt, dann *haut verdammt noch mal ab* und geht direkt in die Hölle …

> PS Scheiß drauf, du Kommunistennutte … Bewegt eure schwarzen Ärsche raus aus den USA … Ihr habt keine Ausrede. Die Schöpfung ist mehr als Beweis genug für die Allmacht des HERRN JESUS CHRISTUS.

Warum denn nicht Allahs Allmacht? Oder die des Herrn Brahma? Oder gar die des Rächergottes Jahwe?

> Wir werden nicht sang- und klanglos verschwinden. Wenn in Zukunft Gewalt nötig ist, denkt daran, dass ihr angefangen habt. Mein Gewehr ist geladen.

Für mich drängt sich hier vor allem die Frage auf, wie man glauben kann, Gott habe eine derart hitzige Verteidigung nötig. Man sollte doch meinen, dass Gott ohne weiteres in der Lage ist, für seine eigenen Belange einzutreten. Wenn nicht er, wer sonst? Außerdem ist noch zu bedenken, dass die so boshaft beschimpfte und bedrohte Redakteurin der Zeitschrift in Wahrheit eine sanfte, liebenswürdige junge Frau ist.

Wenn die Schmähbriefe, die ich selbst erhalte, meist nicht in dieser Liga spielen, liegt das vielleicht daran, dass ich nicht in den Vereinigten Staaten lebe. Doch auch aus ihnen spricht nicht gerade jene Nächstenliebe, für die der Gründer des Christentums gerühmt wurde. Das folgende Schreiben vom Mai 2005 stammt von einem britischen Doktor der Medizin. Es ist zwar voller Hass, wirkt auf mich aber eher gequält als gehässig und macht deutlich, wie die ganze Frage der Ethik zu einem reichen Quell der Feindseligkeit gegen den Atheismus wird. Nach einigen einleitenden Absätzen, in denen er über die Evolution herzieht (und die sarkastische Frage stellt, ob sich ein »Neger« noch »im Evolutionsprozess befindet«), greift er Darwin persönlich an, zitiert Huxley fälschlich als Evolutionsgegner und fordert mich auf, ein Buch zu lesen (was ich getan habe), welches die Ansicht vertritt, die Welt sei nur achttausend Jahre alt (kann er seinen Doktor *wirklich* selbst gemacht haben?). Am Ende schreibt er:

Ihre eigenen Bücher, Ihr Ansehen in Oxford, alles, was Ihnen im Leben lieb ist und was Sie erreicht haben, ist eine Übung in völliger Nutzlosigkeit ... Camus' herausfordernde Frage wird unausweichlich: Warum begehen wir nicht alle Selbstmord? Tatsächlich hat Ihre Weltanschauung auf Studenten und viele andere genau diese Wirkung ... dass wir alle uns durch blinden Zufall aus dem Nichts entwickelt haben und wieder ins Nichts zurückkehren. Selbst wenn die Religion nicht wahr wäre, wäre es immer noch viel, viel besser, an einen edlen Mythos wie den von Platon zu glauben, wenn wir dadurch während unseres Lebens zum Seelenfrieden finden. Aber *Ihre* Weltanschauung führt zu Angst, Drogensucht, Gewalt, Nihilismus, Hedonismus, Frankenstein-Wissenschaft, zur Hölle auf Erden und zum Dritten Weltkrieg ... Ich frage mich: Wie glücklich sind *Sie* in Ihren zwischenmenschlichen Beziehungen? Sind Sie geschieden? Verwitwet? Homosexuell? Menschen wie Sie sind niemals glücklich, sonst würden sie nicht so verbissen zu beweisen versuchen, dass es kein Glück gibt und dass nichts einen Sinn hat.

Der Ton dieses Briefes ist zwar nicht typisch, aber er spiegelt eine verbreitete Empfindung wider. Sein Verfasser glaubt, der Darwinismus sei seinem Wesen nach nihilistisch, weil er angeblich lehrt, dass wir durch blinden Zufall entstanden seien (zum x-ten Mal: Natürliche Selektion ist genau das *Gegenteil* eines Zufallsprozesses) und nach unserem Tod vernichtet würden. Als unmittelbare Folge erwachsen aus dieser angeblichen Negativität dann alle möglichen Übel. Vermutlich wollte der Schreiber nicht wirklich unterstellen, der Stand als Witwer sei eine unmittelbare Folge meines Darwinismus, aber an dieser Stelle hatte der Brief bereits jenes Maß an panischer Boshaftigkeit erreicht, das ich bei meinen christlichen Korrespondenzpartnern immer wieder feststellen muss.

Weil ich der Frage nach dem letzten Sinn und der Poesie der Naturwissenschaft schon ein ganzes Buch gewidmet habe, *Unweaving the Rainbow (Der entzauberte Regenbogen)*, und darin sehr gezielt und ausführlich den Vorwurf der nihilistischen Negativität widerlegt habe, werde ich mich dazu an dieser Stelle zurückhalten. Stattdessen handelt das vorliegende Kapitel vom Bösen und seinem Gegenteil, dem Guten. Es geht um die Ethik: Woher kommt sie, warum sollten wir sie uns zu eigen machen, und brauchen wir dafür eine Religion?

Hat unser Moralgefühl einen darwinistischen Ursprung?

Die Ansicht, dass sich unser Gespür für Richtig und Falsch, Gut und Böse aus unserer darwinistischen Vergangenheit ableiten lasse, wurde bereits in mehreren Büchern vertreten – unter anderem in *Why Good Is Good* (»Warum gut gut ist«) von Robert Hinde, *The Science of Good and Evil* (»Die Wissenschaft vom Guten und vom Bösen«) von Michael Shermer, *Can We Be Good Without God?* (»Können wir ohne Gott gut sein?«) von Robert Buckman und *Moral Minds* (»Moralisches Denken«) von Marc Hauser. Im folgenden Abschnitt möchte ich dieser Argumentation meine eigene Fassung geben.

Die darwinistische Vorstellung, natürliche Selektion sei die Triebkraft der Evolution, scheint auf den ersten Blick nicht dazu geeignet zu sein, unsere guten Eigenschaften oder unser Gefühl für Moral, Anstand, Mitgefühl und Mitleid zu erklären. Hunger, Angst oder sexuelle Begierde lassen sich leicht mit der natürlichen Selektion begründen, denn sie alle tragen ganz unmittelbar zu unserem Überleben oder zur Erhaltung unserer Gene bei. Doch wie steht es mit dem quälenden Mitgefühl, das wir empfinden, wenn wir ein weinendes Waisenkind sehen, eine alte, in ihrer Einsamkeit verzweifelte Witwe oder ein Tier, das vor Schmerzen winselt? Woher kommt unser machtvoller Drang, eine anonyme Geld- oder Kleiderspende an Tsunamiopfer auf der anderen Seite des Globus zu schicken, also an Menschen, die wir wahrscheinlich nie kennen lernen werden und die uns im Gegenzug vermutlich keinen Gefallen tun können? Woher stammt der Barmherzige Samariter in uns? Ist Güte nicht unvereinbar mit der Theorie der »egoistischen Gene«? Nein, das ist sie nicht. Aber es ist im Zusammenhang mit dieser Theorie ein verbreitetes, bedrückendes (und im Rückblick leider vorhersehbares) Missverständnis.*

---

* Für mich war es bedrückend, als ich im *Guardian* (»Animal Instincts«, 27. Mai 2006) lesen musste, *Das egoistische Gen* sei das Lieblingsbuch von Jeff Skilling, dem CEO des berüchtigten Enron-Konzerns, und er habe daraus Anregungen sozialdarwinistischer Natur bezogen. Der Journalist Richard Conniff vom *Guardian* liefert für dieses Missverständnis eine gute Erklärung; vgl. http://money.guardian.co.uk/workweekly/story/ 0,,1783900,00.html (1. 4. 2007). In meinem neuen Vorwort zur Jubiläumsausgabe, die kürzlich zum 30. Jahrestag des Ersterscheinens bei Oxford University Press herausgekommen ist, habe ich mich bemüht, ähnlichen Missverständnissen vorzubeugen.

Es ist nur erforderlich, das richtige Wort zu betonen; die richtige Gewichtung lautet »Das egoistische *Gen*«. Dann steht es im Gegensatz zum egoistischen Organismus oder zur egoistischen Spezies. Doch das muss ich etwas genauer erklären.

Die darwinistische Logik führt zu der Erkenntnis, dass jenes Element in der Hierarchie des Lebendigen, das überlebt und vom Filter der natürlichen Selektion durchgelassen wird, egoistisch ist. In der Umwelt überleben diejenigen Einheiten, denen es gelingt, auf Kosten ihrer auf der gleichen Hierarchieebene angesiedelten Rivalen zu überleben. Genau das bedeutet das Wort »egoistisch« in diesem Zusammenhang. Die entscheidende Frage lautet: Auf welcher Ebene findet das Ganze statt? Die Vorstellung vom egoistischen Gen – mit der richtigen Betonung auf dem zweiten Wort – geht davon aus, dass nicht der egoistische Organismus, die egoistische Gruppe, die egoistische Spezies oder das egoistische Ökosystem als Einheit der natürlichen Selektion (das heißt als Einheit des Selbstinteresses) dient, sondern das egoistische *Gen*. Das Gen bleibt in Form seiner Informationen über viele Generationen hinweg erhalten, oder auch nicht. Im Gegensatz zum Gen (und, wie man behaupten könnte, zum Mem) sind Individuum, Gruppe oder Spezies keine Gebilde, die in diesem Sinn als Einheiten gelten können, denn sie stellen keine exakten Kopien ihrer selbst her und konkurrieren nicht miteinander im Gesamtbestand solcher selbstverdoppelndenGebilde. Genau dies tun aber die Gene, und das ist die völlig logische Rechtfertigung dafür, das Gen als Einheit des »Egoismus« in diesem spezifisch darwinistischen Sinn herauszugreifen.

Wo sorgen die Gene nun für ihr eigenes »egoistisches« Überleben im Verhältnis zu anderen Genen? Der naheliegendste Weg besteht darin, dass sie die einzelnen Organismen auf Egoismus programmieren. In vielen Fällen nützt das

Überleben des Organismus tatsächlich auch dem Überleben der Gene, die darin zu Hause sind. Doch unterschiedliche Umstände erfordern unterschiedliche Strategien. Unter manchen – gar nicht einmal so seltenen – Voraussetzungen sorgen die Gene für ihr eigenes, egoistisches Überleben am besten dadurch, dass sie den Organismus zum Altruismus veranlassen.

Welche Voraussetzungen das sind, ist heute ziemlich gut bekannt. Sie lassen sich in zwei Kategorien einteilen: Ein Gen, das den einzelnen Organismus darauf programmiert, seinen eigenen Verwandten einen Gefallen zu tun, nützt mit hoher statistischer Wahrscheinlichkeit seinen eigenen Kopien. Die Häufigkeit eines solchen Gens kann im Genpool so weit anwachsen, dass Altruismus gegenüber den Verwandten zum Normalfall wird. Die Versorgung der eigenen Kinder ist das offenkundigste Beispiel, aber keineswegs das einzige. Bienen, Wespen, Ameisen, Termiten und in geringerem Ausmaß auch Wirbeltiere wie Nacktmulle, Erdmännchen und Eichelspechte bilden Gesellschaften, in denen die älteren Geschwister für die jüngeren (mit denen sie wahrscheinlich die Gene für die Brutpflege teilen) sorgen. Wie mein mittlerweile verstorbener Kollege W. D. Hamilton nachweisen konnte, sorgen viele Tiere ganz allgemein für ihre nächsten Angehörigen: Diese werden verteidigt, beschützt, vor Gefahren gewarnt und auch sonst altruistisch behandelt, weil eine hohe statistische Wahrscheinlichkeit besteht, dass auch Verwandte Kopien der gleichen Gene besitzen.

Der zweite Haupttyp, für den wir eine gut ausgearbeitete darwinistische Erklärung haben, ist der wechselseitige Altruismus (»Eine Hand wäscht die andere«). Dieser Gedanke, der erstmals von Robert Trivers in die Evolutionsforschung eingeführt wurde und heute häufig in der mathematischen Sprache der Spieltheorie formuliert wird, stützt sich nicht auf gemeinsame Gene. Das Prinzip funktioniert ebenso gut oder vielleicht sogar noch besser, wenn es sich um Angehörige ganz unterschiedlicher biologischer Arten handelt – in einem solchen Fall spricht man von Symbiose. Auf dem gleichen Prinzip beruhen auch Handel und Austausch unter den Menschen. Der Jäger braucht einen Speer, und der Schmied hätte gern Fleisch. Die Asymmetrie wird zum Ausgangspunkt für ein Geschäft. Die Biene braucht Nektar, und die Blüte muss bestäubt werden. Blüten können nicht fliegen, also bezahlen sie die Bienen in Nektarwährung, damit diese ihre Flügel zur Verfügung stellen. Vögel aus der Gruppe der Honiganzeiger finden Bienennester, können aber nicht in sie eindringen. Honigdachse wiederum brechen in Bienennester ein, doch ihnen fehlen die Flügel, um danach zu suchen. Also dirigiert der Honiganzeiger den Honigdachs (und manchmal auch einen Menschen) mit einem besonders aufreizenden Flug, der keinem anderen Zweck dient, zum Honig. Von diesem Geschäft profitieren beide Seiten. Unter einem großen Stein liegt vielleicht ein Goldschatz, aber der Brocken ist so schwer, dass der Entdecker ihn nicht bewegen kann. Er holt andere zu Hilfe, obwohl er dann mit diesen das Gold teilen muss – aber ohne sie bekäme er überhaupt nichts. Die Reiche des Lebendigen sind voll von solchen Beziehungen auf Gegenseitigkeit: Büffel und Madenhacker, rote Röhrenblüten und Kolibris, Zackenbarsche und Putzerfische, Kühe und die Mikroorganismen in ihrem Darm. Der Altruismus auf Gegenseitigkeit wird möglich, weil sowohl in den Bedürfnissen als auch in der Fähigkeit zu ihrer Befriedigung eine Asymmetrie besteht. Das ist der Grund, warum sie zwischen unterschiedlichen Arten besonders gut funktioniert. Die Asymmetrie ist einfach größer.

Wir Menschen haben Schuldscheine und Geld als Hilfsmittel, um solche Transaktionen auch mit Verzögerung zu ermöglichen. Die Handelspartner müssen sich ihre Güter nicht zur gleichen Zeit übergeben, sondern können für die Zukunft Schulden machen und diese sogar an andere weiterverkaufen.

Soweit mir bekannt ist, gibt es außer bei den Menschen bei keiner Tierart eine unmittelbare Entsprechung zum Geld. Aber auf formlosere Weise erfüllen Erinnerungen an die individuelle Identität die gleiche Funktion. Vampirfledermäuse lernen, bei welchen Individuen in ihrer sozialen Gruppe sie sich darauf verlassen können, dass Schulden (in Form von hochgewürgtem Blut) zurückgezahlt werden und welche Individuen Betrüger sind. Die natürliche Selektion begünstigt Gene, die das Individuum in Beziehungen mit ungleich verteilten Bedürfnissen und Gelegenheiten dazu veranlassen, etwas zu geben, wenn es dazu in der Lage ist, und sonst um etwas zu bitten. Außerdem begünstigt sie auch die Neigung, sich an Verpflichtungen zu erinnern, Groll zu hegen, Tauschbeziehungen zu überwachen und Betrüger zu bestrafen, die zwar nehmen, aber nicht geben, wenn sie an der Reihe sind.

Betrüger wird es immer geben, und eine tragfähige Lösung für das spieltheoretische Dilemma des gegenseitigen Altruismus beinhaltet stets ein Element der Bestrafung unehrlicher Zeitgenossen. Für derartige »Spiele« lässt die mathematische Theorie zwei weit gefasste Klassen stabiler Lösungen zu. »Immer fies sein« ist stabil, denn wenn alle anderen es genauso machen, kann ein einzelnes freundliches Individuum nichts erreichen. Es gibt aber noch eine zweite stabile Strategie. (»Stabil« bedeutet hier: Sobald die Lösung in der Bevölkerung eine gewisse kritische Verbreitung überschritten hat, gibt es keine bessere Alternative.) Das ist die Strategie nach dem Motto »Sei von Anfang an nett und unterstelle auch anderen im Zweifel nur Gutes. Zahle Gutes mit Gutem heim, aber ahnde schlechte Taten.« In der Sprache der Spieltheorie trägt diese Strategie (oder Gruppe ähnlicher Strategien) verschiedene Namen; häufig wird sie als »Wie du mir, so ich dir« oder »Schlag und Gegenschlag« bezeichnet. In der Evolution ist sie unter bestimmten Bedingungen stabil, das heißt, in einer Population, in der die Mehrheit nach diesem Prinzip verfährt, schneidet weder ein einzelnes fieses Individuum noch eines, das bedingungslos nett ist, besser ab. Es gibt noch andere, kompliziertere Varianten des »Wie du mir, so ich dir«, denen es unter bestimmten Umständen besser ergeht.

Ich habe Verwandtschaft und gegenseitigen Nutzen als Säulen des Altruismus in der darwinistischen Welt bezeichnet, aber darüber hinaus gibt es auch sekundäre Strukturen, die auf diesen großen Pfeilern ruhen. Insbesondere in der Gesellschaft der Menschen, in der es Sprache und Tratsch gibt, ist der Ruf sehr wichtig. Jemand kann beispielsweise in dem Ruf stehen, freundlich und großzügig zu sein, und ein anderer steht in dem Ruf, unzuverlässig zu sein, zu betrügen und sich nicht an Abmachungen zu halten. Von einem Dritten weiß man vielleicht, dass er großzügig ist, wenn man sein Vertrauen erworben hat, dass er Hinterlist jedoch erbarmungslos bestraft. Die nüchterne Theorie des gegenseitigen Altruismus sagt voraus, dass das Verhalten aller Tierarten seine Grundlage in unbewussten Reaktionen auf solche Eigenschaften der Artgenossen hat.

In unserer menschlichen Gesellschaft verbreiten wir den Ruf zusätzlich durch die Macht der Sprache, und zwar meist in Form von Tratsch. Wir müssen nicht selbst darunter gelitten haben, dass X es versäumt hat, in der Kneipe eine Runde auszugeben, als er an der Reihe war. Unter Umständen wissen wir nur vom Hörensagen, dass X ein Geizkragen ist oder – um dem Beispiel eine ironische Komplikation hinzuzufügen – dass Y entsetzlich viel tratscht. Der Ruf ist wichtig, und die Biologen können durchaus einen darwinistischen Überlebensvorteil darin erkennen, wenn man nicht nur Gutes mit Gutem vergilt, sondern sich auch den *Ruf* erwirbt, sich so zu verhalten. *The Origins of Virtue (Die Biologie der Tugend)* von Matt Ridley ist nicht nur eine aufschlussreiche Darstellung des gesamten Gebietes der darwinistischen Ethik, sondern es erläutert auch besonders gut die Frage des Rufes.*

Eine weitere faszinierende Idee steuerten der norwegisch-amerikanische Wirtschaftswissenschaftler Thorstein Veblen und – auf ganz andere Weise – der israelische Zoologe Amotz Zahavi bei. Altruistisches Geben kann Werbung für die eigene Dominanz oder Überlegenheit sein. Anthropologen kennen den »Potlatch-Effekt«; der Name erinnert an die Sitte der rivalisierenden Indianerhäuptlinge im Nordwesten Nordamerikas, die sich gegenseitig mit immer üppigeren, ruinösen Festen überboten. Im Extremfall setzen sich die gegenseitigen Einladungen zum Gelage so lange fort, bis eine Seite in Armut versinkt, wobei es dem Sieger jedoch kaum besser ergeht. Veblens Begriff des »demonstrativen Konsums« *(conspicuous consumption)* kommt vielen Beobachtern des modernen Lebens durchaus bekannt vor. Zahavis Beitrag dagegen blieb bei den Biologen über viele Jahre hinweg unbeachtet, bis er durch ausgezeichnete mathematische Modelle des Theoretikers Alan Grafen bestätigt wurde: Es handelt sich um eine evolutionsorientierte Version des Potlatch-Begriffs.

Zahavi beschäftigte sich mit Graudrosslingen, kleinen, braunen Vögeln, die soziale Gruppen bilden und gemeinsam brüten. Wie viele kleine Vögel stoßen auch die Graudrosslinge Warnschreie aus und geben sich gegenseitig Futter ab. In der üblichen darwinistischen Untersuchung solcher altruistischen

---

* Den Ruf gibt es nicht nur bei Menschen. Wie kürzlich nachgewiesen wurde, spielt er auch in einem der klassischen Fälle von gegenseitigem Altruismus bei Tieren eine Rolle bei der symbiotischen Beziehung zwischen den kleinen Putzerfischen und ihren wesentlich größeren »Kunden«. In einem gut durchdachten Experiment wurde gezeigt, dass einzelne Putzerlippfische *(Labroides dimidiatus)*, die von potenziellen Kunden beobachtet worden waren und sich als geschickte Putzer erwiesen hatten, von diesen Kunden häufiger ausgewählt wurden als andere Putzerfische, die zuvor ihre Reinigungsaufgabe vernachlässigt hatten. Vgl. R. Bshary/A. S. Grutter, »Image Scoring and Cooperation in a Cleaner Fish Mutualism«, *Nature* 441 (22. Juni 2006), S. 975–978.

Verhaltensweisen würde man unter den Vögeln zuerst nach Gegenseitigkeit und Verwandtschaftsbeziehungen suchen. Erwartet ein Graudrossling, der einen Artgenossen füttert, dass er selbst später auch umgekehrt gefüttert wird? Oder ist der Nutznießer ein genetisch enger Verwandter? Zahavi liefert eine überraschende Interpretation: Dominante Graudrosslinge sichern sich ihre Herrschaft, indem sie die Untergebenen füttern. Um die vermenschlichte Sprache zu benutzen, die Zahavi so großes Vergnügen bereitet: Der dominante Vogel sagt so etwas wie »Sieh nur, wie haushoch ich dir überlegen bin – ich kann es mir leisten, dir etwas zu fressen zu geben«. Oder: »Sieh nur, wie haushoch ich dir überlegen bin – ich kann es mir sogar leisten, mich für die Falken angreifbar zu machen; ich sitze auf einem hohen Ast, spiele den Wächter und warne alle übrigen Vögel des Schwarms, die am Boden nach Nahrung suchen.«

Zahavis Beobachtungen und die seiner Kollegen lassen darauf schließen, dass die Graudrosslinge aktiv um die gefährliche Aufgabe des Wächters konkurrieren. Versucht ein untergeordneter Vogel, einem dominanten Artgenossen Futter anzubieten, so wird diese scheinbare Großzügigkeit energisch zurückgewiesen. Im Wesentlichen lautet Zahavis Aussage: Die Zurschaustellung von Überlegenheit wird durch den Aufwand glaubwürdig. Nur ein wirklich überlegener Vogel kann es sich leisten, diese Tatsache mit einem kostbaren Geschenk zu bekräftigen.

Ein Individuum erkauft sich seinen Erfolg – zum Beispiel beim Anlocken von Paarungspartnern – mit einer kostspieligen Demonstration der Überlegenheit, zu der betonte Großzügigkeit und die Übernahme von Risiken im Interesse der Allgemeinheit gehören.

Damit haben wir nun vier stichhaltige darwinistische Gründe, warum Individuen untereinander altruistisch, großzügig, oder »moralisch« handeln. Der erste betrifft den Sonderfall der

Verwandtschaft. Der zweite ist die Gegenseitigkeit: Gefälligkeiten werden vergolten und in »Erwartung« eines solchen Gegengefallens erwiesen. Darauf folgt sofort der dritte: der darwinistische Vorteil, den es bedeutet, wenn man sich den Ruf der Großzügigkeit und Freundlichkeit erwirbt. Und wenn Zahavi recht hat, gibt es viertens den speziellen, unmittelbaren Nutzen der zur Schau gestellten Großzügigkeit als Mittel, um für sich selbst authentische, unverfälschte Reklame zu machen.

Während des größten Teils unserer Vorgeschichte wurde die Evolution aller vier Formen des Altruismus durch die Lebensbedingungen der Menschen stark begünstigt. Die Menschen lebten in Dörfern oder – noch früher – in eigenständigen Gruppen, die wie Paviane durch die Gegend zogen und von Nachbargruppen oder anderen Dörfern mehr oder weniger stark isoliert waren. Die meisten Angehörigen einer solchen Gruppe waren untereinander enger verwandt als mit den Mitgliedern anderer Gruppen – womit sich eine Fülle von Gelegenheiten für die Evolution von Verwandtschaftsaltruismus bot. Und unabhängig davon, ob sie verwandt waren, trafen sich dieselben Individuen während ihres ganzen Lebens immer wieder – ideale Voraussetzungen für die Evolution des Altruismus auf Gegenseitigkeit. Ebenso konnte man sich unter diesen Bedingungen hervorragend einen Ruf des Altruismus erwerben, und die gleichen Bedingungen eigneten sich dafür, Großzügigkeit unübersehbar zur Schau zu stellen. Auf allen vier Wegen wurde die genetische Veranlagung zum Altruismus bei den Frühmenschen begünstigt. Man erkennt ohne weiteres, warum unsere Vorfahren zu den Mitgliedern ihrer eigenen Gruppe freundlich waren, während sie sich gegenüber anderen Gruppen abweisend bis hin zur Fremdenfeindlichkeit verhielten. Heute jedoch leben die meisten Menschen in Städten, wo sie nicht ihre Verwandten um sich herum haben und jeden Tag mit Personen zusammentreffen, die sie nie wieder sehen werden; warum sind wir dennoch auch heute gut zueinander, und das manchmal sogar zu Menschen, von denen man meinen könnte, dass sie zu einer ganz anderen Gruppe gehören?

Es ist wichtig, dass man sich keine falschen Vorstellungen von der Reichweite der natürlichen Selektion macht. Diese Selektion begünstigt nicht die Evolution eines kognitiven Bewusstseins dafür, was gut für unsere Gene ist. Ein solches Bewusstsein konnte erst im 20. Jahrhundert die kognitive Ebene erreichen, und auch heute ist das umfassende Wissen darüber auf eine kleine Gruppe spezialisierter Wissenschaftler beschränkt. Die natürliche Selektion begünstigt Faustregeln, die in der Praxis den Genen nützen, von denen sie erzeugt wurden. Aber es gehört zum Wesen von Faustregeln, dass sie manchmal nach hinten losgehen. Im Gehirn eines Vogels sorgt die Regel »Kümmere dich um die kleinen quiekenden Dinger in deinem Nest und lass Futter in ihre roten aufgesperrten Schnäbel fallen« normalerweise für die Erhaltung der Gene, die diese Regel hervorgebracht haben, denn bei den quiekenden Dingern mit den offenen Schnäbeln im Nest eines erwachsenen Vogels handelt es sich in den meisten Fällen um dessen Nachkommen. Die Regel wirkt sich aber schädlich aus, wenn ein anderer Jungvogel auf irgendeinem Weg in das Nest gelangt – ein Phänomen, das die Kuckucke zu ihren Gunsten ausnutzen. Wäre es denkbar, dass unser Drang zur Nächstenliebe ebenfalls eine solche Fehlfunktion ist wie bei dem Teichrohrsänger, dessen Elterninstinkt in die Irre geht, wenn der Vogel sich für einen kleinen Kuckuck abrackert? Eine noch genauere Analogie ist der Drang der Menschen, ein Kind zu adoptieren. Ich muss aber sofort hinzufügen, dass ich den Begriff »Fehlfunktion« hier nur in einem streng darwinistischen Sinn gebrauche. Er beinhaltet keinerlei Abwertung.

Meine Idee, es könne sich um einen »Fehler« oder ein »Nebenprodukt« handeln, sieht folgendermaßen aus: In alter Zeit, als wir wie Paviane in kleinen, stabilen Gruppen lebten, programmierte die natürliche Selektion in unser Gehirn einen

Drang zum Altruismus ein; es war ein Trieb wie der Sexualtrieb, der Fresstrieb, die Fremdenfeindlichkeit und so weiter. Ein intelligentes Paar kann Darwin lesen und weiß dann, dass das Bedürfnis nach Sexualität seine Ursache letztlich in der Fortpflanzung hat. Beide wissen, dass die Frau kein Kind bekommen kann, weil sie die Pille nimmt. Dennoch stellen sie fest, dass ihr Sexualtrieb sich durch dieses Wissen keineswegs vermindert. Sexuelle Bedürfnisse sind sexuelle Bedürfnisse, und in der Psyche des Einzelnen sind sie unabhängig von dem darwinistischen Druck, der letztlich ihre Triebkraft war. Es ist ein starker Trieb, der losgelöst von seiner letzten Begründung existiert.

Nach meiner Vermutung gilt das Gleiche auch für unseren Drang, freundlich zu sein – unseren Hang zu Altruismus, Großzügigkeit, Einfühlungsvermögen und Mitleid. In alter Zeit hatten wir die Gelegenheit zum Altruismus nur gegenüber unseren Verwandten und denen, die es uns potenziell vergelten konnten. Heute existiert diese Einschränkung nicht mehr, aber die Faustregel ist immer noch da. Warum sollte es sie nicht mehr geben? Es ist genau wie beim Sexualtrieb. Wenn wir einen unglücklichen Menschen weinen sehen, müssen wir einfach Mitleid empfinden (auch wenn dieser Mensch nicht mit uns verwandt ist und uns unsere Hilfe nicht vergelten kann), ganz ähnlich wie wir uns sexuell zu einem Angehörigen des anderen Geschlechts hingezogen fühlen (auch wenn diese Person vielleicht unfruchtbar oder aus anderen Gründen nicht zur Fortpflanzung in der Lage ist). Beides sind Fehlfunktionen, darwinistische Fehler – segensreiche, kostbare Fehler.

Man sollte keine Sekunde lang daran denken, in einer solchen darwinistischen Betrachtung eine Herabwürdigung oder Verunglimpfung edler Gefühle wie Mitleid und Großzügigkeit zu sehen. Das Gleiche gilt für den Sexualtrieb. Wenn sexuelles Verlangen durch die Kanäle der Sprachkultur gelenkt wird, kommt es in Form großartiger Dichtung und Dramatik wieder zum Vorschein, beispielsweise in den Liebesgedichten von John Donne oder als Shakespeares *Romeo und Julia*. Ebenso geht es natürlich mit dem fehlgeleiteten, auf Verwandtschaft oder Gegenseitigkeit beruhenden Mitleid. Aus dem Zusammenhang gerissen, erscheint die Gnade gegenüber einem Schuldner ebenso undarwinistisch wie die Adoption eines fremden Kindes. Im vierten Akt des *Kaufmanns von Venedig* sagt Shakespeare:

Die Art der Gnade weiß von keinem Zwang:
Sie träufelt wie des Himmels milder Regen
Zur Erde unter ihr.

Sexuelle Begierde ist die Triebkraft für einen großen Teil aller Bestrebungen und Bemühungen der Menschen, und vieles davon sind Fehlfunktionen. Es gibt keinen Grund, warum das Gleiche nicht auch für das Bedürfnis gelten sollte, großzügig und mitfühlend zu sein, wenn es sich dabei um die fehlgeleiteten Folgen des vorzeitlichen Dorflebens handelt. Beide Bedürfnisse konnte die natürliche Selektion in alter Zeit am besten dadurch in uns verankern, dass sie Faustregeln ins Gehirn einprogrammierte. Diese Regeln wirken sich noch heute auf uns aus, obwohl sie sich unter den heutigen Bedingungen für ihre ursprünglichen Funktionen nicht mehr eignen.

Aber die Faustregeln beeinflussen uns nicht auf calvinistisch-deterministische Weise, sondern sie sind gefiltert: durch die kultivierenden Wirkungen von Literatur und Sitten, Gesetzen und Traditionen – und natürlich durch die Religion. Genau wie die primitive, im Gehirn eingepflanzte Regel der sexuellen Lust, die den Filter der Zivilisation durchläuft und in Form der Liebesszenen in *Romeo und Julia* wieder zum Vorschein kommt, so taucht auch die primitive Regel der Blutrache – »Wir gegen die anderen« – in Form des ständigen Kampfes zwischen Capulets und Montagues wieder auf. Und die primitiven Regeln von

Altruismus und Mitgefühl erfreuen uns mit ihrer Fehlfunktion, die zur geläuterten Versöhnung in Shakespeares letzter Szene führt.

Eine Fallstudie über die Wurzeln der Moral

Wenn unser Moralgefühl seine Wurzeln tatsächlich wie unser Sexualtrieb tief in unserer darwinistischen Vergangenheit hat und viel älter ist als die Religion, sollte man damit rechnen, dass die Gehirnforschung einige allgemeine ethische Regeln aufdeckt, die über geografische und kulturelle Grenzen hinweg gültig sind, vor allem aber auch über die Grenzen der Religionen hinweg. Der Biologe Marc Hauser von der Harvard University beschäftigt sich in seinem Buch *Moral Minds: How Nature Designed our Universal Sense of Right and Wrong* (»Moralisches Denken: Wie die Natur unser universales Gefühl für Richtig und Falsch gestaltet hat«) sehr ausführlich mit einer aufschlussreichen Reihe von Gedankenexperimenten, die ursprünglich von Moralphilosophen erdacht wurden. Darüber hinaus ist Hausers Studie auch nützlich, weil sie einen Einblick in die Denkweise von Moralphilosophen liefert. Man postuliert ein theoretisches ethisches Dilemma, und aus den Schwierigkeiten, die dessen Lösung bietet, gewinnt man Aufschlüsse über unser Gefühl für Richtig und Falsch.

Hauser indes geht über die Gedankenexperimente der Philosophen hinaus und führt statistische Umfragen und psychologische Experimente durch, stellt Fragebögen ins Internet und erforscht damit zum Beispiel das ethische Empfinden realer Menschen. Aus heutiger Sicht ist dabei vor allem interessant, dass die meisten Menschen angesichts ethischer Zwickmühlen zu den gleichen Entscheidungen gelangen, wobei ihre Einigkeit über die Entscheidungen selbst weit stärker ist als ihre Fähigkeit, die Gründe dafür zu benennen. Genau das würde man er-

warten, wenn in unserem Gehirn ein Moralgefühl ebenso ein-
gebaut ist wie der Sexualinstinkt, die Höhenangst oder, wie
Hauser selbst gern sagt, die Sprachfähigkeit (die sich in den
Details von einem Kulturkreis zum anderen unterscheidet,
während die grundlegende Tiefenstruktur der Grammatik
überall gleich ist). Wie wir noch genauer erfahren werden, sind
die Antworten der Menschen auf solche ethischen Fragen offenbar weitgehend unabhängig von ihren religiösen Überzeugungen oder von deren Fehlen. Die Grundaussage von Hausers
Buch lautet in seinen eigenen Worten: »Die Triebkraft unserer
ethischen Urteile ist eine allgemeine ethische Grammatik, eine
Fähigkeit des Geistes, die sich in Jahrmillionen der Evolution
dahingehend entwickelt hat, dass sie Prinzipien zum Aufbau
eines ganzen Spektrums ethischer Systeme umfasst. Wie die
Regeln der Sprache, so fliegen auch die Gesetzmäßigkeiten, die
unsere ethische Grammatik bilden, unter dem Radar unseres
Bewusstseins hindurch.«

Die von Hauser erdachten ethischen Zwickmühlen sind
häufig Variationen des gleichen Themas: Ein herrenloser Waggon ist auf einer Eisenbahnstrecke unterwegs und bringt mehrere Menschen in Lebensgefahr. In der einfachsten Version der
Geschichte steht eine einzelne Person namens Denise im Stell-
werk und kann den Waggon auf ein Nebengleis umleiten, um
so die fünf Menschen auf dem Hauptgleis zu retten. Leider
steht aber auch auf dem Nebengleis ein Mensch. Da es aber nur
einer ist, stimmen die meisten Befragten darin überein, dass es
ethisch zulässig oder sogar geboten ist, dass Denise die Weiche
umlegt und durch die Tötung eines Menschen die fünf anderen
rettet. Hypothetische Möglichkeiten, etwa dass es sich bei dem
einen Menschen auf dem Nebengleis um ein Genie wie
Beethoven oder um einen engen Freund handelt, lassen wir
hier einmal außer Acht.

Entwickelt man das Gedankenexperiment weiter, so ergibt
sich eine Reihe von immer schwierigeren ethischen Dilem-

mata. Was ist, wenn man den Waggon anhalten kann, indem man von einer Brücke einen schweren Gegenstand vor ihm auf die Schienen fallen lässt? Das ist einfach: Natürlich müssen wir das Gewicht hinunterwerfen. Aber wie sieht es aus, wenn es sich bei dem einzig verfügbaren schweren Gegenstand um einen dicken Mann handelt, der auf der Brücke sitzt und den Sonnenuntergang genießt? Hier sind fast alle übereinstimmend der Ansicht, dass es ethisch unzulässig wäre, den Mann von der Brücke zu werfen, obwohl es sich in einem gewissen Sinn um die gleiche Zwangslage handelt, in der sich auch Denise befindet, wenn ihre Weichenstellung einen Menschen tötet und fünf andere rettet. Die meisten Menschen haben intuitiv den starken Eindruck, dass zwischen den beiden Situationen ein entscheidender Unterschied besteht, doch worin dieser Unterschied besteht, können wir unter Umständen nicht artikulieren.

Die Vorstellung, den dicken Mann von der Brücke zu werfen, erinnert an ein anderes von Hauser konstruiertes Dilemma. In einem Krankenhaus liegen fünf Patienten im Sterben; bei jedem versagt ein anderes Organ. Alle könnte man retten, wenn jeweils ein Spender für das kranke Organ zur Verfügung stünde, aber das ist nicht der Fall. Da fällt dem Chirurgen auf, dass im Wartezimmer ein gesunder Mann sitzt, bei dem alle fünf Organe gut funktionieren und sich für die Transplantation eignen würden. In diesem Fall würde es fast niemand für ethisch vertretbar halten, den einen Menschen zu töten und damit die fünf anderen zu retten.

Wie bei dem dicken Mann auf der Brücke, so haben auch hier die meisten Menschen die gleiche Intuition: Man sollte einen Unschuldigen, der zufällig in der Nähe ist, nicht ohne seine Zustimmung in eine schlimme Situation hineinziehen. Eine berühmte Formulierung für das Prinzip stammt von Immanuel Kant: Ein vernunftbegabtes Wesen sollte niemals gegen seinen Willen als Mittel zu einem Zweck benutzt werden, selbst dann nicht, wenn dieser Zweck darin besteht, anderen zu helfen. Das ist offenbar der entscheidende Unterschied zwischen der Situation mit dem dicken Mann auf der Brücke (oder dem im Wartezimmer) und dem Mann auf Denises Nebengleis: Der dicke Mann wird gezielt als Mittel benutzt, um den führerlosen Waggon zum Stehen zu bringen. Dies verletzt eindeutig das Kant'sche Prinzip. Die Person auf dem Nebengleis wird nicht benutzt, um das Leben der fünf anderen auf dem Hauptgleis zu retten. Hier ist das Nebengleis das Mittel, und der Mensch hat einfach nur Pech, dass er gerade dort steht. Aber warum stellt uns eine solche selbst gezogene Unterscheidung zufrieden? Für Kant war es ein moralisches Absolutum. Für Hauser wurde es uns von der Evolution eingepflanzt.

Die hypothetischen Situationen rund um den führerlosen Waggon wurden immer raffinierter, und entsprechend quälender wurden die ethischen Dilemmata. Hauser stellt zwei hypothetische Menschen namens Ned und Oscar mit ihren Zwangslagen einander gegenüber. Ned steht neben dem Bahngleis. Anders als bei Denise, die den Waggon auf ein Nebengleis lenken kann, führt Neds Weiche nur auf eine Gleisschleife, die sich kurz vor den fünf Personen wieder mit dem Hauptgleis vereinigt. Nur die Weiche umzulegen, hilft also nicht: Der Waggon wird die fünf Menschen trotzdem überrollen, weil das Nebengleis wieder auf das Hauptgleis mündet. Aber zufällig steht auf dem Nebengleis ein sehr dicker Mann, der den Waggon aufhalten könnte. Soll Ned die Weiche betätigen und den Zug umleiten? Die meisten Menschen meinen intuitiv, er solle es nicht tun. Aber worin besteht der Unterschied zwischen Neds und Denises Dilemma? Vermutlich wenden die Befragten intuitiv das Kant'sche Prinzip an. Denise leitet den Waggon um, damit er die fünf Menschen nicht überrollt, und das unglückliche Opfer auf dem Nebengleis ist ein »Kollateralschaden«, um den liebenswürdigen Rumsfeld'schen Ausdruck zu gebrauchen. Denise bedient sich des Mannes nicht, um die anderen zu retten, Ned dagegen *benutzt* den dicken Mann tatsächlich, um den Waggon anzuhalten, und die meisten Menschen sehen darin (vielleicht ohne viel nachzudenken) einen ebenso entscheidenden Unterschied wie Kant (der ausführlich darüber nachdachte).

Sehr deutlich wird der Unterschied an Oscars Dilemma. Oscar ist in der gleichen Situation wie Ned, nur liegt auf dem Nebengleis ein schweres Eisengewicht, das den Waggon aufhalten kann. Natürlich sollte Oscar sich ohne Probleme dafür entscheiden, die Weiche zu betätigen und den Waggon umzuleiten. Allerdings geht vor dem Eisengewicht gerade ein Wanderer vorüber. Er wird wie Neds dicker Mann mit Sicherheit sterben, wenn Oscar den Hebel umlegt. Der Unterschied besteht darin, dass Oscars Wanderer nicht dazu dient, den Waggon zum Stehen zu bringen; er ist vielmehr wie in Denises Dilemma ein Kollateralschaden. Wie Hauser und die meisten von ihm befragten Versuchspersonen, so habe auch ich das Gefühl, dass Oscar den Hebel umlegen darf, Ned aber nicht. Aber ich habe große Schwierigkeiten, meinen intuitiven Eindruck zu begründen. Hausers entscheidende Aussage lautet: Solche intuitiven ethischen Entscheidungen sind häufig nicht gut durchdacht, und dass wir sie dennoch so stark spüren, liegt an unserem Erbe aus der Evolution.

Nun unternahmen Hauser und seine Kollegen ein faszinierendes anthropologisches Experiment: Sie stellten ihre ethischen Fragen bei den Kuna, einem kleinen mittelamerikanischen Stamm, der nur wenig Kontakt zu Menschen aus Industriestaaten hat und keine institutionalisierte Religion besitzt. Den »Eisenbahnwaggon auf dem Gleis« ersetzten sie durch eine geeignete lokale Entsprechung, beispielsweise durch Krokodile, die sich einem Kanu nähern. Von den entsprechenden kleinen Unterschieden abgesehen, fällten die Kuna die gleichen ethischen Urteile wie die meisten anderen Menschen.

Was für dieses Buch von besonderem Interesse ist: Hauser untersuchte auch, ob sich religiöse Menschen in ihrer ethischen Intuition von Atheisten unterscheiden. Wenn wir unsere Ethik aus der Religion beziehen, müsste es solche Unterschiede eigentlich geben. Offensichtlich ist das aber nicht der Fall. In Zusammenarbeit mit dem Moralphilosophen Peter Singer konzentrierte sich Hauser auf drei hypothetische Dilemmata und verglich die Entscheidungen von Atheisten mit denen religiöser Menschen.[96] Die Versuchspersonen sollten in allen Fällen wählen, ob eine hypothetische Handlung »Pflicht«, »erlaubt« oder »verboten« sei. Es handelte sich um folgende drei Dilemmata:

1. Denises Dilemma. Hier meinten 90 Prozent der Befragten, es sei zulässig, den Waggon umzuleiten und einen Menschen zu töten, um fünf andere zu retten.

2. Sie sehen, wie ein Kind in einem Teich ertrinkt, und Hilfe ist nicht in Sicht. Sie können das Kind retten, aber damit ruinieren Sie Ihre Hose. In diesem Fall waren 97 Prozent der Befragten der Ansicht, man solle das Kind retten (verblüffenderweise hätten drei Prozent offenbar lieber ihre Hose gerettet).

3. Das zuvor beschriebene Dilemma mit der Organtransplantation. Auch hier stimmten 97 Prozent der Befragten darin überein, es sei ethisch verboten, den gesunden Menschen im Wartezimmer zu töten, um mit seinen Organen fünf andere Menschen zu retten.

Die wichtigste Erkenntnis aus der Studie von Hauser und Singer lautete: Was solche Entscheidungen angeht, besteht kein statistisch signifikanter Unterschied zwischen Atheisten und religiös gläubigen Menschen. Das steht offenbar im Einklang mit einer Ansicht, die ich mit vielen anderen vertrete: Wir brauchen Gott nicht, um gut zu sein – oder böse.

Wozu soll man gut sein, wenn es keinen Gott gibt?

So formuliert, hört sich die Frage niederträchtig an. Stellt ein religiöser Mensch sie mir in dieser Form (was häufig vorkommt), bin ich sofort versucht, sie mit folgender Gegenfrage zu beantworten: »Wollen Sie mir wirklich sagen, dass Sie sich nur deshalb bemühen, ein guter Mensch zu sein, weil Sie Gottes Zustimmung und Lohn erringen oder seine Ablehnung und Bestrafung vermeiden wollen? Das ist doch keine Moral, sondern nur Opportunismus, Einschleimerei und der verstohlene Blick zur großen Überwachungskamera im Himmel oder zur kleinen Abhörwanze in Ihrem Kopf, die jede Ihrer Bewegungen und sogar Ihre intimsten Gedanken aufzeichnet.« Oder, wie Einstein sagte: »Wenn die Menschen nur deshalb gut sind, weil sie sich vor Strafe fürchten und auf Belohnung hoffen, sind wir wirklich ein armseliger Haufen.« Michael Shermer bezeichnet dies in *The Science of Good and Evil* als das Ende einer jeden sinnvollen Diskussion. Wer meint, er würde ohne Gott zum »Räuber, Vergewaltiger und Mörder«, der entlarvt sich selbst als unmoralischer Mensch, »und wir wären gut beraten, um ihn einen großen Bogen zu machen«. Räumen wir dagegen ein, dass wir auch ohne göttliche Aufsicht weiterhin ein guter Mensch wären, versetzen wir unserer Behauptung, Gott sei nötig, um gut zu sein, einen tödlichen Schlag. Gewiss halten viele religiöse Menschen die Religion für ihr Motiv, sich gut zu verhalten, zumal wenn sie einer jener Glaubensrichtungen angehören, die persönliche Schuldgefühle systematisch ausnutzen.

In meinen Augen muss es um die Selbstachtung schon sehr schlecht bestellt sein, wenn man meint, der Glaube an Gott müsse nur aus der Welt verschwinden, und schon würden wir uns alle in gefühllose, egoistische Hedonisten verwandeln, die keine Freundlichkeit besitzen, keine Nächstenliebe, keine Großzügigkeit, nichts, was den Namen des Guten verdient. Vielfach wird Dostojewski eine solche Ansicht unterstellt, vor allem weil er seiner Romangestalt Iwan Karamasow Bemerkungen wie die folgende in den Mund legte:

[Iwan erklärte …] höchst feierlich, es gäbe auf der ganzen Erde entschieden nichts, was den Menschen veranlassen könnte, seinesgleichen zu lieben; solch ein Naturgesetz: »Der Mensch muss die Menschheit lieben« – existiere überhaupt nicht, und wenn es bis jetzt auf der Erde trotzdem Liebe gäbe, geschähe dies nicht nach einem Naturgesetz, sondern einzig darum, weil die Menschen noch an ihre Unsterblichkeit glaubten. Iwan Fjodorowitsch fügte bei der Gelegenheit noch en parenthèse hinzu, dass gerade darin das ganze Naturgesetz bestünde, sodass, wenn man im Menschen den Glauben an seine Unsterblichkeit vernichtete, in ihm nicht nur die Liebe, sondern auch überhaupt jede lebendige Kraft zur Fortsetzung des irdischen Lebens versiegen würde. Und nicht nur das: es würde dann auch kein Schamgefühl mehr geben, sagte er, alles würde dann erlaubt sein, sogar die Menschenfresserei. Aber auch damit war's noch nicht genug: er schloss mit der Behauptung, dass für jede Privatperson, wie hier zum Beispiel ich, die weder an Gott noch an ihre eigene Unsterblichkeit glaubt, das sittliche Gesetz der Natur sich in das volle Gegenteil des früheren religiösen Gesetzes verwandeln müsse, und dass der Egoismus, sogar bis zum Verbrechen, dem Menschen nicht nur erlaubt sein, sondern für ihn als unvermeidlicher, vernünftigster und womöglich edelster Ausweg in seiner Lage anerkannt werden müsse.[97]

Vielleicht bin ich naiv, aber ich neige, was die Natur des Menschen angeht, zu einer weniger zynischen Sichtweise als Iwan Karamasow. Brauchen wir wirklich eine Überwachung – durch Gott oder unsere Mitmenschen –, damit wir uns nicht egoistisch und verbrecherisch verhalten? Ich möchte sehr gern glauben, dass ich eine solche Aufsicht nicht brauche – und Sie, lieber Leser, auch nicht. Andererseits schwächt es unsere Zuversicht, wenn wir hören, welche ernüchternden Erfahrungen Steven Pinker während eines Polizistenstreiks im kanadischen Montreal machte. In seinem Buch *The Blank Slate (Das unbeschriebene Blatt)* schreibt er:

Als Halbwüchsiger war ich in dem als so friedlich gepriesenen Kanada während der romantischen 1960er Jahre ein glühender Anhänger des Bakunin'schen Anarchismus. Ich hatte nur ein verächtliches Lächeln für die Behauptung meiner Eltern übrig, dass die Hölle ausbrechen würde, wenn der Staat seine Macht preisgäbe. Unsere gegensätzlichen Vorhersagen wurden am 17. Oktober 1969 um acht Uhr morgens einer empirischen Prüfung unterzogen, als die Polizei von Montreal in den Streik trat. Um elf Uhr zwanzig wurde die erste Bank überfallen. Um zwölf Uhr mittags hatten die meisten Geschäfte im Stadtzentrum wegen Plünderungen geschlossen. Nach ein paar Stunden steckten Taxifahrer die Garage eines Limousinenservices an, der ihnen die Flughafenkunden wegschnappte, vom Dach eines Gebäudes erschoss ein Heckenschütze einen Polizeibeamten aus der Provinz, Plünderer drangen in mehrere Hotels und Restaurants ein, und ein Arzt erschlug einen Einbrecher in seinem Vorstadthaus. Am Abend dieses Tages waren sechs Banken ausgeraubt, hundert Geschäfte geplündert, zwölf Brände gelegt, vierzig Wagenladungen Schaufensterglas zerbrochen und Schäden in Höhe von drei Millionen Dollar an Privateigentum angerichtet, bevor die Stadtverwaltung die Armee und, natürlich, die Mountain Police zu Hilfe rief, damit sie die Ordnung wiederherstellten. Dieser eindeutige empirische Test machte aus meinen politischen Überzeugungen Kleinholz ...[98]

Vielleicht bin auch ich ein unverbesserlicher Optimist, weil ich glaube, dass die Menschen selbst dann gut bleiben würden, wenn sie nicht von Gott beobachtet und überwacht werden. Andererseits glaubte vermutlich auch eine Bevölkerungsmehrheit in Montreal an Gott. Warum hielt die Angst vor seiner Strafe sie nicht zurück, als die irdischen Polizisten vorübergehend von der Bildfläche verschwunden waren? War der Streik in der kanadischen Stadt nicht ein ziemlich gutes natürliches Experiment zur Überprüfung der Hypothese, dass der Glaube an Gott uns zu guten Menschen macht? Oder hatte der Zyniker H. L. Mencken recht, als er bissig bemerkte »Die Leute sagen, wir brauchen eine Religion, und in Wirklichkeit meinen sie, dass wir die Polizei brauchen«?

Natürlich benahmen sich nicht alle Menschen in Montreal schlecht, sobald die Polizei verschwunden war. Interessant wäre eine Untersuchung der Frage, ob eine – vielleicht auch nur geringfügige – statistische Tendenz bestand, dass religiöse Menschen weniger plünderten und zerstörten als Ungläubige. Meine nicht stichhaltig belegte Voraussage wäre genau das Gegenteil. Oft wird zynisch gesagt, in Schützengräben gebe es keine Atheisten. Ich neige zu der Vermutung (für die ich auch gewisse Belege habe, wobei es allerdings möglicherweise zu einfach wäre, daraus Schlussfolgerungen zu ziehen), dass nur wenige Atheisten im Gefängnis sitzen. Damit behaupte ich nicht unbedingt, Atheismus stärke die Moral, aber auf den Humanismus – das ethische System, das sich häufig mit dem Atheismus verbindet – trifft dies vermutlich zu.

Eine andere naheliegende Möglichkeit wäre, dass Atheismus im Zusammenhang mit einem dritten Faktor steht – beispielsweise mit höherer Bildung, Intelligenz oder Nachdenklichkeit –, der kriminellen Impulsen entgegenwirkt. Jedenfalls sprechen die vorhandenen Forschungsergebnisse sicher nicht für die allgemein verbreitete Ansicht, religiöse Überzeugung sei mit höherer Moral verbunden. Befunde über solche Korrelationen sind niemals schlüssig, aber die Daten, die Sam Harris in seinem Buch *Letter to a Christian Nation* (»Brief an eine christliche Nation«) beschreibt, verblüffen trotzdem:

> Die Zugehörigkeit zu politischen Parteien ist in den Vereinigten Staaten zwar kein absolut sicheres Anzeichen für religiösen Glauben, aber es ist kein Geheimnis, dass die »roten« [von den Republikanern regierten] Bundesstaaten vor allem deshalb rot sind, weil konservative Christen dort einen überwältigenden politischen Einfluss haben. Gäbe es einen engen Zusammenhang zwischen christlich-konservativer Haltung und der Gesundheit der Gesellschaft, müsste sich dies in den roten Staaten Amerikas bemerkbar machen. Dies ist aber nicht der Fall. Von den 25 Großstädten mit der niedrigsten Rate an Gewaltverbrechen liegen 62 Prozent in »blauen« [von den Demokraten regierten] Staaten, und nur 38 Prozent befinden sich in roten Staaten. Von den 25 gefährlichsten Großstädten liegen 76 Prozent in roten und nur 24 Prozent in blauen Staaten. Drei der fünf gefährlichsten Großstädte der USA befinden sich sogar im frommen Bundesstaat Texas. Die zwölf Bundesstaaten mit der höchsten Einbruchsquote sind rot. 24 der 29 Staaten mit der höchsten Diebstahlsquote sind rot. Und unter den 22 Staaten mit dem höchsten Anteil an Morden sind 17 rot.*

Soweit es systematische Forschungsarbeiten gibt, sprechen diese in der Regel ebenfalls für solche Zusammenhänge. Gregory S. Paul etwa stellt im *Journal of Religion and Society* (2005) einen systematischen Vergleich zwischen 17 Industriestaaten

---

* Man beachte, dass die farblichen Zuordnungen in Amerika denen in Europa genau entgegengesetzt sind: In Großbritannien ist blau die Farbe der Konservativen, rot wie in der übrigen Welt die Farbe, die man traditionell mit der politischen Linken in Verbindung bringt.

an und gelangt dabei zu einer verheerenden Erkenntnis: »Ein höheres Maß des Glaubens an einen Schöpfer und ein höheres Maß an Gottesverehrung korrelieren in den wohlhabenden Demokratien mit einer höheren Quote an Morden, Kinder- und Jugendsterblichkeit, Übertragung von Geschlechtskrankheiten, Teenagerschwangerschaften und Abtreibung.« Und Dan Dennett kommentiert in *Breaking the Spell: Religion as a Natural Phenomenon* (»Die Durchbrechung des Zaubers: Religion als natürliches Phänomen«) derartige Untersuchungen mit trockenem Sarkasmus:

> Es versteht sich von selbst, dass diese Befunde so stark an den üblichen Behauptungen über die größere moralische Tugend von Gläubigen rütteln, dass religiöse Organisationen mit einer beachtlichen Welle weiterer Forschungsarbeiten versuchten, sie zu widerlegen. [...] In einem Punkt allerdings können wir absolut sicher sein: Wenn es überhaupt eine erkennbare positive Beziehung zwischen moralischem Verhalten und religiöser Zugehörigkeit, religiöser Praxis oder religiösem Glauben gibt, dann wird man sie bald entdeckt haben, denn viele religiöse Organisationen sind darauf erpicht, ihre traditionellen Ansichten in dieser Frage wissenschaftlich zu erhärten. (Von der Fähigkeit der Wissenschaft zur Wahrheitsfindung lassen sie sich immer dann stark beeindrucken, wenn untermauert wird, was sie ohnehin bereits glauben.) Mit jedem Monat, der verstreicht, ohne dass ein solcher Nachweis geführt würde, wächst allerdings der Verdacht, dass es einfach nicht so ist.

Die meisten nachdenklichen Menschen würden sicher darin übereinstimmen, dass eine Moral, die ohne Überwachung funktioniert, irgendwie moralischer ist als jene falsche Moral, die verschwindet, sobald die Polizei streikt oder die Überwachungskamera abgeschaltet wird. Dabei spielt es keine Rolle, ob es sich um eine echte Überwachungskamera handelt, die mit dem Bildschirm in der Polizeiwache verbunden ist, oder um eine imaginäre Kamera, die im Himmel angebracht ist. Aber vielleicht ist es unfair, die Frage »Warum soll man sich Mühe geben, gut zu sein, wenn es keinen Gott gibt?« überhaupt so zynisch zu interpretieren.*

Ein religiöser Denker könnte zu einer ernsthafteren moralischen Interpretation gelangen, die ungefähr so aufgebaut ist wie die folgende Aussage: »Wenn du nicht an Gott glaubst, dann glaubst du nicht, dass es irgendwelche absoluten ethischen Maßstäbe gibt. Du kannst dich mit bestem Willen darum bemühen, ein guter Mensch zu sein, aber wie willst du entscheiden, was gut und was schlecht ist? Maßstäbe für Gut und Böse liefert letztlich nur die Religion. Ohne Religion musst du diese Maßstäbe unterwegs erst aufbauen. Das wäre Ethik ohne Regelwerk – moralischer Blindflug. Wenn Moral nur eine Frage der persönlichen Entscheidung ist, könnte Hitler behaupten, er habe nach seinen eigenen, von der Rassenlehre inspirierten Maßstäben moralisch gehandelt, und dem Atheisten bleibt nichts anderes übrig, als schlecht und recht seine persönliche Wahl zu treffen. Ein Christ, ein Jude oder ein Muslim dagegen kann behaupten, dass das Wort ›böse‹ eine absolute Bedeutung hat, die zu allen Zeiten und an allen Orten gilt und der zufolge Hitler absolut böse war.«

Selbst wenn es stimmen würde, dass wir Gott brauchen, um moralisch zu handeln, würde Gottes Existenz damit natürlich nicht wahrscheinlicher, sondern höchstens wünschenswerter (was viele Menschen allerdings nicht auseinanderhalten können). Aber darum geht es hier nicht. Mein imaginärer Religionsvertreter braucht nicht einzuräumen, dass das religiöse Motiv für gute Taten darin besteht, Gott in den Hintern zu

---

* H. L. Mencken definiert das Gewissen – wieder einmal mit seinem charakteristischen Zynismus – als innere Stimme, die uns warnt, es könne jemand zusehen.

kriechen. Er behauptet etwas anderes: Ganz gleich, woher das *Motiv* kommt, gut zu sein – ohne Gott gäbe es keinen Maßstab, um zu *entscheiden*, was gut ist. Jeder von uns könnte das Gute nach eigenem Gutdünken definieren und sich entsprechend verhalten. Ethische Prinzipien, die sich ausschließlich auf die Religion stützen (im Gegensatz etwa zur »goldenen Regel«, die häufig mit Religionen in Verbindung gebracht wird, obwohl man sie auch anders ableiten kann), könnte man als absolutistisch bezeichnen. Gut ist gut und schlecht ist schlecht, und wir brauchen uns nicht mit Einzelfallentscheidungen herumzuschlagen, beispielsweise wenn jemand leidet. Mein Religionsvertreter würde behaupten, nur die Religion könne eine Grundlage für Entscheidungen über Richtig und Falsch liefern.

Manche Philosophen – der bekannteste unter ihnen war Kant – haben versucht, eine absolute Moral aus nichtreligiösen Quellen abzuleiten. Obwohl Kant selbst ein religiöser Mensch war, was sich zu seiner Zeit fast nicht vermeiden ließ,* bemühte er sich darum, eine Ethik nicht auf Gott, sondern auf die Pflicht um der Pflicht willen zu gründen. Sein berühmter kategorischer Imperativ (in der *Grundlegung zur Metaphysik der Sitten*) schreibt uns vor: »Ich soll niemals anders verfahren, als so, dass ich auch wollen könne, meine Maxime solle ein allgemeines Gesetz werden.« Das funktioniert beispielsweise für das Lügen sehr gut.

Stellen wir uns einmal eine Welt vor, in der die Menschen aus Prinzip lügen, in der Lügen also als etwas Gutes, Moralisches gelten. In einer solchen Welt würde das Lügen jeden Sinn verlieren, denn schon seine Definition setzt voraus, dass die Wahrheit unterstellt wird. Wenn ein ethisches Prinzip etwas

---

* Dies ist die übliche Interpretation für Kants Überzeugungen. Der angesehene Philosoph A. C. Grayling vertrat allerdings mit stichhaltigen Gründen in *New Humanist* (Juli/August 2006) die Überzeugung, Kant habe sich zwar öffentlich an die religiösen Konventionen seiner Zeit gehalten, sei aber in Wirklichkeit Atheist gewesen.

ist, von dem wir uns wünschen, dass alle es befolgen, kann Lügen kein ethisches Prinzip sein, denn es würde sich in der Sinnlosigkeit auflösen. Lügen als Lebensregel ist von seinem Wesen her instabil. Allgemeiner gesprochen, kann Egoismus oder ungezügelte Ausnutzung des guten Willens anderer für mich als einzelnes, egoistisches Individuum funktionieren und mir persönliche Befriedigung verschaffen. Aber ich kann mir nicht wünschen, dass alle sich ein egoistisches Parasitenverhalten als ethisches Prinzip zu eigen machen, und sei es nur, weil es dann niemanden mehr gäbe, den ich ausnutzen könnte.

Der Kant'sche Imperativ funktioniert offensichtlich für die Wahrheitsliebe und einige andere Fälle. Wie er sich auf die Ethik im Allgemeinen erweitern lässt, ist nicht ohne weiteres zu erkennen. Trotz Kant ist es verlockend, sich meinem hypothetischen Religionsvertreter anzuschließen und zu behaupten, dass eine absolute Moral sich in der Regel auf Religion gründe. Ist es immer falsch, einen unheilbar kranken Patienten auf seinen eigenen Wunsch hin aus seinem Elend zu befreien? Ist es immer falsch, einen Angehörigen des eigenen Geschlechts zu lieben? Ist es immer falsch, einen Embryo zu töten? Manche Menschen glauben das und führen dafür absolute Gründe an. Auf Argumente oder Diskussionen lassen sie sich nicht ein. Wer anderer Meinung ist, hat es verdient, erschossen zu werden – natürlich nicht buchstäblich, sondern nur metaphorisch (mit Ausnahme einiger Ärzte in amerikanischen Abtreibungskliniken – darüber mehr im nächsten Kapitel). Doch zum Glück muss Moral nicht absolut sein.

Die Fachleute für Gedanken über Richtig und Falsch sind die Moralphilosophen. Und die sind sich darüber einig, dass »ethische Vorschriften zwar nicht unbedingt mit der Vernunft konstruiert sein müssen, dass es aber möglich sein sollte, sie mit der Vernunft zu verteidigen«, wie Robert Hinde es sehr prägnant formuliert hat.[99] Man kann Moralphilosophen auf recht unterschiedliche Weise klassifizieren, doch verläuft die große

Trennlinie nach heutiger Terminologie zwischen Deontologen (zu ihnen gehörte Kant) und Konsequentialisten (darunter »Utilitaristen« wie Jeremy Bentham, 1748–1832). »Deontologie« ist ein modischer Name für die Überzeugung, dass Moral darin besteht, Regeln zu befolgen. Der Begriff, der sich vom griechischen Wort für »das Bindende« ableitet, bedeutet wörtlich »Pflichtenlehre«. Deontologie ist nicht genau das Gleiche wie moralischer Absolutismus, aber in einem Buch über Religion ist es in den meisten Zusammenhängen nicht nötig, auf den Unterschieden herumzureiten. Nach Ansicht der Absolutisten gibt es absolute Maßstäbe für Richtig und Falsch, Vorschriften, die ihre Berechtigung nicht aus den Folgen beziehen. Konsequentialisten sind pragmatischer: Nach ihrer Ansicht sollte man die Frage, ob eine Handlung ethisch richtig ist, nach den Folgen beurteilen. Eine Form des Konsequentialismus ist der Utilitarismus, eine philosophische Richtung, die mit Bentham, seinem Freund James Mill (1773–1836) und dessen Sohn John Stuart Mill (1806–1873) in Verbindung gebracht wird. Der Utilitarismus wird häufig unter einem leider sehr ungenauen Schlagwort von Bentham zusammengefasst: »Die Grundlage für Moral und Gesetzgebung ist das größtmögliche Glück der größtmöglichen Zahl von Menschen.«

Absolutismus leitet sich nicht immer von einer Religion ab. Doch absolutistische Ethik nicht religiös, sondern anders zu begründen, ist schwierig. Die einzige Alternative, die ich mir vorstellen kann, ist – insbesondere in Kriegszeiten – der Patriotismus. Der angesehene spanische Filmregisseur Luis Buñuel sagte einmal: »Gott und Vaterland sind ein unschlagbares Team; bei Unterdrückung und Blutvergießen brechen sie alle Rekorde.« Anwerbungsoffiziere appellieren bei ihren Opfern eindringlich an das patriotische Pflichtgefühl. Im Ersten Weltkrieg verteilten Frauen an junge Männer, die keine Uniform trugen, weiße Federn:

Oh, we don't want to lose you,
But we think you ought to go,
For your King and your country
Both need you so.

[Ach, wir woll'n euch nicht verlieren,
Trotzdem sollt ins Feld ihr zieh'n.
Denn man braucht euch dort. Vor König
Und Vaterland dürft ihr nicht flieh'n.]

Kriegsdienstverweigerer, selbst solche aus Feindesland, wurden verachtet, weil Patriotismus als absoluter Wert galt. Einen absoluten Maßstab als den Slogan der Berufssoldaten, »Right or Wrong, My Country« (»Ob richtig oder falsch, es ist mein Land«), kann man sich kaum vorstellen. Er verpflichtet dazu, jeden zu töten, den die Politiker irgendwann in Zukunft einmal zum Feind erklären. Die politische Entscheidung, in den Krieg zu ziehen, wird vielleicht von konsequentialistischen Überlegungen beeinflusst, doch ist der Krieg erst einmal erklärt, so gewinnt der Patriotismus die Oberhand, und zwar mit einer Macht, wie man sie ansonsten außerhalb der Religion nicht erleben kann. Wer sich als Soldat von seinen eigenen konsequentialistisch-ethischen Gedanken leiten lässt und nicht mehr mitmacht, findet sich wahrscheinlich vor einem Kriegsgericht wieder, wird unter Umständen sogar hingerichtet.

Der Ausgangspunkt für diesen Ausflug in die Moralphilosophie war die hypothetische religiöse Behauptung, eine Moral ohne Gott sei relativ und beliebig. Wenn man einmal von Kant und anderen klugen Moralphilosophen absieht und auch dem patriotischen Eifer die gebührende Anerkennung zollt, beziehen wir absolute Moral meist aus irgendeinem heiligen Buch; dieses wird so interpretiert, als gehe seine Autorität weit über das hinaus, was historisch zu rechtfertigen ist.

Tatsächlich lassen die Anhänger einer aus den Schriften bezogenen Autorität deprimierend wenig Neugier auf die (meist höchst zweifelhaften) historischen Ursprünge ihrer heiligen Bücher erkennen. Wie ich im nächsten Kapitel nachweisen werde, trifft die Behauptung solcher Menschen, sie bezögen ihre Ethik aus heiligen Schriften, in der Praxis ohnehin nicht zu. Und das ist, wie jeder bei genauerem Nachdenken selbst zugeben sollte, auch gut so.

7 Das »gute« Buch und der wandelbare ethische Zeitgeist

Die Politik hat Tausende hingemetzelt, die Religion Zehntausende.

Sean O'Casey

Die Heilige Schrift kann auf zweierlei Weise zur Quelle von Ethik und Lebensmaximen werden: durch direkte Anweisungen – etwa durch die Zehn Gebote, die in den Niederungen und Kulturkämpfen der nordamerikanischen Provinz zum Gegenstand erbitterter Streitigkeiten wurden – oder durch den Vorbildcharakter Gottes oder anderer biblischer Gestalten. Hält man sich mit religiösem Eifer daran (das Attribut gebrauche ich hier metaphorisch, aber durchaus auch mit Blick auf seine wörtliche Bedeutung), dann führen beide Wege zu einem ethischen System, das jeder zivilisierte moderne Mensch, ob religiös oder nicht, widerwärtig finden würde – freundlicher kann ich es nicht formulieren.

Doch ich will fair sein: Die Bibel ist in großen Teilen nicht systematisch böse, sondern einfach nur grotesk. Nichts anderes erwartet man von einer chaotisch zusammengestoppelten Anthologie zusammenhangloser Schriften, die von Hunderten anonymer Autoren, Herausgebern und Kopisten verfasst, umgearbeitet, übersetzt, verfälscht und »verbessert« wurden, von Personen, die wir nicht kennen, die sich meist auch untereinander nicht kannten und deren Lebenszeiten sich über neun Jahrhunderte erstrecken.[100] Das erklärt wahrscheinlich schon einen Teil der Ungereimtheiten in der Bibel. Doch leider halten uns religiöse Eiferer genau dieses seltsame Buch als unfehlbare Quelle für Ethik und Lebensregeln unter die Nase. Wer seine Moral wirklich auf den Wortlaut der Bibel gründen will, hat sie entweder nicht gelesen oder nicht verstanden, wie Bischof John Shelby Spong in *The Sins of Scripture (Die Sünden der Heiligen Schrift: Wie die Bibel zu lesen ist)* sehr richtig feststellt. Spong ist übrigens ein gutes Beispiel für einen liberalen Bischof, dessen Glaube so hoch entwickelt ist, dass die Mehrzahl derer, die sich als Christen bezeichnen, ihn überhaupt nicht mehr als solchen erkennen würde. Eine ähnliche Persönlichkeit in Großbritannien ist Richard Holloway, der kürzlich als Bischof von Edinburgh in den Ruhestand ging. Holloway bezeichnete sich sogar als »genesenden Christen«. Eine Podiumsdiskussion, die ich in Edinburgh mit ihm führte, war eine der anregendsten und interessantesten Begegnungen meines Lebens.[101]

Das Alte Testament

Beginnen wir im Ersten Buch Mose, *Genesis*, und mit der allseits beliebten Geschichte von Noah, die auf den babylonischen Utnapischtim-Mythos zurückgeht und auch aus älteren Mythen anderer Kulturkreise bekannt ist. Die Legende von den Tieren, die paarweise in die Arche steigen, ist zwar liebenswürdig, doch die Moral, welche die Noah-Geschichte vermittelt, ist abscheulich. Weil Gott von den Menschen nichts mehr wissen wollte, ließ er sie (mit Ausnahme einer Familie) einfach alle ertrinken, einschließlich der Kinder und obendrein auch noch aller anderen (vermutlich ebenfalls unschuldigen) Tiere.

Natürlich werden irritierte Theologen nun einwenden, dass wir das Erste Buch Mose heute nicht mehr wörtlich nehmen. Aber genau darum geht es mir! Wir suchen uns aus, welche Stückchen aus der Bibel wir wörtlich glauben und welche wir als Symbole oder Allegorien abschreiben. Dieses Herauspicken und Auswählen ist ebenso eine Frage persönlicher Entscheidungen wie der Entschluss eines Atheisten, diese oder jene ethische Regel zu befolgen, doch andere nicht; in beiden Fällen gibt es dafür keine absolute Grundlage. Wenn das eine ein »moralischer Blindflug« ist, dann ist es das andere auch.

Ohnehin nehmen erschreckend viele Menschen ihre Bibel einschließlich der Noah-Geschichte allen guten Absichten der gebildeten Theologen zum Trotz nach wie vor wörtlich. Nach einer Gallup-Umfrage machen solche Gläubige etwa 50 Prozent der US-amerikanischen Wählerschaft aus. Ebenso gehörten dazu zweifellos viele jener heiligen Männer in Asien, die den Tsunami von 2004 nicht auf eine tektonische Plattenverschiebung zurückführten, sondern auf die Sünden der Menschen, vom Trinken und Tanzen in Bars bis zur Übertretung irgendeiner albernen Sabbatvorschrift.[102] Sie sind von der Noah-Geschichte durchdrungen und bar jeder Gelehrsamkeit mit Ausnahme der biblischen – wer will es ihnen also zum Vorwurf machen? Ihre ganze Erziehung hat sie zu der Ansicht geführt, Naturkatastrophen hätten etwas mit den Angelegenheiten der Menschen zu tun und seien nicht Folge unpersönlicher Vorgänge wie der Plattentektonik, sondern Lohn für persönliches Fehlverhalten. Nebenbei bemerkt: Welche anmaßende Egozentrik steckt hinter dem Gedanken, welterschütternde Ereignisse in einem Ausmaß, wie nur Gott (oder eine tektonische Platte) sie bewerkstelligen kann, müssten immer in einem Zusammenhang mit den Menschen stehen? Warum sollte ein göttliches Wesen, in dessen Geist es um Schöpfung und Ewigkeit geht, sich auch nur einen Pfifferling um die kleinlichen Fehltritte der Menschen kümmern? Wir Menschen tragen die Nase zu hoch und blasen sogar unsere langweiligen kleinen »Sünden« noch auf ein Ausmaß von kosmischer Bedeutung auf!

In einem Fernsehinterview fragte ich den Reverend Michael Bray, einen prominenten amerikanischen Aktivisten und Abtreibungsgegner, warum die evangelikalen Christen sich so versessen mit privaten sexuellen Neigungen wie der Homosexualität beschäftigten, die keinen anderen Menschen in seinem Leben beeinträchtigten. Seine Antwort klang ein wenig nach Selbstverteidigung. Es bestehe die Gefahr, dass unschuldige Christen zum »Kollateralschaden« würden, wenn Gott eine Stadt mit einer Naturkatastrophe bestrafe, weil sie Sünder beherberge.

Die schöne Stadt New Orleans erlebte 2005 durch den Hurrikan »Katrina« eine schreckliche Überschwemmung. Und worauf führte der Reverend Pat Robertson, einer der bekanntesten amerikanischen Fernsehevangelisten und früherer Präsidentschaftskandidat, den Hurrikan Berichten zufolge zurück? Darauf, dass eine bekannte lesbische Komikerin sich zufällig gerade in New Orleans aufhielt.[*] Nun sollte man meinen, dass ein allmächtiger Gott die Sünder ein ganz klein wenig gezielter ausradieren könnte, beispielsweise mit einem wohlüberlegten Herzinfarkt, statt eine ganze Stadt zu zerstören, nur weil sie zufällig eine lesbische Komikerin beherbergt.

Im November 2005 sorgten die Bürger von Dover in Pennsylvania in ihrer Schulbehörde für die Abwahl einer ganzen Fraktion von Fundamentalisten, die die Stadt berüchtigt und sogar lächerlich gemacht hatten, weil sie versuchten, die Lehre des »Intelligent Design« im Unterricht durchzusetzen. Als Pat Robertson hörte, dass die Fundamentalisten mit demokrati-

---

* Die Geschichte erschien unter http://datelinehollywood.com/archives/2005/09/ 05/robertson-blames-hurricane-on-choice-of-ellen-degeneres-to-host-emmys/ (1.4.2007). Ob sie stimmt, ist nicht geklärt. In jedem Fall wurde sie allgemein geglaubt, zweifellos weil sie ganz und gar typisch dafür ist, wie evangelikale Geistliche – auch Robertson – sich über Katastrophen wie »Katrina« äußern. Siehe zum Beispiel www.emediawire.com/releases/2005/9/emw281940.htm (1.4.2007). Die Website, der zufolge die Geschichte über Robertson und »Katrina« nicht stimmt (www.snopes.com/katrina/satire/robertson.asp) (1.4.2007), zitiert den Geistlichen auch mit folgender früheren Äußerung über eine Schwulenparade in Orlando, Florida: »Ich warne Orlando: Ihr liegt auf der Route einiger schwerer Wirbelstürme; wenn ich an eurer Stelle wäre, würde ich Gott nicht so provozieren.«

schen Mitteln an der Wahlurne unterlegen waren, ließ er eine ernste Warnung an Dover ergehen:

> Eins möchte ich den guten Bürgern von Dover gern sagen: Wenn in Ihrer Gegend jetzt eine Katastrophe passiert, dann wenden Sie sich bitte nicht an Gott! Sie haben ihn gerade aus Ihrer Stadt verbannt, also fragen Sie nicht, warum er Ihnen nicht geholfen hat, wenn Ihre Probleme anfangen – und ich sage nicht, *dass* sie anfangen werden. Aber *wenn* es passiert, dann denken Sie dran, dass Sie Gott aus Ihrer Stadt abgewählt haben. Wenn es so ist, dann bitten Sie ihn nicht um Hilfe, denn dann ist er vielleicht nicht da.[103]

Pat Robertson könnte als harmloser Komödiant durchgehen, wenn er nicht so typisch für all jene wäre, die heute in den Vereinigten Staaten Macht und Einfluss haben.

Eine Entsprechung zu Noah ist die Geschichte von Sodom und Gomorrha. Hier blieb nur Abrahams Neffe Lot mit seiner Familie verschont, weil er als Einziger rechtschaffen war. Zwei männliche Engel werden nach Sodom geschickt: Sie sollen Lot warnen, damit er die Stadt verlässt, bevor es Feuer und Schwefel regnet. Lot bewirtet die Engel gastfreundlich in seinem Haus, woraufhin sich alle Männer aus Sodom rund um sein Domizil versammeln und verlangen, Lot solle ihnen die Engel ausliefern, damit sie – was sonst? – Sodomie mit ihnen treiben könnten: »Wo sind die Männer, die zu dir gekommen sind diese Nacht? Führe sie heraus zu uns, damit wir uns über sie hermachen.« (1. Mose 19, 5). Lot weigert sich, dem Ansinnen nachzukommen, und dieser Edelmut legt die Vermutung nahe, dass Gott nicht ganz Unrecht hatte, als er ihn als den einzigen guten Menschen in Sodom auswählte. Aber Lots Heiligenschein bekommt einen Kratzer, als er die Weigerung mit einem Zugeständnis verknüpft: »Ach, liebe Brüder, tut nicht so übel! Siehe, ich habe zwei Töchter, die wissen noch von keinem Manne; die will ich herausgeben unter euch, und tut mit ihnen, was euch gefällt; aber diesen Männern tut nichts, denn darum sind sie unter den Schatten meines Daches gekommen.« (1. Mose 19, 7–8).

Was immer diese seltsame Geschichte sonst noch bedeuten mag, sie sagt sicher etwas darüber aus, welchen Respekt man in einer zutiefst religiösen Kultur den Frauen entgegenbrachte. Übrigens erweist es sich als unnötig, dass Lot die Jungfräulichkeit seiner Töchter verschachert, denn es gelingt den Engeln, die Rabauken auf wundersame Weise mit Blindheit zu schlagen und sie damit unschädlich zu machen. Dann warnen sie Lot: Er solle sofort mit seinen Angehörigen und dem Vieh seine Zelte abbrechen, weil die Stadt demnächst zerstört werde. Die ganze Familie entkommt, nur Lots unglückselige Ehefrau wird vom Herrn in eine Salzsäule verwandelt, weil sie ein – in unseren Augen eigentlich geringfügiges – Verbrechen begangen hat: Sie hat sich umgesehen und einen Blick auf das Feuerwerk geworfen.

Im weiteren Verlauf der Geschichte haben Lots Töchter noch einmal einen kurzen Auftritt. Nachdem ihre Mutter zur Salzsäule erstarrt ist, leben sie mit dem Vater in einem Lager im Gebirge. Da es ihnen an männlicher Gesellschaft fehlt, beschließen sie, ihren Vater betrunken zu machen und dann Geschlechtsverkehr mit ihm zu haben. Lot bekommt nichts mit, als seine ältere Tochter zu ihm ins Bett kommt und ihn anschließend wieder verlässt, aber er ist noch nicht zu betrunken, um sie zu schwängern. Am nächsten Abend kommen die Töchter überein, dass jetzt die Jüngere an der Reihe sei. Wieder ist Lot betrunken, merkt nichts und schwängert auch die zweite Tochter (1. Mose 19, 31–36). Wenn diese gestörte Familie die beste war, die Sodom in Sachen Moral vorzuweisen hatte, dann empfindet man fast eine gewisse Sympathie mit Gott und seinem Gericht aus Feuer und Schwefel.

Einen gespenstischen Abglanz der Geschichte von Lot und den Sodomiten finden wir im Buch der Richter, Kapitel 19.

Dort reist ein namenloser Levit (Priester) mit seiner Konkubine durch Gibea. Sie übernachten im Haus eines gastfreundlichen alten Mannes. Als sie beim Abendessen sitzen, kommen die Männer aus der Stadt, klopfen an die Tür und verlangen, der alte Mann solle seinen Gast herausgeben, »dass wir uns über ihn hermachen«. Mit fast genau den gleichen Worten wie Lot sagt der alte Mann: »Nicht, meine Brüder, tut doch nicht solch ein Unrecht! Nachdem dieser Mann in mein Haus gekommen ist, tut nicht solch eine Schandtat! Siehe, ich habe eine Tochter, noch eine Jungfrau, und dieser hat eine Nebenfrau; die will ich euch herausbringen. Die könnt ihr schänden und mit ihnen tun, was euch gefällt, aber an diesem Mann tut nicht eine solche Schandtat!« (Richter 19, 23–24). Wieder kommt die frauenfeindliche Ethik glasklar zum Vorschein. Insbesondere bei der Formulierung »die könnt ihr schänden« läuft es mir eiskalt den Rücken herunter. Macht euch einen Spaß daraus, meine Tochter und die Konkubine des Priesters zu schänden und zu vergewaltigen, aber erweist meinem Gast, der ja schließlich ein Mann ist, den gebotenen Respekt. Allerdings geht die Sache bei aller Ähnlichkeit zwischen den beiden Geschichten für die Geliebte des Priesters nicht so glücklich aus wie für Lots Töchter.

Der Levit liefert sie der Meute aus, und dann findet die ganze Nacht über eine Massenvergewaltigung statt: »Die machten sich über sie her und trieben ihren Mutwillen mit ihr die ganze Nacht bis an den Morgen. Und als die Morgenröte anbrach, ließen sie sie gehen. Da kam die Frau, als der Morgen anbrach, und fiel hin vor die Tür des Hauses, in dem ihr Herr war, und lag da, bis es licht wurde« (Richter 19, 25–26). Am Morgen findet der Levit seine Konkubine hingestreckt auf der Türschwelle liegen und sagt etwas, das uns heute als kalt und gefühllos erscheinen würde: »Lass uns ziehen.« Aber sie antwortet nicht. Sie ist tot. Daraufhin »nahm er ein Messer, fasste seine Nebenfrau und zerstückelte sie Glied für Glied in zwölf

Stücke und sandte sie in das ganze Gebiet Israels.« Ja, Sie haben richtig gelesen. Schlagen Sie es nach: Richter 19, 29. Seien wir nachsichtig und schieben wir es wieder einmal auf die allgegenwärtige Absonderlichkeit der Bibel. In Wirklichkeit ist der Bericht nicht ganz so absonderlich, wie er klingt. Es gab ein Motiv dafür: Er sollte Rachegelüste schüren, und das gelang ihm auch. Der Vorfall wurde zum Anlass für einen Rachefeldzug gegen den Stamm Benjamin, in dessen Verlauf, wie Richter 20 liebenswürdigerweise mitteilt, 60 000 Menschen ums Leben kamen. Die Geschichte ähnelt der von Lot so stark, dass man sich fragen muss, ob hier ein Manuskriptbruchstück in irgendeinem längst vergessenen Schreibsaal an die falsche Stelle geraten ist. In jedem Fall ist es ein Zeichen für die chaotische Entstehungsgeschichte heiliger Texte.

Lots Onkel Abraham war der Begründer aller drei »großen« monotheistischen Religionen. Mit seiner Stellung als Patriarch hat er eine fast ebenso starke Vorbildfunktion wie Gott. Aber welcher heutige Ethiker würde sich ihm anschließen? Schon relativ früh in seinem langen Leben geht Abraham mit seiner Ehefrau Sara nach Ägypten und übersteht dort eine Hungersnot. Ihm wird klar, dass eine so hübsche Frau auch die Begehrlichkeit der Ägypter wecken kann und dass er als ihr Ehemann deshalb in Lebensgefahr ist. Also entschließt er sich, sie als seine Schwester auszugeben. In dieser Eigenschaft wird sie in den Harem des Pharao aufgenommen, und Abraham, der die Gunst des Herrschers genießt, wird reich.

Aber Gott ist mit dem angenehmen Arrangement nicht einverstanden und schickt sieben Plagen auf den Pharao und sein Haus (warum eigentlich nicht auf Abraham?). Der Pharao ist verständlicherweise betrübt und erkundigt sich, warum Abraham ihm nicht gesagt habe, dass Sara seine Frau ist. Dann gibt er sie ihrem Mann zurück und weist beide aus Ägypten aus (1. Mose 12, 18–19). Seltsamerweise hat es den Anschein, als wollte das Ehepaar die gleiche Nummer noch einmal abziehen, dieses Mal bei Abimelech, dem König von Gerar. Auch er wird von Abraham veranlasst, Sara zu heiraten, wiederum in dem Glauben, sie sei nicht Abrahams Frau, sondern seine Schwester (1. Mose 20, 2–5). Und auch er äußert seine Entrüstung nahezu mit den gleichen Worten wie der Pharao. Mit beiden Herrschern muss man ein gewisses Mitgefühl empfinden. Ist auch diese Ähnlichkeit ein Anzeichen für die Unzuverlässigkeit der Texte?

Aber solche unangenehmen Episoden in der Geschichte über Abraham sind noch Petitessen im Vergleich zu dem berüchtigten Bericht über die Opferung seines Sohnes Isaak. (Muslimische Schriften erzählen die gleiche Geschichte über Ismael, Abrahams zweiten Sohn.) Abraham erhält von Gott den Befehl, seinen geliebten Sohn als Brandopfer darzubringen. Daraufhin baut er einen Altar, schichtet das Brennholz auf und bindet Isaak darauf fest. Er hat das tödliche Messer bereits in der Hand, da greift ein Engel auf dramatische Weise ein und verkündet, der Plan habe sich in letzter Minute geändert: Gott habe nur Spaß gemacht, habe Abraham »auf die Probe stellen« wollen, um seinen Glauben zu prüfen. Ein heutiger Ethiker muss sich einfach fragen, ob ein Kind sich von einem solchen seelischen Trauma jemals wieder erholen würde. Nach modernen ethischen Maßstäben ist diese widerwärtige Geschichte ein Beispiel für Kindesmisshandlung, eine Schikane in zwei ungleichen Machtverhältnissen und die erste belegte Verteidigung nach dem Muster der Nürnberger Prozesse: »Ich habe nur Befehle ausgeführt.« Dennoch ist diese Legende einer der großen Gründungsmythen aller drei monotheistischen Religionen.

Auch hier werden moderne Theologen einwenden, man könne die Geschichte von Abraham, der Isaak opfert, nicht wortwörtlich als Tatsache auffassen. Und wieder einmal ist die angemessene Antwort zweifacher Natur. Erstens nehmen ungeheuer viele Menschen noch heute ihre gesamte Heilige Schrift als Tatsachenbericht, und diese Menschen haben, insbesondere in den Vereinigten Staaten und in der islamischen Welt, große politische Macht über uns andere. Und zweitens: Wenn die Geschichte kein Tatsachenbericht ist, wie sollen wir sie dann auffassen? Als Allegorie? Als Allegorie wofür? Sicher nicht für etwas Lobenswertes. Als moralische Lehre? Aber was für eine Moral könnte man aus dieser widerwärtigen Geschichte ableiten? Wie gesagt: Ich will nachweisen, dass wir unsere Moral in Wirklichkeit nicht aus der Heiligen Schrift beziehen. Oder wenn wir es tun, suchen wir uns aus der Bibel die angenehmen Brocken heraus und lassen die hässlichen beiseite. Doch dann müssen wir nach einem unabhängigen Kriterium entscheiden, welches die ethisch akzeptablen Brocken sind. Und woher dieses Kriterium auch kommen mag, aus der Heiligen Schrift selbst kann es nicht stammen; es steht vermutlich uns allen zur Verfügung, ganz gleich, ob wir religiös sind oder nicht.

Religionsvertreter versuchen, sogar in dieser erbärmlichen Geschichte noch ein wenig Anstand für die Gestalt Gottes zu retten. Tat Gott nicht etwas Gutes, indem er Isaaks Leben in letzter Minute rettete? Für den unwahrscheinlichen Fall, dass einer meiner Leser sich von diesem besonders obszönen Argument überzeugen lässt, möchte ich eine andere Geschichte über ein Menschenopfer zitieren, die weniger glücklich endete. Im Buch der Richter, Kapitel 11, schließt der Militärführer Jeftah mit Gott einen Handel ab: Wenn Gott dafür sorgt, dass Jeftah über die Ammoniter siegt, wird dieser ohne zu zögern alles als Brandopfer darbringen, »was mir aus meiner Haustür entgegengeht, wenn ich von den Ammonitern heil zurückkomme«. Jeftah schlägt die Ammoniter tatsächlich (»mit großen Schlägen«, wie es sich für die Handlung im Buch der Richter gehört) und kommt als Sieger nach Hause. Wie nicht anders zu erwarten, kommt ihm seine Tochter, sein einziges Kind, aus dem Haus entgegen und begrüßt ihn »mit Pauken und Reigen«; leider ist sie das erste lebende Wesen, das dies tut. Verständlicherweise zerreißt Jeftah seine Kleider, aber es gibt kein Entrinnen. Gott freut sich offensichtlich auf das versprochene Brandopfer, und angesichts der Umstände erklärt die Tochter sich anständigerweise einverstanden, geopfert zu werden. Sie bittet nur darum, er möge sie für zwei Monate ins Gebirge gehen lassen, damit sie ihre Jungfräulichkeit beweinen könne. Als die Zeit um ist, kehrt sie brav zurück und lässt sich von Jeftah braten. Dieses Mal fühlt Gott sich nicht bemüßigt, einzugreifen.

Gottes gewaltiger Zorn, wenn sein auserwähltes Volk mit einem Konkurrenzgott liebäugelt, erinnert an nichts anderes so stark wie an sexuelle Eifersucht der schlimmsten Art, und wieder einmal sollte ein moderner Ethiker darin alles andere als ein gutes Vorbild sehen. Die Verlockungen sexueller Untreue sind auch für diejenigen, die ihnen nicht erliegen, ohne weiteres zu verstehen, und sie sind ein Hauptthema für Romane und Dramen von Shakespeare bis zur Schlafzimmerkomödie. Für die offenbar unwiderstehliche Versuchung, sich mit fremden Göttern einzulassen, haben wir modernen Menschen dagegen nicht ohne weiteres Verständnis. »Du sollst keine anderen Götter neben mir haben« ist in meinen naiven Augen ein Gebot, das sich sehr leicht einhalten lässt; man könnte meinen, es sei ein Klacks im Vergleich zu »Du sollst nicht begehren deines Nächsten Weib«. Oder seinen Esel. Oder sein Rind. Und doch muss Gott im gesamten Alten Testament mit der gleichen vorhersehbaren Regelmäßigkeit wie in einer Schlafzimmerkomödie den Kindern Israel nur einen Augenblick lang den Rücken zuwenden, und schon sind sie mit Baal zugange, oder mit einem Flittchen von Götzenbild* – oder, bei einer unheilvollen Gelegenheit, mit einem goldenen Kalb …

---

* Diese höchst komische Idee stammt von Jonathan Miller, der sie aber erstaunlicherweise nie in einem Sketch der Reihe *Beyond the Fringe* unterbrachte. Ihm verdanke ich auch, dass er mir das Fachbuch empfahl, das die Grundlage dafür bildete: Halbertal/Margalit 1992.

Noch mehr als Abraham dürfte Mose den Anhängern aller drei monotheistischen Religionen als Vorbild gedient haben. Abraham mag der ursprüngliche Patriarch gewesen sein, aber wenn man jemanden als den Begründer der Lehre des Judentums und der von ihm abgeleiteten Religionen bezeichnen kann, dann ist es Mose. Als sich die Episode mit dem goldenen Kalb abspielte, war Mose in sicherer Entfernung auf dem Weg zum Berg Sinai, wo er Zwiesprache mit Gott hielt und von ihm die behauenen Steintafeln erhielt. Die Menschen unten in der Ebene (denen es bei Todesstrafe untersagt war, sich dem Berg auch nur zu nähern) vergeudeten keine Zeit:

> Als aber das Volk sah, dass Mose ausblieb und nicht wieder von dem Berge zurückkam, sammelte es sich gegen Aaron und sprach zu ihm: Auf, mache uns einen Gott, der vor uns hergehe! Denn wir wissen nicht, was diesem Mann Mose widerfahren ist ... (2. Mose 32, 1).

Aaron lässt sich von allen das Gold geben, schmilzt es ein und macht daraus ein goldenes Kalb. Für diese neu erfundene Gottheit baut er einen Altar, sodass alle ihr opfern können.

Nun ja, eigentlich hätten sie sich denken können, dass sie nicht hinter Gottes Rücken solche Faxen machen durften. Er ist zwar gerade im Gebirge, aber schließlich ist er allwissend und schickt sofort Mose los, um sich Geltung zu verschaffen. Mose eilt hektisch den Berg hinab, im Gepäck die Steintafeln, auf denen Gott die Zehn Gebote niedergeschrieben hat. Als er ankommt und das goldene Kalb sieht, wird er so wütend, dass er die Tafeln fallen lässt, sodass sie zerbrechen. (Später gibt Gott ihm eine Ersatzgarnitur, und alles ist gut.) Mose nimmt das goldene Kalb an sich, verbrennt es, zermahlt es zu Pulver, vermischt es mit Wasser und lässt die Leute es schlucken. Dann weist er alle Angehörigen des Priesterstammes Levi an, Schwerter zu nehmen und so viele Menschen wie möglich umzubringen. Die Gesamtzahl der Opfer beläuft sich auf dreitausend – genug, so sollte man meinen, um Gottes Eifersuchtsanfall zu beschwichtigen. Aber nicht doch: Gott ist immer noch nicht fertig. Im letzten Vers dieses entsetzlichen Kapitels schickt er denen, die vom Volk noch übrig sind, zum Abschied eine Plage, »weil sie sich das Kalb gemacht hatten, das Aaron angefertigt hatte«.

Das Vierte Buch Mose berichtet, wie Mose von Gott angestachelt wird, die Midianiter anzugreifen. Seine Armee macht kurzen Prozess, schlachtet alle Männer ab und brennt die Städte des gegnerischen Stammes nieder. Frauen und Kinder jedoch werden verschont. Über diese gnädige Selbstbeschränkung der Soldaten ist Mose wütend: Er erteilt den Befehl, auch alle männlichen Kinder umzubringen, ebenso alle Frauen, die keine Jungfrauen sind: »Aber alle Mädchen, die unberührt sind, die lasst für euch leben« (4. Mose 31, 18). Nein, Mose war für moderne Moralisten sicher kein gutes Vorbild.

Wenn heutige religiöse Autoren dem Massaker an den Midianitern überhaupt eine symbolische oder allegorische Bedeutung beilegen, so zielt diese genau in die falsche Richtung. Soweit man es aus dem biblischen Bericht entnehmen kann, wurden die unglückseligen Midianiter in ihrem eigenen Land zu Opfern eines Völkermordes. Dennoch lebt ihr Name in der christlichen Überlieferung nur in einem beliebten Kirchenlied weiter (das ich auch nach fünfzig Jahren noch auswendig auf zwei verschiedene Melodien singen kann, die beide in tristen Molltonarten stehen):

Christian, dost thou see them
On the holy ground?
How the troops of Midian
Prowl and prowl around?
Christian, up and smite them,
Counting gain but loss;

Smite them by the merit
Of the holy cross.

[Du Christ, kannst du sie sehen
Auf dem heil'gen Grund?
Wie die Truppen von Midian
Schleichen im Land herum?
Auf, du Christ, zerschlag sie,
Zähl nicht Gewinn, Verlust;
Schlag sie um Christi willen,
Der am Kreuz für dich sterben musst'.]

Arme, verleumdete, abgeschlachtete Midianiter. Im Gedächtnis geblieben seid ihr nur in einem viktorianischen Kirchenlied als Symbol für das allgegenwärtige Böse.

Eine immerwährende Versuchung zu Seitensprüngen bei der Anbetung ging offenbar von dem Konkurrenzgott Baal aus. Im Vierten Buch Mose, Kapitel 25, werden viele Israeliten von den Frauen der Moabiter dazu verführt, Baal anzubeten. Gott reagiert darauf mit seinem charakteristischen Zorn. Er befiehlt Mose: »Nimm alle Oberen des Volks und hänge sie vor dem Herrn auf im Angesicht der Sonne, damit sich der grimmige Zorn des Herrn von Israel wende.« Auch hier kann man sich nur darüber wundern, mit welchen außerordentlich drakonischen Maßnahmen die Sünde, mit rivalisierenden Göttern zu liebäugeln, geahndet wird. In unserem modernen Werte- und Gerechtigkeitsempfinden ist das eine geringfügige Sünde im Vergleich etwa zu dem Mann, der seine Tochter einer Massenvergewaltigung ausliefert. Auch hier haben wir ein Beispiel für die Kluft zwischen alttestamentlicher und moderner (man ist versucht, zu sagen: zivilisierter) Moral. Leicht zu verstehen ist das Ganze natürlich vor dem Hintergrund der Memtheorie und der Eigenschaften, die eine Gottheit haben muss, um im Mempool zu überleben.

Die tragikomische Farce über Gottes manische Eifersucht auf andere Götter ist im gesamten Alten Testament ein immer wiederkehrendes Thema. Sie steht hinter dem ersten der Zehn Gebote (gemeint sind die auf den Steintafeln, die Mose zerbrochen hat: 2. Mose 20, 5. Mose 5) und wird noch deutlicher in den (ansonsten ganz anders lautenden) Ersatzgeboten, die Gott anstelle der zerbrochenen Tafeln ausgibt (2. Mose 34). Nachdem Gott versprochen hat, die unglückseligen Amoriter, Kanaaniter, Hethiter, Perisiter, Hiwiter und Jebusiter aus ihrer Heimat zu vertreiben, kommt er auf das zu sprechen, worum es eigentlich geht: die Konkurrenz*götter*!

Ihre Altäre sollst du umstürzen und die Steinmale zerbrechen und ihre heiligen Pfähle umhauen; denn du sollst keinen anderen Gott anbeten. Denn der Herr heißt ein Eiferer; ein eifernder Gott ist er. Hüte dich, einen Bund zu schließen mit den Bewohnern des Landes, damit sie, wenn sie ihren Göttern nachlaufen und ihnen opfern, dich nicht einladen und du von ihren Opfern essest und damit du für deine Söhne ihre Töchter nicht zu Frauen nehmest und diese dann ihren Göttern nachlaufen und machen, dass deine Söhne auch ihren Göttern nachlaufen! Du sollst dir keine gegossenen Götterbilder machen (2. Mose 34, 13–17).

Natürlich, ich weiß: Die Zeiten haben sich geändert, und heute denkt kein Religionsführer (abgesehen von den Taliban und ihresgleichen, ihrer amerikanisch-christlichen Entsprechung) wie Mose. Und genau darum geht es mir: Woher unsere heutige Ethik auch kommen mag, aus der Bibel stammt sie jedenfalls nicht. Die Religionsvertreter kommen mir nicht mit der Behauptung davon, die Religion liefere ihnen eine Art innere Richtschnur, mit der sie besser definieren könnten, was gut und was schlecht ist – die Religion sei eine bevorrechtigte Quelle der Moral, die für Atheisten unerreichbar bleibt. Aber damit

kommen sie selbst dann nicht durch, wenn sie ihren Lieblings-
trick anwenden und bestimmte Stellen aus der Heiligen Schrift
nicht wörtlich, sondern als »Symbole« interpretieren. Nach
welchen Kriterien *entscheiden* sie denn, welche Stellen symbolisch und welche wörtlich zu verstehen sind?

Die ethnische Säuberung, die zu Zeiten Moses begann, findet ihren blutigen Höhepunkt im Buch Josua, einem Text,
der durch die darin aufgezeichneten blutrünstigen Massaker
ebenso auffällt wie durch seine genüsslich ausgebreitete Fremdenfeindlichkeit. Oder, wie es in einem liebenswürdigen alten
Spiritual heißt: »Joshua fit the battle of Jericho, and the walls
came a-tumbling down ... There's none like good old Joshuay,
at the battle of Jericho.« (»Josua schlug die Schlacht von Jericho, und die Mauern stürzten ein ... Niemand ist wie der gute
alte Josua in der Schlacht von Jericho.«) Jaja, der gute alte Josua
gab keine Ruhe: »[Sie] vollstreckten den Bann an allem, was in
der Stadt war, mit der Schärfe des Schwerts, an Mann und
Weib, jung und alt, Rindern, Schafen und Eseln« (Josua 6,21).

Wieder einmal werden die Theologen einwenden, es habe
sich so nicht abgespielt. Nun ja, so nicht – in der biblischen
Geschichte brechen die Mauern zusammen, nur weil Männer
schreien und Trompete spielen, und so kann es tatsächlich
nicht gewesen sein; aber darum geht es nicht. Entscheidend ist
etwas anderes: Ob die Geschichte nun stimmt oder nicht, die
Bibel wird uns als Quelle unserer Moral vorgehalten. Und die
biblische Geschichte über die Zerstörung Jerichos durch Josua
sowie ganz allgemein über den Einzug ins Gelobte Land ist
moralisch nicht von Hitlers Invasion in Polen oder Saddam
Husseins Massakern an Kurden und Marsch-Arabern zu unterscheiden. Die Bibel mag eine fesselnde, poetische Erzählung sein, aber sie gehört sicher nicht zu den Büchern, die man
Kindern zur Festigung ihrer Moral in die Hand geben sollte.
Nebenbei bemerkt: Die Geschichte von Josua und Jericho
wurde zum Gegenstand eines interessanten Experiments zur

kindlichen Ethik; ich werde später in diesem Kapitel darauf zurückkommen.

Übrigens sollte man nicht glauben, die Gottesgestalt in der Geschichte habe im Zusammenhang mit dem Gemetzel und Völkermord, welche die Eroberung des Gelobten Landes begleiteten, irgendwelche Zweifel oder Skrupel gehabt. Im Gegenteil: Seine Befehle, etwa im Fünften Buch Mose, Kapitel 20, sind von gnadenloser Eindeutigkeit. Er traf eine klare Unterscheidung zwischen den Menschen, die in dem benötigten Land lebten, und jenen, die weit entfernt wohnten. Letztere sollten aufgefordert werden, sich friedlich zu unterwerfen. Wenn sie sich weigerten, sollten alle Männer getötet werden, und die Frauen sollte man zur weiteren Fortpflanzung mitnehmen. Im Gegensatz zu dieser noch relativ humanen Behandlung kann man sich ansehen, was für die Stämme vorgesehen war, die das Pech hatten, bereits in der Nähe des versprochenen »Lebensraumes« ansässig zu sein: »Aber in den Städten dieser Völker hier, die dir der Herr, dein Gott, zum Erbe geben wird, sollst du nichts leben lassen, was Odem hat, sondern sollst an ihnen den Bann vollstrecken, nämlich an den Hetitern, Amoritern, Kanaanitern, Perisitern, Hiwitern und Jebusitern, wie dir der Herr, dein Gott, geboten hat.« (5. Mose 20,16–17)

Haben diejenigen, die uns die Bibel als Anregung zu moralischer Rechtschaffenheit vorhalten, eigentlich die geringste Ahnung davon, was darin tatsächlich geschrieben steht? Nach dem Fünften Buch Mose, Kapitel 20, sind folgende Vergehen mit dem Tod zu bestrafen: Verfluchen der Eltern; Ehebruch; Geschlechtsverkehr mit der Stiefmutter oder der Schwiegertochter; Homosexualität; Ehe mit einer Frau und ihrer Tochter; Sodomie (wobei, um zur Beleidigung noch die Ungerechtigkeit hinzuzufügen, auch das unglückselige Tier getötet werden muss). Natürlich wird man auch hingerichtet, wenn man am Sabbat arbeitet: Diese Aussage findet sich im Alten Testament immer und immer wieder. Im Vierten Buch Mose, Kapitel 15, finden die Israeliten in der Wildnis einen Mann, der am verbotenen Tag Brennholz sammelt. Sie nehmen ihn fest und fragen Gott, was sie mit ihm machen sollen. Wie sich herausstellt, ist Gott an diesem Tag nicht in der Stimmung, halbe Sachen zu machen. »Der Herr aber sprach zu Mose: Der Mann soll des Todes sterben; die ganze Gemeinde soll ihn steinigen draußen vor dem Lager. Da führte die ganze Gemeinde ihn hinaus vor das Lager und steinigte ihn, sodass er starb, wie der Herr dem Mose geboten hatte.« (4. Mose 15,35–36) Hatte dieser harmlose Brennholzsammler eine Frau und Kinder, die um ihn trauerten? Wimmerte er vor Angst, als die ersten Steine flogen, und schrie er vor Schmerzen, als das Bombardement seinen Kopf traf? Mich erschreckt heute an solchen Geschichten nicht, dass sie sich tatsächlich abgespielt haben. Das war vermutlich nicht der Fall. Aber ich kann nur den Kopf darüber schütteln, dass Menschen ihr Leben noch heute auf ein derart widerwärtiges Vorbild wie Jahwe stützen – und, was noch schlimmer ist, dass sie rechthaberisch versuchen, dieses böse Ungeheuer (ob echt oder erfunden) auch uns anderen aufzuzwingen.

Besonders bedauerlich ist, dass die Zehn-Gebote-Verkünder gerade in den Vereinigten Staaten eine derartige politische Macht haben, in jener großartigen Republik, deren Verfassung von Männern der Aufklärung ausdrücklich in säkularen Begriffen formuliert wurde. Würden wir die Zehn Gebote ernst nehmen, müssten wir die Verehrung der falschen Götter und die Herstellung von Götzenbildern als wichtigste und zweitwichtigste Sünde einstufen. Statt den unaussprechlichen Vandalismus der Taliban zu verdammen, die in den Bergen Afghanistans die 45 Meter hohen Buddhastatuen von Bamyan sprengten, müssten wir sie wegen ihrer rechtschaffenen Frömmigkeit loben. Was wir bei ihnen für Vandalismus halten, war sicher von ehrlichem religiösem Eifer getragen. Dies zeigt sich sehr deutlich in einer wahrhaft bizarren Geschichte, mit der die Londoner Zeitung *Independent* am 6. August 2005 aufmachte.

Unter der Schlagzeile »Die Zerstörung Mekkas« berichtete das Blatt:

Das historische Mekka, die Wiege des Islam, ist beispiellosen Angriffen religiöser Eiferer ausgesetzt. Nahezu die gesamte reichhaltige, vielschichtige Geschichte der heiligen Stadt ist verschwunden. [...] Derzeit ist der Geburtsort des Propheten Mohammed von Bulldozern bedroht, und das mit stillschweigender Duldung der saudischen Religionsbehörden, die aufgrund ihrer strengen Interpretation des Islam überzeugt sind, sie müssten ihr eigenes Erbe auslöschen. [...] Das Motiv hinter der Zerstörung ist die fanatische Furcht der Wahhabiten, Orte von historischem oder religiösem Interesse könnten Götzenverehrung oder Polytheismus entstehen lassen, das heißt die Anbetung mehrerer, potenziell gleichberechtigter Götter. Götzenverehrung kann in Saudi-Arabien noch heute theoretisch mit dem Tod durch Enthauptung bestraft werden.*

Nach meiner Überzeugung gibt es auf der ganzen Welt keinen einzigen Atheisten, der Mekka – oder Chartres, York Minster, Notre Dame, die Shwedagon-Pagode, die Tempel von Kyoto oder natürlich die Buddhas von Bamiyan – mit dem Bulldozer platt machen würde. Der amerikanische Physik-Nobelpreisträger Steven Weinberg sagte einmal: »Religion ist eine Beleidigung für die Menschenwürde. Mit ihr oder ohne sie gibt es gute Menschen, die gute Dinge tun, und böse Menschen, die böse Dinge tun. Aber damit gute Menschen böse Dinge tun, braucht es die Religion.« Eine ähnliche Äußerung stammt von Blaise

---

* Über den heimtückischen Einfluss des saudischen Wahhabitentums in Großbritannien berichtet Johann Hari in seinem Artikel »We All Fund This Torrent of Saudi Bigotry«. Er erschien ursprünglich im *Independent* vom 8. Februar 2007 und findet sich auch auf mehreren Websites, unter anderem auf RichardDawkins.net.

Pascal (dem Mann mit der Wette): »Die Menschen tun nie so vollständig und fröhlich etwas Böses, als wenn sie es aus religiöser Überzeugung tun.«

Ich wollte hier nicht in erster Linie aufzeigen, dass wir unsere Moral nicht aus der Bibel beziehen *sollten* (obwohl ich dieser Meinung bin). Mein Ziel war ein anderes: Ich wollte nachweisen, dass wir (und das schließt die meisten religiösen Menschen ein) unsere Moral in Wirklichkeit nicht aus der Bibel beziehen. Wäre das der Fall, würden wir uns streng an den Sabbat halten und es für gerecht und richtig halten, jeden hinzurichten, der dies nicht tut. Wir würden jede Braut steinigen, wenn ihr Ehemann sich unzufrieden mit ihr zeigt und wenn sie nicht beweisen kann, dass sie noch Jungfrau war. Wir würden ungehorsame Kinder töten. Wir würden … aber Moment mal. Vielleicht war ich unfair. Nette Christen hätten vielleicht schon gegen diesen ganzen Abschnitt protestiert: Dass das Alte Testament ziemlich unangenehm ist, weiß schließlich jeder. Aber das Neue Testament und Jesus – sie bessern den Schaden aus und bringen alles in Ordnung. Ist es nicht so?

Ist das Neue Testament wirklich besser?

Eines ist nicht zu leugnen: Aus ethischer Sicht ist Jesus gegenüber dem grausamen Ungeheuer aus dem Alten Testament ein großer Fortschritt. Wenn Jesus wirklich existiert hat, war er (und wenn nicht, dann der Autor der Berichte über ihn) sicher einer der großen ethischen Neuerer der Geschichte. Die Bergpredigt ist ihrer Zeit weit voraus. Und sein Prinzip, »die andere Wange hinzuhalten«, nahm Gandhi und Martin Luther King um zweitausend Jahre vorweg. Nicht umsonst schrieb ich einmal einen Artikel mit der Überschrift »Atheisten für Jesus« (und war später begeistert, als man mir ein T-Shirt mit dieser Aufschrift schenkte).[104]

Aber die ethische Überlegenheit Jesu macht besonders deutlich, worum es mir geht. Jesus gab sich nicht damit zufrieden, seine Ethik aus den Schriften zu beziehen, mit denen er aufgewachsen war. Er distanzierte sich ausdrücklich von ihnen, zum Beispiel als er aus den düsteren Drohungen für die Verletzung des Sabbats die Luft herausließ. »Der Sabbat wurde für die Menschen gemacht und nicht die Menschen für den Sabbat« wurde ganz allgemein zu einem klugen Sprichwort. Da es eine Hauptthese dieses Kapitels ist, dass wir unsere Moral nicht aus der Heiligen Schrift beziehen und auch nicht beziehen sollten, muss Jesus als Beispiel für genau diese These gewürdigt werden.

Allerdings vertrat Jesus in puncto Familie nicht gerade die Werte, die wir in den Mittelpunkt stellen würden. Seiner eigenen Mutter gegenüber war er kurz angebunden, bis hin zur Brüskierung, und seine Jünger forderte er auf, ihre Familien zu verlassen und ihm nachzufolgen. »Wenn jemand zu mir kommt und hasst nicht seinen Vater, Mutter, Frau, Kinder, Brüder, Schwestern und dazu sich selbst, der kann nicht mein Jünger sein« (Lukas 14, 26). Die amerikanische Komikerin Julia Sweeney brachte ihr Befremden darüber in ihrem Solo-Bühnenprogramm *Letting Go of God* (»Von Gott will ich lassen«) zum Ausdruck:[105] »Tun das nicht die Sekten? Einen dazu veranlassen, dass man sich von der Familie trennt, damit sie einen besser indoktrinieren können?«[106]

Trotz seiner fragwürdigen Wertvorstellungen in Sachen Familie waren die ethischen Lehren Jesu – wenigstens im Vergleich zum ethischen Katastrophengebiet des Alten Testaments – bewundernswert. Indes, auch im Neuen Testament gibt es Prinzipien, die kein anständiger Mensch unterstützen sollte. Damit meine ich besonders die zentrale Doktrin des Christentums: »Sühne« für die »Erbsünde«. Diese Lehre, ein Kernstück der neutestamentlichen Theologie, ist ethisch fast ebenso anstößig wie die Geschichte von Abraham, der sich anschickt, Isaak zu grillen; dieser ähnelt sie stark, und das ist, wie Geza Vermes in *The Changing Faces of Jesus* (»Die wechselnden Gesichter Jesu«) deutlich macht, kein Zufall. Die Vorstellung von der Erbsünde entspringt unmittelbar aus dem alttestamentlichen Mythos von Adam und Eva. Ihre Sünde, die Frucht eines verbotenen Baumes zu essen, erscheint so geringfügig, dass sie nicht mehr als eine Ermahnung verdient. Aber die symbolische Bedeutung der Frucht (die Erkenntnis von Gut und Böse, was sich in der praktischen Erkenntnis äußerte, dass sie nackt waren) reichte aus, um einen kleinen Obstdiebstahl zur Mutter und zum Vater aller Sünden zu machen. Das Paar und seine sämtlichen Nachkommen wurden für alle Zeiten aus dem Garten Eden verbannt, das Geschenk des ewigen Lebens wurde ihnen genommen, und alle folgenden Generationen waren zu Mühen und Schmerzen auf dem Acker und beim Gebären von Kindern verdammt.

So weit, so rachsüchtig – eins zu null für das Alte Testament. In der neutestamentlichen Theologie indes kommt als Krönung noch eine neue Ungerechtigkeit hinzu: ein neuer Sadomasochismus, über dessen Boshaftigkeit selbst das Alte Testament kaum hinausgeht. Bei genauerem Nachdenken ist es wirklich bemerkenswert, dass eine Religion ein Folter- und Hinrichtungsinstrument zum heiligen Symbol macht, das häufig an Ketten um den Hals getragen wird. Lenny Bruce bemerkte ganz richtig: »Wäre Jesus vor zwanzig Jahren getötet worden, dann würden die katholischen Schulkinder heute kein Kreuz, sondern einen kleinen elektrischen Stuhl um den Hals tragen.« Noch schlimmer ist allerdings die dahinterstehende Theologie und Bestrafungstheorie. Die Sünde von Adam und Eva soll in der männlichen Linie weitervererbt worden sein – mit dem Samen, wie Augustinus es formulierte. Was ist das für eine Moralphilosophie, die jedes Kind schon vor seiner Geburt dazu verurteilt, die Sünden eines entfernten Vorfahren zu erben?

Auf Augustinus, der sich zu Recht als eine Art Autorität in

Sachen Sünde betrachtete, geht übrigens auch der Begriff »Erb-sünde« zurück. Vorher sprach man von der »Sünde der Vorfah-ren«. Augustinus' Äußerungen und Diskussionen machen für mich überdeutlich, welch ungesunde Versessenheit auf die Sünde bei frühchristlichen Theologen herrschte. Sie hätten ihre Schriften und Predigten darauf verwenden können, über den sternenübersäten Himmel zu jubeln oder über Berge und grüne Wälder, Meere und den Chor der Vogelstimmen. Diese werden zwar gelegentlich erwähnt, aber das überwältigende christliche Schwergewicht liegt auf der Sünde – Sünde, Sünde, Sünde und nochmal Sünde. Wie kann man sein Leben von einer derart niederträchtigen Hauptbeschäftigung beherrschen lassen! Sam Harris schreibt mit großartigem Sarkasmus in *Letter to a Christian Nation*: »Es scheint Ihre Hauptsorge zu sein, der Schöpfer des Universums könnte Anstoß an irgendetwas nehmen, was die Menschen tun, wenn sie nackt sind. Diese Ihre Prüderie trägt jeden Tag zur Überfülle menschlichen Elends bei.«

Kommen wir jetzt zum Sadomasochismus. Gott verkörperte sich als Mann namens Jesus, damit er als *Sühne* für Adams Erb-sünde gefoltert und hingerichtet werden konnte. Seit Paulus diese abstoßende Lehre entwickelte, wurde Jesus immer als *Erlöser* von allen unseren Sünden angebetet. Nicht nur von den früheren Sünden Adams, sondern auch von *zukünftigen* Sünden, ganz gleich, ob zukünftige Menschen sich entschließen, sie zu begehen, oder nicht!

Noch eine weitere Anmerkung: Schon vielen Menschen, darunter auch Robert Graves in seinem umfangreichen Roman *King Jesus (König Jesus)*, ist aufgefallen, dass der arme Judas Is-chariot in der Geschichte unverdient schlecht wegkommt. Immerhin war sein »Verrat« ein unabdingbarer Teil des kosmi-schen Plans. Das Gleiche kann man auch über Jesu angebliche Mörder behaupten. Wenn Jesus verraten und ermordet werden wollte, um uns alle zu erlösen, ist es eigentlich doch unfair, wenn diejenigen, die sich selbst für erlöst halten, ihren Zorn über Jahrtausende hinweg an Judas und den Juden auslassen. Ich habe bereits die lange Liste der nicht kanonischen Evangelien erwähnt. Ein Manuskript, bei dem es sich angeblich um das verschollene Judasevangelium handelt, wurde kürzlich übersetzt und erregte deshalb das Interesse der Öffentlichkeit.[107] Es wurde unter umstrittenen Umständen entdeckt, aber offensichtlich tauchte es in den Sechziger- oder Siebzigerjahren des 20. Jahrhunderts in Ägypten auf. Die 62 in koptischer Schrift beschriebenen Papyrusblätter wurden mit der Radiokarbonmethode auf die Zeit um 300 n. Chr. datiert, der Text geht aber wahrscheinlich auf ein älteres griechisches Manuskript zurück.

Wer der Verfasser auch gewesen sein mag, in jedem Fall enthält dieses Evangelium eine Schilderung aus der Sicht von Judas Ischariot, und es behauptet, Judas habe Jesus nur deshalb verraten, weil dieser ihn darum gebeten hatte, eine solche Rolle zu spielen. Der Verrat habe zu einem Plan mit dem Ziel gehört, Jesus kreuzigen zu lassen, damit er die Menschheit erlösen konnte. So heimtückisch diese Lehre ohnehin ist, sie wird noch dadurch verschlimmert, dass Judas seither stets zum Bösewicht erklärt wurde.*

Ich habe die Sühne, die zentrale Doktrin des Christentums, als bösartig, sadomasochistisch und abstoßend bezeichnet. Eigentlich könnten wir sie auch als total verrückt abtun, wäre sie uns nicht so vertraut, dass unsere Objektivität eingelullt wurde. Wenn Gott uns unsere Sünden vergeben will, warum vergibt er sie dann nicht einfach, ohne sich selbst dafür foltern und hinrichten zu lassen – womit er übrigens zukünftige Generationen der Juden zu Pogromen und zur Verfolgung als

---

* Mittlerweile ist das Buch *Reading Judas* von Elaine Pagels und Karen L. King erschienen (London: Viking 2007). Es stützt sich auf Karen Kings Übersetzung des Judasevangeliums und zeigt Mitgefühl mit dem angeblichen Erzverräter (der in dem Evangelium selbst in der dritten Person auftritt).

»Christusmörder« verdammte? Wurde auch diese Erbsünde mit dem Samen weitergegeben?

Paulus, das machte der jüdische Wissenschaftler Geza Vermes deutlich, hing an dem alten theologischen Prinzip der Juden, wonach es ohne Blut keine Sühne gebe.[108] Genau das sagt er zum Beispiel in seinem Brief an die Hebräer (9, 22). Dagegen tun sich progressive Ethiker heute wirklich schwer damit, irgendeine Theorie zu vertreten, in der Strafe eine Vergeltung darstellt, ganz zu schweigen von der Theorie des Sündenbocks – ein Unschuldiger wird hingerichtet und bezahlt damit für die Sünden der Schuldigen. Ohnehin muss man sich fragen: Wen wollte Gott eigentlich beeindrucken? Vermutlich sich selbst – er war Richter, Gericht und Hinrichtungsopfer in einem.

Als Krönung des Ganzen kommt noch hinzu, dass Adam, der angeblich die Erbsünde beging, in Wirklichkeit nie existiert hat. Dass Paulus das nicht wusste, kann man ihm nachsehen, aber einem allwissenden Gott (und auch Jesus, wenn man glaubt, dass er Gott war) hätte es eigentlich bekannt sein müssen. Jedenfalls bringt diese seltsame Tatsache das gesamte Fundament dieser ganzen quälend gehässigen Theorie zum Einsturz. Ach ja, natürlich, die ganze Geschichte von Adam und Eva war ja nur ein *Symbol*, stimmt's? Ein *Symbol*? Um sich selbst zu beeindrucken, musste Jesus also gefoltert und hingerichtet werden, als stellvertretende Bestrafung für eine *symbolische* Sünde, begangen von einer Person, *die gar nicht existiert hat*? Wie gesagt, das ist nicht nur boshaft und unangenehm, sondern auch völlig verrückt.

Bevor ich das Thema Bibel verlasse, muss ich noch auf einen besonders ungenießbaren Aspekt ihrer ethischen Lehren aufmerksam machen. Christen machen sich nur in den seltensten Fällen klar, dass viele der moralischen Vorgaben für andere, die sowohl im Alten als auch im Neuen Testament vertreten werden, ursprünglich nur für eine eng begrenzte Gruppe gedacht waren. »Liebe deinen Nächsten« bedeutete nicht das, was wir heute darunter verstehen. Es hieß nur »Liebe einen anderen Juden«. Diesen springenden Punkt macht der amerikanische Arzt und Evolutionsanthropologe John Hartung in einem bemerkenswerten Aufsatz über die Evolution und die biblische Geschichte der Gruppenethik auf verheerende Weise deutlich. Dabei hob er auch die Kehrseite gebührend hervor: die Gruppenfeindseligkeit.[109]

Liebe deinen Nächsten

John Hartungs schwarzer Humor ist von Anfang an nicht zu übersehen. So berichtet er zu Beginn über eine Initiative der Southern Baptist Church, die herausfinden wollte, wie viele Bewohner Alabamas sich in der Hölle befinden. Nach Berichten in der *New York Times* und in *Newsday* gelangte man zu einer Zahl von 1,86 Millionen. Diese Schätzung erfolgte mithilfe einer geheimen Gewichtungsformel, wonach Methodisten mit größerer Wahrscheinlichkeit errettet werden als Katholiken, während »praktisch alle, die keiner kirchlichen Gemeinschaft angehörten, zu den verlorenen Seelen gezählt wurden«. Die übernatürliche Selbstgefälligkeit solcher Menschen spiegelt sich heute in den verschiedenen »Entrückungs«-Websites wider, deren Autoren es stets für völlig selbstverständlich halten, dass sie zu denen gehören, die in den Himmel »verschwinden«, wenn die »Endzeit« kommt. Das folgende typische Beispiel stammt vom Autor der Website »Rapture Ready«, einem besonders widerwärtigscheinheiligen Exemplar dieses Genres: »Wenn die Entrückung stattfinden sollte und ich dann nicht mehr da bin, wird es notwendig sein, dass Bedrängnisheilige diese Website spiegeln oder finanziell unterstützen.«*

---

* Vgl. www.raptureready.com (6. 4. 2007). Wahrscheinlich wissen Sie nicht, was das Wort »Bedrängnisheilige« in diesem Satz bedeutet. Machen Sie sich nichts daraus: Sie haben Besseres zu tun.

Nach Hartungs Interpretation bietet die Bibel keine Grundlage für eine solch blasierte Selbstgefälligkeit der Christen. Jesus beschränkte seine Gruppe der Erretteten streng auf die Juden; in dieser Hinsicht stand er in der alttestamentlichen Tradition – eine andere kannte er nicht. Wie Hartung eindeutig nachweist, sollte »Du sollst nicht töten« ursprünglich nicht das bedeuten, was es für uns heute aussagt. Es hieß vielmehr ganz gezielt: Du sollst keine Juden töten. Die gleiche Ausschließlichkeit beinhalten alle Gebote, in denen von »deinem Nächsten« oder »deinem Nachbar« die Rede ist. »Nachbar« bedeutet Mitjude. Moses Maimonides, ein hoch angesehener Rabbiner und Arzt aus dem zwölften Jahrhundert, erläutert die Bedeutung des Satzes »Du sollst nicht töten« folgendermaßen: »Wer auch nur einen einzigen Israeliten hinmetzelt, verstößt gegen ein Gebot, denn die Heilige Schrift sagt: Du sollst nicht morden. Wer aus freiem Willen in Gegenwart von Zeugen mordet, soll zum Tod durch das Schwert verurteilt werden. Es bedarf keiner besonderen Erwähnung, dass jemand nicht zum Tod verurteilt wird, wenn er einen Heiden tötet.« Natürlich bedarf das keiner besonderen Erwähnung!

In einem ähnlichen Sinn zitiert Hartung den Sanhedrin, das oberste jüdische Gericht, das vom Hohepriester geleitet wird. Dieser sprach einen Mann frei, der angeblich versehentlich einen Israeliten umgebracht hatte, obwohl er eigentlich ein Tier oder einen Heiden töten wollte. Dieses ärgerliche kleine ethische Dilemma wirft eine interessante Frage auf. Was ist, wenn wir einen Stein in eine Gruppe aus neun Heiden und einem Israeliten werfen und das Pech haben, dass der Israelit stirbt? Hm, schwierig. Aber die Antwort liegt auf der Hand. »Dann kann man seine Unschuld aus der Tatsache ableiten, dass die Mehrzahl Heiden waren.«

Hartung bedient sich in vielen Fällen der gleichen Bibelzitate über die Eroberung des Gelobten Landes durch Mose, Josua und die Richter, die auch ich in diesem Kapitel angeführt habe. Ich habe vorsichtshalber eingeräumt, dass religiöse Menschen heute nicht mehr biblisch denken. Für mich ist damit bewiesen, dass unsere Moral aus anderen Quellen stammt, ganz gleich, ob wir religiös sind oder nicht. Und diese andere Quelle, wie sie auch aussehen mag, steht uns allen offen, ob mit Religion oder ohne sie.

Hartung dagegen berichtet über eine erschreckende Untersuchung des israelischen Psychologen George Tamarin. Dieser legte über tausend israelischen Schulkindern im Alter von acht bis vierzehn Jahren den Bericht über die Schlacht von Jericho aus dem Buch Josua vor:

> Josua sprach zum Volk: Macht ein Kriegsgeschrei! Denn der HERR hat euch die Stadt gegeben. Aber diese Stadt und alles, was darin ist, soll dem Bann des HERRN verfallen. [...] Aber alles Silber und Gold samt dem kupfernen und eisernen Gerät soll dem HERRN geheiligt sein, dass es zum Schatz des HERRN komme. [...] Und sie vollstreckten den Bann an allem, was in der Stadt war, mit der Schärfe des Schwerts, an Mann und Weib, jung und alt, Rindern, Schafen und Eseln. [...] Aber die Stadt verbrannten sie mit Feuer und alles, was darin war. Nur das Silber und Gold und die kupfernen und eisernen Geräte taten sie zum Schatz in das Haus des HERRN. (Josua 6, 16–24)

Dann stellte Tamarin den Schulkindern eine einfache ethische Frage: »Haben Josua und die Israeliten nach eurer Ansicht richtig gehandelt oder nicht?« Sie hatten die Wahl zwischen A (völlige Zustimmung), B (teilweise Zustimmung) und C (völlige Ablehnung). Das Ergebnis war eine starke Polarisierung: 66 Prozent stimmten völlig zu, 26 Prozent äußerten völlige Ablehnung, und nur recht wenige, nämlich acht Prozent, standen mit ihrer teilweisen Zustimmung in der Mitte. Die folgenden drei Antworten sind typisch für die Gruppe A, die völlig zustimmte:

Meiner Meinung nach haben Josua und die Kinder Israel richtig gehandelt, und zwar aus folgenden Gründen: Gott hat ihnen dieses Land versprochen und ihnen erlaubt, es zu erobern. Hätten sie nicht so gehandelt und niemanden getötet, hätte die Gefahr bestanden, dass die Kinder Israel von den Gojim assimiliert worden wären.

Nach meiner Ansicht hatte Josua recht, dass er es getan hat. Ein Grund ist, dass Gott ihm befohlen hat, das Volk auszurotten, damit die Stämme Israel nicht von ihm aufgesogen werden und seine schlechten Sitten lernen.

Josua hat etwas Gutes getan, denn die Menschen, die in dem Land wohnten, hatten eine andere Religion, und als Josua sie tötete, tilgte er ihre Religion von der Erde.

In allen Fällen wird Josuas Völkermord mit religiösen Gründen gerechtfertigt. Selbst in der Kategorie C derer, die völlige Ablehnung äußerten, wurden in einigen Fällen zweideutige religiöse Gründe genannt. Ein Mädchen lehnte beispielsweise die Eroberung Jerichos durch Josua ab, weil er die Stadt zu diesem Zweck hätte betreten müssen:

Ich halte das für schlecht, denn Araber sind unrein und wenn man unreines Land betritt, wird man auch unrein und gerät unter ihren Fluch.

Zwei andere waren nur deshalb nicht einverstanden, weil Josua alles zerstörte, auch Tiere und Eigentum, statt einen Teil davon als Beute für die Israeliten aufzusparen:

Ich finde, Josua hat nicht richtig gehandelt; die hätten das Vieh für sich selbst aufheben können.

Ich finde, Josua hat nicht richtig gehandelt, denn er hätte das Eigentum von Jericho übrig lassen können. Wenn er das Eigentum nicht zerstört hätte, hätte es den Israeliten gehört.

Auch in dieser Frage lässt der kluge Maimonides keinen Zweifel an seinem Standpunkt aufkommen: »Die sieben Völker zu zerstören, ist ein positiver Befehl, denn es wird gesagt: *Du sollst sie völlig zerstören*. Wenn man die, über die man die Macht gewinnt, nicht dem Tode anheim gibt, verstößt man gegen ein negatives Gebot, denn es heißt: *Du sollst nichts, das Odem hat, am Leben lassen.*«

Im Gegensatz zu Maimonides waren die Kinder in Tamarins Experiment noch jung und eigentlich unschuldig. Die grausamen Ansichten, die sie zum Ausdruck brachten, stammten vermutlich von ihren Eltern oder aus dem kulturellen Umfeld, in dem sie aufgewachsen waren. Nach meiner Vermutung ist es durchaus nicht unwahrscheinlich, dass Palästinenserkinder, die in demselben kriegsgeschüttelten Land groß geworden sind, entsprechende Meinungen mit umgekehrter Zielrichtung geäußert hätten. Solche Überlegungen erfüllen mich mit Verzweiflung. Offenbar zeigt sich hier, wie ungeheuer stark die Religion und insbesondere die religiöse Erziehung von Kindern dazu beiträgt, die Menschen zu spalten und historische Feindschaften oder überkommene Rachegelüste zu nähren. Ich muss noch einmal darauf hinweisen, dass zwei der drei repräsentativen Zitate aus Tamarins Gruppe A die Übel der Assimilation erwähnen, während die dritte betont, man müsse Menschen töten, um ihre Religion auszurotten.

Das gleiche Experiment machte Tamarin auch mit einer faszinierenden Kontrollgruppe. Eine andere Gruppe von 168 israelischen Kindern erhielt genau den gleichen Text aus dem Buch Josua, nur war hier der Name »Josua« durch »General Lin« und »Israel« durch »ein chinesisches Königreich vor 3 000 Jahren« ersetzt. Jetzt ergab das Experiment das umgekehrte Ergebnis. Nur sieben Prozent hießen das Verhalten des Generals Lin gut, 75 Prozent lehnten es ab. Mit anderen Worten: Spielte die Loyalität zum Judentum für die Berechnung keine Rolle, dann schlossen sich die Kinder in ihrer Mehrheit den moralischen Beurteilungen an, für die sich die meisten modernen Menschen entscheiden würden. Josuas Verhalten war barbarischer Völkermord. Aber aus religiöser Sicht sieht alles ganz anders aus. Und der Unterschied macht sich schon in jungen Jahren bemerkbar. Ob Kinder den Völkermord verurteilen oder gutheißen, hängt einzig von der Religion ab.

In der zweiten Hälfte seines Aufsatzes wendet sich Hartung dem Neuen Testament zu. Kurz zusammengefasst, lautet seine These: Jesus war ein Anhänger der gleichen Gruppenmoral – in Verbindung mit Feindseligkeit gegenüber Außenstehenden –, die im Alten Testament als selbstverständlich vorausgesetzt wird. Jesus war ein loyaler Jude. Die Idee, den jüdischen Gott auch den Ungläubigen nahezubringen, wurde erst von Paulus erfunden. Hartung formuliert es krasser, als ich es wagen würde: »Jesus hätte sich im Grab herumgedreht, wenn er gewusst hätte, dass Paulus den Schweinen seine Lehre predigte.«

Seinen Spaß hat Hartung mit dem Buch der Offenbarung, das sicherlich eines der seltsamsten Bücher der Bibel ist. Es wurde angeblich von Johannes verfasst, und *Ken's Guide to the Bible* meint dazu sehr plastisch: »Wenn seine Briefe so wirken, als hätte Johannes Hasch geraucht, dann hat er die Offenbarung unter dem Einfluss von LSD geschrieben.«[110] Hartung macht auf zwei Verse in der Offenbarung aufmerksam, in denen die Zahl der »Versiegelten« (worunter manche Sekten, beispielsweise die Zeugen Jehovas, die »Erretteten« verstehen) auf 144 000 beschränkt ist. Hartung geht es vor allem darum, dass es ausschließlich Juden sein müssen: 12 000 aus jedem der zwölf Stämme. Ken Smith geht noch einen Schritt weiter und weist darauf hin, dass die 144 000 Auserwählten »sich nicht mit Frauen besudelten«, was vermutlich bedeutet, dass zu den

Auserwählten auch keine Frauen gehören können. Nun ja, so etwas hätte man eigentlich auch erwartet.

In Hartungs unterhaltsamem Aufsatz steht noch viel mehr. Ich möchte ihn einfach noch einmal empfehlen und den Inhalt in einem Zitat zusammenfassen:

> Die Bibel ist ein Regelwerk der Gruppenmoral mit Anweisungen zum Völkermord, zur Versklavung anderer Gruppen und zur Weltherrschaft. Böse ist die Bibel aber nicht wegen ihrer Ziele und noch nicht einmal wegen der Verherrlichung von Mord, Grausamkeit und Vergewaltigung. So etwas findet man in vielen antiken Werken, unter anderem in der Ilias, den altisländischen Sagas, den Sagen der alten Syrer und alten Inschriften der Maya. Aber niemand verkauft die Ilias als Fundament unserer Ethik. Genau hier liegt das Problem. Die Bibel wird als Leitfaden für die Lebensführung angepriesen und gekauft. Und sie ist bei Weitem der größte Weltbestseller aller Zeiten.

Damit nun nicht der Eindruck entsteht, das traditionelle Judentum nehme in dieser Hinsicht unter den Religionen eine einzigartige Stellung ein, brauchen wir nur eine selbstbewusste Strophe aus einem Kirchenlied von Isaac Watts (1674–1748) anzuschauen:

> Lord, I ascribe it to Thy Grace,
> And not to chance, as others do,
> That I was born of Christian Race
> And not a Heathen or a Jew.

> [Herr, Deiner Gnade ist's zu danken,
> Und nicht wie bei andern auf Zufall beruht,
> Dass ich als Christ geboren wurde
> Und nicht als Heide oder Jud'.]

Das Rätselhafte an diesem Vers ist für mich nicht die Ausschließlichkeit als solche, sondern die Logik. Viele Menschen werden tatsächlich nicht ins Christentum, sondern in andere Religionen hineingeboren – wie also entscheidet Gott, welchen Menschen in Zukunft eine solche bevorzugte Geburt zuteil wird? Warum begünstigt er gerade Isaac Watts und die Personen, die das Lied nach seiner Vorstellung singen sollten? Und welcher Art war diese gottgefällige Einheit, bevor Isaac Watts überhaupt gezeugt wurde?

Hier begeben wir uns in allzu tiefe Gewässer, aber für einen theologisch eingestellten Geist sind sie vielleicht gar nicht so tief. Jedenfalls erinnert das Kirchenlied von Isaac Watts an die drei täglichen Gebete, die orthodoxe und konservative (nicht jedoch reformierte) männliche Juden erlernen: »Gesegnet seist du, dass du mich nicht zu einem Ungläubigen gemacht hast. Gesegnet seist du, dass du mich nicht zu einer Frau gemacht hast. Gesegnet seist du, dass du mich nicht zu einem Sklaven gemacht hast.«

Religion ist zweifellos eine spaltende Kraft, und das ist einer der wichtigsten Vorwürfe, die gegen sie erhoben werden. Allerdings wird häufig zu Recht darauf hingewiesen, dass es in Kriegen und Feindseligkeiten zwischen religiösen Gruppen oder Sekten nur in seltenen Fällen um echte theologische Meinungsverschiedenheiten geht. Wenn ein paramilitärischer Protestant in Nordirland einen Katholiken ermordet, murmelt er nicht: »Das hast du davon, du transsubstantiationistisches, marienanbetendes, weihrauchstinkendes Arschloch!« Viel wahrscheinlicher ist, dass er sich für den Tod eines anderen Protestanten rächen will, der – vielleicht im Verlauf einer Generationen alten Blutrache – von einem anderen Katholiken umgebracht wurde. Religion ist ein *Etikett* für Feindseligkeiten und Blutrache zwischen verschiedenen Gruppen, und in dieser Hinsicht ist sie nicht unbedingt schlimmer als andere Etiketten, beispielsweise die Hautfarbe, die Sprache oder die

Lieblings-Fußballmannschaft. Allerdings steht sie oft immer dann zur Verfügung, wenn keine anderen Etiketten infrage kommen.

Ja, ja, natürlich handelt es sich in Nordirland um politische Probleme. Es stimmt, dass die eine Gruppe von der anderen wirtschaftlich und politisch unterdrückt wurde, und das Ganze reicht Jahrhunderte zurück. Es gibt echte Missstände und Ungerechtigkeiten, und die haben offensichtlich kaum etwas mit Religion zu tun; nur – und das ist wichtig und wird allgemein übersehen – gäbe es ohne die Religion keine Etiketten, anhand derer man entscheiden könnte, wen man unterdrückt und an wem man sich rächt. Und das eigentliche Problem in Nordirland besteht darin, dass solche Etiketten über viele Generationen vererbt wurden. Katholiken, deren Eltern, Großeltern und Urgroßeltern katholische Schulen besucht haben, schicken ihre Kinder ebenfalls auf katholische Schulen. Protestanten, deren Eltern, Großeltern und Urgroßeltern protestantische Schulen besucht haben, schicken ihre Kinder ebenfalls auf protestantische Schulen. Beide Gruppen haben die gleiche Hautfarbe, sie sprechen die gleiche Sprache, sie haben Spaß an den gleichen Dingen, und doch könnten sie ebenso gut zu verschiedenen biologischen Arten gehören, so tief ist die historische Kluft zwischen ihnen.

Ohne Religion und religiös getrennte Erziehung wäre eine solche Kluft einfach nicht vorhanden. Die verfeindeten Stämme hätten sich durch Eheschließungen längst vermischt und aufgelöst. Vom Kosovo bis nach Palästina, vom Irak bis in den Sudan, von Nordirland bis zum indischen Subkontinent sollte man sich alle Regionen mit unüberwindlicher Feindschaft und Gewalt zwischen verschiedenen Gruppen einmal genau ansehen. Ich kann nicht dafür garantieren, dass Religionen immer das beherrschende Etikett für freundliche und feindliche Gruppen sind. Aber die Wahrscheinlichkeit ist groß.

Zu der Zeit, als der indische Subkontinent aufgeteilt wurde, starben mehr als eine Million Menschen bei religiösen Konflikten zwischen Hindus und Muslimen (und 15 Millionen weitere wurden aus ihrer Heimat vertrieben). Außer der Religion gab es kein anderes Kennzeichen, nach dem entschieden wurde, wen man umbringt. Letztlich waren die Menschen durch nichts anderes getrennt als durch die Religion. In jüngerer Zeit veranlassten weitere blutige Religionskonflikte den Schriftsteller Salman Rushdie dazu, einen Artikel mit der Überschrift »Wie immer ist die Religion das Gift im Blute Indiens« zu schreiben. Sein letzter Absatz lautet:

> Was gibt es daran noch zu respektieren, oder an all den Verbrechen, die heute nahezu täglich rund um die Welt im gefürchteten Namen der Religion begangen werden? Wie gut und mit welchen tödlichen Folgen errichtet die Religion ihre Denkmäler, und wie gern sind wir bereit, für sie zu morden! Und wenn wir es nur oft genug getan haben, macht die Abtötung des Mitgefühls, die damit einhergeht, eine Wiederholung immer einfacher.
>
> So erweist sich Indiens Problem als das Problem der ganzen Welt. Was in Indien geschehen ist, ist im Namen Gottes geschehen. Das Problem hat einen Namen: Gott.[111]

Ich bestreite nicht, dass die starke Neigung der Menschen, innerhalb der Gruppe loyal und nach außen feindselig zu sein, auch ohne Religion vorhanden wäre. Ein kleines Beispiel dafür sind die Fans konkurrierender Fußballmannschaften. Aber selbst zwischen Fußballanhängern verlaufen manchmal religiöse Grenzen, etwa bei den Glasgow Rangers und Celtic Glasgow. Weitere wichtige Trennungszeichen sind Sprachen (beispielsweise in Belgien) und Stammeszugehörigkeiten (besonders in Afrika). Aber die Religion verstärkt und verschärft das Übel in mindestens dreifacher Hinsicht:

- Durch die Etikettierung von Kindern. Von frühester Kindheit an spricht man von »katholischen Kindern« oder »protestantischen Kindern« usw., obwohl sie sicher noch viel zu jung sind und sich selbst nicht überlegen konnten, was sie von der Religion halten (auf diese Form der Kindesmisshandlung werde ich im neunten Kapitel zurückkommen).

- Konfessionelle Schulen. Kinder werden – wiederum häufig bereits in sehr jungen Jahren – zusammen mit Angehörigen der gleichen religiösen Gruppe und getrennt von den Kindern der Anhänger anderer Religionen unterrichtet. Man kann ohne Übertreibung sagen, dass die Probleme in Nordirland nach einer Abschaffung der Konfessionsschulen im Laufe einer Generation verschwinden würden.

- Tabuisierung von »Mischehen«. Dieses Tabu schreibt die überkommenen Feindseligkeiten und Rachegelüste fort, weil es die Vermischung verfeindeter Gruppen verhindert. Wären Ehen zwischen ihnen erlaubt, würden die Feindseligkeiten sich auf ganz natürliche Weise abschwächen.

Das nordirische Dorf Glenarm ist der Sitz der Earls of Antrim. Bei einer Gelegenheit, für die es noch heute Zeitzeugen gibt, tat der damalige Earl das Undenkbare: Er heiratete eine Katholikin. Sofort wurden überall in Glenarm als Zeichen der Trauer die Fensterläden verschlossen. Ebenso verbreitet ist die Abscheu vor »Mischehen« bei strenggläubigen Juden. In dem bereits beschriebenen Experiment nannten mehrere israelische Kinder die entsetzlichen Gefahren der »Assimilation« als wichtigste Rechtfertigung für Josuas Schlacht von Jericho. Wenn Angehörige verschiedener Religionen tatsächlich heiraten, sprechen beide Seiten mit bösen Vorahnungen von der »Mischehe«, und häufig gibt es langwierige Konflikte darüber, wie man die Kinder erziehen soll. Als ich klein war und noch begeistert die Ansichten der Anglikanischen Kirche vertrat, war ich wie vor den Kopf geschlagen, als ich hörte, bei einer Heirat zwischen einem katholischen und einem anglikanischen Partner müssten die Kinder stets katholisch erzogen werden. Warum ein Geistlicher einer beliebigen Konfession auf dieser Bedingung bestand, konnte ich ohne weiteres begreifen. Was ich nicht verstand (und bis heute nicht verstehe), war die Asymmetrie. Warum schlugen die anglikanischen Priester nicht mit der umgekehrten Regel zurück? Ich vermute, sie waren einfach weniger gnadenlos. Mein alter Kaplan und Betjemans »Our Padre« waren einfach zu nett.

In der Soziologie gibt es statistische Untersuchungen zur religiösen Homogamie (Eheschließung zwischen Angehörigen der gleichen Religion) und Heterogamie (Eheschließung zwischen Angehörigen verschiedener Religionen). Norval D. Glenn von der University of Texas in Austin sammelte eine Reihe solcher Studien bis zum Jahr 1978 und analysierte sie in ihrer Gesamtheit.[112] Nach seinen Feststellungen besteht im Christentum ein deutlicher Trend zu religiöser Homogamie (Protestanten heiraten Protestanten, Katholiken heiraten Katholiken, und dies geht über den normalen Effekt nach dem Motto »der Junge von nebenan« hinaus). Noch ausgeprägter ist der Trend unter Juden. Insgesamt füllten 6021 verheiratete Personen den Fragebogen aus; davon bezeichneten sich 140 als Juden, und von diesen wiederum hatten 85,7 Prozent auch Juden geheiratet. Das ist ein wesentlich größerer Anteil, als man es bei einer Zufallsverteilung der homogamen Ehen erwarten würde. Natürlich ist diese Erkenntnis für niemanden etwas Neues. Unter strenggläubigen Juden sind Ehen mit Andersgläubigen verpönt; sehr deutlich wird das Tabu in jüdischen Witzen über Mütter, die ihre Söhne warnen, sich nicht von blonden Schicksen ködern zu lassen. Von drei amerikanischen Rabbinern stammen die folgenden typischen Aussagen:

- »Ich lehne es ab, interreligiöse Trauungen vorzunehmen.«
- »Ich traue nur dann, wenn die Paare ihre Absicht bekunden, die Kinder als Juden zu erziehen.«
- »Ich traue, wenn die Paare bereit sind, sich vor der Eheschließung beraten zu lassen.«

Rabbiner, die sich bereit erklären, die Trauung gemeinsam mit einem christlichen Geistlichen vorzunehmen, sind selten und werden händeringend gesucht.

Selbst wenn die Religion als solche keinen anderen Schaden anrichten würde, schon ihre sorgfältig geförderten Spaltungstendenzen – ihre absichtliche, gezielte Unterstützung der natürlichen Neigung der Menschen, Gruppenangehörige zu begünstigen und andere Gruppen auszuschließen – würden ausreichen, um sie zu einer bedeutsamen Kraft des Bösen in der Welt zu machen.

Der ethische Zeitgeist

Zu Beginn dieses Kapitels wurde gezeigt, dass wir – auch die religiösen Menschen unter uns – die Grundlage unserer Moral nicht in heiligen Büchern finden, auch wenn wir uns das vielleicht gern einbilden. Doch wie entscheiden wir dann, was richtig und was falsch ist?

Ganz gleich, wie wir diese Frage beantworten – in der Frage, was wir tatsächlich für richtig und falsch halten, besteht eine überraschend weitreichende Übereinstimmung. Dieser Konsens steht in keinem erkennbaren Zusammenhang mit der Religion. Er umfasst jedoch auch die meisten religiösen Menschen, unabhängig davon, ob diese der Ansicht sind, ihre Ethik stamme aus der Heiligen Schrift oder nicht. Von bemerkenswerten Ausnahmen wie den afghanischen Taliban und ihren christlichen Entsprechungen in den USA abgesehen, legen die meisten Menschen zumindest Lippenbekenntnisse für das gleiche weit gefasste, liberale Spektrum ethischer Prinzipien ab. In unserer Mehrzahl fügen wir anderen nicht unnötig Leid zu; wir glauben an die freie Meinungsäußerung und treten selbst dann dafür ein, wenn wir mit dem Inhalt der geäußerten Meinungen nicht einverstanden sind. Wir bezahlen unsere Steuern; wir betrügen nicht, morden nicht, begehen keinen Inzest, tun nichts, das wir auch von anderen nicht erleiden wollen. Manche dieser ethischen Prinzipien finden sich in heiligen Büchern, aber dort sind sie unter vielen anderen Regeln begraben, die kein anständiger Mensch befolgen würde; und die heiligen Bücher selbst bieten keine Leitlinien, anhand derer wir die guten Prinzipien von den schlechten unterscheiden könnten.

Ein Weg, um diese allgemein anerkannte Ethik auszudrücken, sind die »Neuen Zehn Gebote«. Verschiedene Personen und Institutionen haben sich darum bemüht, sie zu formulieren. Interessant ist dabei, dass alle Versuche zu recht ähnlichen Ergebnissen führten, und diese sind charakteristisch für die Zeit, in der ihre Urheber lebten oder leben. Die folgenden »Neuen Zehn Gebote« stammen aus unserer Zeit. Ich habe sie auf einer atheistischen Website gefunden:

- Was du nicht willst, dass man dir tu', das füg' auch keinem andern zu.
- Strebe immer danach, keinen Schaden anzurichten.
- Behandle deine Mitmenschen, andere Lebewesen und die Welt im Allgemeinen mit Liebe, Ehrlichkeit, Zuverlässigkeit und Respekt.
- Sieh über Böses nicht hinweg und scheue dich nicht, Gerechtigkeit walten zu lassen, aber sei immer bereit, schlechte Taten zu verzeihen, wenn sie freimütig eingestanden und ehrlich bereut werden.
- Führe dein Leben mit einem Gefühl von Freude und Staunen.

- Strebe stets danach, Neues zu lernen.
- Stelle alles auf den Prüfstand; miss deine Ideen immer an den Tatsachen und sei bereit, auch lieb gewordene Überzeugungen über Bord zu werfen, wenn sie sich nicht mit der Wirklichkeit vereinbaren lassen.
- Versuche nie, zu zensieren oder dich von Meinungsverschiedenheiten abzukapseln; respektiere immer das Recht der anderen, anderer Meinung zu sein als du.
- Bilde dir aufgrund deiner eigenen Vernunft und Erfahrung eine unabhängige Meinung; lass dich nicht blind von anderen führen.
- Stelle alles infrage.[113]

Diese kleine Sammlung stammt nicht von einem Weisen, einem Propheten oder einem professionellen Ethiker. Sie ist nur der liebenswürdige Versuch eines ganz normalen Webloggers, die Prinzipien für ein gutes Leben in unserer Zeit so zusammenzufassen, dass man sie mit den Zehn Geboten der Bibel vergleichen kann. Es war die erste Liste, die ich fand, als ich »New Ten Commandments« in eine Suchmaschine eintippte, und ich habe absichtlich nicht weitergesucht. Entscheidend ist, dass jeder ganz normale, anständige Mensch heute eine ganz ähnliche Liste aufstellen könnte. Nicht jeder würde genau mit der gleichen Sammlung von genau zehn Prinzipien aufwarten. Der Philosoph John Rawls zum Beispiel hätte vielleicht ungefähr Folgendes formuliert: »Entwickle deine Regeln immer so, als wüsstest du nicht, ob du in der Hackordnung ganz oben oder ganz unten stehen wirst.« Ein praktisches Beispiel für Rawls' Grundsatz ist ein System, nach dem die Inuit angeblich ihre Lebensmittel verteilten: Wer die Nahrung zerschneidet, darf sich erst als Letzter ein Stück nehmen.

In meine eigene veränderte Version der Zehn Gebote würde ich einige der zuvor genannten aufnehmen, aber ich würde mich auch bemühen, Platz für ein paar andere zu finden, zum Beispiel:

- Erfreue dich an deinem eigenen Sexualleben (solange es keinem anderen Schaden zufügt) und lass andere sich des ihren ebenfalls erfreuen, ganz gleich, welche Neigungen sie haben – die gehen dich nichts an.
- Diskriminiere oder unterdrücke nicht aufgrund von Geschlecht, Rasse oder (soweit möglich) biologischer Art.
- Indoktriniere deine Kinder nicht. Bring ihnen bei, selbstständig zu denken, Belege zu beurteilen und anderer Meinung zu sein als du.
- Beurteile die Zukunft nach einem Zeitmaßstab, der größer ist als dein eigener.

Aber solche kleinen Prioritätsunterschiede sind bedeutungslos. Es geht um etwas anderes: Wir sind fast alle seit der biblischen Zeit weitergekommen, und zwar ein ganzes Stück. Die Sklaverei, in der Bibel und während des größten Teils der Menschheitsgeschichte eine Selbstverständlichkeit, ist in den zivilisierten Ländern seit dem 19. Jahrhundert abgeschafft. In allen zivilisierten Staaten ist heute anerkannt, was noch bis in die Zwanzigerjahre des 20. Jahrhunderts geleugnet wurde: dass die Stimme einer Frau bei Wahlen oder in einem Geschworenengericht genauso viel zählt wie die eines Mannes. In den heutigen aufgeklärten Gesellschaften (zu denen zum Beispiel die von Saudi-Arabien augenscheinlich nicht gehört) gelten Frauen nicht mehr als Eigentum des Mannes, was sie in biblischer Zeit ganz eindeutig waren. Jede moderne Justiz hätte Abraham wegen Kindesmisshandlung verfolgt. Und wenn er seinen Plan, Isaak zu opfern, tatsächlich ausgeführt hätte, wäre er wegen Mordes am eigenen Kind verurteilt worden. Nach den Sitten seiner Zeit dagegen war sein Verhalten bewundernswert, denn schließlich gehorchte er Gottes Befehl. Ganz gleich, ob wir religiös sind oder nicht, unsere Einstellung zu Richtig und Falsch hat sich bei uns allen drastisch verändert. Was ist das Wesen dieses Wandels, und welche Triebkraft steckt dahinter?

In jeder Gesellschaft gibt es einen gewissen Konsens, der ein wenig rätselhaft ist und häufig als »Zeitgeist« bezeichnet wird. Wie bereits erwähnt, ist das Frauenwahlrecht in den Demokratien der ganzen Welt heute allgemein üblich, aber diese Reform ist erstaunlich jungen Datums. Die folgende Liste zeigt an einigen Beispielen, wann den Frauen das Recht zu wählen eingeräumt wurde:

Neuseeland	1893
Australien	1902
Finnland	1906
Norwegen	1913
Vereinigte Staaten	1920
Großbritannien	1928
Frankreich	1945
Belgien	1946
Schweiz	1971
Kuwait	2006

Diese Verteilung der Jahreszahlen im 20. Jahrhundert ist *ein* Indiz für den sich wandelnden Zeitgeist. Ein anderes ist unsere Einstellung zu den Rassen. Zu Beginn des 20. Jahrhunderts wären in Großbritannien (und den meisten anderen Ländern) nach heutigen Maßstäben fast alle Menschen Rassisten gewesen. Die meisten Weißen glaubten, farbige Menschen (wobei man in diese Kategorie nicht nur die Afrikaner, sondern auch andere, mit ihnen nicht näher verwandte Gruppen aus Indien, Australien und dem Pazifikraum einordnete) seien den Weißen in nahezu jeder Hinsicht unterlegen, außer – wie man herablassend zugestand – in Bezug auf das Rhythmusgefühl.

Eine Entsprechung zu James Bond war in den Zwanzigerjahren der nonchalante Jugendheld Bulldog Drummond,* der zum Beispiel im Roman *The Black Gang* (»Die schwarze Bande«) von »Juden, Ausländern und anderem ungewaschenen Volk« spricht. In der Schlüsselszene des Romans *The Female of the Species* (»Das Weibchen«) hat Drummond sich schlauerweise als Pedro, der farbige Diener des Oberschurken, verkleidet. Bei seiner – für den Leser wie für den Bösewicht – überraschenden Enthüllung, nicht »Pedro«, sondern in Wirklichkeit Drummond zu sein, hätte er sinngemäß sagen können: »Sie glauben, ich sei Pedro. Aber da haben Sie sich schwer getäuscht. Ich bin Ihr Erzfeind Drummond und hab mich nur schwarz angemalt.« Indes, das sagt er nicht, sondern: »Nicht jeder Bart ist falsch, aber jeder Nigger stinkt. Dieser Bart ist nicht falsch, mein Lieber, und dieser Nigger stinkt nicht. Also kann doch irgendwas nicht stimmen.« Als ich den Roman in den Fünfzigerjahren, drei Jahrzehnte nach seiner Entstehung, las, konnte ein Junge die dramatische Spannung noch spüren, ohne den Rassismus zu bemerken. Heute wäre so etwas unvorstellbar.

Nach den Maßstäben seiner Zeit war Thomas Henry Huxley ein aufgeklärter, fortschrittlicher Liberaler. Aber seine Zeit war nicht die unsere. 1871 schrieb Huxley:

Kein vernünftiger, mit den Fakten vertrauter Mensch glaubt, der durchschnittliche Neger sei dem weißen Mann gleich, geschweige denn überlegen. Und wenn dies stimmt, kann man einfach nicht glauben, dass unser Verwandter mit dem vorstehenden Kiefer nach Beseitigung all seiner Behinderungen, wenn er also freie Bahn und keinen Förderer, aber auch keinen Unterdrücker mehr hat, in der Lage sein wird, in einem Wettbewerb, bei dem es um Gedanken und nicht um

---

* Der britische Autor Herman McNeile (Pseudonym »Sapper«, 1888–1937) schrieb insgesamt elf Bulldog-Drummond-Romane. Weitere erschienen nach seinem Tod von anderen Autoren.

Bisse geht, erfolgreich mit seinem Rivalen zu konkurrieren, der ein größeres Gehirn und kleinere Kiefer hat. Die höchsten Plätze in der Hierarchie der Zivilisation werden sicherlich nicht in der Reichweite unserer dunklen Vettern liegen.[114]

Dass gute Historiker die Aussagen aus früheren Zeiten nicht nach den Maßstäben ihrer eigenen Zeit beurteilen dürfen, ist eine Binsenweisheit. Wie Huxley war auch Abraham Lincoln seiner Zeit voraus, und doch klingen seine Ansichten über Rassenfragen in unseren Ohren ebenfalls rückständig. Im Jahre 1858 sagte er in einer Diskussion mit Stephen A. Douglas:

Ich will also sagen, dass ich nicht dafür bin und nie dafür war, in irgendeiner Form die soziale und politische Gleichheit der weißen und schwarzen Rasse herzustellen; dass ich nicht dafür bin und nie dafür war, Neger zu Wählern oder Richtern zu machen, sie in politische Ämter einzusetzen oder ihnen die Ehe mit Weißen zu gestatten; und zusätzlich möchte ich sagen, dass es zwischen der weißen und der schwarzen Rasse einen körperlichen Unterschied gibt, welcher es nach meiner Überzeugung für alle Zeiten verbieten wird, dass die beiden Rassen in sozialer und politischer Gleichberechtigung zusammenleben. Und da sie nicht so leben können, während sie doch zusammenbleiben, muss es die Position des Überlegenen und des Unterlegenen geben, und ich bin wie jeder andere Mensch dafür, dass die überlegene Position der weißen Rasse zugewiesen wird.[115]

Wären Huxley und Lincoln in unserer Zeit geboren und erzogen worden, so wären sie wie wir vor ihren eigenen viktorianischen Empfindungen und ihrem salbungsvollen Ton zurückgeschreckt. Ich zitiere sie nur, um deutlich zu machen, wie sich der Zeitgeist wandelt. Wenn selbst Huxley, einer der großen liberalen Köpfe seiner Zeit, und der Sklavenbefreier Lincoln so etwas sagen konnten, dann kann man sich leicht vorstellen, was die *Durchschnittsbürger* der viktorianischen Zeit dachten. Und wenn wir noch weiter zurück ins 18. Jahrhundert blicken, so ist allgemein bekannt, dass Washington, Jefferson und andere Vertreter der Aufklärung sich durchaus Sklaven hielten. Der Zeitgeist ändert sich unaufhaltsam; deshalb halten wir den Wandel manchmal für selbstverständlich und vergessen, dass er in Wirklichkeit ein echtes, eigenständiges Phänomen ist.

Es gibt dafür noch viele weitere Beispiele. Als die ersten Seeleute auf Mauritius landeten und die Dodos sahen, hatten sie keinen anderen Gedanken, als die zutraulichen Vögel mit Knüppeln zu erschlagen. Man wollte sie nicht einmal essen (den Beschreibungen zufolge waren sie ungenießbar). Wehrlosen, zahmen, flugunfähigen Vögeln mit einem Knüppel den Kopf einzuschlagen war vermutlich einfach ein Zeitvertreib. Heute wäre so etwas undenkbar, und wenn eine moderne Entsprechung zum Dodo auch nur durch Zufall ausstirbt – von absichtlicher Tötung durch Menschen ganz zu schweigen –, gilt das als große Tragödie.

Eine solche Tragödie – zumindest nach den Maßstäben unseres heutigen kulturellen Klimas – war in jüngerer Zeit das Aussterben des Tasmanischen Beutelwolfes *(Thylacinus)*. Auf diese Tiere, deren Verschwinden heute pathetisch beklagt wird, war noch 1909 eine Kopfprämie ausgesetzt. In viktorianischen Romanen über Afrika sind »der Elefant«, »der Löwe« und »die Antilope« (man beachte den aufschlussreichen Singular) nichts anderes als »Jagdwild«. Und was tut man mit Wild, ohne lange darüber nachzudenken? Man erschießt es. Nicht um es zu essen. Nicht aus Selbstverteidigung. Einfach als »Sport«. Heute herrscht ein anderer Zeitgeist. Zugegeben: Auch heute noch erschießen reiche, gelangweilte »Sportler« in Afrika wilde Tiere von einem sicheren Land-Rover aus und nehmen die ausgestopften Köpfe mit nach

Hause. Aber dafür bezahlen sie Unsummen, und gleichzeitig werden sie vielfach verachtet. Natur- und Umweltschutz sind mittlerweile allgemein anerkannte Werte und haben heute die gleiche ethische Stellung, die früher der Einhaltung des Sabbats und dem Meiden von Götzenbildern zugestanden wurden.

Die »Swinging Sixties« gelten heute als legendäre Zeit einer modernen Liberalität. Aber noch zu Beginn jenes Jahrzehnts konnte ein Klägeranwalt in einem Prozess, in dem es um die Obszönität von D. H. Lawrences Roman *Lady Chatterley* ging, die Geschworenen fragen: »Wären Sie damit einverstanden, dass Ihre kleinen Söhne und kleinen Töchter – denn Mädchen können ebenso lesen wie Jungen [ist es wirklich zu *glauben*, dass er das gesagt hat?] – dieses Buch lesen? Würden Sie dieses Buch in Ihrem Haus herumliegen lassen? Ist es ein Buch, von dem Sie sich wünschen würden, dass Ihre Frau oder Ihre Diener es lesen?« Die letzte rhetorische Frage macht auf besonders verblüffende Weise deutlich, wie schnell sich der Zeitgeist ändert.

Die amerikanische Invasion im Irak wurde vor allem wegen der Opfer unter der Zivilbevölkerung allgemein verurteilt, und doch ist die Zahl dieser Opfer um etliche Größenordnungen geringer als die vergleichbaren Zahlen aus dem Zweiten Weltkrieg. Der Maßstab dafür, was ethisch hinnehmbar ist, scheint sich ständig zu verschieben. Donald Rumsfeld, dessen Äußerungen heute so widerwärtig und kaltschnäuzig klingen, wäre mit den gleichen Worten während des Zweiten Weltkrieges als Liberaler mit blutendem Herzen durchgegangen. Irgendetwas hat sich in den dazwischenliegenden Jahrzehnten verändert. Es hat sich in uns allen verändert, und diese Veränderung hat nichts mit Religion zu tun. Wenn überhaupt, hat sie sich nicht wegen, sondern trotz der Religion abgespielt.

Die Verschiebung verläuft in einer erkennbaren, immer gleichen Richtung, und die meisten von uns sehen darin eine Verbesserung. Selbst Adolf Hitler, der die Grenzen des Bösen nach allgemeiner Ansicht in bis dahin unerforschtes Gelände ausweitete, wäre zur Zeit eines Caligula oder Dschingis Khan nicht sonderlich aufgefallen. Hitler ermordete zweifellos mehr Menschen als Dschingis Khan, aber ihm stand auch die Technologie des 20. Jahrhunderts zur Verfügung. Und bezog selbst Hitler jemals seine größte Freude daraus, »die Nächsten und Liebsten seiner Opfer in Tränen gebadet zu sehen«, wie Dschingis Khan es von sich behauptete? Wir beurteilen Hitlers Bosheit nach den Maßstäben von heute, und der ethische Zeitgeist hat sich seit Caligula ebenso weiterentwickelt wie die Technologie. Besonders böse erscheint Hitler nur nach den eher gutartigen Maßstäben unserer Zeit.

Zu meinen eigenen Lebzeiten haben zahlreiche Menschen gedankenlos abschätzige Spitznamen und nationale Klischees verwendet: »Spaghettifresser«, »Kanake«, »Iwan«, »Vandale«, »Itzig«, »Nigger«, »Japs«, »Bimbo«. Ich will nicht behaupten, dass solche Worte heute verschwunden wären, aber in besseren Kreisen sind sie allgemein verpönt. An dem Wort »*negro*«, das ursprünglich keine Beleidigung darstellen sollte, kann man heute ablesen, wann ein englischer Prosatext entstanden ist. Ganz allgemein sind Vorurteile aufschlussreiche Hinweise auf die Entstehungszeit eines Schriftstücks. A. C. Bouquet, ein angesehener Theologe aus Cambridge, konnte zu seiner Zeit das Kapitel über den Islam in seinem Werk *Comparative Theology* mit folgenden Worten einleiten: »Der Semit ist von Natur aus kein Monotheist, wie man es Mitte des 19. Jahrhunderts annahm. Er ist ein Animist.« Die Versessenheit auf Rassen (im Gegensatz zur Kultur) und die aufschlussreiche Verwendung des Singulars (»Der Semit […] Er ist ein Animist«), mit der eine ganze Vielfalt von Menschen auf einen Typus reduziert wird, waren damals keineswegs anstößig. Aber sie sind ein weiterer kleiner Hinweis auf den sich wandelnden Zeitgeist. Heute würde kein Theologieprofessor aus Cambridge und auch sonst niemand sich so ausdrücken. Solche kleinen Anhaltspunkte für sich wandelnde Sitten lassen den Schluss zu, dass Bouquet sein Buch nicht später als in der Mitte des 20. Jahrhunderts schrieb. Tatsächlich erschien es 1941.

Geht man noch einmal vier Jahrzehnte zurück, ist der Wandel der Maßstäbe nicht mehr zu übersehen. In einem früheren Buch *(A Devil's Chaplain)* habe ich H. G. Wells' utopische *New Republic* zitiert, und ich möchte es jetzt noch einmal tun, weil dieser Essay meine Aussage auf so schockierende Weise verdeutlicht.

Und wie wird die Neue Republik die niederen Rassen behandeln? Wie wird sie mit den Schwarzen umgehen? ... mit dem gelben Mann? ... dem Juden? ... diesen Schwärmen von schwarzen, braunen, schmutzig weißen und gelben Menschen, die nicht der neuen Notwendigkeit der Effizienz entsprechen? Nun ja, die Welt ist eine Welt und keine mildtätige Institution, und ich glaube, sie werden gehen müssen. [...] Und das ethische System dieser Menschen der Neuen Republik, das ethische System, welches den Weltstaat beherrschen wird, wird so gestaltet sein, dass es vorwiegend die Fortpflanzung dessen begünstigt, was in der Menschheit gut, effizient und schön ist – schöne, kräftige Körper, klares, leistungsfähiges Denken. [...] Und die Methode, nach welcher die Natur bisher bei der Gestaltung der Welt vorgegangen ist, mit der verhindert wurde, dass Schwäche wiederum Schwäche hervorbringt, [...] ist der Tod. [...] Die Menschen der Neuen Republik [...] werden ein Ideal haben, welches das Töten lohnend macht.[116]

Diese Worte wurden 1901 geschrieben, und Wells galt zu seiner Zeit als fortschrittlich. Auch 1901 waren solche Ansichten vielleicht nicht allgemein anerkannt, aber bei Diskussionen in besseren Kreisen galten sie als durchaus akzeptabel. Der heutige Leser dagegen keucht buchstäblich vor Entsetzen, wenn er diese Zeilen liest. Eines müssen wir uns klarmachen: So entsetzlich Hitler auch war, er stand nicht so weit außerhalb des Zeitgeistes seiner Epoche, wie es aus heutiger Sicht den Anschein hat. Wie schnell sich doch der Zeitgeist wandelt – und das zur gleichen Zeit auf breiter Front in der gesamten gebildeten Menschheit!

Wie kommt es nun zu diesen gleichzeitigen, stetigen Veränderungen im gesellschaftlichen Bewusstsein? Es ist nicht an mir, diese Frage zu beantworten. In meinem Zusammenhang reicht die Erkenntnis, dass die Ursache sicher nicht in der Religion liegt. Würde man mich zwingen, eine Theorie zu vertreten, so würde ich dies in dem folgenden Rahmen versuchen: Wir müssen erklären, warum der Wandel des ethischen Zeitgeistes bei einer so großen Zahl von Menschen im Wesentlichen gleichzeitig stattfindet; und wir müssen erklären, warum er in einer relativ einheitlichen Richtung verläuft.

Erstens: Wie wird die Gleichzeitigkeit bei so vielen Menschen erreicht? Der Wandel verbreitet sich von einem Kopf zum nächsten – durch Gespräche in Kneipen und auf Partys, durch Bücher und Buchrezensionen, Zeitungen und Rundfunk, und heute auch über das Internet. Ein Wandel des moralischen Klimas kündigt sich in Leitartikeln an, in Fernseh-Talkshows, politischen Reden, im Geplapper von Komikern und in den Drehbüchern von Fernsehserien, in Parlamentsabstimmungen zur Verabschiedung neuer Gesetze und in den Entscheidungen der Richter, die diese Gesetze interpretieren. Man könnte auch sagen, dass sich die Memhäufigkeiten im Mempool verändern, aber diesen Gedanken möchte ich hier nicht weiter verfolgen.

Manche Menschen bleiben hinter der fortschreitenden Welle des wechselnden ethischen Zeitgeistes zurück, andere sind ihr ein wenig voraus. Aber im 21. Jahrhundert sind die meisten von uns einander viel näher, und wir sind den Menschen aus dem Mittelalter, aus der Zeit Abrahams und noch aus den Zwanzigerjahren des 20. Jahrhunderts weit voraus. Die ganze Welle bewegt sich immer weiter, und selbst der Vorreiter aus einem früheren Jahrhundert (ein naheliegendes Beispiel wäre T. H. Huxley) würde sich hundert Jahre später bei den Nachzüglern wiederfinden. Natürlich ist der Fortschritt kein ständiges Bergauf, sondern ein wechselndes Auf und Ab. Es gibt regional und zeitlich begrenzte Rückschläge – wie in den Vereinigten Staaten, die zu Beginn des 21. Jahrhunderts unter ihrer Regierung zu leiden haben. Betrachtet man jedoch einen längeren Zeitrahmen, so ist der Fortschrittstrend unverkennbar, und er wird sich fortsetzen.

Was treibt ihn in diese einheitliche Richtung? Man darf nicht übersehen, welch treibende Kraft einzelne Gestalten darstellen, die ihrer Zeit voraus sind, sich bemerkbar machen und uns andere überzeugen, sodass sie uns mitziehen. In den Vereinigten Staaten wurden die Ideale der Gleichberechtigung verschiedener Rassen durch politische Führungsgestalten vom Kaliber eines Martin Luther King vorangetrieben, aber auch durch Unterhaltungskünstler, Sportler und andere prominente Vorbilder wie Paul Robeson, Sidney Poitier, Jesse Owens und Jackie Robinson. Die Emanzipation der Sklaven und der Frauen hatte charismatischen Gestalten viel zu verdanken. Manche davon waren religiös, andere nicht. Manche, die religiös waren, vollbrachten ihre guten Taten wegen ihrer Religiosität. In anderen Fällen war die Religion nebensächlich. Martin Luther King war zwar Christ, seine Philosophie des gewaltlosen zivilen Ungehorsams stammte aber unmittelbar von dem nicht religiösen Mahatma Gandhi.

Hinzu kommt die verbesserte Bildung und insbesondere die wachsende Erkenntnis, dass jeder von uns sein Menschsein mit den Angehörigen aller Rassen und beider Geschlechter gemeinsam hat – beides sind zutiefst unbiblische Ideen, die ihren Ursprung in der biologischen Wissenschaft und insbesondere in der Evolutionsforschung haben. Dass Farbige, Frauen und in Nazideutschland auch Juden und Zigeuner schlecht behandelt wurden, lag unter anderem daran, dass sie nicht als vollwertige Menschen galten. Der Philosoph Peter Singer vertritt in seinem Buch *Animal Liberation (Befreiung der Tiere)* wortreicher als jeder andere die Ansicht, wir sollten auch den »Speziesismus« hinter uns lassen und die menschliche Behandlung auf alle biologischen Arten ausweiten, die es aufgrund der Leistungsfähigkeit ihres Gehirns zu schätzen wissen. Vielleicht ist das ein Hinweis, in welche Richtung sich der ethische Zeitgeist in zukünftigen Jahrhunderten entwickeln könnte. Es wäre die natürliche Fortschreibung früherer Reformen wie der Abschaffung der Sklaverei und der Frauenemanzipation.

Genauer zu erklären, warum der ethische Zeitgeist sich so umfassend und einheitlich wandelt, übersteigt die Möglichkeiten meiner amateurhaften Psychologie und Soziologie. In meinem Zusammenhang reicht die Beobachtung, dass er sich tatsächlich verändert und dass diese Veränderung nicht von der Religion vorangetrieben wird – und erst recht nicht von der Bibel. Vermutlich steht dahinter keine einheitliche Triebkraft wie die Gravitation, sondern ein komplexes Wechselspiel verschiedener Kräfte, ganz ähnlich wie beim Moore-Gesetz, das die exponentielle Zunahme der Leistungsfähigkeit von Computern beschreibt. Was immer die Ursache auch sein mag: Das unübersehbare Phänomen des wandelbaren Zeitgeistes ist ein mehr als ausreichendes Gegenargument gegen die Behauptung, wir bräuchten Gott, um gute Menschen zu sein oder um zu entscheiden, was gut ist.

Und was ist mit Hitler und Stalin?
Waren das nicht Atheisten?

Der Zeitgeist mag sich wandeln und sich allgemein in einer fortschrittlichen Richtung bewegen, aber wie ich bereits erwähnt habe, handelt es sich dabei nicht um eine ununterbrochene Verbesserung, sondern um ein Auf und Ab mit einigen widerwärtigen Gegenbewegungen. Einige besonders hervorstechende umfassende, entsetzliche Einbrüche waren das Werk der Diktatoren des 20. Jahrhunderts. Dabei ist jedoch zu trennen zwischen den bösen Absichten von Männern wie Hitler und Stalin und der gewaltigen Machtfülle, mit der sie diese Absichten umsetzen konnten. Wie schon gesagt, Hitlers Ideen und Absichten waren als solche nicht offenkundig schlimmer als die eines Caligula oder mancher osmanischer Sultane, deren verblüffende Meisterstücke an Boshaftigkeit Noel Barber in seinem Buch *Lords of the Golden Horn* (»Die Herren vom Goldenen Horn«) beschreibt. Nur, Hitler standen zusätzlich die Waffen und die Kommunikationstechnik des 20. Jahrhunderts zur Verfügung. Zweifellos waren Hitler und Stalin aber nach allen erdenklichen Maßstäben außerordentlich böse Menschen.

»Hitler und Stalin waren Atheisten. Was haben Sie dazu zu sagen?« Diese Frage kommt fast immer, wenn ich einen öffentlichen Vortrag über Religion gehalten habe, aber auch in den meisten Rundfunkinterviews. Sie wird in herausforderndem Ton gestellt und ist mit zwei entrüsteten Unterstellungen befrachtet: Erstens waren Hitler und Stalin Atheisten, und zweitens begingen sie ihre entsetzlichen Taten, *weil* sie Atheisten waren. Die erste Annahme ist für Stalin richtig, für Hitler jedoch zweifelhaft. Aber die erste ist ohnehin bedeutungslos, weil die zweite nicht stimmt. Der Gedanke, die zweite könne eine Folge der ersten sein, ist unlogisch. Selbst wenn wir davon ausgehen, dass Hitler und Stalin den Atheismus gemeinsam hatten: Sie hatten auch beide einen Schnauzbart. Saddam Hussein auch. Na und?

Die interessante Frage ist nicht, ob einzelne böse (oder gute) Menschen Religionsanhänger oder Atheisten waren. Es ist nicht unsere Aufgabe, böse Köpfe zu zählen und zwei konkurrierende Listen mit Niederträchtigen aufzustellen. Die Tatsache, dass die Gürtelschnallen der Nazis die Aufschrift »Gott mit uns« trugen, beweist überhaupt nichts, jedenfalls nicht ohne eine weitere ausführliche Diskussion. Entscheidend ist nicht, ob Hitler und Stalin Atheisten waren, sondern ob der Atheismus die Menschen systematisch dazu *veranlasst*, schlimme Dinge zu tun. Und dafür gibt es nicht den geringsten Anhaltspunkt.

Dass Stalin tatsächlich Atheist war, scheint außer Zweifel zu stehen. Er wurde in einer russisch-orthodoxen Bildungsanstalt erzogen, und seine Mutter war zeit ihres Lebens enttäuscht, dass er entgegen ihren Absichten nicht Priester geworden war – eine Tatsache, die nach Angaben von Alan Bullock Stalin stets als Anlass zur Heiterkeit diente.[117] Vielleicht lag es an seiner Priesterausbildung, dass Stalin nicht nur der russisch-orthodoxen Kirche, sondern dem Christentum und der Religion im Allgemeinen abschätzig begegnete. Aber es gibt kein Indiz dafür, dass sein Atheismus das Motiv für seine Brutalität lieferte. Ebenso wenig lagen die Beweggründe offenbar in seiner früheren religiösen Ausbildung, vielleicht abgesehen davon, dass man ihn gelehrt hatte, absolutistische Überzeugungen und starke Autoritäten zu verehren und zu glauben, dass der Zweck jedes Mittel rechtfertigt.

Die Legende, Hitler sei Atheist gewesen, wurde beharrlich gepflegt, und heute glauben viele Menschen daran, ohne weiter nachzufragen. Von Religionsanhängern wird sie regelmäßig und trotzig wieder aufgetischt. In Wahrheit ist die Frage alles andere als geklärt. Hitler wurde in eine katholische

Familie hineingeboren und besuchte als Kind sowohl katholische Schulen als auch katholische Kirchen. Das allein ist natürlich nicht von Bedeutung: Er hätte die Religion ohne weiteres aufgeben können, genau wie Stalin seinen russisch-orthodoxen Glauben aufgab, nachdem er das theologische Seminar von Tiflis verlassen hatte. Aber Hitler sagte sich nie offiziell vom Katholizismus los, und Indizien aus seinem gesamten Leben weisen darauf hin, dass er nach wie vor religiös war. Er behielt vielleicht nicht die katholischen Überzeugungen bei, glaubte aber offensichtlich nach wie vor an eine Art göttliche Vorsehung. In *Mein Kampf* etwa berichtet er über seine Reaktion, als er von der Kriegserklärung im Ersten Weltkrieg erfuhr: »Ich schäme mich auch heute nicht, es zu sagen, dass ich, überwältigt von stürmischer Begeisterung, in die Knie gesunken war und dem Himmel aus übervollem Herzen dankte, dass er mir das Glück geschenkt, in dieser Zeit leben zu dürfen.«[118] Aber das war 1914, da war er erst fünfundzwanzig. Vielleicht änderte sich seine Einstellung später?

Im Jahre 1920 – Hitler war einunddreißig – schrieb sein enger Weggefährte und späterer Stellvertreter Rudolf Heß in einem Brief an den bayerischen Ministerpräsidenten: »Herrn Hitler kenne ich persönlich sehr gut, da ich ihn beinahe täglich spreche und ihm auch menschlich nahe stehe. Es ist ein selten anständiger, lauterer Charakter, voll tiefer Herzensgüte, religiös, ein guter Katholik.«[119] Natürlich könnte man sagen: Heß hatte mit dem »anständigen Charakter« und der »tiefen Herzensgüte« so krass unrecht, da wird die Aussage über den »guten Katholiken« wohl ebenfalls nicht gestimmt haben! Man kann Hitler wohl kaum in irgendeiner Hinsicht als »gut« bezeichnen.

Das erinnert mich an ein Argument von seltener Dreistigkeit, das mir häufiger als Beleg für die Behauptung, Hitler sei Atheist gewesen, entgegengehalten wurde. Seine verschiedenen Versionen kann man so zusammenfassen: Hitler war ein schlechter Mensch; das Christentum lehrt uns, gut zu sein; also kann Hitler kein Christ gewesen sein! Mit seiner Bemerkung über Hitler, nur ein Katholik habe Deutschland vereinigen können, hätte Göring demnach jemanden gemeint, der katholisch erzogen war, und nicht jemanden mit katholischem Glauben.

Im Jahr 1933 sagte Hitler bei einer Rede in Berlin, er sei überzeugt, dass die Menschen den Glauben brauchten; deshalb habe er die atheistische Bewegung bekämpft und »ausgemerzt«.[120] Das könnte darauf hindeuten, dass Hitler wie viele andere »an den Glauben glaubte«. Aber noch 1941 sagte er seinem Adjutanten, General Gerhard Engel, er werde immer Katholik bleiben.

Selbst wenn Hitler in späteren Jahren kein ehrlich gläubiger Christ mehr war, wäre es sehr ungewöhnlich, wenn er nicht unter dem Einfluss der alten christlichen Tradition gestanden hätte, die den Juden den Mord an Jesus vorwarf. In München sagte Hitler 1923 in einer Rede: »… dann retten wir es [Deutschland] zuerst von seinem Verderber, dem Juden. […] Wir wollen vermeiden, dass auch unser Deutschland den Kreuzestod erleidet!«[121] In seinem Buch *Adolf Hitler* schreibt John Toland über Hitlers religiöse Einstellung zur Zeit der »Endlösung«:

Obschon er die kirchliche Hierarchie verabscheute, war er doch ein guter römischer Katholik und wusste, dass die Kirche die Juden als Mörder Christi betrachtete. Er konnte also ohne Gewissensbisse die Massenmorde an den Juden anordnen, war er doch weiter nichts als die rächende Hand Gottes, vorausgesetzt, die Morde wurden nicht grausam, sondern gleichsam unpersönlich ausgeführt.[122]

Der Hass der Christen auf die Juden ist nicht nur eine katholische Tradition. Auch Martin Luther war ein bösartiger Antisemit. Auf dem Reichstag von Worms erklärte er, man solle alle Juden aus Deutschland vertreiben, und er schrieb ein ganzes Buch mit dem Titel *Von den Juden und ihren Lügen*, das vermutlich auch Hitler beeinflusste. Luther bezeichnete die Juden als »Natterngezücht«, und den gleichen Ausdruck benutzte auch Hitler 1922 in einer bemerkenswerten Rede, in der er mehrmals betonte, er sei Christ:

> *Mein christliches Gefühl weist mich hin auf meinen Herrn und Heiland als Kämpfer.* [...] Es weist mich hin auf den Mann, der einst einsam, nur von wenigen Anhängern umgeben, diese Juden erkannte und zum Kampf gegen sie aufrief, und der, wahrhaftiger Gott, nicht der Größte war als *Dulder*, sondern der Größte als *Streiter*! In grenzenloser Liebe lese ich als Christ und Mensch die Stelle durch, die uns verkündet, wie der Herr sich endlich aufraffte und zur Peitsche griff, um die Wucherer, das Nattern- und Otterngezücht, hinauszutreiben aus dem Tempel! [...] Seinen ungeheueren Kampf aber für die Welt, gegen das jüdische Gift, den erkenne ich heute, nach zweitausend Jahren, in tiefster Ergriffenheit am gewaltigsten an der Tatsache, daß er dafür am Kreuz verbluten mußte. [...] Als Christ habe ich nicht die Verpflichtung, mir das Fell über die Ohren ziehen zu lassen, sondern habe die Verpflichtung, ein Streiter zu sein für die Wahrheit und für das Recht. [...] Wenn aber irgendetwas mir Beweis ist für die Richtigkeit unseres Handelns, dann ist es die täglich sich steigernde Not. Denn als Christ habe ich auch eine Verpflichtung meinem eigenen Volk gegenüber.[123]

Ob Hitler den Ausdruck »Natterngezücht« von Luther oder wie dieser unmittelbar aus Matthäus 3, 7 hatte, lässt sich kaum feststellen. Auf das Thema, dass die Judenverfolgung Gottes Wille sei, kommt er in *Mein Kampf* zurück: »So glaube ich heute im Sinne des allmächtigen Schöpfers zu handeln: *Indem ich mich des Juden erwehre, kämpfe ich für das Werk des Herrn.*«[124] Das war 1925. Das Gleiche sagte er 1938 in einer Rede vor dem Reichstag, und ähnliche Äußerungen kennt man aus seiner gesamten Laufbahn.

Als Gegengewicht zu solchen Zitaten muss man andere aus seinen *Tischgesprächen im Führerhauptquartier* nennen, in denen Hitler boshafte, christenfeindliche Ansichten äußerte. Sie wurden von seinem Sekretär Martin Bormann aufgezeichnet. Die folgenden Zitate stammen alle aus dem Jahre 1941:[125]

Der schlimmste Schlag, den die Menschheit jemals getroffen hat, war das Erscheinen des Christentums. Der Bolschewismus ist das uneheliche Kind des Christentums. Beide sind Erfindungen der Juden. In Sachen Religion war es das Christentum, das der Welt die vorsätzliche Lüge brachte.

Christus war ein Arier. Aber Paulus hat seine Lehre benutzt, die Unterwelt zu mobilisieren und einen Vor-Bolschewismus zu organisieren. Mit dessen Einbruch geht die schöne Klarheit der antiken Welt verloren.

Nachdem dies alles gesagt ist, gibt es für uns keinen Grund zu wünschen, dass sich Italiener und Spanier von der Droge des Christentums befreien. Lasst uns das einzige Volk sein, das gegen diese Krankheit immun ist.

In Hitlers *Tischgesprächen* finden sich noch mehr Zitate dieser Art. Häufig setzt er darin das Christentum mit dem Bolschewismus gleich, an manchen Stellen zieht er Parallelen zwischen Karl Marx und Paulus, und er vergisst nie, dass beide Juden waren (wobei Hitler seltsamerweise stets felsenfest darauf beharrte, dass Jesus kein Jude gewesen sei). Möglicherweise hatte Hitler bis 1941 eine Art Abkehr oder Desillusionierung hinter sich, was das Christentum anging. Oder sind die Widersprüche einfach dadurch zu erklären, dass er ein opportunistischer Lügner war, dessen Worten man so oder so nicht glauben konnte?

Nun könnte man argumentieren, Hitler sei seinen eigenen Worten und denen seiner Vertrauten zum Trotz in Wirklichkeit nicht religiös gewesen, sondern habe nur die religiösen Einstellungen seiner Zuhörer zynisch ausgenutzt. Vielleicht war er ja der gleichen Ansicht wie Napoleon, der einmal sagte: »Religion eignet sich hervorragend dazu, einfache Leute ruhig zu stellen«, oder wie Seneca der Jüngere, der meinte: »Religion gilt dem gemeinen Mann als wahr, dem Weisen als falsch und dem Herrscher als nützlich.« Dass Hitler zu einer solchen Unehrlichkeit fähig war, würde niemand leugnen.

Doch selbst wenn dies sein wahres Motiv gewesen sein sollte, sich als religiös auszugeben, ist daran zu erinnern, dass Hitler seine Gräueltaten nicht allein verübte. Ausgeführt wurden die schrecklichen Taten von Soldaten und Offizieren, die in ihrer Mehrzahl sicherlich Christen waren. Ja, das Christentum des deutschen Volkes bildet sogar den Hintergrund für die ganze Hypothese, die wir hier erörtern und mit der wir die mutmaßliche Unehrlichkeit von Hitlers religiösen Bekenntnissen erklären wollen.

Vielleicht hatte Hitler auch den Eindruck, er müsse eine gewisse Sympathie für das Christentum erkennen lassen, weil sein Regime sonst von der Kirche keine derart starke Unterstützung erhalten hätte. Diese Unterstützung kam auf vielfache Weise zum Ausdruck. Unter anderem weigerte sich Papst Pius XII. hartnäckig, gegen die Nazis Stellung zu beziehen – heute für die Kirche ein Thema von beträchtlicher Peinlichkeit. Entweder waren Hitlers Bekenntnisse zum Christentum ehrlich gemeint, oder er täuschte den christlichen Glauben nur vor, um die Zustimmung der deutschen Christen und der katholischen Kirche zu gewinnen – was ihm auch gelang. So oder so kann man wohl kaum behaupten, die Gräueltaten des Hitler-Regimes hätten ihre Wurzeln im Atheismus.

Selbst wenn Hitler gegen das Christentum vom Leder zog, verzichtete er nie auf das Gerede von der Vorsehung, einer geheimnisvollen Instanz, die ihn nach seiner eigenen Überzeugung dazu ausersehen hatte, Deutschland in göttlicher Mission zu führen. Manchmal bezeichnete er sie als »Vorsehung«, bei anderen Gelegenheiten als »Gott«. Als Hitler 1938 nach dem »Anschluss« Österreichs im Triumph in Wien einfuhr, erwähnte er in seiner überschwänglichen Rede Gott im Gewande der Vorsehung: »In diesem Augenblick möchte ich nur dem danken, der mich einst von hier weggehen ließ in meine Heimat, auf dass ich sie hineinführe ins Deutsche Reich, in ein Deutsches Reich.«[126]

Nachdem Hitler 1939 in München nur knapp einem Attentat entgangen war, erklärte er, die Vorsehung habe eingegriffen und ihm durch eine Änderung seines Terminkalenders das Leben gerettet: Er habe den Bürgerbräukeller schon früher als vorgesehen verlassen, und dies sei eine Bestätigung, dass er dazu ausersehen sei, seine Ziele zu erreichen. Der Erzbischof von München, Kardinal Michael Faulhaber, ordnete nach dem fehlgeschlagenen Attentat an, im Dom ein *Te Deum* zu lesen und »der göttlichen Vorsehung im Namen der Erzdiözese für die glückliche Rettung des Führers zu danken«.[127]

Einige Gefolgsleute Hitlers ließen mit Unterstützung von Goebbels keinen Zweifel daran, dass sie den Nationalsozialismus selbst zu einer Religion machen wollten. Das folgende Zitat stammt von Reichsarbeitsführer Robert Ley;

es wirkt bewusst wie ein Gebet und hat sogar den Tonfall des christlichen Vaterunsers oder des Glaubensbekenntnisses:[128]

> Adolf Hitler! Dir sind wir allein verbunden! Wir wollen in dieser Stunde das Gelöbnis erneuern: Wir glauben auf dieser Erde allein an Adolf Hitler. Wir glauben, daß der Nationalsozialismus der allein seligmachende Glaube für unser Volk ist. Wir glauben, daß es einen Herrgott im Himmel gibt, der uns geschaffen hat, der uns führt, der uns lenkt und der uns sichtbarlich segnet. Und wir glauben, daß dieser Herrgott uns Adolf Hitler gesandt hat, damit Deutschland für alle Ewigkeit ein Fundament werde.

In seinem so bemerkenswerten wie erschreckenden Buch *Humanity: A Moral History of the Twentieth Century* (»Menschenliebe: Eine Ethikgeschichte des 20. Jahrhunderts«) schreibt Jonathan Glover auch über den quasi-religiösen Stalin-Kult und zitiert dabei einen litauischen Autor:

> Ich näherte mich Stalins Porträt, nahm es von der Wand, stellte es auf den Tisch, stützte den Kopf in die Hände, starrte es an und meditierte. Was sollte ich tun? Das Gesicht des Führers war wie immer so ruhig, seine Augen so klarsichtig, sie dringen in die Ferne vor. Es ist, als würde dieser durchdringende Blick mein kleines Zimmer durchschneiden und draußen den ganzen Erdball umspannen. […] Mit jeder Faser, jedem Nerv, jedem Tropfen Blut spüre ich, dass es in diesem Augenblick auf der ganzen Welt nichts anderes gibt als dieses liebe, geliebte Gesicht.

Solch quasi-religiöse Lobhudelei wirkt umso abstoßender, als sie in Glovers Buch unmittelbar auf den Bericht über Stalins entsetzliche Gräueltaten folgt.

Stalin war Atheist, Hitler vermutlich nicht; doch selbst wenn auch Hitler Atheist gewesen wäre, ist die Diskussion um die beiden Diktatoren unter dem Strich ganz einfach. Einzelne Atheisten können scheußliche Dinge tun, aber nicht im Namen des Atheismus. Stalin und Hitler begingen entsetzliche Taten, aber der eine im Namen eines dogmatischen, doktrinären Marxismus, der andere im Namen einer krankhaften, unwissenschaftlichen Theorie der Erbgesundheit, die mit halb-wagnerianischen Fantastereien unterlegt war. Religionskriege werden tatsächlich im Namen der Religion geführt, und das ist in der Geschichte entsetzlich oft geschehen. Dass ein Krieg im Namen des Atheismus geführt würde, kann ich mir nicht vorstellen. Was sollte der Grund sein?

Hinter einem Krieg können viele Motive stecken: wirtschaftliche Habgier, politischer Ehrgeiz, ethnische oder rassische Vorurteile, tief sitzende Vergeltungs- oder Rachegelüste, oder der patriotische Glaube an die Bestimmung der eigenen Nation. Ein noch plausibleres Kriegsmotiv ist der unerschütterliche Glaube, die eigene Religion sei die einzig wahre, insbesondere wenn dieser Glaube durch ein heiliges Buch bestärkt wird, das alle Ketzer und Anhänger konkurrierender Religionen zum Tode verurteilt und ausdrücklich verspricht, die Krieger Gottes würden geradewegs in den Himmel der Märtyrer eingehen. Sam Harris trifft in seinem Buch *The End of Faith* (»Das Ende des Glaubens«) wie so oft ins Schwarze:

Religiöser Glaube birgt die Gefahr, dass er ansonsten ganz normalen Menschen gestattet, die Früchte des Wahnsinns zu ernten und sie für *heilig* zu halten. Da jeder neuen Kindergeneration beigebracht wird, religiöse Vorschriften müssten nicht wie alle anderen Regeln gerechtfertigt werden, ist die Zivilisation immer noch von den Armeen des Absurden belagert. Noch heute bringen wir uns wegen antiker Literatur um. Wer hätte gedacht, dass etwas so Tragisch-Absurdes möglich ist?

Umgekehrt gefragt: Warum sollte jemand im Namen eines *nicht vorhandenen* Glaubens in den Krieg ziehen?

8 Was ist denn so schlimm an der Religion? Warum diese Feindseligkeit?

Die Religion hat die Menschen überzeugt, dass im Himmel ein unsichtbarer Mann wohnt, der alles sieht, was man tut – jeden Tag, jede Minute. Dieser unsichtbare Mann hat eine Liste von zehn Dingen, die man nicht tun soll. Wenn man aber doch eines dieser zehn Dinge tut, dann hat er einen besonderen Ort mit Feuer und Rauch und Flammen und Folter und Angst. Dorthin schickt er einen, damit man für immer dort lebt und leidet und brennt und erstickt und schreit und weint, bis an das Ende der Zeiten ... Aber Er liebt dich!

George Carlin

Ich bin von Natur aus kein Mensch, der die Konfrontation sucht. Die Situation der Gegnerschaft ist nach meiner Überzeugung keine gute Voraussetzung, um die Wahrheit zu ergründen, und Einladungen zu formellen Streitgesprächen lehne ich regelmäßig ab. Einmal wurde ich aufgefordert, in Edinburgh mit dem damaligen Erzbischof von York zu diskutieren. Ich fühlte mich geehrt und sagte zu. Nach der Diskussion ließ der religiöse Physiker Russell Stannard in seinem Buch *Doing Away with God?* (»Kein Platz mehr für Gott?«) einen Brief nachdrucken, den er an die Zeitung *Observer* geschrieben hatte:

Unter der Überschrift »Gott belegt schlechten zweiten Platz hinter der Majestät der Wissenschaft« berichtet Ihr Wissenschaftskorrespondent (ausgerechnet am Ostersonntag), wie Richard Dawkins dem Erzbischof von York in einer Diskussion über Naturwissenschaft und Religion »schweren intellektuellen Schaden zufügte«. Wir erfahren etwas über »selbstbewusst lächelnde Atheisten« und lesen: »Löwen gegen Christen 10:0«.

Im weiteren Verlauf kritisiert Stannard den *Observer*, dass er nicht auch über eine spätere Begegnung zwischen ihm und mir berichtet habe. Diese Veranstaltung, an der auch der Bischof von Birmingham und der angesehene Kosmologe Sir Herman Bondi teilnahmen, fand bei der Royal Society statt und war *nicht* als Streitgespräch inszeniert, was dazu führte, dass sie viel konstruktiver war. In seiner unausgesprochenen Verurteilung der Streitgesprächssituation kann ich Stannard nur zustimmen. Vor allem beteilige ich mich aus Gründen, die ich in *A Devil's Chaplain* dargelegt habe, niemals an Diskussionen mit Kreationisten.*

Obwohl ich also solche Gladiatorenkämpfe nicht mag, habe ich mir offenbar irgendwie den Ruf erworben, der Religion streitsüchtig gegenüberzustehen. Selbst Kollegen, die wie ich überzeugt sind, dass es keinen Gott gibt, dass wir keine Religion brauchen, um moralisch zu sein, und dass wir die Wurzeln von Religion und Moral durchaus mit nicht religiösen Begriffen erklären können, betrachten mich mit leichter Verwirrung. Warum sind Sie so feindselig? Was ist denn so schlimm an der Religion? Richtet sie wirklich so viel Schaden an, dass wir sie aktiv bekämpfen müssen? Warum verfahren wir nicht nach dem Motto »Leben und leben lassen« – wie bei Stier und Skorpion, Kristallenergie und Leylinien? Ist das nicht alles nur harmloser Unsinn?

---

* Ich habe nicht die Unverfrorenheit, mich aus den gleichen Gründen zu verweigern wie einer meiner angesehenen Wissenschaftlerkollegen, wenn ein Kreationist ein formelles Streitgespräch mit ihm führen will (ich werde seinen Namen nicht nennen, aber seine Worte sollte man mit australischem Akzent lesen): »In Ihrem Lebenslauf würde sich das gut machen, in meinem nicht.«

Darauf könnte ich zunächst einmal erwidern: Die Feindseligkeit, die ich und andere Atheisten gelegentlich gegenüber
der Religion zum Ausdruck bringen, beschränkt sich auf Worte. Ich werde niemanden wegen theologischer Meinungsverschiedenheiten bombardieren, enthaupten, steinigen, auf dem
Scheiterhaufen verbrennen oder kreuzigen, und ich werde
auch kein Flugzeug in ein Hochhaus lenken. Doch dabei belässt es mein Gesprächspartner in aller Regel nicht. Er sagt
dann oft ungefähr Folgendes: »Kennzeichnet Ihre Feindseligkeit Sie nicht als atheistischen Fundamentalisten, der auf seine
Weise genauso verbohrt ist wie die Spinner aus dem bibel-
treuen Süden der USA?« Diesen Vorwurf des Fundamentalismus muss ich ausräumen, denn er wird bedrückend häufig erhoben.

Fundamentalismus und die Unterwanderung der Naturwissenschaft

Fundamentalisten wissen, dass sie recht haben: Sie haben die
Wahrheit in einem heiligen Buch gelesen und sind sich schon
im Voraus sicher, dass nichts sie von ihren Überzeugungen
abbringen wird. Die Wahrheit des heiligen Buches ist nicht
das Ergebnis eines vernünftigen Denkprozesses, sondern ein
Axiom. Das Buch ist wahr, und wenn die Belege ihm zu widersprechen scheinen, muss man nicht das Buch über Bord werfen, sondern die Belege. Wenn ich als Wissenschaftler dagegen
an Dinge glaube (beispielsweise an die Evolution), dann nicht
deshalb, weil ich ein heiliges Buch gelesen hätte, sondern weil
ich die Belege untersucht habe. Das ist wirklich etwas ganz anderes. An Bücher über Evolution glaubt man nicht, weil sie heilig wären, sondern weil sie eine überwältigende Fülle von Belegen beschreiben, die sich gegenseitig stützen. Im Prinzip kann
jeder Leser den Weg zurückverfolgen und die Belege selbst

überprüfen. Wenn ein wissenschaftliches Buch unrecht hat, findet irgendwann jemand den Fehler, und in nachfolgenden Büchern wird er korrigiert. Dass so etwas bei heiligen Büchern nicht geschieht, liegt auf der Hand.

Philosophen, vor allem Amateure mit ein wenig philosophischer Bildung, und unter diesen wiederum vor allem jene, die vom »Kulturrelativismus« infiziert sind, legen an dieser Stelle vielfach eine altbekannte falsche Fährte: Danach ist der Glaube des Wissenschaftlers an *Belege* selbst eine fundamentalistische Glaubensüberzeugung. Mit solchen Behauptungen habe ich mich schon an anderer Stelle auseinandergesetzt, deshalb will ich mich hier nur kurz wiederholen.

Wir alle glauben in unserem Leben an Belege – ganz gleich, wozu wir uns bekennen, wenn wir unsere Amateurphilosophenkappe aufgesetzt haben. Wenn ich wegen Mordes angeklagt bin und der Staatsanwalt mich klipp und klar fragt, ob es wahr sei, dass ich am Abend des Verbrechens in Chicago war, komme ich mit philosophischen Ausflüchten – beispielsweise »Das hängt davon ab, was Sie mit ›wahr‹ meinen« – nicht davon. Ebenso wenig verfängt die anthropologisch-relativistische Ausrede: »›In‹ Chicago war ich nur nach Ihrer abendländisch-naturwissenschaftlichen Definition von ›in‹. Die Bongolesen haben eine ganz andere Vorstellung von ›in‹; danach ist man nur dann wirklich ›in‹ einem Ort, wenn man ein gesalbter Stammesältester ist und das Pulver vom getrockneten Hodensack einer Ziege schnupfen darf.«[129]

Vielleicht sind Naturwissenschaftler fundamentalistisch, wenn es darum geht, die Bedeutung von »Wahrheit« auf irgendeine abstrakte Weise zu definieren. Aber das gilt auch für alle anderen Menschen. Wenn ich sage, die Evolution sei wahr, bin ich nicht fundamentalistischer, als wenn ich behaupte, dass Neuseeland auf der Südhalbkugel der Erde liegt. Wir glauben an die Evolution, weil die Belege dafür sprechen, und wir würden sie von heute auf morgen aufgeben, wenn sie durch neue

Belege widerlegt würde. So etwas würde kein echter Fundamentalist sagen.

Fundamentalismus wird nur allzu leicht mit Leidenschaft verwechselt. Ich wirke sicher leidenschaftlich, wenn ich die Evolution gegen einen fundamentalistischen Kreationisten verteidige. Das liegt aber nicht daran, dass ich auch selbst Fundamentalist wäre, sondern es gibt für die Evolution einfach überwältigende Belege, und ich bin leidenschaftlich beunruhigt darüber, dass mein Gegenüber sie nicht erkennt – oder, was häufiger der Fall ist, sie nicht zur Kenntnis nehmen will, weil sie seinem heiligen Buch widersprechen. Noch stärker wird meine Leidenschaft, wenn ich darüber nachdenke, wie viel die armen Fundamentalisten und jene, die von ihnen beeinflusst werden, *verpassen*. Die Wahrheiten der Evolution und viele andere naturwissenschaftliche Erkenntnisse sind so spannend, faszinierend und wunderschön; es ist wirklich tragisch, wenn einem Menschen all das entgeht. Natürlich wecken solche Gedanken meine Leidenschaft. Wie könnte es anders sein? Aber dass ich von der Evolution überzeugt bin, hat nichts mit Fundamentalismus oder religiösem Glauben zu tun, denn ich weiß ganz genau, welche Voraussetzungen erfüllt sein müssten, damit ich meine Ansichten ändere, und ich würde es sofort tun, wenn die erforderlichen Belege auf dem Tisch lägen.

So etwas passiert durchaus. In einem früheren Buch habe ich berichtet, was ich als junger Student mit dem Doyen des Zoologischen Instituts in Oxford erlebte. Dieser hatte jahrelang geglaubt und gelehrt, den Golgi-Apparat (ein mikroskopisch kleines Gebilde im Inneren der Zellen) gebe es nicht: Er sei in Wirklichkeit ein Artefakt, eine Täuschung. In diesem Institut war es üblich, dass alle Mitarbeiter sich jeden Montagnachmittag den Forschungsbericht eines Gastwissenschaftlers anhörten. An einem solchen Montag war ein amerikanischer Zellbiologe zu Besuch, der ganz und gar überzeugende Belege für die tatsächliche Existenz des Golgi-Apparats vorlegte. Nachdem sein Vortrag zu Ende war, ging der alte Mann im Hörsaal nach vorn, schüttelte dem Amerikaner die Hand und sagte voller Leidenschaft: »Mein lieber Freund, ich möchte Ihnen danken. Ich hatte fünfzehn Jahre lang unrecht.« Wir klatschten uns die Hände wund. Kein Fundamentalist würde jemals so etwas sagen. In der Praxis würden auch nicht alle Naturwissenschaftler so reagieren. Aber alle Naturwissenschaftler legen zumindest Lippenbekenntnisse für dieses Ideal ab – anders als beispielsweise Politiker, die es vermutlich als Wankelmütigkeit verurteilen würden. Die Erinnerung an das gerade beschriebene Erlebnis lässt mir noch heute einen Kloß im Hals aufsteigen.

Als Naturwissenschaftler stehe ich dem Fundamentalismus feindselig gegenüber, weil er das Unternehmen Wissenschaft aktiv torpediert. Er lehrt uns, unsere Meinung nicht zu ändern und kein Interesse an spannenden Dingen zu haben, die man durchaus in Erfahrung bringen könnte. Er untergräbt die Wissenschaft und schwächt den Verstand. Das traurigste Beispiel, das ich kenne, ist der amerikanische Geologe Kurt Wise, der heute das Center for Origins Research am Bryan College in Dayton (Tennessee) leitet. Dabei ist es kein Zufall, dass das Bryan College nach William Jennings Bryan benannt ist, dem Ankläger des Biologielehrers John Scopes im Daytoner »Affenprozess« von 1925. Wise hätte sich seinen Jugendtraum erfüllen und Geologieprofessor an einer richtigen Universität werden können, einer Hochschule mit dem Wahlspruch »Kritisch denken« anstelle des widersprüchlichen Mottos, das sich auf der Website des Bryan College findet: »Denke kritisch und biblisch.« Tatsächlich machte er an der University of Chicago ein echtes Examen in Geologie, dann folgten zwei höhere Abschlüsse an keiner geringeren Hochschule als Harvard, wo er bei keinem Geringeren als Stephen Jay Gould studierte. Er war ein hoch qualifizierter, wirklich vielversprechender junger Wissenschaftler und schien auf dem besten Weg zu sein, sich seinen Traum zu erfüllen: naturwissenschaftliche Lehre und Forschung an einer richtigen Universität.

Doch dann ereignete sich die Tragödie. Sie kam nicht von außen, sondern fand in seinem eigenen Geist statt – einem Geist, der durch fundamentalistisch-christliche Erziehung unterwandert und geschwächt war: Er war gezwungen zu glauben, dass die Erde – der Gegenstand seiner wissenschaftlichen Studien in Chicago und Harvard – weniger als zehntausend Jahre alt sei. Mit seiner hohen Intelligenz erkannte er natürlich sofort, dass seine Wissenschaft und seine Religion sich auf direktem Kollisionskurs befanden, und der Konflikt in seinem Kopf bereitete ihm zunehmend ungute Gefühle. Eines Tages konnte er die Belastung nicht länger ertragen und suchte die Entscheidung buchstäblich mit der Schere: Er nahm eine Bibel, blätterte sie durch und schnitt alle Verse heraus, die beseitigt werden müssten, wenn das naturwissenschaftliche Weltbild richtig war. Am Ende dieses arbeitsintensiven und erbarmungslos ehrlichen Unterfangens war von seiner Bibel so wenig übrig,

dass ich es anstellen konnte, wie ich wollte: Obwohl alle Seitenränder der Heiligen Schrift noch unversehrt waren, konnte ich sie nicht mehr in die Hand nehmen, ohne dass sie auseinanderfiel. Ich musste mich zwischen Evolution und Heiliger Schrift entscheiden. Entweder hatte die Heilige Schrift recht und die Evolution war falsch, oder die Evolution war richtig, und ich musste die Bibel wegwerfen ... In jener Nacht nahm ich das Wort Gottes an und verwarf alles, was ihm jemals widersprechen würde, einschließlich der Evolution. Damit warf ich tief bekümmert all meine wissenschaftlichen Träume und Hoffnungen ins Feuer.

Ich finde das entsetzlich traurig; aber während mich die Geschichte mit dem Golgi-Apparat zu Tränen der Bewunderung und Begeisterung rührte, ist die Geschichte von Kurt Wise einfach nur Mitleid erregend – Mitleid erregend und verachtenswert. Den Todesstoß für seine Laufbahn und sein Lebensglück hatte er sich selbst zugefügt. Dabei war dieser Schritt so unnötig, und er hätte ihm so leicht entgehen können. Er hätte nur die Bibel wegwerfen oder sie nach Art der Theologen symbolisch oder allegorisch interpretieren müssen. Stattdessen wählte er die fundamentalistische Methode: Er warf Wissenschaft, Belege und Vernunft weg, und damit auch all seine Träume und Hoffnungen.

In einem Punkt ist Kurt Wise vielleicht einzigartig unter den Fundamentalisten: Er war ehrlich – auf eine verheerende, schmerzliche, schockierende Weise. Man sollte ihm den Templeton-Preis verleihen; er wäre vielleicht der erste aufrichtige Preisträger. Wise holt Dinge an die Oberfläche, die gewöhnlich im Kopf von Fundamentalisten unterschwellig ablaufen, wenn sie mit wissenschaftlichen Belegen konfrontiert werden, die ihren Glaubensüberzeugungen widersprechen. Sein letzter Absatz lautet:

> Zwar sprechen auch wissenschaftliche Gründe dafür, die Vorstellung von einer jungen Erde anzuerkennen, aber ich bin ein Junge-Erde-Kreationist, weil das meinem Verständnis der Heiligen Schrift entspricht. Ich habe meinen Professoren schon vor Jahren, als ich noch auf dem College war, gesagt: Wenn alle Belege des Universums gegen den Kreationismus sprächen, würde ich das sofort zugestehen, aber ich wäre dennoch Kreationist, weil es das ist, was Gottes Wort offenbar besagt. Hier muss ich stehen.[130]

Es ist, als würde er die berühmten Worte zitieren, die Luther angeblich auf dem Reichstag zu Worms sprach (»Hier stehe ich, ich kann nicht anders«), aber der arme Kurt Wise erinnert mich eher an die Gestalt des Winston Smith in Orwells *1984*: Er bemüht sich verzweifelt zu glauben, dass zwei plus zwei fünf ist, wenn der Große Bruder das sagt. Indes, Winston wurde gefoltert, während Wise' Doppeldenk nicht durch körperliche Foltern erzwungen wird, sondern durch religiösen Glauben – ein Zwang, dem manche Menschen sich offenbar ebenso wenig entziehen können und den man deshalb durchaus als mentale Folter bezeichnen kann. Ich stehe der Religion feindselig gegenüber, weil sie Kurt Wise so etwas angetan hat. Und wenn sie dies einem in Harvard ausgebildeten Geologen antun kann, dann kann man sich leicht ausmalen, was sie bei weniger begabten und weniger gebildeten Menschen anrichtet.

Die fundamentalistische Religion ist ganz wild darauf, die naturwissenschaftliche Ausbildung vieler tausend argloser, wohlmeinender, eifriger junger Köpfe zu ruinieren. Eine nicht fundamentalistische, »vernünftige« Religion hat solche Wirkungen vielleicht nicht. Aber sie macht es dem Fundamentalismus leichter, indem sie Kindern schon in jungen Jahren beibringt, dass unhinterfragter Glaube eine Tugend sei.

Die dunkle Seite des Absolutismus

Im vorangegangenen Kapitel, als ich versuchte, den Wandel des ethischen Zeitgeistes zu beleuchten, habe ich mich auf die allgemein anerkannten Ansichten liberaler, aufgeklärter, anständiger Menschen berufen. Dabei habe ich wie mit einer rosa Brille unterstellt, dass »wir« alle im Wesentlichen solche Ansichten teilen, der eine vielleicht mehr, der andere weniger. Dabei hatte ich die Mehrzahl derer vor Augen, die dieses Buch voraussichtlich lesen werden, ob sie nun religiös sind oder nicht. Aber natürlich handelt es sich dabei nicht um die Ansicht aller (wie auch nicht alle den Wunsch haben werden, mein Buch zu lesen). Man muss vielmehr zugeben, dass der Absolutismus alles andere als tot ist. Er beherrscht auch heute noch den Geist zahlreicher Menschen auf der ganzen Welt. Am gefährlichsten ist er in der muslimischen Welt und in der im Entstehen begriffenen amerikanischen Theokratie (siehe Kevin Phillips, *American Theocracy*). Dieser Absolutismus erwächst fast immer aus starkem religiösem Glauben und ist ein gewichtiger Grund für die Annahme, dass Religion in der Welt eine Kraft des Bösen sein kann.

Im Alten Testament steht eine der schlimmsten Strafen auf das Vergehen der Gotteslästerung. In manchen Ländern sind solche Vorschriften noch heute in Kraft. Das pakistanische Strafgesetzbuch sieht in Abschnitt 295-C für dieses »Verbrechen« die Todesstrafe vor. Am 18. August 2001 wurde der Arzt und Dozent Dr. Younis Shaikh wegen Gotteslästerung zum Tode verurteilt. In seinem Fall bestand das Verbrechen darin, dass er seinen Studenten gesagt hatte, der Prophet Mohammed sei kein Muslim gewesen, weil er die Religion erst im Alter von vierzig Jahren erfunden habe. Wegen dieser »Lästerung« zeigten ihn elf Studenten bei den Behörden an. Häufiger wird der Gotteslästerungsparagraf in Pakistan gegenüber Christen angewandt, etwa gegen Augustine Ashiq »Kingri« Masih, der in Faisalabad im Jahr 2000 zum Tod verurteilt wurde. Masih war Christ und durfte deshalb seine Freundin, eine Muslima, nicht heiraten; unglaublich, aber wahr: Das pakistanische (und islamische) Recht verbietet die Eheschließung zwischen einer muslimischen Frau und einem nicht muslimischen Mann. Er versuchte, zum Islam zu konvertieren, aber nun warf man ihm vor, er habe dies aus niederen Beweggründen getan. Aus dem Bericht, den ich gelesen habe, geht nicht klar hervor, ob dies schon das Kapitalverbrechen war oder ob es darin bestand, dass er angeblich etwas über die Moral des Propheten selbst gesagt hatte. So oder so wäre sein Verhalten in einem Land, dessen Gesetze frei von religiöser Bigotterie sind, sicher nicht mit dem Tod bestraft worden.

In Afghanistan wurde Abdul Rahman 2006 zum Tode verurteilt, weil er zum Christentum konvertiert war. Hatte er jemanden ermordet, jemandem wehgetan, etwas gestohlen, etwas beschädigt? Nein. Er hatte nur seine Meinung geändert. In seinem Inneren und ganz privat hatte er es sich anders überlegt. Er hegte gewisse *Gedanken*, die der herrschenden Partei in seinem Land nicht gefielen. Wohlgemerkt, das alles geschah nicht im Afghanistan der Taliban, sondern im »befreiten« Afghanistan eines Hamid Karsai, den eine Koalition unter amerikanischer Führung eingesetzt hatte. Mr. Rahman entging schließlich der Hinrichtung, aber nur weil er auf Unzurechnungsfähigkeit plädiert hatte und weil international erheblicher Druck ausgeübt wurde. Er hat jetzt in Italien Asyl beantragt, um nicht von Eiferern ermordet zu werden, die erpicht darauf sind, ihre islamische Pflicht zu tun. Selbst die *Verfassung* des »befreiten« Afghanistan enthält einen Artikel, wonach der Abfall vom Glauben mit dem Tod bestraft wird. Wie gesagt: Abfall bedeutet nicht, dass Menschen oder Sachwerte geschädigt werden. Es handelt sich um ein reines Gedankenverbrechen, um Orwells Begriff aus *1984* zu verwenden, und nach offiziellem islamischem Recht steht darauf die Todesstrafe. Es gibt sogar Beispiele, dass sie tatsächlich vollstreckt wird: Am 3. September 1992 wurde Sadiq Abdul Karim Malallah in Saudi-Arabien öffentlich enthauptet, nachdem man ihn entsprechend dem Gesetz der Abtrünnigkeit und Gotteslästerung überführt hatte.[131]

In einer Fernsehsendung traf ich einmal mit Sir Iqbal Sacranie zusammen, den ich im ersten Kapitel als führenden »gemäßigten« Muslim Großbritanniens bezeichnet habe. Ich fragte ihn damals nach der Todesstrafe als Sühne für Abtrünnigkeit. Er wand und krümmte sich, war aber nicht in der Lage, sie zu leugnen oder zu kritisieren. Stattdessen versuchte er immer wieder, das Thema zu wechseln, und behauptete, es handele sich um ein unwichtiges Detail. Und ein solcher Mann wurde von der britischen Regierung geadelt, weil er sich angeblich für »gute Beziehungen zwischen den Religionen« eingesetzt hatte.

Christen sollten deswegen allerdings nicht in Selbstgefälligkeit verfallen. Noch 1922 wurde John William Gott in Großbritannien wegen Gotteslästerung zu neun Monaten Zwangsarbeit verurteilt: Er hatte Jesus mit einem Clown verglichen. Fast unglaublich, aber wahr: Das Verbrechen der Gotteslästerung findet sich noch heute im britischen Strafgesetzbuch, und 2005 stellte eine christliche Gruppe einen privaten Strafantrag gegen die BBC, weil diese *Jerry Springer, the Opera* ausgestrahlt hatte.[132]

In den Vereinigten Staaten bot es sich in den letzten Jahren geradezu an, den Begriff »amerikanische Taliban« zu prägen, und eine schnelle Google-Suche zeigt, dass dies auf mindestens einem Dutzend Websites bereits geschehen ist. Die dort zusammengetragenen Zitate von amerikanischen Religionsführern und religiösen Politikern erinnern beängstigend an die engstirnige Bigotterie, herzlose Grausamkeit und schiere Bösartigkeit der afghanischen Taliban, des Ayatollah Chomeini und der wahhabitischen Behörden in Saudi-Arabien. Eine besonders reichhaltige Quelle für bösartig-übergeschnappte Äußerungen ist die Website »The American Taliban«.

Den Vogel schießt dort eine gewisse Ann Coulter ab, die, wie amerikanische Kollegen mir versichert haben, keine Erfindung der Satirezeitschrift *The Onion* ist. Sie wird mit den Worten zitiert: »Wir sollten ihre Länder besetzen, ihre Anführer töten und sie zum Christentum bekehren.«[133] Andere Prunkstücke sind der Kongressabgeordnete Bob Dorman mit »Das Wort ›Gay‹ sollte man nur benutzen, wenn es ›Got Aids yet?‹ [›Schon

Aids gekriegt?‹] bedeutet«, der General William G. Boykin mit »George Bush wurde nicht von einer Mehrheit der Wähler in den Vereinigten Staaten gewählt, sondern von Gott ernannt« sowie als älteres Zitat die berühmte Aussage von Ronald Reagans Innenminister zum Umweltschutz: »Wir brauchen die Umwelt nicht zu schützen, das Jüngste Gericht steht kurz bevor!«

Die afghanischen und die amerikanischen Taliban sind gute Beispiele dafür, was passiert, wenn Menschen ihre heiligen Schriften wörtlich und ernst nehmen. Sie führen uns heute auf entsetzliche Weise vor Augen, wie das Leben unter der Theokratie des Alten Testaments ausgesehen haben könnte. Ein ganzes Buch, das die Gefährdung durch die »christlichen Taliban« (allerdings nicht unter diesem Namen) darstellt, ist *The Fundamentals of Extremism: The Christian Right in America* (»Die Grundlagen des Extremismus: Die christliche Rechte in Amerika«) von Kimberly Blaker.

Glaube und Homosexualität

Im Afghanistan der Taliban war Hinrichtung die offizielle Strafe für Homosexualität. Die Methode war besonders geschmackvoll: Das Opfer wurde unter einer Mauer, die man über ihm umstürzte, lebendig begraben. Das »Verbrechen« selbst bestand in einer privaten Handlung, vollzogen von erwachsenen Menschen im gegenseitigen Einverständnis, ohne dass irgendjemand geschädigt wurde. Auch hier haben wir also das klassische Kennzeichen des religiösen Absolutismus. Allerdings besteht auch in meinem eigenen Land kein Grund zur Selbstgefälligkeit. Private Homosexualität war in Großbritannien ebenfalls ein Straftatbestand, und zwar – erstaunlich, aber wahr – bis 1967. Der britische Mathematiker Alan Turing, zusammen mit John von Neumann ein Anwärter für den Titel »Vater des Computers«, beging 1954 Selbstmord, nachdem man ihn wegen der Straftat privater homosexueller Handlungen verurteilt hatte. Zugegeben: Turing wurde nicht lebendig unter einer von einem Panzer umgeworfenen Mauer begraben. Er hatte die Wahl zwischen zwei Jahren Gefängnis (man kann sich vorstellen, wie die anderen Häftlinge mit ihm umgegangen wären) und einer Behandlung mit Hormonspritzen, die einer chemischen Kastration gleichgekommen wäre und dazu geführt hätte, dass er weibliche Brüste bekommen hätte. Seine endgültige private Entscheidung fiel auf einen Apfel, den er mit einer Zyankalispritze präpariert hatte.[134]

Im Zweiten Weltkrieg war Turing der entscheidende Kopf bei der Entschlüsselung der deutschen Enigma-Codes gewesen; man kann also durchaus behaupten, dass er zum Sieg über die Nazis einen größeren Beitrag geleistet habe als Eisenhower oder Churchill. Dank Turing und seinen Kollegen vom »Ultra«-Projekt in Bletchley Park waren die alliierten Generäle an der Front über lange Zeit hinweg über die Pläne der Deutschen bereits im Bilde, bevor die deutschen Generäle sie umsetzen konnten. Als Turings Arbeit nach dem Krieg nicht mehr der Geheimhaltung unterlag, hätte man ihn eigentlich in den Adelsstand erheben und zum Retter der Nation erklären müssen. Stattdessen wurde das sanftmütige, stotternde, exzentrische Genie zerstört, und zwar wegen eines »Verbrechens«, das in der Privatsphäre begangen wurde und niemandem Schaden zufügte. Wieder einmal begegnet uns das unverkennbare Markenzeichen der glaubensorientierten Moralisten: Sie sorgen sich leidenschaftlich um das, was andere Menschen *privat* tun (oder sogar denken).

Die Einstellung der »amerikanischen Taliban« zur Homosexualität ist ein Musterbeispiel für ihren religiösen Absolutismus. Bei Reverend Jerry Falwell, dem Gründer der Liberty University, klingt das so: »AIDS ist nicht nur die Strafe Gottes für Homosexuelle; es ist Gottes Strafe für eine Gesellschaft, die Homosexuelle toleriert.«[135] Das Erste, was mir an solchen Leuten auffällt, ist ihre großartige christliche Nächstenliebe. Was für eine Wählerschaft wählt Legislaturperiode für Legislaturperiode einen derart dümmlich-bigotten Mann wie den republikanischen Senator Jesse Helms aus North Carolina? Einen Mann, der einmal schimpfte: »Die *New York Times* und die *Washington Post* sind selbst mit Homosexuellen verseucht. So gut wie alle da unten sind homosexuell oder lesbisch.«[136] Wahrscheinlich eine Wählerschaft, die Moral in einem eng gefassten religiösen Rahmen betrachtet und sich von allen bedroht fühlt, die nicht ihren absolutistischen Glauben teilen.

Ich habe bereits Pat Robertson, den Gründer der Christian Coalition, zitiert. Er hatte 1988 ernsthafte Chancen, von der Republikanischen Partei als Präsidentschaftskandidat nominiert zu werden, und er sammelte drei Millionen freiwillige Wahlkampfhelfer sowie eine vergleichbare Geldsumme – eine beunruhigend starke Unterstützung angesichts der Tatsache, dass folgende Zitate für ihn typisch sind: »[Homosexuelle] wollen in die Kirchen kommen, den Gottesdienst stören und Blut verspritzen, damit alle Menschen AIDS bekommen, und den Geistlichen wollen sie ins Gesicht spucken.« »[Familienplanung] bedeutet, dass man den Kindern die Unzucht beibringt und die Menschen zum Ehebruch verführt, zu jeder Art von Sodomie, Homosexualität und lesbischen Beziehungen – also zu allem, was die Bibel verurteilt.« Auch bei Robertsons Einstellung zu Frauen würde den afghanischen Taliban ganz warm ums schwarze Herz werden: »Ich weiß, dass es die Damen schmerzt, so etwas zu hören, aber wenn sie heiraten, haben sie die Führerschaft eines Mannes anerkannt, nämlich ihres Ehemannes. Christus ist der Haushaltsvorstand, und der Ehemann ist der Führer der Frau, so ist es nun einmal. Punkt.«

Gary Potter, Präsident der Catholics for Christian Political Action, hat Folgendes zu sagen: »Wenn die christliche Mehrheit in diesem Land die Führung übernimmt, wird es keine satanischen Kirchen mehr geben, keine frei verkäufliche Pornografie, kein Gerede über die Rechte von Homosexuellen. Nachdem die christliche Mehrheit die Kontrolle übernommen hat, wird man Pluralismus als unmoralisch und böse ansehen, und der Staat wird niemandem das Recht einräumen, Böses zu praktizieren.« Wie man aus diesem Zitat eindeutig erkennt, sind mit »böse« keineswegs Handlungen gemeint, die für andere Menschen schlimme Folgen haben. Vielmehr geht es um private Gedanken und Handlungen, die nicht den privaten Vorlieben »der christlichen Mehrheit« entsprechen.

Ein weiterer wortgewaltiger Prediger mit einer geradezu besessenen Abneigung gegen Homosexuelle ist Pastor Fred Phelps von der Westboro Baptist Church. Als die Witwe von Martin Luther King starb, organisierte Pastor Phelps eine Gegendemonstration zu ihrer Bestattung und erklärte dort: »Gott hasst Schwule und Schwulenhelfer! Also hasst Gott auch Coretta Scott King, und jetzt quält er sie mit Feuer und Schwefel, wo der Wurm niemals stirbt und das Feuer niemals gelöscht wird, und für alle Zeiten möge der Rauch ihrer Qualen aufsteigen.«[137] Natürlich kann man Fred Phelps ohne weiteres als Wirrkopf abschreiben, aber er bekommt viel Unterstützung durch andere Menschen und ihr Geld. Glaubt man seiner eigenen Website, so hat Phelps seit 1991 in den Vereinigten Staaten, Kanada, Jordanien und dem Irak nicht weniger als 22 000 Demonstrationen gegen Homosexuelle organisiert (also im Durchschnitt vier pro Tag) – Veranstaltungen, auf denen Slogans wie »Wir danken Gott für AIDS« zu lesen waren. Ein besonders liebenswürdiges Detail auf seiner Website ist ein automatischer Zähler, der angibt, wie viele Tage ein ganz bestimmter, namentlich benannter, verstorbener Homosexueller bereits in der Hölle brennt.

Die Einstellungen gegenüber der Homosexualität sagen viel darüber aus, was für eine Moral aus religiösem Glauben erwächst. Ein ebenso aufschlussreiches Beispiel ist die Frage der Abtreibung und der Unverletzlichkeit des menschlichen Lebens.

Glaube und die Unverletzlichkeit des menschlichen Lebens

Ein menschlicher Embryo ist eine Form menschlichen Lebens. Deshalb ist Abtreibung aus absolutistisch-religiöser Sicht nicht gestattet: Sie ist schlicht und einfach Mord. Ich weiß nicht genau, was ich mit meiner Beobachtung – die sich zugegebenermaßen nur auf Einzelfälle bezieht – anfangen soll, dass viele von denen, die der Tötung von Embryonen am leidenschaftlichsten widersprechen, auch ungewöhnlich erpicht darauf sind, Erwachsenen das Leben zu nehmen. Ich will fair sein: Dies trifft in der Regel nicht auf die Katholiken zu, die zu den lautstärksten Gegnern der Abtreibung gehören. Ein typisches Beispiel für die heutige Vorherrschaft der Religion ist vielmehr der »wiedergeborene« US-Präsident George W. Bush. Er und seine Gesinnungsgenossen sind knallharte Verteidiger des menschlichen Lebens, solange es sich um embryonales (oder todkrankes) Leben handelt. Das geht so weit, dass medizinische Forschung, die mit Sicherheit viele Menschenleben retten würde, verhindert wird.[138]

Respekt vor menschlichem Leben ist aber auch der offenkundige Grund für die Ablehnung der Todesstrafe. Seit 1976, als der Oberste Gerichtshof der Vereinigten Staaten das Verbot der Todesstrafe aufhob, fanden in Texas mehr als ein Drittel aller Hinrichtungen der gesamten USA statt. Und unter Bushs Verantwortung wurden in Texas mehr Menschen hingerichtet als unter jedem anderen Gouverneur in der Geschichte des Bundesstaates – im Durchschnitt wurde alle neun Tage ein Todesurteil vollstreckt. Vielleicht tat Bush ja einfach nur seine Pflicht und führte die Gesetze des Bundesstaates aus?[139] Aber was soll man dann von dem berühmten Bericht des CNN-Journalisten Tucker Carlson halten? Carlson, selbst ein Befürworter der Todesstrafe, war schockiert darüber, wie Bush »humorvoll« eine Gefangene aus der Todeszelle nachäffte, die bei ihm, dem Gouverneur, um einen Aufschub der Hinrichtung nachgesucht hatte: »›Bitte‹, wimmert Bush, die Lippen in gespielter Verzweiflung zitternd, ›bitte töten Sie mich nicht‹.«[140] Vielleicht wäre diese Frau auf mehr Mitgefühl gestoßen, wenn sie darauf hingewiesen hätte, dass sie früher einmal ein Embryo war.

Die Betrachtung von Embryonen scheint tatsächlich auf viele gläubige Menschen ganz außergewöhnliche Wirkungen zu haben. Mutter Teresa aus Kalkutta sagte in ihrer Rede zur Verleihung des Friedensnobelpreises tatsächlich: »Der größte Zerstörer des Friedens ist die Abtreibung.« *Wie bitte?* Kann man eine Frau mit einer solch blauäugigen Wahrnehmung noch in irgendeiner Frage ernst nehmen, ganz zu schweigen davon, dass man sie ernsthaft des Nobelpreises für würdig hält? Wer versucht ist, sich von der scheinheilig-heuchlerischen Mutter Teresa einnehmen zu lassen, sollte das Buch *The Missionary Position: Mother Teresa in Theory and Practice* (»Der missionarische Standpunkt: Mutter Teresa in Theorie und Praxis«) von Christopher Hitchens lesen.

Aber kehren wir zu den »amerikanischen Taliban« zurück und hören wir, was Randall Terry zu sagen hat, der Gründer einer Organisation namens Operation Rescue, die Abtreibungsärzte und -kliniken einschüchtert: »Wenn ich oder Menschen wie ich das Land führen würden, solltet ihr euch besser aus dem Staub machen. Denn wir werden euch finden, wir werden euch vor Gericht stellen, und wir werden euch hinrichten. Ich meine jedes Wort davon ernst. Ich werde es zu einem Teil meiner Mission machen, dafür zu sorgen, dass sie vor Gericht gestellt und hingerichtet werden.« Terry spricht hier von Ärzten, die Abtreibungen vornehmen, und dass er dabei christlich inspiriert ist, macht er in anderen Aussagen deutlich:

> Ich will, dass eine Welle der Intoleranz über euch hinwegfegt. Ich will, dass eine Welle des Hasses über euch hinwegfegt. Ja, Hass ist gut. [...] Unser Ziel ist eine christliche Nation. Wir haben eine biblische Pflicht, und wir sind von Gott gerufen, damit wir dieses Land erobern. Wir wollen keine Gleichberechtigung. Wir wollen keinen Pluralismus.
>
> Unser Ziel muss einfach sein. Wir müssen eine christliche Nation haben, die auf Gottes Gesetz aufbaut, auf den Zehn Geboten. Da gibt es keine Ausrede.[141]

Dieser Ehrgeiz, etwas anzustreben, was man nur als christlich-faschistischen Staat bezeichnen kann, ist für die »amerikanischen Taliban« ganz und gar typisch. Es ist nahezu ein exaktes Spiegelbild des islamisch-faschistischen Staates, den viele Menschen in anderen Regionen der Welt unbedingt aufbauen wollen. Randall Terry hat – jedenfalls bisher – keine politische Macht. Aber zu der Zeit, da dieses Buch entsteht (2006) kann kein Beobachter der politischen Szene Amerikas es sich leisten, ihn auf die leichte Schulter zu nehmen.

Ein Konsequentialist oder Utilitarist wird die Abtreibungsfrage wahrscheinlich ganz anders angehen und versuchen, das Leiden gegeneinander abzuwägen. Leidet der Embryo? (Vermutlich nicht, wenn der Schwangerschaftsabbruch vorgenommen wird, bevor er ein Nervensystem hat; und selbst wenn das Nervensystem bereits angelegt ist, leidet er wahrscheinlich weniger als beispielsweise eine ausgewachsene Kuh im Schlachthaus.) Leidet die Schwangere oder ihre Familie, wenn die Abtreibung nicht vorgenommen wird? Das ist durchaus möglich; und sollte die Entscheidung angesichts der Tatsache, dass der Embryo noch kein Nervensystem hat, nicht ohnehin dem gut entwickelten Nervensystem der Mutter überlassen bleiben?

Dass auch ein Konsequentialist Gründe haben könnte, eine Abtreibung abzulehnen, ist nicht zu leugnen. Man könnte beispielsweise mit einer »schiefen Bahn« argumentieren (was ich allerdings in diesem Fall nicht tun würde). Der Embryo leidet vielleicht nicht, aber eine Kultur, welche die Tötung menschlichen Lebens hinnimmt, läuft leicht Gefahr, zu weit zu gehen: Wohin führt das alles? Zum Kindesmord? Der Augenblick der Geburt ist für die Definition von Regeln eine natürliche Grenze, und man könnte die Ansicht vertreten, dass es schwierig ist, in einem früheren Stadium der Embryonalentwicklung eine ähnliche Abgrenzung vorzunehmen. Solche Argumente über eine schiefe Ebene könnten also dazu führen, dass wir dem Augenblick der Geburt eine größere Bedeutung beimessen, als es ein streng interpretierter Utilitarismus gern tun würde.

Auch Argumente gegen die Sterbehilfe kann man unter dem Gesichtspunkt der schiefen Bahn formulieren. Stellen wir uns einmal folgende (erfundene) Äußerung eines Moralphilosophen vor: »Wenn man den Ärzten gestattet, todkranke Patienten von ihrem Leiden zu befreien, legt demnächst jeder seine Oma um, um an ihr Geld zu kommen. Wir Philosophen sind dem Absolutismus vielleicht entwachsen, aber die Gesellschaft als Ganzes braucht absolute Regeln wie ›Du sollst nicht töten‹, sonst weiß niemand mehr, wo die Grenze ist. Unter manchen Umständen hat der Absolutismus vielleicht – wenn auch aus den falschen Gründen in einer alles andere als idealen Welt – bessere *Folgen* als der naive Konsequentialismus. Aus philosophischen Gründen könnte man vielleicht nur schwer verbieten, dass Menschen, die schon tot sind und um die niemand trauert – beispielsweise Obdachlose nach einem Verkehrsunfall – aufgegessen werden. Aber aus Gründen der schiefen Bahn ist das Kannibalismustabu so wertvoll, dass wir es nicht verlieren dürfen.«

Eine solche Argumentation nach dem Motto »Wehret den Anfängen« kann man als Methode interpretieren, mit der Konsequentialisten den Absolutismus durch die Hintertür wieder einführen. Aber die religiösen Abtreibungsgegner halten sich mit der schiefen Bahn gar nicht erst auf. Für sie ist die Sache viel einfacher. Ein Embryo ist ein »Baby«, ihn zu töten ist Mord, fertig. Ende der Diskussion. Aus diesem absolutistischen Standpunkt ergeben sich viele Folgerungen. Zunächst einmal muss die Forschung mit embryonalen Stammzellen trotz ihres großen Potenzials für die medizinische Wissenschaft eingestellt werden, weil sie den Tod embryonaler Zellen einschließt. Wie widersprüchlich das ist, wird deutlich, wenn man bedenkt, dass die künstliche Befruchtung (In-vitro-Fertilisation oder IVF) gesellschaftlich anerkannt ist, obwohl der weibliche Organismus dabei regelmäßig zur Produktion überzähliger Eizellen angeregt wird, die man dann außerhalb des Körpers befruchtet. Dabei erzeugt man bis zu einem Dutzend befruchtete Eizellen; nur zwei oder drei davon werden in die Gebärmutter eingepflanzt, und dann rechnet man damit, dass eine oder möglicherweise auch zwei überleben. Bei der IVF werden befruchtete Eizellen in zwei Stadien getötet, und die Gesellschaft sieht darin im Allgemeinen kein Problem. Die künstliche Befruchtung ist seit fünfundzwanzig Jahren ein Standardverfahren, das viel Freude in das Leben kinderloser Paare bringen kann.

Aber religiöse Absolutisten haben auch mit der künstlichen Befruchtung ihre Probleme. Eine bizarre Meldung erschien am 3. Juni 2005 im *Guardian* unter der Überschrift »Christliche Paare folgen einem Aufruf zur Rettung übrig gebliebener Embryonen nach IVF«. Der Bericht handelte von einer Organisation namens »Snowflakes« [»Schneeflocken«], die es sich zum Ziel gesetzt hat, die in Befruchtungskliniken übrig gebliebenen Embryonen zu »retten«. »Nach unserer festen Überzeugung hat der Herr uns aufgerufen, diesen Embryonen – diesen Kindern – eine Chance zum Leben zu geben«, sagte eine Frau aus dem US-Bundesstaat Washington, deren viertes Kind aus der »unerwarteten Verbindung zwischen konservativen Christen und der Welt der Reagenzglasbabys« hervorgegangen war. Ihr Ehemann hatte sich wegen dieser Verbindung Sorgen gemacht und einen Kirchenältesten befragt; der hatte ihm den Rat gegeben: »Wenn Sie die Sklaven befreien wollen, müssen Sie manchmal ein Abkommen mit dem Sklavenhändler schließen.« Ich frage mich, was solche Leute sagen würden, wenn sie wüssten, dass die Mehrzahl aller Embryonen ohnehin ganz von selbst kurz nach der Befruchtung als Fehlgeburt abgestoßen wird. Vermutlich sieht man darin am besten eine Art natürliche »Qualitätskontrolle«.

Religiöse Köpfe eines bestimmten Typs erkennen nicht den moralischen Unterschied zwischen der Tötung eines mikroskopisch kleinen Zellhaufens und der Tötung eines ausgewachsenen Arztes. Ich habe bereits Randall Terry und die »Operation Rescue« erwähnt. Mark Juergensmeyer zeigt in seinem erschreckenden Buch *Terror in the Mind of God (Terror im Namen Gottes)* ein Foto des Reverend Michael Bray und seines Freundes, des Reverend Paul Hill. Die beiden tragen ein Transparent mit der Aufschrift »Is it wrong to stop the murder of innocent babies?« [»Ist es falsch, den Mord an unschuldigen Babys zu verhindern?«] Beide sehen wie nette, adrette junge Männer aus: gewinnendes Lächeln, leger-elegante Kleidung, das genaue Gegenteil von starr blickenden Fanatikern. Aber die beiden und ihre Freunde von der Army of God (AOG) haben es zu ihrer Hauptbeschäftigung gemacht, Abtreibungskliniken in Brand zu setzen, und sie machen keinen Hehl aus ihren Bestrebungen, Ärzte zu ermorden. Am 29. Juli 1994 nahm Paul Hill eine Schrotflinte und ermordete Dr. John Britton sowie dessen

Leibwächter James Barrett vor Brittons Klinik in Pensacola (Florida). Anschließend stellte er sich der Polizei und erklärte, er habe den Arzt getötet, um für die Zukunft den Tod »unschuldiger Babys« zu verhindern.

Michael Bray stellt sich ausdrücklich hinter solche Aktionen und gibt sich dabei den Anstrich hoher moralischer Ziele. Dies erlebte ich selbst, als ich ihn für meine Fernsehdokumentation über Religion in einem öffentlichen Park in Colorado Springs interviewte.* Bevor ich auf die Abtreibungsfrage zu sprechen kam, wollte ich mir mit einigen vorbereitenden Fragen ein Bild von Brays bibelgestützter Moral machen. Ich wies darauf hin, dass das biblische Gesetz für Ehebruch die Todesstrafe durch Steinigung vorsieht. Eigentlich hatte ich damit gerechnet, dass er dieses Beispiel als offensichtlich übertrieben abtun würde, aber er überraschte mich. Vergnügt erklärte er, man solle Ehebrecher nach einem ordnungsgemäßen Gerichtsverfahren durchaus hinrichten.

Darauf erwiderte ich, Paul Hill habe mit Brays voller Unterstützung kein ordnungsgemäßes Gerichtsverfahren angestrengt, sondern er habe das Gesetz selbst in die Hand genommen und einen Arzt getötet. Diese Tat seines Amtsbruders verteidigte Bray dann mit den gleichen Argumenten, die er auch in einem Interview mit Juergensmeyer gebraucht hatte: Er machte einen Unterschied zwischen einer Tötung zur Vergeltung, beispielsweise wenn ein Arzt bereits im Ruhestand lebe, und der Tötung eines praktizierenden Arztes, um zu verhindern, »dass er regelmäßig Babys ermordet«. Darauf hielt ich ihm etwas anderes vor: Ich sagte, Paul Hill habe zwar zweifellos aus ehrlicher Überzeugung gehandelt, aber die Gesellschaft werde doch in entsetzlicher Anarchie versinken, wenn jeder

---

* Ähnlich hohe moralische Ansprüche erheben auch die Tierschützer, die Wissenschaftler, welche medizinische Forschung mit Versuchstieren betreiben, mit Gewalt bedrohen.

sich auf seine persönliche Überzeugung beriefe und das Gesetz in die eigenen Hände nehme, statt sich an die Gesetze seines Landes zu halten. Ob es nicht der richtigere Weg sei, sich mit demokratischen Mitteln um eine Änderung der Gesetze zu bemühen?

Darauf erwiderte Bray: »Nun ja, das Problem ist, dass die Gesetze, die wir haben, keine authentischen Gesetze sind: Wir haben Gesetze, die von Menschen schnell nach Lust und Laune gemacht wurden; das haben wir zum Beispiel an dem sogenannten Gesetz zum Recht auf Abtreibung gesehen, das den Menschen von Richtern aufgezwungen wurde…« Damit waren wir bei einer Diskussion über die Verfassung der Vereinigten Staaten und die Entstehung von Gesetzen. Brays Einstellung zu solchen Themen erinnerte mich stark an die Haltung militanter Muslime in Großbritannien, die ganz offen verkünden, sie fühlten sich nur an das islamische Recht gebunden, nicht aber an die demokratisch verabschiedeten Gesetze ihrer Wahlheimat.

Paul Hill wurde 2003 wegen des Mordes an Dr. Britton und dessen Leibwächter hingerichtet. Zuvor erklärte er jedoch noch, er würde es jederzeit wieder tun, um ungeborene Kinder zu retten. In aufrichtiger Vorfreude, für sein Anliegen zu sterben, erklärte er auf einer Pressekonferenz: »Ich glaube, indem der Staat mich hinrichtet, macht er mich zum Märtyrer.« Zu den rechtsextremen Abtreibungsgegnern, die gegen seine Hinrichtung protestierten, gesellten sich in einer unheiligen Allianz auch linksgerichtete Gegner der Todesstrafe; diese drängten Jeb Bush, den Gouverneur von Florida, »dem Märtyrergehabe von Paul Hill ein Ende zu machen«. Sie vertraten die durchaus plausible Ansicht, die juristisch sanktionierte Tötung von Hill werde weitere Morde provozieren und damit genau das Gegenteil der Abschreckungswirkung haben, die von der Todesstrafe angeblich ausgehe. Hill selbst lächelte auf dem Weg zur Hinrichtungskammer und sagte: »Ich rechne mit einer großen

Belohnung im Himmel. [...] Ich freue mich auf Seine Herrlich-keit.«[142] Außerdem regte er an, andere sollten seine gewalttäti-gen Ziele weiter verfolgen. Da man mit Anschlägen zur Vergel-tung seines »Märtyrertodes« rechnete, wurde die Polizei während der Hinrichtung in erhöhte Alarmbereitschaft ver-setzt. Mehrere Personen, die mit dem Fall in Verbindung ge-bracht wurden, erhielten Drohbriefe, in denen Gewehrkugeln lagen.

Die Ursache der ganzen entsetzlichen Vorgänge liegt in einer unterschiedlichen Wahrnehmung. Manche Menschen halten Abtreibung aufgrund ihrer religiösen Überzeugung für Mord und sind bereit, zum Schutz der von ihnen als »Babys« be-zeichneten Embryonen selbst Morde zu begehen. Auf der an-deren Seite stehen die ebenso aufrichtigen Abtreibungsbefür-worter, die entweder andere religiöse Überzeugungen oder überhaupt keine Religion haben und sich an einer gut durch-dachten konsequentialistischen Ethik orientieren. Sie halten sich für Idealisten und bieten den Patientinnen, die sich in einer Notlage befinden und ansonsten zu gefährlichen, unqualifi-zierten Hinterhof-Quacksalbern gehen würden, eine medizini-sche Dienstleistung an. Beide Seiten halten die jeweils andere für Mörder oder Mordbefürworter. Und beide Seiten sind auf ihre Art gleichermaßen ehrlich.

Die Sprecherin einer anderen Abtreibungsklinik bezeich-nete Paul Hill als gefährlichen Psychopathen. Aber Menschen wie er halten sich selbst nicht für gefährliche Psychopathen, sondern für gute, moralische Menschen, die sich von Gott lei-ten lassen. Nach meiner Überzeugung war Paul Hill kein Geis-tesgestörter. Er war nur sehr religiös. Gefährlich, ja, aber kein Psychopath. Gefährlich religiös. Aus der Sicht seiner religiösen Überzeugungen war es völlig richtig und moralisch, Dr. Britton zu erschießen. Das Falsche an Hill war sein religiöser Glaube als solcher. Auch als ich Michael Bray persönlich kennenlernte, hatte ich nicht den Eindruck, einem Psychopathen gegenüberzustehen. Eigentlich fand ich ihn sogar recht sympathisch. Er wirkte auf mich wie ein ehrlicher, aufrichtiger Mensch, wortgewandt und nachdenklich. Nur war sein Geist leider in giftigem religiösem Unsinn gefangen.

Entschiedene Abtreibungsgegner sind fast immer tief religiös. Ehrliche Abtreibungsbefürworter richten sich unabhängig davon, ob sie persönlich religiös sind oder nicht, meist nach einer nicht religiösen, konsequentialistischen Ethik und stellen dabei vielleicht die gleiche Frage wie Jeremy Bentham: »Können sie *leiden*?« Für Paul Hill und Michael Bray bestand zwischen der Tötung eines Arztes und der Tötung eines Embryos ethisch kein Unterschied, nur war der Embryo für sie ein unschuldiges »Baby«. Der Konsequentialist erkennt alle Unterschiede in der Welt. Ein Embryo im Frühstadium ähnelt in Empfindungsvermögen und Aussehen einer Kaulquappe. Der Arzt ist ein ausgewachsener, bewusster Mensch mit Hoffnungen, Liebe, Zielen, Ängsten, einer gewaltigen Menge an menschlichem Wissen und der Fähigkeit zu tiefen Gefühlen; er hinterlässt vermutlich eine am Boden zerstörte Witwe, verwaiste Kinder und vielleicht auch betagte Eltern, die ihn abgöttisch geliebt haben.

Paul Hill brachte echtes, tiefes, lang anhaltendes Leid über Menschen, deren Nervensystem zum Leiden in der Lage war. Sein Opfer, der Arzt, hatte nichts dergleichen getan. Ein Embryo hat im Frühstadium kein Nervensystem und leidet höchstwahrscheinlich nicht. Und wenn der Embryo bei einem späten Schwangerschaftsabbruch ein Nervensystem hat und tatsächlich leidet – was, wie jedes Leiden, zu beklagen ist –, dann liegt es nicht daran, dass es sich um einen *menschlichen* Embryo handelt. Es gibt ganz allgemein keinen Grund zu der Annahme, ein menschlicher Embryo würde zu irgendeinem Zeitpunkt mehr leiden als ein Rinder- oder Schafsembryo im gleichen Entwicklungsstadium. Und es spricht alles dafür, dass sämtliche Embryonen, ob menschlich oder nicht, weit weniger leiden als ausgewachsene Kühe und Schafe im Schlachthof, insbesondere wenn es sich um ein rituelles Schlachthaus handelt, wo die Tiere aus religiösen Gründen bei vollem Bewusstsein sein müssen, wenn man ihnen zeremoniell die Kehle durchschneidet.

Leiden zu messen ist schwierig,[143] und in den Einzelheiten kann man sicher unterschiedlicher Meinung sein. Das ist aber ohne Bedeutung für meine Hauptaussage über den Unterschied zwischen konsequentialistischer und religiös-absoluter Ethik.* Der einen Denkschule geht es darum, ob Embryonen leiden können; die andere fragt, ob Embryonen Menschen sind. Religiöse Ethiker diskutieren häufig über Fragen wie die, wann ein Embryo zu einer Person wird, also zu einem menschlichen Wesen. Säkulare Ethiker dagegen fragen eher: »Ganz gleich, ob es ein Mensch ist (was *bedeutet* das bei einem kleinen Zellhaufen überhaupt?) – von welchem Entwicklungsstadium an ist ein Embryo jeder beliebigen Tierart in der Lage, zu *leiden?*«

Der große Beethoven-Trugschluss

Der nächste Zug der Abtreibungsgegner im verbalen Schachspiel sieht ungefähr folgendermaßen aus: Es geht nicht darum, ob ein menschlicher Embryo heute leiden kann oder nicht. Entscheidend ist sein *Potenzial.* Durch die Abtreibung beraubt man ihn der Gelegenheit, in Zukunft zu menschlichem Leben zu werden. Allerdings kommt dieser Gedanke in einer rhetori-

---

* Das Spektrum der Möglichkeiten ist damit natürlich nicht erschöpft. Eine deutliche Mehrheit der US-amerikanischen Christen nimmt gegenüber der Abtreibung keine absolutistische Haltung ein, sondern befürwortet die Möglichkeit der persönlichen Entscheidung. Dies gilt zum Beispiel für die Religious Coalition for Reproductive Choice (www.rcrc.org).

schen Argumentation daher, die dermaßen dumm ist, dass nur dieser Umstand sie vom Vorwurf vorsätzlicher Unehrlichkeit befreien kann. Ich meine den großen Beethoven-Trugschluss, den es in mehreren Versionen gibt. Die folgende schreiben Peter und Jean Medawar* in ihrem Buch *The Life Science* (»Die Wissenschaft vom Leben«) dem britischen Parlamentsabgeordneten Norman St John (heute Lord St John) zu, einem prominenten katholischen Laien. Der wiederum hatte sie von Maurice Baring (1874–1945), einem bekannten konvertierten Katholiken und engen Weggefährten der katholischen Parteisoldaten Gilbert Keith Chesterton und Hilaire Belloc. Baring fasste sie in die Form eines erfundenen Dialogs zwischen zwei Ärzten:

»Ich würde gern Ihre Meinung im Zusammenhang mit einem Schwangerschaftsabbruch hören. Der Vater hatte Syphilis, die Mutter Tuberkulose. Von den vier bereits vorhandenen Kindern war das erste blind, das zweite starb frühzeitig, das dritte war taub und schwachsinnig, das vierte hatte ebenfalls Tuberkulose. Was hätten Sie getan?«
»Ich hätte die Schwangerschaft abgebrochen.«
»Dann hätten Sie Beethoven ermordet.«

Das Internet ist geradezu verseucht mit so genannten Lebensschützerseiten, die diese lächerliche Geschichte wiedergeben und ganz nebenbei die Tatsachen mit böswilliger Leichtfertigkeit verfälschen. Eine andere Version lautet: »Angenommen, Sie kennen eine schwangere Frau, die schon acht Kinder hat. Drei davon sind taub, zwei sind blind, eines ist geistig behindert (alles weil sie Syphilis hat); würden Sie ihr eine Abtreibung empfehlen? Damit hätten Sie Beethoven getötet.«[144] Diese Form der Legende versetzt den großen Komponisten von der

---

* Sir Peter Medawar erhielt 1960 den Nobelpreis für Physiologie und Medizin.

fünften an die neunte Stelle der Geschwisterreihe, steigert die Zahl der taub geborenen Kinder auf drei und die der blinden auf zwei und schreibt die Syphilis nicht dem Vater, sondern der Mutter zu.

Als ich nach verschiedenen Versionen der Geschichte suchte, fand ich insgesamt 43 Websites; die meisten davon schreiben sie nicht Baring zu, sondern einem gewissen Professor L. R. Agnew von der medizinischen Fakultät der University of California in Los Angeles; dieser stellte angeblich seine Studenten vor das Dilemma und sagte dann: »Herzlichen Glückwunsch, Sie haben gerade Beethoven ermordet.« Wir können mit L. R. Agnew nachsichtig sein und seine Existenz anzweifeln, aber es ist schon verblüffend, wie solche modernen Legenden sich verbreiten. Ob die Geschichte ihren Ursprung tatsächlich bei Baring hat oder noch früher erfunden wurde, konnte ich nicht herausfinden.

Aber erfunden ist sie mit Sicherheit. Sie ist von vorn bis hinten falsch. In Wirklichkeit war Ludwig van Beethoven weder das fünfte noch das neunte Kind seiner Eltern. Er war der Älteste – oder streng genommen der Zweite, aber der ältere Bruder starb, wie es damals häufig vorkam, bereits im Säuglingsalter und war nach heutiger Kenntnis weder blind noch taub oder geistig behindert. Nichts deutet darauf hin, dass ein Elternteil Syphilis hatte, die Mutter starb allerdings am Ende tatsächlich an Tuberkulose. Auch das war damals nichts Ungewöhnliches.

Das Ganze ist tatsächlich eine moderne Legende, eine Fälschung, die gezielt verbreitet wird, weil bestimmte Leute ein ureigenes Interesse daran haben. Allerdings ist die Tatsache, dass es sich um eine Lüge handelt, ohnehin bedeutungslos. Selbst wenn sie wahr wäre, könnte man daraus keine stichhaltige Argumentation ableiten. Peter und Jean Medawar brauchten den Wahrheitsgehalt der Geschichte überhaupt nicht anzuzweifeln, um auf den Schwachpunkt der Argumentation aufmerksam zu machen: »Hinter diesem heimtückischen kleinen Argument steht eine atemberaubend falsche Überlegung. Wenn man nicht gerade unterstellen will, dass zwischen einer tuberkulösen Mutter, einem syphilitischen Vater und der Geburt eines musikalischen Genies ein Kausalzusammenhang besteht, ist die Wahrscheinlichkeit, dass der Welt ein Beethoven verloren geht, bei einer Abtreibung nicht größer als bei keuscher Abstinenz vom Geschlechtsverkehr.«[145] Dieser lakonisch-spöttischen Zurückweisung durch die Medawars ist nichts hinzuzufügen. (Allenfalls eine der »ungewöhnlichen Geschichten« von Roald Dahl: Eine ebenso zufällige Entscheidung aus dem Jahr 1888, *keine* Abtreibung vorzunehmen, bescherte uns Adolf Hitler.) Um den entscheidenden Punkt zu verstehen, braucht man allerdings ein Quäntchen Intelligenz – vielleicht auch die Freiheit von einer bestimmten Form religiöser Erziehung. Von den 43 »Lebensschützer«-Websites, die eine Google-Suche an dem Tag, als dieser Abschnitt entstand, zu Tage förderte, erkannte keine einzige die Unlogik der Argumentation. Alle (es handelte sich übrigens ausnahmslos um religiöse Websites) fielen mit Pauken und Trompeten auf den Trugschluss herein. Eine nannte sogar Medawar (dort Medavvar geschrieben) als Quelle. Diese Leute waren erpicht darauf, eine zu ihrem Glauben passende fehlerhafte Schlussfolgerung zu glauben, und deshalb merkten sie nicht einmal, dass die Medawars das Argument nur angeführt hatten, um es gnadenlos zu zerpflücken.

Wie die Medawars völlig zu Recht betonen, lautet die logische Schlussfolgerung aus dem Argument des »menschlichen Potenzials«: Jedes Mal, wenn wir eine Gelegenheit zum Geschlechtsverkehr ungenutzt verstreichen lassen, verweigern wir potenziell einer menschlichen Seele das Existenzrecht. Jede Verweigerung eines Angebots zur Paarung ist nach der irrsinnigen Logik dieser »Lebensschützer« gleichbedeutend mit dem Mord an einem potenziellen Kind! Selbst Gegenwehr gegen eine Vergewaltigung könnte man als Mord an dem potenziellen Baby auffassen (nebenbei bemerkt, sprechen viele »Lebensschützer« einer Frau selbst nach einer brutalen Vergewaltigung das Recht auf eine Abtreibung ab). Wie daran sehr schnell deutlich wird, steht hinter dem »Beethoven-Argument« eine wahrhaft schlechte Logik. Am besten verkörpert sich seine surreale Dummheit in dem großartigen Lied »Every Sperm Is Sacred«, gesungen von Michael Palin und einem Chor von mehreren hundert Kindern in dem Monty-Python-Film *The Meaning of Life (Der Sinn des Lebens)* (wer ihn noch nicht gesehen hat, sollte das unbedingt tun). Der große Beethoven-Trugschluss ist ein gutes Beispiel dafür, in welchen logischen Kuddelmuddel wir geraten, wenn unser Geist durch religiös motivierten Absolutismus vernebelt ist.

Man sollte auch bedenken, dass »Lebensschützer« eigentlich nicht »das Leben schützen«. Gemeint ist ausschließlich *menschliches* Leben. Dass man den Zellen der Spezies *Homo sapiens* einzigartige Sonderrechte einräumt, lässt sich mit der Tatsache der Evolution nur schwer vereinbaren. Zugegeben: Dies wird viele Abtreibungsgegner nicht beeindrucken, weil sie nicht begreifen, dass die Evolution eine *Tatsache* ist. Dennoch möchte ich die Argumentation für Abtreibungsgegner, die in wissenschaftlichen Dingen weniger unwissend sind, kurz zusammenfassen.

Der Zusammenhang mit der Evolution ist ganz einfach. Die Tatsache, dass es sich um Zellen eines *menschlichen* Embryos handelt, kann ihm keine absolut andersartige ethische Stellung verleihen. Das ist nicht möglich, weil wir in einer ununterbrochenen entwicklungsgeschichtlichen Beziehung zu den Schimpansen und in größerer Entfernung auch zu allen anderen biologischen Arten auf der Erde stehen. Nehmen wir beispielsweise an, eine Art, die eine Zwischenstellung einnimmt – beispielsweise *Australopithecus afarensis* – hätte durch einen Zufall überlebt und würde heute in einem abgelegenen Teil Afrikas entdeckt. Würden wir diese Lebewesen »zu den Menschen rechnen« oder nicht? Für einen Konsequentialisten wie mich verdient diese Frage keine Antwort, weil nichts davon abhängt. Es reicht, dass wir fasziniert und geehrt wären, wenn wir einer lebenden »Lucy« begegnen würden.

Der Absolutist dagegen muss die Frage beantworten: Nur dann kann er das ethische Prinzip anwenden, den Menschen eine einzigartige Sonderstellung zuzuweisen, *einfach weil sie Menschen sind.* Wenn es hart auf hart käme, müsste man wahrscheinlich ganz ähnlich wie im Südafrika der Apartheid besondere Gerichte einsetzen, die darüber entscheiden, ob ein Individuum »als Mensch durchgeht«.

Selbst wenn man für *Australopithecus* noch eine eindeutige Antwort geben könnte, muss es wegen der Kontinuität, die ein unausweichliches Merkmal der biologischen Evolution ist, irgendwo eine Zwischenform geben, die so dicht an der »Grenze« liegt, dass das ethische Prinzip verschwimmt und seine Absolutheit verliert. Besser sagt man: In der Evolution gibt es keine natürlichen Grenzlinien. Die Illusion einer solchen Grenze entsteht nur dadurch, dass die Zwischenformen ausgestorben sind. Natürlich kann man die Ansicht vertreten, dass Menschen stärker leiden können als andere Arten. Das könnte durchaus stimmen, und dann ist es legitim, den Menschen genau deshalb eine Sonderstellung einzuräumen. Dennoch zeigt die Kontinuität der Evolution, dass es keine *absolute* Abgrenzung gibt. Absolutistische ethische Unterscheidungen werden durch die Evolution hinfällig. Ein unbehagliches Bewusstsein für diese Tatsache dürfte wahrscheinlich sogar einer der wichtigsten Gründe dafür sein, warum Kreationisten die Evolution leugnen: Sie fürchten sich vor den vermeintlichen ethischen Konsequenzen. Damit haben sie zwar unrecht, aber ohnehin ist es ein seltsamer Gedanke, man könne Wahrheiten in der Realität auslöschen, indem man sich überlegt, was ethisch wünschenswert wäre.

Wie »Mäßigung« im Glauben den Fanatismus fördert

Im Zusammenhang mit der dunklen Seite des Absolutismus habe ich die amerikanischen Christen erwähnt, die Abtreibungskliniken in die Luft sprengen, und die Taliban in Afghanistan, die insbesondere den Frauen so viel Grausamkeiten zugefügt haben, dass es mir wehtut, sie alle aufzuzählen. Ich hätte auch den Iran der Ayatollahs nennen können, oder Saudi-Arabien unter dem Königshaus Saud, wo Frauen nicht Auto fahren dürfen und Probleme haben, wenn sie das Haus ohne einen männlichen Verwandten verlassen wollen (bei dem es sich allerdings – welch großzügiges Zugeständnis – auch um einen kleinen Jungen handeln kann). Einen verheerenden Bericht über die Lage der Frauen in Saudi-Arabien und anderen heutigen Gottesstaaten enthält das Buch *Price of Honour (Der Himmel der Frau ist unter den Füßen ihres Mannes)* von Jan Goodwin. Johann Hari, einer der aufgewecktesten Kolumnisten der Londoner Zeitung *Independent*, schrieb einen Artikel mit einem Titel, der keiner weiteren Erläuterung bedarf: »Am besten unterwandert man die Dschihadisten, indem man einen Aufstand der muslimischen Frauen organisiert.«[146]

Oder kehren wir zum Christentum zurück: Ich hätte auch die amerikanischen »Weltuntergangschristen« nennen können, die so großen Einfluss auf die amerikanische Nahostpolitik haben: Sie lassen sich von dem biblischen Glauben leiten, Israel habe ein gottgegebenes Anrecht auf alle Landflächen in Palästina.[147] Manche Weltuntergangschristen gehen noch weiter und sehnen sogar einen Atomkrieg herbei, weil sie darin jenes »Armageddon« sehen, das nach ihrer bizarren, aber auch beunruhigend populären Deutung der Offenbarung Johannis die Wiederkehr Christi beschleunigt. Ich kann es nicht besser formulieren als Sam Harris mit seinem beängstigenden Kommentar in *Letter to a Christian Nation*:

Es ist deshalb keine übertriebene Behauptung, wenn man sagt: Würde die Stadt New York plötzlich in einem Feuerball verschwinden, würde ein nicht unbedeutender Anteil der amerikanischen Bevölkerung in der anschließend aufsteigenden, pilzförmigen Wolke einen Silberstreif erkennen, denn es würde ihnen anzeigen, dass jetzt das Beste geschieht, was überhaupt geschehen kann: die Wiederkehr Christi. Natürlich liegt sonnenklar auf der Hand, dass solche Überzeugungen uns nicht gerade helfen werden, eine dauerhafte Zukunft aufzubauen – sei es sozial, wirtschaftlich, ökologisch oder geopolitisch. Man stelle sich die Folgen vor, wenn ein maßgeblicher Teil der US-Regierung glauben würde, dass das Ende der Welt tatsächlich bevorstehe und dass es sich um ein *ruhmreiches* Ende handeln werde. Die Tatsache, dass offenbar fast die Hälfte der amerikanischen Bevölkerung so etwas ausschließlich aufgrund eines religiösen Dogmas glaubt, sollte man als ethischen und intellektuellen Notstand auffassen.

Es gibt also Menschen, die aufgrund ihres religiösen Glaubens völlig außerhalb meines allgemein anerkannten, aufgeklärten »ethischen Zeitgeistes« stehen. Sie repräsentieren das, was ich als dunkle Seite des religiösen Absolutismus bezeichnet habe, und werden häufig als Extremisten bezeichnet. In diesem Abschnitt geht es mir aber darum, dass auch eine sanftere, gemäßigte Religion zu dem Glaubensklima beiträgt, in dem der Extremismus gedeihen kann.

Im Juli 2005 war London von mehreren koordinierten Selbstmordanschlägen betroffen: Drei Bomben explodierten in der U-Bahn, eine in einem Bus. Das Ganze war nicht so schlimm wie der Anschlag auf das World Trade Center 2001, und mit Sicherheit kam es nicht so unerwartet (eigentlich hatte man sich in London auf so etwas gefasst gemacht, seit Blair uns gegen unseren Willen zu Komplizen von Bushs Irak-

Invasion gemacht hatte). Dennoch war ganz Großbritannien über die Bomben von London entsetzt. Die Zeitungen bemühten sich verzweifelt zu analysieren, was vier junge Männer dazu treiben konnte, sich selbst in die Luft zu sprengen und eine Menge unschuldiger Menschen mit in den Tod zu reißen. Die Mörder waren britische Staatsbürger mit guten Manieren und einer Vorliebe für Kricket, genau der Typ junger Männer, in deren Gesellschaft man sich wohlfühlt.

Warum taten diese jungen Kricketliebhaber so etwas? Im Gegensatz zu ihresgleichen in Palästina, bei den japanischen Kamikazefliegern oder den Tamilentigern in Sri Lanka konnten diese menschlichen Bomben nicht damit rechnen, dass ihre Angehörigen durch den Verlust zu Helden würden, die Märtyrerpensionen zur Unterstützung erhielten. Im Gegenteil: In einigen Fällen mussten die Familien der Täter untertauchen. Einer der Männer machte bewusst seine schwangere Frau zur Witwe und seinen kleinen Sohn zum Waisen. Die Taten dieser jungen Männer kamen einer Katastrophe gleich, und zwar nicht nur für sie selbst und ihre Opfer, sondern auch für ihre Angehörigen und die gesamte muslimische Gemeinschaft in Großbritannien, die seither mit starken Widerständen zu kämpfen hat. Nur religiöser Glaube ist eine so starke Kraft, dass er ansonsten geistig gesunde, anständige Menschen zu einer derart vollständigen Verrücktheit motivieren kann. Wieder einmal traf Sam Harris mit seiner scharfsichtigen Unverblümtheit den Nagel auf den Kopf. Als Beispiel wählte er den Al-Qaida-Führer Osama bin Laden (der übrigens mit den Bombenanschlägen von London nichts zu tun hatte). Warum sollte jemand den Wunsch haben, das World Trade Center zu zerstören und alle darin befindlichen Menschen zu töten? Wenn wir bin Laden einfach als »böse« bezeichnen, entziehen wir uns unserer Verantwortung, auf eine so wichtige Frage eine Antwort zu finden.

Die Antwort auf diese Frage liegt auf der Hand – und sei es nur, weil bin Laden selbst sie geduldig und bis zum Erbrechen immer wieder formuliert hat. Sie lautet: Männer wie bin Laden glauben *tatsächlich*, was sie sagen. Sie glauben, dass der Koran Wort für Wort wahr ist. Warum tauschten neunzehn gebildete Männer aus der Mittelschicht ihr Leben in dieser Welt gegen das Privileg, Tausende ihrer Mitmenschen zu töten? Weil sie glaubten, sie würden zum Lohn unmittelbar ins Paradies eingehen. Nur selten lässt sich das Verhalten von Menschen so umfassend und befriedigend erklären. Warum haben wir eine so starke Abneigung dagegen, diese Erklärung anzuerkennen?[148]

Eine ähnliche Analyse lieferte die angesehene Journalistin Muriel Gray im *Glasgow Herald* vom 24. Juli 2005, diesmal im Zusammenhang mit den Bombenanschlägen von London:

Allen wird die Schuld zugeschoben, vom offenkundigen Schurken-Duo George W. Bush und Tony Blair bis zu den muslimischen »Gemeinschaften« und ihrer Untätigkeit. Aber nie war so klar wie jetzt, dass die Schuld nur an einer einzigen Stelle liegt und immer gelegen hat. Die Ursache von Elend, Chaos, Gewalt, Terror und Ignoranz ist natürlich die Religion selbst. Dass man eine solch offenkundige Erkenntnis ausdrücklich benennen muss, mag lächerlich erscheinen, aber in Wirklichkeit gelingt es der Regierung und den Medien ziemlich gut, so zu tun, als wäre es nicht so.

Unsere westlichen Politiker vermeiden es, das »R-Wort« (Religion) in den Mund zu nehmen. Stattdessen sprechen sie vom »Krieg gegen den Terror«, als sei Terror eine Art Geist oder Kraft mit eigenem Willen und Verstand. Oder sie behaupten, Terroristen seien ausschließlich vom »Bösen« motiviert. Aber die Terroristen sind nicht vom Bösen motiviert. So fehlgeleitet sie uns auch erscheinen mögen, ihre Motive sind die gleichen wie bei den Christen, die Abtreibungsärzte ermorden: Sie lassen sich von einer vermeintlichen Rechtschaffenheit leiten und befolgen genau das, was ihre Religion ihnen vorschreibt. Sie sind keine Psychotiker, sondern religiöse Idealisten, die aus ihrer eigenen Sicht rational handeln. Ihre Taten halten sie für etwas Gutes, und zwar nicht aus irgendeiner verzerrten persönlichen Verschrobenheit heraus und auch nicht, weil sie vom Satan besessen wären, sondern weil sie von klein auf zu einem umfassenden, unhinterfragten *Glauben* erzogen wurden.

Sam Harris zitiert einen gescheiterten palästinensischen Selbstmordbomber, der erklärte, aus welchen Motiven er Israelis ermorden wollte: »Aus Liebe zum Märtyrertum […]. Ich will keine Rache für irgendetwas. Ich wollte einfach ein Märtyrer sein.« Am 19. November 2001 erschien in der Zeitschrift *The New Yorker* ein Interview, das Nasra Hassan mit einem anderen gescheiterten Selbstmordattentäter geführt hatte, einem höflichen jungen Palästinenser von 27 Jahren, der unter dem Namen »S« bekannt ist. Dieser spricht mit einem derart poetischen Wortreichtum von den gleichen Verlockungen des Paradieses, die auch von gemäßigten Religionsführern und -lehrern gepredigt werden, dass ich es für lohnend halte, eine Passage daraus wiederzugeben:

»Worin liegt der Reiz des Märtyrertums?«, fragte ich.

»Die Macht des Geistes zieht uns empor, während die Macht der materiellen Dinge uns herabzieht«, sagte er. »Wer zum Märtyrertum neigt, wird unempfindlich gegen die materielle Anziehung. Unser Planer fragte: ›Was passiert, wenn die Operation fehlschlägt?‹ Darauf antworteten wir: ›Wir werden in jedem Fall zum Propheten und seinen Jüngern kommen, Inshallah!‹«

»Wir trieben, schwammen in dem Gefühl, dass wir an der Schwelle zur Ewigkeit standen. Wir hatten keine Zweifel. Wir legten in Gegenwart Allahs einen Eid auf den Koran ab – das Gelübde, nicht wankelmütig zu werden. Dieses Dschihad-Gelübde heißt *bayt al-ridwan* nach dem Garten im Paradies, der den Propheten und Märtyrern vorbehalten ist. Ich weiß, dass es auch andere Wege zum Dschihad gibt, aber dieser ist süß – der süßeste. Alle Märtyreroperationen, die im Namen Allahs vollbracht werden, schmerzen weniger als ein Mückenstich.«

S zeigte mir ein Video, auf dem die letzte Planungsphase der Operation festgehalten war. In dem grobkörnigen Film sah ich, wie er und zwei andere junge Männer ein rituelles Frage- und Antwortspiel um die Ehre des Märtyrertums spielten. [...]

Dann knieten der Planer und die jungen Männer nieder und legten die rechte Hand auf den Koran. Der Planer sagte: »Seid ihr bereit? Morgen werdet ihr im Paradies sein.«[149]

Wäre ich an S' Stelle gewesen, dann hätte es mich gereizt, den Planer zu fragen: »Nun ja, wenn das so ist, warum lässt du dann den Worten nicht Taten folgen und hältst selbst den Kopf hin? Warum übernimmst nicht *du* den Selbstmordauftrag und gehst auf der Überholspur ins Paradies ein?« Was für uns so schwer zu verstehen ist – und ich muss es noch einmal wiederholen, weil es so wichtig ist: *Diese Leute glauben tatsächlich an das, was sie sagen.* Die Lehre, die wir daraus ziehen können, lautet: Wir sollten die Religion selbst dafür verantwortlich machen und nicht einen religiösen *Extremismus*, als wäre dieser eine Art entsetzliche Perversion einer richtigen, anständigen Religion. Voltaire erkannte es schon vor langer Zeit: »Wer dich veranlassen kann, Absurditäten zu glauben, der kann dich auch veranlassen, Gräueltaten zu begehen.« Und Bertrand Russell schreibt: »Viele Menschen sterben lieber, als dass sie nachdenken. Sie tun es tatsächlich.«

Solange wir das Prinzip anerkennen, dass religiöser Glaube respektiert werden muss, einfach weil es religiöser Glaube ist, kann man auch den Respekt gegenüber dem Glauben eines Osama bin Laden oder der Selbstmordattentäter kaum ablegen. Die Alternative springt so ins Auge, dass man sie nicht sonderlich betonen muss: Man kann das Prinzip des automatischen Respekts für religiösen Glauben aufgeben. Das ist ein Grund, warum ich alles in meiner Macht Stehende tue, um die Menschen nicht nur vor so genanntem »extremistischem« Glauben zu warnen, sondern vor dem Glauben überhaupt. Die Lehren der »gemäßigten« Religion sind zwar selbst nicht extremistisch, sie öffnen aber dem Extremismus Tür und Tor.

Nun kann man natürlich sagen, dass der religiöse Glaube in dieser Hinsicht nichts Besonderes ist. Auch die patriotische Liebe zum Vaterland oder zur eigenen ethnischen Gruppe kann doch den Boden für ihre eigene Form des Extremismus bereiten, ist es nicht so? Ja, das sieht man an den japanischen Kamikazefliegern und den Tamilentigern in Sri Lanka. Aber der religiöse Glaube bringt rationale Berechnung besonders wirksam zum Schweigen und übertrifft darin meist alle anderen Motive. Nach meiner Vermutung liegt das vor allem an der einfachen, verführerischen Versprechung, dass der Tod nicht das Ende sei und dass auf Märtyrer ein besonders prächtiges Jenseits warte. Zum Teil hat es aber auch schlicht damit zu tun, dass der Glaube von seinem Wesen her kritische Fragen missbilligt.

Das Christentum lehrt ebenso nachdrücklich wie der Islam, dass unhinterfragter Glaube eine Tugend ist. Man braucht für das, was man glaubt, keine Begründung. Wenn jemand verkündet, dieses oder jenes gehöre zu seinem *Glauben*, ist die gesamte Gesellschaft – unabhängig davon, ob sie demselben Glauben angehört oder nicht – aufgrund einer tief verwurzelten Sitte dazu verpflichtet, dies ohne weitere Fragen zu »respektieren«; es wird respektiert, bis es seinen Ausdruck eines Tages in einem entsetzlichen Blutbad findet, beispielsweise in der Zerstörung des World Trade Center oder in den Bombenanschlägen von Madrid und London. Dann setzt auf einmal der große Chor der Distanzierer ein: Geistliche und »Führer von Gemeinschaften« (wer hat *die* eigentlich gewählt?) erklären reihenweise, der Extremismus sei eine Perversion des »wahren« Glaubens. Aber wie kann es eine Perversion des Glaubens geben, wenn der Glaube selbst, dem ja die objektive Rechtfertigung fehlt, gar keine handfesten Maßstäbe besitzt, die man pervertieren könnte?

Einen ganz ähnlichen Standpunkt vertrat Ibn Warraq vor einigen Jahren in seinem ausgezeichneten Buch *Why I Am Not a Muslim (Warum ich kein Muslim bin)* aus der Sicht eines hochgebildeten Islamgelehrten. Eine gute Alternative für den Titel von Warraqs Buch wäre allerdings *Der Mythos vom gemäßigten Islam*; diese Überschrift trug ein Artikel in der Londoner Zeitschrift *Spectator* vom 30. Juli 2005, verfasst von Patrick Sookhdeo, dem Direktor des Instituts für islamische und christliche Studien. »Heute führt die große Mehrheit der Muslime ihr Leben, ohne auf Gewalt zurückzugreifen, denn der Koran ist ein Gemisch, aus dem man nach Belieben auswählen kann. Wer Frieden wünscht, findet friedliche Verse. Wer Krieg will, findet kriegerische Verse.«

Im weiteren Verlauf erläutert Sookhdeo, wie die islamischen Gelehrten vorgegangen sind, um mit den vielen Widersprüchen im Koran fertigzuwerden: Sie entwickelten das Prinzip der Aufhebung, wonach spätere Texte den Vorrang gegenüber früheren haben. Leider sind aber die meisten friedlichen Passagen des Korans ziemlich früh entstanden, als Mohammed noch in Mekka lebte. Die kriegerischen Verse verfasste er später, als er nach Medina geflüchtet war. Das Ergebnis:

Der ständig wiederholte Slogan »Islam ist Frieden« ist seit mindestens 1 400 Jahren überholt. Nur 13 Jahre lang war der Islam Frieden und nichts als Frieden. […] Für die heutigen radikalen Muslime – und auch für die mittelalterlichen Juristen, die den klassischen Islam entwickelten – kommt die Aussage »Islam ist Krieg« der Wahrheit näher. Al-Ghurabaa, eine der radikalsten islamischen Gruppen Großbritanniens, verkündete nach den Bombenanschlägen von London: »Jeder Muslim, der leugnet, dass Terror zum Islam gehört, ist ein Kafir.« Ein Kafir ist ein Ungläubiger (d. h. ein Nichtmuslim), und der Begriff stellt eine schwere Beleidigung dar. […]

Wäre es denkbar, dass die jungen Selbstmörder keineswegs an den Rändern der muslimischen Gesellschaft in Großbritannien standen und sich auch nicht an einer exzentrischen, extremistischen Interpretation ihres Glaubens orientierten, sondern dass sie aus dem Kern der muslimischen Gemeinschaft stammten und durch eine allgemein übliche Interpretation des Islam motiviert wurden?

Allgemeiner betrachtet (und das gilt für das Christentum nicht weniger als für den Islam) ist vor allem eines besonders heimtückisch: die Praxis, Kindern beizubringen, dass Glaube als solcher eine Tugend ist. Glaube ist genau deshalb bösartig, weil er keine Rechtfertigung braucht und keine Diskussion duldet. Wenn man Kindern beibringt, dass unhinterfragter Glaube eine Tugend ist – und wenn dann noch einige andere Faktoren hinzukommen, die nicht schwer zu verwirklichen sind –, schafft man in ihnen die Voraussetzung, um sie in zukünftigen Dschihads oder Kreuzzügen zu tödlichen Waffen zu machen.

Durch das Versprechen des Märtyrerparadieses vor der Angst geschützt, verdient der echte Gläubige in der Geschichte der Waffenentwicklung einen Ehrenplatz gleich neben Langbogen, Schlachtross, Panzer und Streubombe. Würde man Kindern beibringen, ihre eigenen Überzeugungen zu hinterfragen und zu durchdenken, statt sie die überlegene Tugend eines Glaubens ohne Fragen zu lehren, kann man mit großer Wahrscheinlichkeit davon ausgehen, dass sie nicht zu Selbstmordattentätern würden. Selbstmordattentäter begehen ihre Taten, weil sie wirklich das glauben, was ihnen in ihren Religionsschulen beigebracht wurde: dass die Pflichterfüllung für Gott gegenüber allem anderen Priorität hat und dass das Märtyrertum im Dienste Gottes im Paradiesgarten belohnt wird.

Diese Lektion allerdings haben sie nicht unbedingt von extremistischen Fanatikern gelernt, sondern von anständigen, sanftmütigen, zur Mehrheit gehörenden Religionslehrern, in deren Koranschulen sie in Reih und Glied gesessen haben, um mit rhythmischem Auf und Ab der arglosen kleinen Köpfe jedes Wort aus dem heiligen Buch auswendig zu lernen wie schwachsinnige Papageien. Glaube kann sehr, sehr gefährlich sein, und ihn absichtlich in den verletzlichen Geist eines arglosen Kinds einzupflanzen ist ein schwerer Fehler. Der Kindheit und ihrer Verletzung durch die Religion wenden wir uns nun im nächsten Kapitel zu.

9 Kindheit, Kindesmisshandlung und wie man der Religion entkommt

In jedem Dorf gibt es eine Fackel, den Lehrer, und jemanden, der dieses Licht löscht, den Pfarrer.

Victor Hugo

An den Anfang dieses Kapitels möchte ich eine Anekdote aus dem Italien des 19. Jahrhunderts stellen. Damit will ich nicht sagen, dass etwas Ähnliches wie diese abscheuliche Geschichte sich heute ereignen könnte. Aber die geistige Haltung, die sich darin verrät, ist leider nur allzu aktuell, auch wenn das für die praktischen Details nicht gilt. Die menschliche Tragödie aus dem 19. Jahrhundert wirft ein erbarmungsloses Schlaglicht auf die heutigen religiösen Einstellungen gegenüber Kindern.

Im Jahr 1858 wurde der sechsjährige Edgardo Mortara, Sohn jüdischer Eltern aus Bologna, von der päpstlichen Polizei auf Anordnung der Inquisition verhaftet. Edgardo wurde mit Gewalt seiner weinenden Mutter und dem verzweifelten Vater weggenommen, nach Rom ins Haus der Katechumenen gebracht (eine Einrichtung zur Bekehrung von Juden und Muslimen) und dort als Katholik erzogen. Von gelegentlichen kurzen Besuchen unter strenger priesterlicher Aufsicht abgesehen, sahen seine Eltern ihn nie wieder. Ein ausführlicher Bericht über die Vorgänge findet sich in dem bemerkenswerten Buch *The Kidnapping of Edgardo Mortara (Die Entführung des Edgardo Mortara: Ein Kind in der Gewalt des Vatikans)* von David I. Kertzer.

Edgardos Geschichte war in Italien zu jener Zeit durchaus nichts Ungewöhnliches, und der Grund für solche Entführungen durch Geistliche war stets der Gleiche: Immer war das Kind zu irgendeinem früheren Zeitpunkt heimlich – meist von einem katholischen Kindermädchen – getauft worden, und später hatte die Inquisition von der Taufe erfahren. Ein zentraler Bestandteil der römisch-katholischen Lehre besagte: Ein Kind, das getauft wurde – und sei es auch noch so informell und heimlich –, ist ein für alle Mal Christ. Die Möglichkeit, dass ein solches »christliches Kind« bei seinen jüdischen Eltern blieb, kam in der geistigen Welt der katholischen Behörden nicht vor: Sie hielten trotz weltweiter Empörung standhaft und mit völliger Aufrichtigkeit an ihrem bizarren, grausamen Standpunkt fest. Die allgemeine Empörung wurde übrigens von der katholischen Zeitung *Civiltà Cattolica* auf die internationale Macht reicher Juden zurückgeführt – das klingt doch irgendwie bekannt, oder?

Die Geschichte von Edgardo Mortara erregte besonders großes Aufsehen, aber ansonsten war sie ganz und gar typisch für viele andere. Edgardo war anfangs von Anna Morisi versorgt worden, einem katholischen Mädchen von vierzehn Jahren, das weder lesen noch schreiben konnte. Einmal wurde er krank, und sie hatte entsetzliche Angst, der Kleine könnte sterben. Da sie in dem lähmenden Glauben aufgewachsen war, ein ungetauftes Kind müsse ewig in der Hölle schmoren, bat sie einen katholischen Nachbarn um Rat, und der erklärte ihr, wie die Taufe zu vollziehen war. Sie ging wieder ins Haus, spritzte ein wenig Wasser aus einem Eimer auf den Kopf des kleinen Edgardo und sagte: »Ich taufe dich im Namen des Vaters und des Sohnes und des Heiligen Geistes.« Das war alles. Und von diesem Augenblick an war Edgardo, juristisch betrachtet, Christ. Als die Priester der Inquisition Jahre später von dem Vorfall erfuhren, handelten sie entschieden und schnell; auf die bedauerlichen Folgen ihres Tuns verschwendeten sie keinen Gedanken.

Was angesichts der gewaltigen Folgen, die der Ritus für eine ganze Großfamilie haben kann, wirklich erstaunlich ist: Die katholische Kirche erlaubte (und erlaubt noch heute), dass jeder Mensch jeden anderen tauft. Der Täufer muss kein Geistlicher sein. Weder das Kind noch die Eltern noch sonst irgendjemand muss mit der Taufe einverstanden sein. Nichts muss unterschrieben werden. Niemand muss offiziell Zeuge sein. Erforderlich sind nur ein Spritzer Wasser, ein paar Worte, ein hilfloses Kind und ein abergläubischer Babysitter, der eine religiöse Gehirnwäsche hinter sich hat. Eigentlich wird sogar nur Letzterer gebraucht, denn wenn man annimmt, dass das Kind noch klein ist und nichts bezeugen kann, erfährt es ja niemand. Eine amerikanische Kollegin, die katholisch erzogen wurde, schrieb mir Folgendes: »Wir haben früher unsere Puppen getauft. Ob wir auch unsere kleinen protestantischen Freunde tauften, weiß ich nicht mehr, aber es ist zweifellos geschehen und geschieht auch heute noch. Wir haben unsere Puppen zu kleinen Katholiken gemacht, haben sie mit in die Kirche genommen, ihnen die Heilige Kommunion gespendet, und so weiter. Man hat uns mit einer Gehirnwäsche schon frühzeitig zu guten katholischen Müttern gemacht.«

Wenn die Mädchen im 19. Jahrhundert auch nur entfernt meiner heutigen Briefschreiberin ähnlich waren, muss man sich eigentlich wundern, dass Fälle wie der von Edgardo Mortara nicht wesentlich häufiger vorkamen. Aber auch so gab es derartige Geschichten im Italien des 19. Jahrhunderts bedrückend oft, und damit stellt sich natürlich eine naheliegende Frage: Warum stellten die Juden in katholischen Ländern überhaupt christliche Dienerinnen ein, wenn das mit einem derartigen Risiko verbunden war? Warum achteten sie nicht genau darauf, dass auch ihre Hausangestellten Juden waren? Wiederum hat die Antwort nicht mit Vernunft, sondern ausschließlich mit Religion zu tun. Die Juden brauchten Diener, denen es ihre Religion nicht verbot, am Sabbat zu arbeiten. Bei einem jüdischen Hausmädchen konnte man sich zwar darauf verlassen, dass es das Kind nicht durch eine Taufe zum spirituellen Waisen machen würde, aber es durfte am Samstag auch weder ein Feuer anzünden noch das Haus putzen. Das war der Grund, warum jüdische Familien, die sich Dienstpersonal leisten konnten, in Bologna zu jener Zeit meistens Katholiken einstellten.

Im vorliegenden Buch habe ich mit Absicht darauf verzichtet, genauer auf die Gräueltaten der Kreuzritter, der *conquistadores* oder der spanischen Inquisition einzugehen. Grausame, böse Menschen gibt es in jedem Jahrhundert, und sie haben alle möglichen Überzeugungen. Aber diese Geschichte über die italienische Inquisition und ihre Einstellung zu Kindern macht besonders gut deutlich, wie ein religiöser Geist funktioniert und welche bösen Dinge gerade deshalb daraus erwachsen, *weil* er religiös ist. Zunächst ist da die bemerkenswerte Vorstellung, ein Spritzer Wasser und ein kurzer Zauberspruch könnten das Leben eines Kindes völlig verändern und seien höher einzustufen als die Einwilligung der Eltern, die Einwilligung des Kindes selbst, das Lebensglück des Kindes und sein psychisches Wohlbefinden – also höher als alles, was gesunder Menschenverstand und humane Gefühle für wichtig erachten würden. Kardinal Antonelli formulierte es zu jener Zeit in einem Brief an Lionel Rothschild, den ersten jüdischen Parlamentsabgeordneten in Großbritannien, nachdem dieser schriftlich gegen die Entführung des Kindes protestiert hatte. Der Kardinal erklärte, er habe keine Möglichkeit einzugreifen, und fügte dann hinzu: »Es mag hier angebracht sein, festzustellen, dass, wenn die Stimme der Natur auch stark ist, die heiligen Pflichten der Religion dennoch stärker sind.« Ja, hm, das sagt doch alles, oder?

Das Zweite ist die erstaunliche Tatsache, dass die Priester, Kardinäle und der Papst selbst offenbar tatsächlich überhaupt nicht begriffen, welche entsetzliche Tat sie an dem kleinen

Edgardo Mortara begingen. Auch wenn es sich jedem vernünftigen Verständnis entzieht: Sie glaubten ganz ehrlich, dass sie ihm etwas Gutes taten, als sie ihn seinen Eltern wegnahmen und einer christlichen Erziehung zuführten. Sie fühlten sich verpflichtet, ihn zu *schützen*! In den Vereinigten Staaten verteidigte eine katholische Zeitung den Standpunkt des Papstes im Fall Mortara; nach ihrer Ansicht war es undenkbar, dass eine christliche Regierung »ein christliches Kind einer Erziehung als Jude überlässt«, und sie berief sich auf die Religionsfreiheit als »die Freiheit eines Kindes, Christ zu sein und nicht zu einem Leben als Jude gezwungen zu werden. [...] Dass der Heilige Vater das Kind schützt, ist angesichts des ganzen wilden Fanatismus und aller Bigotterie das größte moralische Schauspiel, das die Welt seit langer Zeit gesehen hat«.

Gab es jemals eine krassere Fehldeutung von Worten wie »zwingen«, »wild«, »Fanatismus« oder »Bigotterie«? Dennoch deutet alles darauf hin, dass die katholischen Vertreter vom Papst an abwärts ehrlich glaubten, sie täten das Richtige: Es war in ihren Augen moralisch richtig und richtig für das Wohlergehen des Kindes. So stark kann Religion (und zwar die »gemäßigte« Hauptströmung der Religion) Urteile verzerren und normalen menschlichen Anstand ins Gegenteil verkehren. Die Zeitung *Il Cattolico* zeigte sich ehrlich verblüfft, dass so viele Menschen nicht erkannten, welch großherzigen Gefallen die Kirche dem kleinen Edgardo Mortara getan hatte, als sie ihn vor seiner jüdischen Familie rettete:

Wer von uns auch nur den kleinsten ernsthaften Gedanken auf die Angelegenheit verwendet, vergleicht den Zustand eines Juden – ohne echte Kirche, ohne König und ohne Land, verstreut und immer ein Fremder, wo er auch lebt auf dem Antlitz der Erde, und darüber hinaus für immer mit dem hässlichen Makel des Christusmörders behaftet – [...] und begreift dann sofort, welchen großen irdischen Vorteil der Papst dem kleinen Mortara verschafft hat.

Drittens fällt auf, mit welcher Überheblichkeit religiöse Menschen ohne jeden Beleg *wissen*, dass der Glaube ihrer Geburt der einzig wahre Glaube ist, während alle anderen nur Verirrungen oder schlichtweg falsch sind. Die angeführten Zitate machen diese Einstellung für die christliche Seite auf lebhafte Weise deutlich. Im Fall Mortara beide Seiten auf eine Stufe zu stellen wäre höchst ungerecht, aber man kann an dieser Stelle ebenso gut wie an jeder anderen anmerken, dass die Eltern ihren Sohn mit einem Schlag hätten zurückbekommen können: Dazu hätten sie nur auf die Bitten der Priester eingehen und sich selbst taufen lassen müssen. Ursprünglich war Edgardo wegen eines Spritzers Wasser und wegen eines Dutzends sinnloser Worte entführt worden. Doch der religiös indoktrinierte Geist ist so albern, dass zwei weitere Spritzer ausgereicht hätten, um das Ganze wieder rückgängig zu machen. Manch einer sieht in der Weigerung der Eltern schiere Halsstarrigkeit; für andere verdienen sie wegen ihrer Prinzipientreue einen Platz in der langen Liste der Märtyrer aller Religionen und Zeitalter.

»Seid getrost und spielt den Mann, Master Ridley; heute werden wir mit Gottes Gnade eine solche Kerze in England anzünden, dass sie niemals wieder ausgeht!« Zweifellos gibt es Anliegen, für die zu sterben etwas Edles ist. Aber wie konnten die anglikanischen Märtyrer Ridley, Latimer (der die gerade zitierten Worte sprach) und Cranmer sich Mitte des 16. Jahrhunderts unter der katholischen Königin Maria lieber verbrennen lassen als ihrem protestantischen »Spitz-Endentum« zu Gunsten des katholischen »Breit-Endentums« abzuschwören – spielt es denn wirklich eine Rolle, an welchem Ende man ein gekochtes Ei aufschlägt? Doch der religiöse Geist ist von einer derart halsstarrigen – oder, wenn man es so sehen will, bewundernswerten – Überzeugung eingenommen, dass die Mortaras es nicht über sich brachten, die Gelegenheit zu ergreifen und das völlig bedeutungslose Ritual der Taufe über sich ergehen zu lassen. Konnten sie nicht die Finger kreuzen oder leise »nicht« flüstern, während sie getauft wurden? Nein, das konnten sie nicht: Sie waren mit einer (gemäßigten) Religion aufgewachsen und nahmen deshalb das ganze lächerliche Theater ernst. Was mich angeht, so denke ich nur an den armen kleinen Edgardo: Er wurde unwissentlich in eine Welt hineingeboren, die vom religiösen Geist beherrscht war, geriet unschuldig ins Kreuzfeuer und wurde durch eine gut gemeinte Tat, die aber für ein kleines Kind eine entsetzliche Grausamkeit bedeutete, praktisch zum Waisen.

An vierter Stelle – um das Thema fortzusetzen – steht die Annahme, man könne überhaupt zu Recht behaupten, dass ein sechsjähriges Kind eine Religion hat, sei es nun die jüdische, die christliche oder irgendeine andere. Um es anders zu formulieren: Die Vorstellung, die Taufe eines unwissenden Kindes, das nichts versteht, könne es mit einem Schlag von einer Religion in eine andere befördern, erscheint absurd – aber sie ist sicher nicht absurder, als wenn man einem kleinen Kind überhaupt das Etikett einer bestimmten Religion aufdrückt. Für Edgardo war nicht »seine« Religion von Bedeutung (er war so klein, dass er überhaupt keine durchdachten religiösen Meinungen haben konnte), sondern die Liebe und Zuwendung seiner Eltern und Angehörigen, und die wurden ihm von zölibatären Priestern geraubt, deren groteske Grausamkeit nur durch ihre völlige Unsensibilität gegenüber normalen menschlichen Gefühlen abgemildert wurde – eine Unsensibilität, die sich nur allzu leicht einstellt, wenn ein Geist vom religiösen Glauben besessen ist.

Aber ist es nicht auch ohne körperliche Entführung immer eine Form der Kindesmisshandlung, wenn man behauptet, die Kinder besäßen einen Glauben, über den sie mit ihrem geringen Alter überhaupt nicht nachgedacht haben können? Dennoch ist genau das bis heute üblich, und es wird fast nie infrage gestellt. Es zu hinterfragen ist in diesem Kapitel mein wichtigstes Anliegen.

Körperliche und seelische Misshandlung

Wenn man von Kindesmisshandlung durch Priester spricht, meint man damit heute stets den sexuellen Missbrauch. Deshalb fühle ich mich von vornherein verpflichtet, das ganze Thema des sexuellen Missbrauchs in den richtigen Rahmen zu stellen und aus dem Weg zu räumen. Wie viele andere bereits festgestellt haben, herrscht heutzutage im Zusammenhang mit der Pädophilie eine Hysterie, eine Vulgärpsychologie, die an die Hexenverbrennungen von Salem im Jahr 1692 erinnert. Im Juli 2000 organisierte *News of the World*, häufig trotz heftiger Konkurrenz als widerlichste Zeitung Großbritanniens bezeichnet, eine Kampagne unter dem Motto »name and shame«, die nur knapp davor zurückschreckte, selbsternannte Rächer zu unmittelbaren Gewalttaten gegen Pädophile aufzufordern. Von Eiferern, die den Unterschied zwischen einem Pädiater und einem Pädophilen nicht kannten, wurde das Haus eines Kinderarztes überfallen.[150] Die allgemeine Hysterie über Pädophile hat epidemische Ausmaße erreicht und macht vielen Eltern panische Angst. So haben heute die Hänschenkleins, Hänsels und Gretels die Freiheit zum Herumstreifen eingebüßt, die früher (als das tatsächliche Risiko sexueller Übergriffe im Gegensatz zur allgemeinen Wahrnehmung vermutlich nicht geringer war) zu den Freuden der Kindheit gehörte.

Aus Fairness gegenüber *News of the World* darf nicht unerwähnt bleiben, dass die Wellen der Leidenschaft zur Zeit der Kampagne tatsächlich aufgewühlt waren, weil es in Sussex

einen grauenhaften, sexuell motivierten Mord an einem acht-
jährigen entführten Mädchen gegeben hatte. Dennoch ist es
eindeutig ungerecht, an allen Pädophilen auf eine Art Rache zu
nehmen, die nur für die winzige Minderheit der Mörder angemessen wäre. An allen drei Internaten, die ich besucht habe,
waren Lehrer beschäftigt, deren Zuneigung zu kleinen Jungen
eindeutig über die Grenzen des Anstandes hinausging. Das war
tatsächlich zu verurteilen. Wären sie aber 50 Jahre später von
Rächern oder Rechtsanwälten wie Kindesmörder verfolgt worden, hätte ich mich verpflichtet gefühlt, sie zu verteidigen, obwohl ich selbst in einem Fall das Opfer war (ein peinliches, ansonsten aber harmloses Erlebnis).

Die katholische Kirche hat im Rückblick eine große Bürde
an derartiger Schmach zu tragen. Ich mag die katholische Kirche aus allen möglichen Gründen nicht, aber noch weniger
mag ich Ungerechtigkeit, und deshalb muss ich mich einfach
fragen, ob diese eine Institution, insbesondere in Irland und den
Vereinigten Staaten, im Zusammenhang mit diesem Thema
nicht auf ungerechte Weise dämonisiert wurde. Meiner Meinung nach richtet sich der Widerwille der Öffentlichkeit nicht
zuletzt gegen die Heuchelei von Priestern, die sich beruflich
vorwiegend damit beschäftigen, Schuldgefühle wegen »Sünden« zu wecken. Hinzu kommt der Vertrauensmissbrauch durch
eine Autoritätsperson, die zu verehren dem Kind von der
Wiege an anerzogen wurde. Ein solcher verstärkter Widerwille
sollte uns umso mehr dazu mahnen, nicht vorschnell zu urteilen. Wir sollten uns einfach bewusst sein, dass unser Geist über
eine bemerkenswerte Fähigkeit verfügt, falsche Erinnerungen
zusammenzubrauen, zumal wenn wir von skrupellosen Thera-
peuten und geldgierigen Anwälten noch dazu angestiftet werden. Mit großem Mut und trotz boshafter Lobbyarbeit konnte
die Psychologin Elizabeth Loftus zeigen, wie leicht Menschen
sich völlig falsche Erinnerungen ausdenken, die ihnen, wenn sie
Opfer sind, allerdings ebenso real erscheinen wie echte Erleb-

nisse.[151] Weil dieser Sachverhalt unserer Intuition massiv widerspricht, lassen sich Geschworene nur allzu leicht von aufrichtigen, aber falschen Zeugenaussagen einwickeln.

Speziell in Irland kennt man, auch ohne sexuellen Missbrauch, die legendäre Brutalität der Christian Brothers, die dort lange für die Erziehung eines beträchtlichen Teils der männlichen Bevölkerung verantwortlich waren.[152] Das Gleiche kann man über die häufig sadistisch grausamen Nonnen sagen, die in Irland viele Mädchenschulen leiteten. Die berüchtigten Magdalenen-Heime, die Peter Mullan zum Thema seines Films *The Magdalene Sisters (Die unbarmherzigen Schwestern)* machte, gab es noch bis 1996. Doch nach vier Jahrzehnten ist Schadenersatz für Prügel schwerer zu bekommen als für sexuelle Zärtlichkeiten, und es besteht kein Mangel an Anwälten, die sich aktiv um Geschäfte mit Opfern bemühen, obwohl diese sich ansonsten über die entfernte Vergangenheit keinerlei Gedanken mehr gemacht hätten. Die längst vergangene Fummelei in der Sakristei ist eine Goldgrube – in vielen Fällen ist sie so lange her, dass der angebliche Täter wahrscheinlich tot ist und die Geschichte nicht mehr aus seiner Sicht erzählen kann. Die katholische Kirche hat weltweit mehr als eine Milliarde Dollar an Schadenersatz gezahlt.[153] Man könnte fast Mitgefühl mit ihr haben – allerdings nur so lange, bis man sich daran erinnert, woher das Geld ursprünglich stammt.

In der Diskussion nach einem Vortrag in Dublin wurde ich einmal gefragt, was ich von den pressewirksamen Fällen sexuellen Missbrauchs durch katholische Geistliche in Irland hielte. Darauf erwiderte ich, sexueller Missbrauch sei zweifellos etwas Entsetzliches, aber der dadurch verursachte langfristige psychische Schaden sei nachweislich geringer als der, den eine katholische Erziehung anrichte. Die Bemerkung hatte ich ad hoc aus dem Ärmel geschüttelt, aber zu meiner Überraschung erntete ich damit beim irischen Publikum (das zugegebenermaßen aus Dubliner Intellektuellen bestand und vermutlich für das Land als Ganzes nicht repräsentativ war) begeisterten Applaus. Dieser Vorfall fiel mir später wieder ein, als ich einen Brief von einer über vierzigjährigen Amerikanerin erhielt, die katholisch erzogen worden war. Wie sie mir berichtete, waren ihr im Alter von sieben Jahren zwei unangenehme Dinge widerfahren. Sie wurde von ihrem Gemeindepriester in seinem Auto sexuell missbraucht, und ungefähr zur gleichen Zeit war eine kleine Schulfreundin, die auf tragische Weise ums Leben gekommen war, zur Hölle gefahren, weil sie Protestantin war. In diesem Glauben jedenfalls hatte man die Briefschreiberin aufgrund der damaligen offiziellen Lehre ihrer elterlichen Kirche gelassen. Als Erwachsene stand sie gegenüber diesen beiden Fällen katholischer Kindesmisshandlung – die eine körperlich, die andere psychisch – auf dem Standpunkt, dass die zweite bei weitem schlimmer gewesen sei. Sie schrieb mir:

Vom Priester gestreichelt zu werden hinterließ (im Geist einer Siebenjährigen) nur den Eindruck von »Igitt«, aber dass meine Freundin zur Hölle gefahren war, führte bei mir zu einer Erinnerung an kalte, unermessliche Angst. Wegen des Priesters hatte ich keine schlaflosen Nächte – aber ich lag so manche Nacht wach mit dem entsetzlichen Gedanken, dass Menschen, die ich liebte, in die Hölle kommen konnten. Das verursachte mir Albträume.

Zugegeben: Die sexuellen Liebkosungen, die sie im Auto des Priesters erdulden musste, waren relativ harmlos im Vergleich beispielsweise zu Schmerzen und Ekel eines missbrauchten Ministranten. Außerdem redet die katholische Kirche heute angeblich nicht mehr so viel von der Hölle wie früher. Aber das Beispiel zeigt, dass die psychische Kindesmisshandlung zumindest in manchen Fällen schlimmer ist als die körperliche. Alfred Hitchcock, der große Meister der Kunst, Menschen im Kino

Angst einzujagen, zeigte angeblich auf einer Reise durch die Schweiz einmal aus dem Autofenster und sagte: »Das ist der beängstigendste Anblick, den ich jemals gesehen habe.« Es war ein Priester, der sich mit einem kleinen Jungen unterhielt und diesem dabei die Hand auf die Schulter gelegt hatte. Hitchcock beugte sich aus dem Autofenster und rief: »Lauf, kleiner Junge! Lauf um dein Leben!«

»Knüppel und Steine brechen mir die Beine, doch Worte tun mir niemals weh.« Dieses Sprichwort stimmt – allerdings nur, solange man an die Worte nicht *glaubt*. Wenn jedoch unsere ganze Erziehung und alles, was wir von Eltern, Lehrern und Priestern je gehört haben, uns dazu veranlassen zu glauben – *wirklich zu glauben* –, dass Sünder im Höllenfeuer brennen (oder dass andere heimtückische Lehren stimmen, etwa die, dass eine Frau Eigentum ihres Ehemannes sei), dann ist der Gedanke durchaus plausibel, dass Worte längerfristig größeren Schaden anrichten als Taten. Nach meiner Überzeugung ist der Ausdruck »Kindesmisshandlung« keine Übertreibung für das, was Lehrer und Priester einem Kind antun, wenn sie es beispielsweise in dem Glauben erziehen, ungebeichtete Todsünden würden mit dem ewigen Höllenfeuer bestraft.

In der bereits erwähnten Fernsehdokumentation *Root of All Evil?* befragte ich eine Reihe von Religionsführern. Anschließend wurde ich kritisiert, weil ich mir amerikanische Extremisten ausgesucht hatte und keine angesehenen Vertreter aus der Hauptrichtung der Religion, beispielsweise Erzbischöfe.* Diese Kritik hört sich berechtigt an – nur ist das, was der Außenwelt extremistisch erscheint, im Amerika des 21. Jahrhunderts bereits die Hauptrichtung. Zu den Interviewpart-

---

* Ich hatte beim Erzbischof von Canterbury, beim Kardinalerzbischof von Westminster und beim britischen Oberrabbiner wegen eines Interviews angefragt. Alle lehnten ab, und das zweifellos aus gutem Grund. Der Bischof von Oxford willigte ein, und das höchst angenehme Gespräch war ebenso wenig extremistisch, wie es bei den anderen gewesen wäre.

nern, die dem britischen Fernsehpublikum am widerlichsten vorkamen, gehörte beispielsweise Pastor Ted Haggard aus Colorado Springs. In Bushs Amerika jedoch ist »Pastor Ted« kein Extremist, sondern Präsident der National Association of Evangelicals, die 30 Millionen Mitglieder hat, und eigenen Behauptungen zufolge genießt er das Vorrecht, sich jeden Montag mit Präsident Bush telefonisch beraten zu können. Hätte ich nach heutigen amerikanischen Maßstäben echte Extremisten befragen wollen, hätte ich mich an die »Rekonstruktionisten« wenden müssen, die sich mit ihrer »Dominion-Theologie« offen für einen christlichen Gottesstaat in Amerika einsetzen. Ein besorgter amerikanischer Kollege schrieb mir:

> Die Europäer müssen wissen, dass es einen theologischen Wanderzirkus gibt, der die Wiedereinsetzung des alttestamentlichen Rechts fordert – mit der Tötung von Homosexuellen und so weiter – und der politische Ämter oder sogar das Wahlrecht nur Christen zugestehen will. Die Masse der Mittelschicht bejubelt diese Rhetorik. Wenn die Säkularisten nicht aufpassen, werden Dominionisten und Rekonstruktionisten schon bald die Hauptrichtung in einer echten amerikanischen Theokratie darstellen.*

---

* Das Folgende hielt ich zunächst für eine Satire der Zeitschrift *The Onion*, aber es ist offenbar ernst gemeint; vgl. www.talk2action.org/story/2006/5/29/195855/959 (1.4.2007). Es handelt sich um ein Computerspiel namens *Left Behind: Eternal Forces*. P. Z. Myers fasst es auf seiner hervorragenden Website »Pharyngula« so zusammen: »Stellen Sie sich vor, Sie sind Fußsoldat in einer paramilitärischen Gruppierung, die das Ziel hat, Amerika zu einem christlichen Gottesstaat umzugestalten und ihre irdische Vision von der Herrschaft Christi über alle anderen Lebensaspekte zu stellen ... Sie haben den Auftrag – es ist ein religiöser und gleichzeitig militärischer Auftrag –, alle Katholiken, Juden, Muslime, Buddhisten, Homosexuelle und alle, die sich für die Trennung von Kirche und Staat einsetzen, zu bekehren oder umzubringen ...« Vgl. http://scienceblogs.com/pharyngula/2006/05/gta_meet_lbef.php (1.4.2007); eine Zusammenfassung findet sich unter http://select.nytimes.com/gst/abstract. html?res=F1071FFD3C550C718CDDAA0894DE404482 (1.4.2007).

Ein weiterer Gesprächspartner in meinen Fernsehinterviews war Pastor Keenan Roberts, der aus dem gleichen US-Bundesstaat – nämlich Colorado – stammte wie »Pastor Ted«. Pastor Roberts pflegt eine besondere Art der Verrücktheit in Form der »Höllenhäuser«, wie er sie nennt. In ein Höllenhaus werden Kinder von ihren Eltern oder ihrer christlichen Schule gebracht, und dort macht man ihnen wahnsinnige Angst vor dem, was nach dem Tod mit ihnen geschehen kann. Schauspieler spielen in beängstigenden Szenen einzelne »Sünden« wie Abtreibung und Homosexualität nach, während ein scharlachrot gekleideter Satan schadenfroh zusieht. Aber das alles ist nur das Vorspiel zur Glanznummer, der Hölle selbst mit dem realistischen Geruch brennenden Schwefels und den qualvollen Schreien der für immer Verdammten.

Nachdem ich mir eine Probe angesehen hatte – der Teufel war darin richtig schön diabolisch im kitschigen Stil des Bösewichts aus einem viktorianischen Melodram –, interviewte ich Pastor Roberts in Gegenwart seiner Schauspieler. Er erklärte mir, zwölf Jahre seien das beste Alter, in dem die Kinder das Höllenhaus besuchen sollten. Ich war darüber ein wenig schockiert und fragte ihn, ob es ihm keine Sorgen mache, dass Zwölfjährige nach einer seiner Vorführungen Albträume bekommen könnten. Darauf erwiderte er – vermutlich aus ehrlicher Überzeugung:

Mir ist etwas anderes wichtiger: Sie sollen begreifen, dass die Hölle ein Ort ist, wohin sie auf keinen Fall kommen wollen. Lieber erreiche ich sie mit dieser Botschaft im Alter von zwölf Jahren, als dass ich sie damit überhaupt nicht erreiche und sie dann ein Leben in Sünde führen und nie zum Herrn Jesus Christus finden. Wenn sie wegen eines solchen Erlebnisses dann am Ende Alpträume haben, gibt es nach meiner Überzeugung ein höheres Gut, das sie in ihrem Leben letztlich erringen und erreichen, und das ist wichtiger als ein paar Albträume.

Wenn man, was Pastor Roberts als seine Überzeugung ausgibt, wirklich und wahrhaftig glaubt, hält man es sicher auch für richtig, Kinder einzuschüchtern.

Wir können Pastor Roberts nicht als extremistischen Sonderling abtun. Wie Ted Haggard gehört auch er im heutigen Amerika zur Hauptrichtung. Es würde mich nicht einmal wundern, wenn beide sich auch einer weiteren Überzeugung einiger ihrer Glaubensbrüder anschlössen: Demnach hört man die Schreie der Verdammten, wenn man in Vulkane hineinhorcht,[154] und die großen Röhrenwürmer, die man an den heißen Schloten in der Tiefsee findet, sind eine Erfüllung von Markus 9, 43–44: »Wenn dich aber deine Hand zum Abfall verführt, so haue sie ab! Es ist besser für dich, dass du verkrüppelt zum Leben eingehst, als dass du zwei Hände hast und fährst in die Hölle, in das Feuer, das nie verlöscht, wo der Wurm nicht stirbt und das Feuer nicht verlöscht.«

Wie die Hölle in ihrer Vorstellung auch aussehen mag, alle diese Höllenfeuer-Fans teilen offenbar die hämische Schadenfreude und Selbstgerechtigkeit derer, die genau wissen, dass sie selbst zu den Erretteten gehören. Die gleiche Einstellung vermittelt auch Thomas von Aquin, jener größte aller Theologen, in seiner *Summa Theologia*: »Damit die Heiligen ihr Glück und die Gnade Gottes besser genießen können, ist es ihnen gestattet, der Bestrafung der Verdammten in der Hölle zuzusehen.« Wirklich nett, der Mann.*

Selbst Menschen, die ansonsten völlig rational sind, empfinden unter Umständen eine sehr reale Angst vor dem Höllen-

---

* Man vergleiche damit Ann Coulters liebenswürdige christliche Nächstenliebe: »Ich fordere alle, die wie ich Religionsanhänger sind, ausdrücklich auf, mir zu versichern, dass sie über den Gedanken, dass Dawkins in der Hölle brennt, nicht lachen« (Coulter 2006, S. 268).

feuer. Nach meiner Fernsehdokumentation über die Religion erhielt ich neben vielen anderen Briefen auch den folgenden von einer offensichtlich intelligenten, ehrlichen Frau:

> Ich habe seit meinem fünften Lebensjahr eine katholische Schule besucht und wurde von Nonnen indoktriniert, die mit Lederriemen, Stöcken und Knüppeln zu Werke gingen. Während meiner Pubertät las ich Darwin, und was er über Evolution zu sagen hatte, erschien dem logischen Teil meines Geistes absolut sinnvoll. Aber ich habe während meines Lebens viele Konflikte durchlitten, und ganz tief in mir wird häufig die Furcht vor dem Höllenfeuer geweckt. Ich habe eine Psychotherapie gemacht und konnte dort einen Teil meiner früheren Probleme aufarbeiten, aber dieser tief sitzenden Angst werde ich einfach nicht Herr.
>
> Deshalb schreibe ich Ihnen mit der Bitte, ob Sie mir Namen und Adresse der Therapeutin nennen können, die Sie diese Woche in Ihrer Sendung interviewt haben und die sich speziell mit solchen Ängsten beschäftigt.

Ich war von dem Brief sehr gerührt und antwortete (wobei ich ein kurzfristiges, schändliches Bedauern darüber unterdrückte, dass es für Nonnen keine Hölle gibt); ich schrieb ihr, sie solle sich auf ihre Vernunft verlassen, denn diese sei ein großes Geschenk, das sie – im Gegensatz zu Menschen, die weniger Glück hatten – offensichtlich besitze. Ich äußerte die Vermutung, Priester und Nonnen würden die Hölle deshalb so extrem entsetzlich darstellen, weil sie einen Ausgleich für ihre mangelnde Plausibilität schaffen wollten. Wäre die Hölle plausibel, müsste sie nur mäßig unangenehm sein, um ihre Abschreckungswirkung zu erzielen. Aber da ihre Existenz so unwahrscheinlich ist, muss man sie als besonders beängstigend zeichnen, um einen Ausgleich für die fehlende Plausibilität zu schaffen und ihr einen gewissen Abschreckungswert zu erhalten. Außerdem stellte ich den Kontakt zu der erwähnten Therapeutin Jill Mytton her, einer reizenden, zutiefst aufrichtigen Frau, die ich vor der Kamera befragt hatte. Jill war selbst in einer ganz besonders anrüchigen Sekte namens Exclusive Brethren aufgewachsen; die Gruppe war so unangenehm, dass sogar eine ganze Website (www.peebs.net) sich mit der Fürsorge für Menschen beschäftigt, die ihr entkommen sind.

Jill Mytton war mit der Angst vor der Hölle groß geworden und hatte sich als Erwachsene vom Christentum abgewandt; heute berät und therapiert sie andere, die in ihrer Kindheit ähnlich traumatisiert wurden: »Wenn ich an meine Kindheit zurückdenke, war Angst das beherrschende Element. Es war die Angst vor Zurückweisung in der Gegenwart, aber auch vor der ewigen Verdammnis. Für ein Kind sind Bilder von Höllenfeuer und Zähneklappern sehr real. Sie haben nichts Metaphorisches.«

Dann erkundigte ich mich, was man ihr als Kind nun tatsächlich über die Hölle erzählt hätte. Die Antwort bewegte mich ebenso stark wie ihr Gesichtsausdruck während das langen Zögerns, bevor sie antwortete: »Es ist schon seltsam, oder? Nach so langer Zeit kann es mich immer noch … betroffen machen, … wenn Sie … wenn Sie mir diese Frage stellen. Die Hölle ist ein schrecklicher Ort. Die völlige Zurückweisung durch Gott. Die völlige Verurteilung. Da gibt es echtes Feuer, echte Qualen, echte Foltern, und das geht immer so weiter und es gibt kein Entrinnen.«

Im weiteren Verlauf erzählte sie mir, dass sie Selbsthilfegruppen für Menschen leitet, die eine ähnliche Kindheit hinter sich haben wie sie selbst. Ausführlich erklärte sie, wie schwer es vielen Leuten fällt, so etwas hinter sich zu lassen: »Das Hinter-sich-lassen ist außerordentlich schwierig. Man lässt ein ganzes soziales Netzwerk zurück, ein ganzes System, in dem man mehr oder weniger groß geworden ist, und ein Glaubenssystem, von dem man jahrelang überzeugt war. Sehr oft lässt man auch Angehörige und Freunde zurück ... Für die existiert man eigentlich nicht mehr.« Hier konnte ich meine eigenen Erfahrungen beisteuern – Briefe von Menschen in den Vereinigten Staaten, die mir berichteten, wie sie meine Bücher gelesen und anschließend ihre Religion aufgegeben hatten. Das Bedrückende dabei: Viele erklärten, sie hätten es nicht gewagt, ihren Angehörigen etwas davon zu sagen; oder aber sie hätten es der Familie gesagt und das habe schreckliche Folgen gehabt. Das folgende Schreiben ist typisch. Es stammt von einem jungen amerikanischen Medizinstudenten:

Ich habe das Bedürfnis, Ihnen eine E-Mail zu schreiben, denn ich teile Ihre Ansicht über die Religion, eine Ansicht, die, wie Sie sicher wissen, in Amerika einsam macht. Ich bin in einer christlichen Familie aufgewachsen, und obwohl ich mich beim Gedanken an Religion nie ganz wohl gefühlt habe, hatte ich erst vor kurzem den Mut, es jemandem zu sagen. Dieser Jemand war meine Freundin, und sie war ... entsetzt. Dass die Erklärung, man sei Atheist, schockierend wirken kann, ist mir klar, aber seither ist es, als würde sie in mir einen völlig anderen Menschen sehen. Sie sagt, sie könne kein Vertrauen mehr zu mir haben, weil meine Moral nicht von Gott kommt. Ich weiß nicht, ob wir darüber hinwegkommen werden, und vor allem möchte ich meine Überzeugung nicht den anderen Menschen mitteilen, die mir nahe stehen, weil ich die gleiche Reaktion des Widerwillens fürchte. [...] Ich rechne nicht damit, dass Sie mir antworten. Ich schreibe Ihnen nur, weil ich hoffe, dass Sie Mitgefühl mit mir haben und meine Frustration teilen. Stellen Sie sich vor, Sie verlieren wegen der Religion einen Menschen, den Sie geliebt haben und der Sie geliebt hat. Abgesehen davon, dass meine Freundin mich jetzt für einen gottlosen Heiden hält, haben wir hervorragend zusammengepasst. Es erinnert mich an Ihre Beobachtung, dass Menschen im Namen ihres Glaubens völlig verrückte Dinge tun. Vielen Dank, dass Sie mir zugehört haben.

In meiner Antwort an den unglücklichen jungen Mann machte ich ihn darauf aufmerksam, dass nicht nur seine Freundin eine neue Seite an ihm kennen gelernt habe, sondern auch er an ihr. War sie wirklich gut genug für ihn? Ich hatte da meine Zweifel.

Ich habe bereits die amerikanische Komikerin Julia Sweeney erwähnt, die sich hartnäckig und auf liebenswert-komische Weise darum bemühte, in der Religion tröstliche Aspekte zu finden und den Gott ihrer Kindheit vor den zunehmenden Zweifeln der erwachsenen Frau zu retten. Ihre Suche endete glücklich, und heute ist sie ein bewundernswertes Vorbild für Atheisten auf der ganzen Welt. Die vielleicht bewegendste Szene ihrer Show *Letting Go of God* (»Von Gott will ich lassen«) ist das Finale. Sie hat inzwischen alles versucht, und dann …

… als ich von meinem Büro im Hinterhof ins Haus ging, wurde mir klar, dass da in meinem Kopf eine winzig kleine leise Stimme sprach. Ich wusste nicht genau, wie lange sie schon da war, aber plötzlich wurde sie einen Tacken lauter. Sie flüsterte: »Es gibt keinen Gott.«

Ich wollte sie überhören. Aber da wurde sie wieder ein bisschen lauter. »Es gibt keinen Gott. Es gibt keinen Gott. *Oh mein Gott, es gibt keinen Gott.*« […]

Ich erschauderte. Es war ein Gefühl, als würde ich über Bord fallen.

Dann dachte ich: »Aber ich kann das nicht. Ich weiß nicht, ob ich es schaffe, nicht an Gott zu glauben. Ich brauche Gott. Ich meine, wir haben doch eine Vergangenheit.« […]

»Aber ich weiß nicht, wie man nicht an Gott glaubt. Ich weiß nicht, wie man das macht. Wie steht man dann morgens auf, wie kommt man durch den Tag?« Ich fühlte mich unausgeglichen …

Dann dachte ich: »Na gut, immer mit der Ruhe. Setzen wir mal kurz die Nicht-an-Gott-glauben-Brille auf, nur für eine Minute. Setz die Kein-Gott-Brille auf, sieh dich kurz um und nimm sie dann sofort wieder ab.« Also habe ich sie aufgesetzt und mich umgeschaut.

Es ist mir peinlich, aber ich muss berichten, dass mir erst einmal schwindelig wurde. Ich habe wirklich gedacht: »Wie bleibt die Erde denn bloß da oben am Himmel? Sie meinen, wir sausen einfach durch das Weltall? Das ist aber gefährlich!« Ich wollte hinauslaufen und die Erde auffangen, wenn sie aus dem Weltraum in meine Hände fiele.

Aber dann fiel mir ein: »Ach ja, Gravitation und Winkelimpuls sorgen dafür, dass wir vermutlich noch sehr, sehr lange um die Sonne kreisen werden.«

Als ich *Letting Go of God* in einem Theater in Los Angeles sah, war ich von dieser Szene zutiefst gerührt, insbesondere als Julia im weiteren Verlauf berichtete, wie ihre Eltern auf die Nachricht von ihrer Heilung reagiert hatten:

Der erste Anruf von meiner Mutter bestand fast nur aus Geschrei. »Atheistin? ATHEISTIN?!?!«

Dann rief mein Vater an und sagte: »Du hast deine Familie verraten, deine Schule, deine Heimatstadt.« Es war, als hätte ich Staatsgeheimnisse an die Russen verkauft. Beide erklärten, sie würden nicht mehr mit mir reden. Mein Vater sagte: »Ich will nicht einmal, dass du zu meiner Beerdigung kommst.« Nachdem ich aufgelegt hatte, dachte ich: »Versucht nur, mich aufzuhalten.«

Julia Sweeneys Begabung besteht unter anderem darin, dass sie ihr Publikum gleichzeitig zum Lachen und zum Weinen bringt:

Ich glaube, meine Eltern waren ein wenig enttäuscht, als ich ihnen sagte, dass ich nicht mehr an Gott glaube, aber eine *Atheistin* zu sein – das war etwas ganz anderes.

Dan Barker erzählt in seinem Buch *Losing Faith in Faith: From Preacher to Atheist* (»Wenn man den Glauben an den Glauben verliert: Vom Prediger zum Atheisten«), wie er vom engagierten, fundamentalistischen Geistlichen und eifrigen Wanderprediger nach und nach zu dem überzeugten, selbstbewussten Atheisten wurde, der er heute ist. Das Interessante dabei: Auch nachdem Barker zum Atheisten geworden war, wahrte er noch eine Zeit lang den Anschein und predigte weiterhin das Christentum, weil es der einzige Beruf war, den er kannte, und weil er sich in einem Geflecht gesellschaftlicher Verpflichtungen gefangen fühlte. Heute weiß er, dass viele andere amerikanische Geistliche in der gleichen Lage sind, sich aber nur ihm anvertrauten, nachdem sie sein Buch gelesen hatten. Sie wagen es nicht einmal, gegenüber ihren eigenen Angehörigen ihren Atheismus einzugestehen, weil sie mit so entsetzlichen Reaktionen rechnen. Barkers eigene Geschichte fand ein glücklicheres Ende. Seine Eltern waren zunächst zwar zutiefst schockiert, aber sie hörten sich seine ruhige Argumentation an und wurden schließlich selbst zu Atheisten.

Zwei Professoren einer amerikanischen Universität schrieben mir unabhängig voneinander und berichteten über ihre Eltern. Der eine erklärte, seine Mutter leide unter ständigem Kummer, weil sie um seine unsterbliche Seele fürchte. Der andere schrieb, seinem Vater sei es lieber, er wäre nie geboren worden, so fest sei seine Überzeugung, dass er, der Sohn, später auf alle Ewigkeit in der Hölle landen werde. In beiden Fällen handelte es sich um hoch gebildete Universitätsprofessoren, die in ihren Fachgebieten und ihrer Reife höchst selbstbewusst waren, und beide hatten vermutlich ihre Eltern in allen intellektuellen Fragen weit hinter sich gelassen, nur nicht in Bezug auf die Religion. Man stelle sich nur vor, was für ein Martyrium es für intellektuell weniger gefestigte Menschen sein muss, die durch Bildung und rhetorische Fähigkeiten nicht so gut gerüstet sind wie diese beiden oder wie Julia Sweeney, und die dann ihre Position gegenüber hartherzigen Angehörigen verteidigen sollen. Solche Qualen durchlebten vermutlich viele von Jill Myttons Patienten.

An einer früheren Stelle in unserem Fernsehgespräch hatte Jill die beschriebene Form der religiösen Erziehung als geistige Misshandlung bezeichnet, und auf diese Aussage kam ich später mit folgenden Worten zurück: »Sie sprechen von religiöser Misshandlung. Wenn Sie die Misshandlung, ein Kind mit einem echten Glauben an die Hölle großzuziehen, in Relation setzen sollten, wo steht sie Ihrer Ansicht nach, was die Traumatisierung angeht, im Vergleich zu sexueller Misshandlung?« Darauf erwiderte sie: »Das ist eine sehr schwierige Frage … Ich glaube, es gibt zwischen beidem große Ähnlichkeiten, denn in beiden Fällen wird Vertrauen missbraucht; dem Kind wird das Recht abgesprochen, sich frei und offen zu fühlen und normale Beziehungen zu seiner Umwelt herzustellen. […] Es ist eine Form der Diffamierung; in beiden Fällen wird in gewisser Weise das eigentliche Ich geleugnet.«

Zum Schutz der Kinder

Mein Kollege, der Psychologe Nicholas Humphrey, nahm 1997 in seiner Amnesty Lecture in Oxford das schon zitierte Sprichwort »Knüppel und Steine brechen mir die Beine, doch Worte tun mir niemals weh« als Ausgangspunkt.[155] Dass dieses Sprichwort wohl nicht immer stimme, belegten zum Beispiel die Voodoo-Anhänger auf Haiti, die innerhalb weniger Tage stürben, wenn ein böser »Zauber« über sie verhängt werde – offensichtlich durch irgendeinen psychosomatischen Angsteffekt. Dann warf er die Frage auf, ob Amnesty International – der Nutznießer der Vortragsreihe, in deren Rahmen er auftrat – einen Feldzug gegen verletzende oder schädliche Reden oder Publikationen führen sollte. Er beantwortete die Frage selbst mit einem klaren Nein gegenüber einer solchen allgemeinen Zensur: »Die Meinungsfreiheit ist so kostbar, dass man nicht damit herumspielen sollte.« Doch dann schockierte er sein eigenes liberales Ich, indem er sich für die Zensur in einem wichtigen Ausnahmefall einsetzte. Einzugreifen sei bei schweren Fehlentwicklungen in der ethischen und religiösen Erziehung von Kindern,

insbesondere zu Hause, wo es den Eltern gestattet – und sogar von ihnen erwartet – wird, dass sie für ihre Kinder bestimmen, was als wahr und gelogen, als richtig und falsch zu gelten hat. Nach meiner Überzeugung ist es ein Menschenrecht der Kinder, dass ihr Geist nicht durch die schlechten Gedanken anderer Menschen verkrüppelt wird – ganz gleich, wer diese anderen Menschen sind. Entsprechend haben Eltern kein gottgegebenes Recht, ihre Kinder auf irgendeine von den Eltern gewählte Weise kulturell zu indoktrinieren: kein Recht, den Wissenshorizont ihrer Kinder zu beschränken, sie in einer Atmosphäre von Dogmen und Aberglauben aufwachsen zu lassen oder darauf zu bestehen, dass sie dem einfachen, schmalen Weg des elterlichen Glaubens folgen.

Kurz gesagt, Kinder haben das Recht, dass ihr Geist nicht durch Unsinn verdorben wird, und wir als Gesellschaft haben die Pflicht, sie davor zu schützen. Den Kindern beispielsweise beizubringen, an den wörtlichen Wahrheitsgehalt der Bibel zu glauben oder anzunehmen, dass die Planeten über ihr Leben bestimmen, sollten wir Eltern ebenso wenig gestatten, wie wir ihnen erlauben, ihren Kindern die Zähne auszuschlagen oder sie in einem Kerker einzusperren.

453

Eine derart folgenschwere Aussage braucht natürlich eine umfassende Begründung, und die bekam sie auch. Ist es nicht eine Frage der persönlichen Meinung, was Unsinn ist? Wurde nicht auch die orthodoxe Naturwissenschaft so oft über den Haufen geworfen, dass es uns zur Vorsicht mahnen sollte? Naturwissenschaftler halten es vielleicht für Unsinn, Astrologie oder den wörtlichen Wahrheitsgehalt der Bibel zu lehren, aber andere sind vom Gegenteil überzeugt, und haben nicht auch sie das Recht, dies ihren Kindern beizubringen? Ist es nicht genauso arrogant, wenn man darauf beharrt, Kinder sollten Naturwissenschaft lernen?

Ich bin meinen Eltern sehr dankbar dafür, dass sie überzeugt waren, man solle Kindern weniger beibringen, *was* sie denken, als vielmehr, *wie* sie denken. Wenn sie sich auf faire, ordnungsgemäße Weise mit allen naturwissenschaftlichen Belegen beschäftigt haben, erwachsen werden und dann zu der Überzeugung gelangen, die Bibel sei wortwörtlich wahr oder ihr Leben werde von den Bewegungen der Planeten bestimmt, dann ist dies ihr gutes Recht. Wichtig ist dabei, dass es *ihr* Recht ist, selbst zu entscheiden, was sie denken wollen, und dass es nicht das Recht der Eltern ist, es ihnen *aufzuzwingen*, nur weil sie die Stärkeren sind. Besonders wichtig ist das natürlich, wenn man bedenkt, dass die Kinder von heute die Eltern der nächsten Generation sind und dann möglicherweise jede Indoktrination, die sie geprägt hat, wiederum weitergeben.

Solange Kinder klein, verletzlich und schutzbedürftig sind, zeigt sich wahre moralische Obhut nach Humphreys Ansicht darin, dass man sich ehrlich darum bemüht zu erraten, wie sie sich selbst entscheiden würden, wenn sie dazu schon alt genug wären. Als bewegendes Beispiel nennt er das kleine Inkamädchen, dessen 500 Jahre alte, tiefgefrorene Überreste 1995 in den Bergen von Peru gefunden wurden. Der Anthropologe, der die Leiche entdeckte, bezeichnete sie als Opfer eines Ritualmordes. Wie Humphrey berichtet, zeigte das

US-amerikanische Fernsehen eine Dokumentation über das »Mädchen aus dem Eis«. Darin wurden die Zuschauer aufgefordert,

> über das spirituelle Engagement der Inkapriester zu staunen und mit dem Mädchen auf seiner letzten Reise den Stolz und die Aufregung zu teilen, dass ihr die besondere Ehre zuteil wurde, geopfert zu werden. Letztlich lautete die Aussage der Fernsehsendung: Die Praxis des Menschenopfers ist auf ihre Weise eine ehrenvolle kulturelle Errungenschaft – ein weiterer Edelstein in der Krone des Multikulturalismus, wenn man so will.

Humphrey hält das für einen Skandal. Ich auch.

Aber wie kann jemand es wagen, so etwas auch nur zu äußern? Wie können sie es wagen, uns – die wir im Wohnzimmer vor dem Fernseher sitzen – aufzufordern, wir sollten bei der Betrachtung eines Ritualmordes erhebende Gefühle haben – bei einem Mord, den eine Gruppe aufgeblasener, abergläubischer alter Ignoranten an einem wehrlosen Kind begeht? Wie können sie es wagen, uns aufzufordern, wir sollten eine unmoralische, an einem anderen Menschen begangene Tat gut finden?

Auch hier beschleichen den anständigen liberalen Leser möglicherweise ungute Gefühle. Natürlich, nach unseren Maßstäben ist es unmoralisch, und dumm ist es auch, aber wie steht es mit den Maßstäben der Inkas? Für sie war das Opfer doch sicher eine moralische Handlung und alles andere als dumm, denn es war doch durch alles, was ihnen heilig war, sanktioniert? Das kleine Mädchen war zweifellos eine treue Anhängerin der Religion, mit der sie erzogen worden war. Wer sind wir, dass wir ein Wort wie »Mord« gebrauchen und damit das Urteil über die Inkapriester nach unseren Maßstäben und nicht nach ihren eigenen fällen? Vielleicht war die Kleine ja verzückt und glücklich über ihr Schicksal. Vielleicht glaubte sie wirklich, sie werde sofort ins ewige Paradies eingehen, wo der Sonnengott sie mit seiner strahlenden Gesellschaft wärmte. Vielleicht – und das erscheint viel wahrscheinlicher – schrie sie aber auch vor Entsetzen.

Humphrey – und mir – geht es allerdings um etwas anderes: Ganz gleich, ob sie ein bereitwilliges Opfer war oder nicht, es bestehen stichhaltige Gründe für die Annahme, dass sie sich nicht bereitwillig geopfert hätte, wenn sie alle Tatsachen gekannt hätte. Nehmen wir beispielsweise an, sie hätte gewusst, dass die Sonne in Wirklichkeit eine Kugel aus Wasserstoff ist, der heißer ist als eine Million Grad und der sich durch Kernfusion in Helium verwandelt, und dass diese Kugel ursprünglich aus einer Gas-Scheibe entstanden ist, aus der auch das übrige Sonnensystem einschließlich der Erde hervorging … Vermutlich hätte sie dann die Sonne nicht als Gott angebetet, und damit hätte sich auch ihre Sichtweise in der Frage, ob sie diesen Gott durch ihr Opfer besänftigen solle, geändert.

Den Inkapriestern kann man ihre Ignoranz nicht vorwerfen, und man mag es für zu hart halten, sie als dumm und aufgeblasen zu bezeichnen. Aber man kann sie zu Recht beschuldigen, dass sie ihre eigenen Überzeugungen einem Kind aufzwangen, das zu jung war, um selbst zu entscheiden, ob es den Sonnengott anbeten wollte oder nicht. Wie Humphrey außerdem betont, kann man es den heutigen Dokumentarfilmmachern und uns, ihrem Publikum, vorwerfen, dass sie und wir in dem Tod des kleinen Mädchens etwas Schönes sehen – »etwas, das *unsere* gemeinsame Kultur bereichert«.

Die gleiche Tendenz, wunderliche religiöse Gewohnheiten einzelner ethnischer Gruppen zu glorifizieren und die in ihrem Namen begangenen Grausamkeiten zu rechtfertigen, zeigt sich immer und immer wieder. Sie wird zur Ursache quälender

Konflikte im Geist netter liberaler Menschen, die einerseits Leiden und Grausamkeit nicht ertragen können, andererseits aber von Postmodernisten und Relativisten darauf trainiert wurden, andere Kulturen nicht weniger zu respektieren als ihre eigene. Die Verstümmelung der Geschlechtsorgane von Frauen (manchmal auch »Beschneidung« genannt) ist zweifellos äußerst schmerzhaft, sie macht sexuelle Lust bei den Opfern unmöglich (was vermutlich ihr eigentlicher Zweck ist), und die eine Hälfte des anständigen liberalen Geistes will sie abschaffen. Die andere Hälfte jedoch »respektiert« ethnische Kulturen und glaubt, wir sollten nicht eingreifen, wenn »sie« »ihre« Mädchen verstümmeln wollen.*

In Wirklichkeit sind »ihre« Mädchen natürlich eigenständige Persönlichkeiten, und deren Wünsche sollte man nicht übergehen. Aber die Antwort kann auch schwieriger sein: Was ist, wenn ein Mädchen selbst sagt, es wolle beschnitten werden? Würde das Mädchen sich als umfassend informierte Erwachsene im Rückblick nicht vielleicht wünschen, es wäre nie geschehen? Humphrey weist darauf hin, dass keine erwachsene Frau, die der Beschneidung als Kind aus irgendeinem Grund entgangen ist, die Operation später im Leben freiwillig auf sich nimmt.

Ausführlich beschäftigt sich Humphrey auch mit den Amischen (einer nach ihrem Begründer Jakob Amann benannten mennonitischen Sekte) und deren Recht, »ihre eigenen« Kinder auf »ihre eigene« Weise großzuziehen. Ätzend ist seine Kritik an der Begeisterung unserer Gesellschaft

---

* Dies ist noch heute in Großbritannien regelmäßige Praxis. Wie ein leitender Beamter der Schulbehörde mir berichtete, wurden Mädchen aus London auch 2006 zur Beschneidung zu einem »Onkel« nach Bradford geschickt. Die Behörden bleiben aus Angst, »die Gemeinschaft« werde ihnen Rassismus vorwerfen, auf diesem Auge blind.

für die Erhaltung der kulturellen Vielfalt. Nun gut, möchte man vielleicht sagen, für ein Kind der Amischen oder der Hasidim oder der Zigeuner ist es schon schwierig, wenn es von seinen Eltern so erzogen wird – aber zumindest hat es zur Folge, dass diese faszinierenden kulturellen Traditionen erhalten bleiben. Würde nicht unsere ganze Zivilisation verarmen, wenn es sie nicht mehr gäbe? Vielleicht ist es eine Schande, wenn einzelne geopfert werden müssen, damit eine solche Vielfalt bestehen bleibt. Aber so ist es nun einmal: Es ist der Preis, den wir als Gesellschaft zahlen. Nur – und ich fühle mich verpflichtet, daran zu erinnern: Nicht *wir* zahlen diesen Preis, sondern *sie*.

In den Blickpunkt der Öffentlichkeit geriet das Thema 1972, als der Oberste Gerichtshof der Vereinigten Staaten den Präzedenzfall »Wisconsin gegen Yoder« zu entscheiden hatte. Es ging um das Recht der Eltern, ihre Kinder aus religiösen Gründen vom öffentlichen Schulwesen fernzuhalten. Die Amischen leben als geschlossene Gruppen in verschiedenen Teilen der USA; die meisten von ihnen sprechen Pennsylvania Dutch, einen altertümlichen deutschen Dialekt, und lehnen Elektrizität, Verbrennungsmotoren, Reißverschlüsse und andere Ausdrucksformen des modernen Lebens in unterschiedlich starkem Ausmaß ab. Tatsächlich hat eine solche Insel des Lebens, wie es im frühen 18. Jahrhundert war, als Schauspiel für den heutigen Betrachter einen eigenartigen Reiz. Ist sie als Bereicherung für die Vielfalt des menschlichen Lebens nicht erhaltenswert? Erhalten kann man sie indes nur, wenn man den Amischen gestattet, ihre eigenen Kinder auf ihre eigene Weise zu erziehen und sie vor dem verderblichen Einfluss der modernen Zeit zu schützen. Allerdings stellt sich auch die Frage: Sollten die Kinder in dieser Angelegenheit nicht selbst etwas zu sagen haben?

Angerufen wurde der Oberste Gerichtshof 1972, als einige

Eltern in Wisconsin ihre Kinder nicht zur Highschool gehen ließen. Schon der Gedanke an Ausbildung oberhalb eines bestimmten Alters verstieß gegen die religiösen Werte der Amischen, und ganz besonders galt das für naturwissenschaftliche Ausbildung. Der Bundesstaat Wisconsin verklagte die Eltern und vertrat die Ansicht, den Kindern werde ihr Recht auf Bildung verweigert. Der Fall ging durch alle Instanzen und erreichte schließlich den Supreme Court, der mit 6:1 Stimmen zugunsten der Eltern entschied.[156] Die Mehrheitsmeinung des Gerichts, niedergeschrieben vom Leitenden Richter Warren Burger, enthielt folgende Passage: »Wie aus den Unterlagen hervorgeht, birgt eine Schulpflicht bis zum sechzehnten Lebensjahr für Kinder der Amischen die echte Gefahr, dass die Gemeinschaft und die religiöse Praxis der Amischen, wie sie heute existieren, untergraben werden; sie müssten entweder ihren Glauben aufgeben und sich in die Gesamtgesellschaft einfügen, oder sie wären gezwungen, in eine andere, tolerantere Region abzuwandern.«

Richter William O. Douglas vertrat in seinem Minderheitenvotum die Meinung, man hätte die Kinder selbst fragen sollen. Wollten diese wirklich, dass ihre Schulzeit verkürzt wurde? Wollten sie wirklich bei der Religion der Amischen verbleiben?

Nicholas Humphrey wäre sogar noch weiter gegangen. Angenommen, man hätte die Kinder gefragt, und sie hätten ihre Vorliebe für die Religion der Amischen bekundet: Können wir davon ausgehen, dass sie dies auch getan hätten, wenn man sie während ihrer Schulzeit über Alternativen informiert hätte? Wenn eine solche Entscheidung plausibel wäre, sollte es dann nicht auch junge Menschen aus der Außenwelt geben, die mit den Füßen abstimmen und sich freiwillig den Amischen anschließen würden? Richter Douglas ging in einer etwas anderen Richtung ebenfalls noch einen Schritt weiter: Er sah keinen besonderen Anlass, gerade den *religiösen* Ansichten der Eltern in der Entscheidung über die Frage, inwieweit sie ihren Kin-

dern die Bildung verweigern dürften, eine Sonderstellung einzuräumen. Wenn die Religion ein Grund für Ausnahmen sei,
könnte es dann nicht auch säkulare Überzeugungen geben, die
ebenfalls ein solches Recht begründen?

Die Mehrheit des Obersten Gerichtshofes zog eine Parallele
zu manchen positiven Werten der Mönchsorden, von denen
man durchaus behaupten kann, dass sie für unsere Gesellschaft
eine Bereicherung darstellen. Aber wie Humphrey betont, besteht hier ein gravierender Unterschied: Mönche wählen aus
freien Stücken das Leben im Kloster. Die Kinder der Amischen
dagegen haben sich nie dafür entschieden, Amische zu sein; sie
wurden in die Gemeinschaft hineingeboren und hatten keine
andere Wahl.

Es hat schon etwas atemberaubend Anmaßendes und auch
Unmenschliches, wenn man Menschen, insbesondere Kinder,
auf dem Altar der »Vielfalt« und der wünschenswerten Erhaltung verschiedener religiöser Traditionen opfert. Wir anderen
freuen uns über Autos und Computer, Impfstoffe und Antibio-
tika, aber ihr seltsamen kleinen Leute mit euren Hauben und
Kniebundhosen, mit euren Pferdewagen, eurem altertümlichen
Dialekt und euren Plumpsklos, ihr bereichert unser Leben.
Natürlich muss es euch erlaubt sein, eure Kinder auf eurer
Zeitreise ins frühe 18. Jahrhundert bei euch festzuhalten, denn
sonst würde uns etwas Unwiederbringliches verloren gehen:
ein Teil der großartigen Vielfalt unserer menschlichen Kultur.
Ein kleiner Teil von mir kann erkennen, dass eine solche Argumentation etwas für sich hat. Aber der größere Teil fühlt sich
dabei ausgesprochen unwohl.

Ein Erziehungsskandal

Tony Blair, der Premierminister meines Heimatlandes, berief
sich auf die »Vielfalt«, als er im Unterhaus auf eine Anfrage der

Abgeordneten Jenny Tonge antwortete und dabei rechtfertigen sollte, warum eine Schule im Nordosten Englands, die (nahezu als Einzige in Großbritannien) den wortwörtlichen biblischen Kreationismus lehrt, staatliche Subventionen erhielt. Mr. Blair erwiderte, es wäre ein Unglück, wenn Bedenken in dieser Frage die Bemühungen beeinträchtigten, »ein möglichst vielfältiges Schulsystem« zu erhalten.[157] Die fragliche Schule, das Emmanuel College in Gateshead, ist eine der »City Academies«, die von der Blair-Regierung im Rahmen einer stolzen Initiative gegründet wurden. Reiche Wohltäter wurden und werden aufgefordert, einen relativ geringen Geldbetrag (im Fall des Emmanuel College zwei Millionen Pfund) bereitzustellen, der dann durch eine wesentlich größere Summe aus Steuermitteln aufgestockt wird (20 Millionen Pfund für die Schule, dazu die laufenden Betriebskosten und Gehälter); der Wohltäter erwirbt sich damit das Recht, über das Ethos der Schule zu bestimmen, die Mehrheit in der Schulverwaltung zu ernennen, Richtlinien für Aufnahme und Ausschluss von Schülern aufzustellen, und vieles andere mehr.

Der 10-Prozent-Wohltäter des Emmanuel College ist Sir Peter Vardy, ein wohlhabender Autohändler mit dem ehrenwerten Wunsch, den heutigen Kindern die Ausbildung zu ermöglichen, die er selbst gern gehabt hätte. Weniger ehrenwert ist dagegen sein Wunsch, ihnen auch seine persönlichen religiösen Überzeugungen aufzudrücken.* Leider ließ sich Vardy mit einer Clique amerikanisch inspirierter fundamentalistischer Lehrer ein; ihr Kopf ist Nigel McQuoid, der früher das Emmanuel College leitete und heute Direktor einer ganzen Gruppe von Vardy-Schulen ist. Das Niveau von McQuoids naturwissenschaftlichen Kenntnissen zeigt sich an seiner Überzeugung, die Welt sei noch keine 10 000 Jahre alt, sowie in folgendem Zi-

---

* H. L. Mencken bewies prophetische Qualitäten, als er schrieb: »Tief im Herzen jedes Evangelisten liegt der Schiffbruch eines Autohändlers.«

tat: »Aber der Gedanke, dass wir uns einfach aus einem Knall entwickelt haben, dass wir früher Affen waren, erscheint völlig unglaublich, wenn man sich die Komplexität des menschlichen Körpers ansieht. [...] Wenn man Kindern sagt, dass ihr Leben kein Ziel hat – dass sie nur eine chemische Mutation sind –, dann ist das nicht förderlich für ihr Selbstbewusstsein.«[158]

Kein Naturwissenschaftler hat jemals behauptet, ein Kind sei eine »chemische Mutation«. Diese Formulierung in einem solchen Zusammenhang zu verwenden ist analphabetischer Unsinn – auf der gleichen Stufe wie die Erklärungen des »Bischofs« Wayne Malcolm, Leiter der Christian-Life-City-Kirche in Hackney im Osten Londons, der nach einem Bericht des *Guardian* vom 18. April 2006 »die wissenschaftlichen Belege für die Evolution infrage stellt«. Wie viel Malcolm von den Belegen versteht, die er infrage stellt, kann man aus folgender Aussage schließen: »In den Fossilfunden fehlen eindeutig die Zwischenstufen der Entwicklung. Wenn ein Frosch sich in einen Affen verwandelt hat, sollte es dann nicht eine Menge Fraffen geben?«

Nun ja, auch Mr. McQuoid hat nicht Naturwissenschaften studiert, also sollten wir uns fairnesshalber an den Leiter seiner naturwissenschaftlichen Abteilung halten, Stephen Layfield. Dieser hielt am 21. September 2001 am Emmanuel College einen Vortrag mit dem Thema »Naturwissenschaftlicher Unterricht: Eine biblische Perspektive«. Der Text des Vortrages wurde auf der christlichen Website www.christian.org.uk veröffentlicht. Dort findet man ihn heute allerdings nicht mehr. Das Christian Institute entfernte ihn einen Tag, nachdem ich am 18. März 2002 in der Zeitung *Daily Telegraph* darauf aufmerksam gemacht und ihn einer kritischen Analyse unterzogen hatte.[159] Indes, etwas dauerhaft aus dem World Wide Web zu entfernen ist schwierig. Suchmaschinen sind unter anderem deshalb so schnell, weil sie Informationsspeicher anlegen, und diese bleiben zwangsläufig noch eine gewisse Zeit erhalten, wenn die Originale bereits nicht mehr vorhanden sind. Andrew Brown, ein aufmerksamer britischer Journalist, der erste Korrespondent für religiöse Fragen beim *Independent*, machte den Layfield-Vortrag ausfindig, lud ihn aus dem Google-Cache herunter und sicherte ihn durch Veröffentlichung auf seiner eigenen Website http://www.darwinwars.com/lunatic/liars/layfield. html. Schon die Kennzeichnung, die Brown für diese Internetadresse wählte, ist eine unterhaltsame Lektüre. Betrachtet man allerdings den Inhalt des Vortrags selbst, so wirkt sie durchaus nicht mehr lustig.

Übrigens: Als ein neugieriger Leser an das Emmanuel College schrieb und sich erkundigte, warum man den Vortrag von der Website entfernt habe, erhielt er von der Schule die folgende hinterhältige Antwort, die wiederum von Andrew Brown festgehalten wurde:

Das Emmanuel College steht im Mittelpunkt einer Diskussion über die Behandlung der Schöpfung an Schulen. In der Praxis bedeutet das, dass unsere Schule eine große Zahl von Presseanfragen erhält. Dies war für den Schulleiter und die leitenden Direktoren des Colleges mit einem beträchtlichen Zeitaufwand verbunden. Alle diese Personen haben auch andere Aufgaben. Um sie zu unterstützen, haben wir einen Vortrag von Stephen Layfield vorübergehend von unserer Website entfernt.

Natürlich kann es durchaus sein, dass die Schulleitung zu viel zu tun hatte, um Journalisten ihren Standpunkt zur Behandlung des Kreationismus im Unterricht zu erklären. Doch warum entfernt sie dann von ihrer Website ausgerechnet den Text eines Vortrages, der genau das tat und auf den sie die Journalisten hätte verweisen können, was ihr viel Zeit gespart hätte? Nein, sie entfernte den Text ihres naturwissenschaftlichen Fachleiters, weil ihr klar geworden war, dass sie etwas zu verbergen hatte. Der folgende Absatz stammt vom Anfang des Vortrages:

Stellen wir also von vornherein klar, dass wir eine Vorstellung ablehnen, die – vielleicht unabsichtlich – im 17. Jahrhundert von Francis Bacon populär gemacht wurde, dass es nämlich »Zwei Bücher« (das Buch der Natur und die Heilige Schrift) gebe, in denen man unabhängig voneinander nach Wahrheit suchen könne. Wir stehen vielmehr fest zu der einfachen Überzeugung, dass Gott auf den Seiten der Heiligen Schrift maßgeblich und unfehlbar gesprochen hat. So angreifbar, altmodisch oder naiv diese Aussage speziell einer ungläubigen, fernsehtrunkenen modernen Kultur auch erscheinen mag: Wir können sicher sein, dass sie ein Fundament darstellt, wie man kein festeres legen und darauf aufbauen kann.

Da müssen wir uns doch wiederholt in den Arm kneifen. Nein, wir träumen wirklich nicht. Das hier ist kein Prediger in einem Zelt in Alabama, sondern der Fachleiter für Naturwissenschaften an einer Schule, die Geld vom britischen Staat erhält und die Tony Blairs Freude und Stolz ist. Mr. Blair, selbst ein gläubiger Christ, eröffnete 2004 mit einer großen Zeremonie eine der neueren Filialen des Vardy-Schulsystems.[160] Vielfalt mag ja eine Tugend sein, aber hier treibt sie irrwitzige Blüten.

Im weiteren Verlauf thematisiert Layfield den Vergleich zwischen Naturwissenschaft und Heiliger Schrift und gelangt dabei immer wieder zu dem gleichen Schluss: Wenn es einen Konflikt zu geben scheint, ist die Schrift zu bevorzugen. Er macht darauf aufmerksam, dass auch die Geowissenschaften zum staatlichen Lehrplan gehören, und sagt: »Allen, die sich in ihrem Unterricht mit diesem Aspekt beschäftigen, wäre besonders anzuraten, sich mit den Artikeln von Whitcomb und Morris über die Geologie der Sintflut vertraut zu machen.« Ja, »Geologie der Sintflut« bedeutet genau das, was man darunter versteht. Es geht um die Arche Noah. Die Arche Noah! – wo die Kinder doch so atemberaubende Tatsachen lernen könnten wie die, dass Afrika und Südamerika früher einmal verbunden waren und dann mit der Geschwindigkeit, mit der Fingernägel wachsen, auseinandergerissen wurden.

Lesen wir doch noch ein wenig mehr von Layfield (dem Fachleiter für Naturwissenschaften) über die Sintflut als schnelle Erklärung aus jüngerer Zeit für Phänomene, die sich nach den wirklichen geologischen Befunden nur im Laufe vieler hundert Millionen Jahre abspielen konnten:

Im Rahmen unserer großen geophysikalischen Lehre müssen wir einräumen, dass es in historischer Zeit eine weltweite Überschwemmung gab, wie sie in 1. Mose 6–10 skizziert wird. Wenn der biblische Bericht stimmt und die aufgeführten Stammbäume (z. B. 1. Mose 5; 1. Chronik 1; Matthäus 1 und Lukas 3) einigermaßen vollständig sind, können wir berechnen, dass diese weltweite Katastrophe in einer relativ jungen Vergangenheit stattgefunden hat. Ihre Auswirkungen sind überall im Übermaß zu erkennen. Den wichtigsten Beleg findet man in den von Fossilien durchsetzten Sedimentgesteinen, den umfangreichen Reserven an Kohlenwasserstoff-Brennstoffen (Kohle, Öl und Gas) und den »Legenden« über eine große Flut, die es weltweit in den verschiedensten Bevölkerungsgruppen gibt. Dass es möglich ist, eine Arche voller repräsentativer Lebewesen ein Jahr lang zu erhalten, bis das Wasser ausreichend weit zurückgegangen ist, wurde unter anderem von John Woodmorrappe stichhaltig nachgewiesen.

In gewisser Weise ist das sogar noch schlimmer als die zuvor zitierten Äußerungen von Nichtswissern wie Nigel McQuoid oder Bischof Wayne Malcolm. Denn Layfield hat eine naturwissenschaftliche Ausbildung. Eine weitere erstaunliche Passage lautet:

> Wie wir bereits zu Beginn festgestellt haben, sehen Christen aus sehr guten Gründen in den Schriften des Alten und Neuen Testaments einen verlässlichen Leitfaden für das, was wir glauben sollen. Es sind nicht nur religiöse Schriften. Sie liefern uns einen wahren Bericht über die Erdgeschichte, den wir nur zu unserem eigenen Schaden ignorieren.

Die Behauptung, die Bibel liefere einen wörtlich wahren Bericht über die Erdgeschichte, würde jeden angesehenen Theologen aufheulen lassen. Gemeinsam mit meinem Freund Richard Harries, dem Bischof von Oxford, schrieb ich einen Brief an Tony Blair, den wir von acht Bischöfen und neun führenden Naturwissenschaftlern unterzeichnen ließen.[161] Unter den Wissenschaftlern waren der Präsident der Royal Society (der zuvor Tony Blairs wichtigster Berater in naturwissenschaftlichen Fragen gewesen war), die Sekretäre für Biologie und Physik der Royal Society, der Astronomer Royal (der heute Präsident der Royal Society ist), der Direktor des Natural History Museum und Sir David Attenborough, vielleicht der angesehenste Mann in England überhaupt. Unter den Theologen waren ein katholischer und sieben anglikanische Bischöfe, also führende religiöse Persönlichkeiten aus ganz England. Als Antwort kam nur ein oberflächliches, nichtssagendes Schreiben aus dem Büro des Premierministers, in dem auf die guten Prüfungsergebnisse der Schule und positive Berichte der offiziellen Schulaufsichtsbehörde OFSTED verwiesen wurde. Indes, wenn die OFSTED-Inspektoren positiv über eine Schule berichten, deren naturwissenschaftlicher Fachleiter den Schülern beibringt, das ganze Universum habe erst nach der Domestikation des Rindes begonnen, könnte ja auch die Schulaufsicht vielleicht einen klitzekleinen Mangel haben – doch auf diese Idee kam Mr. Blair offensichtlich nicht.

Der vielleicht beunruhigendste Teil von Stephen Layfields Vortrag ist der letzte Absatz mit der Überschrift »Was ist zu tun?« Darin beschreibt er, welche Taktik Lehrer anwenden sollen, wenn sie fundamentalistisch-christliche Lehren im naturwissenschaftlichen Unterricht behandeln wollen. Er fordert die Lehrer beispielsweise auf,

> stets darauf zu achten, ob eine Evolutions-/Alterde-Lehre (Millionen oder Milliarden Jahre) in einem Lehrbuch, bei einer Examensfrage oder von einem Besucher ausdrücklich erwähnt oder unausgesprochen nahegelegt wird, und dann höflich auf die Angreifbarkeit dieser Aussage hinzuweisen. Wenn möglich, müssen wir für die gleichen Befunde die (stets bessere) Alternative einer biblischen Erklärung anbieten. Einige Beispiele aus Physik, Chemie und Biologie werden wir zu gegebener Zeit betrachten.

Der Rest von Layfields Vortrag ist nichts anderes als ein Propagandahandbuch, ein Nachschlagewerk für religiöse Biologie-, Chemie- und Physiklehrer, die im Rahmen des staatlich vorgegebenen Lehrplans die evidenzbasierte naturwissenschaftliche Ausbildung unterlaufen und durch biblische Lehren ersetzen wollen.

Am 15. April 2006 interviewte James Naughtie, einer der erfahrensten Nachrichtenmoderatoren der BBC, Sir Peter Vardy in einer Rundfunksendung. Hauptthema des Gesprächs war die polizeiliche Untersuchung eines von Vardy bestrittenen Vorwurfes, die Blair-Regierung habe reiche Männer mit der Verleihung von Adelstiteln bestechen wollen, damit sie Geld für das System der City Academies zur Verfügung stellten. Naughtie erkundigte sich bei Vardy auch nach dem Kreationismus, und dieser leugnete kategorisch, dass das Emmanuel College seinen Schülern den Jungerde-Kreationismus beibringe. Doch ebenso kategorisch erklärte Peter French, ein früherer Schüler der Institution:[162] »Uns wurde beigebracht, dass die Erde 6000 Jahre alt ist.«* Wer sagt hier die Wahrheit? Nun, wir wissen es nicht, aber Stephen Layfield legt in seinem Vortrag recht freimütig dar, wie er sich den naturwissenschaftlichen Unterricht vorstellt. Hat Vardy dieses sehr offenherzige Manifest nie gelesen? Weiß er wirklich nicht, welche Ziele sein naturwissenschaftlicher Fachleiter verfolgt? Peter Vardy hat sein Geld mit dem Verkauf von Autos verdient. Würden wir von ihm ein Fahrzeug kaufen? Und würden wir ihm wie Tony Blair eine Schule zu 10 Prozent ihres Preises überlassen – mit dem Angebot, alle laufenden Kosten zu übernehmen, als Zugabe? Wir wollen nachsichtig sein mit Blair und annehmen, dass er zumindest den Vortrag von Layfield nicht gelesen hat. Aber es wäre wohl auch übertrieben, darauf zu hoffen, dass er sich der Sache wenigstens jetzt annehmen werde.

Schulleiter McQuoid formulierte eine Verteidigung für das, was er sicher für die Aufgeschlossenheit seiner Schule hält; daraus spricht eine bemerkenswerte väterliche Herablassung:

Das beste Beispiel dafür, wie es hier zugeht, ist ein Vortrag über Philosophie, den ich in der sechsten Klasse hielt. Shaquille saß da und sagte: »Der Koran ist richtig und wahr.« Und Clare da drüben sagte: »Nein, die Bibel ist wahr.« Also sprachen wir über die Ähnlichkeiten zwischen ihren Überzeugungen und über die Stellen, an denen sie unterschiedlicher Meinung sind. Wir kamen darin überein, dass nicht beide wahr sein können. Schließlich sagte ich: »Tut mir leid, Shaquille, du hast Unrecht, die Bibel ist wahr.« Und er sagte:

---

* Um zu verdeutlichen, wie falsch diese Aussage ist: Sie entspricht der Behauptung, die Entfernung von New York nach San Francisco betrage etwa sieben Meter.

»Tut mir leid, Mr. McQuoid, Sie haben Unrecht, der Koran ist wahr.« Dann gingen sie zum Mittagessen und setzten dort die Diskussion fort. Genau das wollen wir. Wir wollen, dass Kinder wissen, warum sie dies und nichts anderes glauben, und dass sie es verteidigen können.[163]

Was für ein reizendes Bild! Shaquille und Clare gehen gemeinsam zum Mittagessen, diskutieren leidenschaftlich über ihre Ansichten und verteidigen ihre unvereinbaren Überzeugungen. Aber ist es wirklich so reizend? Hat Mr. McQuoid hier nicht in Wirklichkeit ein beklagenswertes Bild gezeichnet? Worauf gründen Shaquille und Clare letztlich ihre Argumente? Welche vernünftigen Begründungen können sie in ihrer leidenschaftlichen, konstruktiven Diskussion anführen? Clare und Shaquille versichern sich einfach gegenseitig, das eine oder andere heilige Buch sei überlegen, und das war's. Mehr sagen sie offensichtlich nicht, und mehr *kann* man auch nicht sagen, wenn man gelernt hat, dass Wahrheit nicht aus Belegen erwächst, sondern aus einer Schrift. Beide wurden von ihrer Schule im Stich gelassen, und ihr Schulleiter misshandelte zwar nicht ihren Körper, aber ihren Geist.

Noch einmal Bewusstseinserweiterung

Betrachten wir noch ein anderes liebenswürdiges Bild. Meine Tageszeitung, der *Independent*, suchte irgendwann um Weihnachten herum ein zur Jahreszeit passendes Bild und fand eine herzerfrischende ökumenische Szene bei einem Schul-Krippenspiel. Die Heiligen Drei Könige wurden, wie die Bildunterschrift begeistert verkündete, von Shadbreet (einem Sikh), Musharaff (einem Muslim) und Adele (einer Christin) gespielt; alle waren vier Jahre alt.

Liebenswürdig? Herzerfrischend? Nein, nichts davon; es ist grotesk. Wie können anständige Menschen es für richtig halten, vierjährige Kinder mit den Ansichten ihrer Eltern über Kosmos und Theologie zu etikettieren? Stellen wir uns einmal ein ähnliches Foto vor, dessen Unterschrift lautet: »Shadbreet (Keynesianer), Musharaff (Monetarist) und Adele (Marxistin), alle vier Jahre alt.« Wären dann die wütenden Protestbriefe nicht vorprogrammiert? Sie sollten es jedenfalls sein. Aber wegen der eigenartig privilegierten Stellung der Religion hörte man keinen Mucks, und ebenso still ist es auch bei allen anderen ähnlichen Gelegenheiten. Man stelle sich vor, welchen Aufschrei die Bildunterschrift »Shadbreet (Atheist), Musharaff (Agnostiker) und Adele (säkulare Humanistin), alle vier Jahre alt« ausgelöst hätte. Hätte man nicht vielleicht sogar eine Untersuchung gegen die Eltern eingeleitet, um festzustellen, ob sie überhaupt in der Lage sind, Kinder großzuziehen?

Bei uns in Großbritannien, wo es keine verfassungsmäßige Trennung von Staat und Kirche gibt, schwimmen atheistische Eltern in der Regel mit dem Strom und lassen ihren Kindern in der Schule jede Religion beibringen, die in der jeweiligen Kultur gerade die Oberhand hat. »The-Brights.net« (eine amerikanische Initiative, die Atheisten in »Brights« umbenennt, wie es den Homosexuellen mit dem Begriff »Gays« gelungen ist) achtet genau darauf, unter welchen Bedingungen sie Kinder als Mitglieder aufnimmt: »Die Entscheidung, ein Bright zu sein, muss vom Kind kommen. Ein Junge oder Mädchen, dem man sagt, er oder sie müsse oder solle ein Bright werden, kann KEIN Bright sein.« Kann man sich auch nur ansatzweise eine Kirche oder Moschee vorstellen, in der eine solche Regel verkündet wird? Aber sollte man sie nicht eigentlich zwingen, genau das zu tun?

Nebenbei bemerkt: Ich bin Mitglied der Brights geworden, unter anderem weil ich wirklich neugierig war, ob man ein solches Wort memetisch in der Sprache installieren kann. Ebenso wüsste ich sehr gern, ob der Bedeutungswandel von »gay« bewusst herbeigeführt wurde oder sich von selbst eingestellt hat.[164] Die Brights-Kampagne kam nur unter Schwierigkeiten in Gang, weil einige Atheisten sie aus Angst, man könne sie als »arrogant« brandmarken, nachdrücklich verteufelten. Dagegen leidet die Schwulenbewegung glücklicherweise nicht an einer solchen falschen Bescheidenheit, und das dürfte der Grund sein, warum sie Erfolg hatte.

In einem vorangegangenen Kapitel habe ich mich allgemein mit dem Thema der »Bewusstseinserweiterung« befasst und dabei zunächst darauf hingewiesen, welche Leistung die Feministinnen vollbracht haben: Heute zucken wir zusammen, wenn wir Formulierungen wie »Männer guten Willens« an Stelle von »Menschen guten Willens« hören. Ich möchte hier das Bewusstsein in anderer Hinsicht erweitern. Ich meine, wir sollten jedes Mal protestieren, wenn ein Kind so etikettiert wird, als gehörte es zu dieser oder jener Religion. Kleine Kinder können noch nicht selbst entscheiden, welche Ansichten sie über den Ursprung des Kosmos, das Leben oder moralische Prinzipien haben. Bei einer Formulierung wie »christliches Kind« oder »muslimisches Kind« sollte es uns eigentlich kalt den Rücken herunterlaufen.

Der folgende Bericht wurde am 3. September 2001 in der Sendung »Irish Aires« des amerikanischen Radiosenders KPFT-FM ausgestrahlt:

Katholische Schülerinnen trafen auf Proteste von Loyalisten, als sie die Holy Cross Girls' Primary School an der Ardoyne Road im Norden von Belfast betreten wollten. Beamte der Royal Ulster Constabulary (RUC) und Soldaten der Britischen Armee (BA) mussten die Demonstranten abdrängen, weil diese versuchten, die Schule zu blockieren. Drängelgitter wurden errichtet, damit die Kinder zwischen den Reihen der Protestierenden zur Schule gehen konnten. Die Loyalisten höhnten und schrieen »sektiererische Miss- handlung«, als die Kinder, manche davon erst vier Jahre alt, von ihren Eltern zur Schule begleitet wurden. Als Kinder und Eltern durch die Eingangstür der Schule traten, warfen die Loyalisten mit Flaschen und Steinen.

Natürlich wird jeder anständige Mensch wegen des Martyri- ums dieser unglückseligen Schülerinnen zusammenzucken. Ich möchte aber erreichen, dass wir auch bei dem Gedanken zusammenzucken, sie überhaupt als »katholische Schülerin- nen« zu bezeichnen. (»Loyalisten« ist, wie bereits im ersten Ka- pitel erwähnt, die schönfärberische nordirische Bezeichnung für Protestanten, genau wie die Katholiken beschönigend als »Nationalisten« bezeichnet werden. Menschen, die Kinder ohne Zögern als »Katholiken« oder »Protestanten« brandmar- ken, schrecken davor zurück, die gleichen religiösen Etiketten auf erwachsene Terroristen und den Pöbel anzuwenden – was weitaus angemessener wäre.)

Unsere Gesellschaft einschließlich ihrer nicht religiösen Teile hat den absurden Gedanken akzeptiert, dass es normal und richtig sei, kleine Kinder mit der Religion ihrer Eltern zu in- doktrinieren und ihnen religiöse Etiketten anzuhängen – »ka- tholisches Kind«, »protestantisches Kind«, »jüdisches Kind«, »muslimisches Kind«, und so weiter. Andere vergleichbare Eti- ketten dagegen gibt es nicht: keine konservativen Kinder, keine liberalen Kinder, keine republikanischen Kinder, keine demo- kratischen Kinder. Bitte, bitte: Erweitern Sie in dieser Hinsicht Ihr Bewusstsein und protestieren Sie, wenn Sie so etwas hören. Ein Kind ist weder ein christliches noch ein muslimisches Kind, sondern es ist das Kind christlicher oder muslimischer El- tern. Ein solcher Sprachgebrauch wäre übrigens auch ein aus- gezeichnetes Mittel, um das Bewusstsein der Kinder selbst zu erweitern. Wenn ein Kind hört, es sei »das Kind muslimischer

Eltern«, wird ihm sofort klar, dass es Religion annehmen – oder ablehnen – kann, wenn es alt genug dazu ist.

Man kann sogar mit gutem Grund die Ansicht vertreten, dass es für die Bildung von Nutzen ist, wenn Religionen im Schulunterricht verglichen werden. Ich selbst bekam meine ersten Zweifel ungefähr mit neun Jahren, als ich (nicht in der Schule, sondern von meinen Eltern) erfuhr, die christliche Religion, mit der ich aufgewachsen war, sei nur eines von vielen einander ausschließenden Glaubenssystemen. Dies wissen auch die Religionsvertreter selbst, und es macht ihnen häufig Angst. Nach dem Bericht des *Independent* über das Krippenspiel wandte sich kein einziger Leserbrief gegen die religiöse Etikettierung der Vierjährigen. Der einzige negative Brief stammte von der »Campaign for Real Education«; deren Sprecher Nick Seaton erklärte, multireligiöser Unterricht sei höchst gefährlich, weil »die Kinder heutzutage lernen, dass alle Religionen den gleichen Wert haben, und das bedeutet, dass ihre eigene keinen besonderen Wert mehr hat«. Ja, es stimmt: Genau das bedeutet es. Es kann gut sein, dass dieser Sprecher darüber besorgt ist. Denn bei einer anderen Gelegenheit sagte derselbe Mann: »Alle Glaubensrichtungen als gleichermaßen gültig darzustellen ist falsch. Jeder hat das Recht, seinen Glauben gegenüber den anderen für überlegen zu halten, sei er nun Hindu, Jude, Muslim oder Christ – welchen Sinn hat es sonst überhaupt, einen Glauben zu haben?«

Genau. Welchen Sinn hat das? Und welch leicht durchschaubarer Unsinn ist das! Natürlich sind die genannten Glaubensrichtungen untereinander nicht vereinbar. Welchen Sinn hätte es sonst, den eigenen Glauben für überlegen zu halten? Die meisten Glaubensrichtungen können also nicht »den anderen überlegen« sein. Lasst die Kinder etwas über unterschiedliche Glaubensrichtungen lernen, lasst sie selbst merken, dass verschiedene Religionen unvereinbar sind, und lasst sie aus den Folgen dieser Unvereinbarkeit ihre eigenen Schlussfolgerungen ziehen. Und was die Frage angeht, ob eine davon »gültig« ist: Lasst sie selbst entscheiden, wenn sie alt genug dazu sind.

Der Religionsunterricht als Teil der literarischen Kultur

Eines muss ich allerdings zugeben: Selbst ich bin ein wenig erschrocken darüber, wie wenig die Menschen, die einige Jahrzehnte später als ich erzogen wurden, über die Bibel wissen. Vielleicht hat es auch überhaupt nichts mit den Jahrzehnten zu tun. Wie Robert Hinde in seinem gedankenreichen Buch *Why Gods Persist* (»Warum die Götter so hartnäckig sind«) berichtet, gelangte eine Gallup-Umfrage in den Vereinigten Staaten schon 1954 zu interessanten Ergebnissen: Drei Viertel aller Katholiken und Protestanten konnten keinen einzigen Propheten aus dem Alten Testament benennen. Mehr als zwei Drittel wussten nicht, wer die Bergpredigt gehalten hatte. Eine beträchtliche Anzahl der Befragten hielt Mose für einen der zwölf Jünger Jesu. Wohlgemerkt, das war in den Vereinigten Staaten, die deutlich stärker religiös orientiert sind als andere Industrieländer.

Die King-James-Bibel von 1611 – die so genannte Authorized Version – enthält Passagen von herausragendem literarischem Wert, zum Beispiel das Hohelied Salomos und den erhabenen Prediger Salomo (der, wie man mir gesagt hat, auch im originalen Hebräisch sehr gut ist). Aber dass die Bibel ein Teil unserer Bildung sein muss, liegt nicht in erster Linie daran, dass sie eine wichtige Quelle der literarischen Kultur darstellt. Das Gleiche gilt auch für die Sagen über die griechischen und römischen Götter, die wir kennen lernen, ohne dass man uns aufforderte, daran zu glauben. Die folgende, schnell zusammengestellte Liste enthält biblische oder von der Bibel inspirierte Redewendungen und Sätze, die in Literatur und Umgangssprache häufig vorkommen; dabei reicht das Spektrum von großer Dichtung bis zum abgedroschenen Klischee, vom Sprichwort bis zum Tratsch.

Seid fruchtbar und mehret euch; jenseits von Eden; Adams Rippe; soll ich meines Bruders Hüter sein?; Kainsmal; alt wie Methusalem; sich die Suppe einbrocken; für ein Linsengericht verkaufen; die Jakobsleiter; ein Mantel von vielen Farben; herrlich und in Freuden; Fremder in einem fremden Land; der brennende Busch; ein Land, in dem Milch und Honig fließen; Let my people Go; Fleischtöpfe; Auge um Auge, Zahn um Zahn; deine Sünden holen dich ein; sein Augapfel; die Sterne in ihrem Lauf; Philister; ein Mensch nach seinem Herzen; wie David und Goliath; wie sind die Helden gefallen; lammfromm; Königin von Saba; salomonische Weisheit; die Lenden gürten; Hiobsbotschaft; um Haaresbreite davongekommen; Weisheit ist nicht mit Geld zu bezahlen; Leviathan; wer mit der Rute spart, verzieht das Kind; ein Wort zur rechten Zeit; leere Eitelkeit; jedes Ding hat seine Zeit; denn des vielen Büchermachens ist kein Ende; die Rose von Sharon; ein verschlossener Garten; Schwerter zu Pflugscharen; da werden die Wölfe bei den Lämmern wohnen und die Panther bei den Böcken lagern; lasst uns essen und trinken, denn morgen werden wir sterben; sein Haus in Ordnung bringen; ein einsamer Rufer in der Wüste; die Gottlosen haben keinen Frieden; von Angesicht zu Angesicht; Balsam auf meine Wunden; die Wege trennen sich; in der Höhle des Löwen; Daniel in der Löwengrube; wer Wind sät, wird Sturm ernten; Sodom und Gomorrha; der Mensch lebt nicht vom Brot allein; hebe dich hinweg von mir, Satan; das Salz der Erde; sein Licht unter den Scheffel stellen; die andere Wange hinhalten; Perlen vor die Säue werfen; Wolf im Schafspelz; Heulen und Zähneklappern; neuer Wein in alten Schläuchen; den Staub von den Füßen schütteln; wer nicht für mich ist, ist gegen mich; salomonisches Urteil; auf unfruchtbaren Boden fallen; der Prophet gilt nichts im eigenen Land; die Krumen vom Tisch der Reichen; Zeichen der Zeit; Räuberhöhle; Pharisäer; Kriege und Kriegsgeschrei; die Schafe von den Böcken scheiden; die Hände in Unschuld waschen; der Sabbat ist für den Menschen gemacht, nicht der Mensch für den Sabbat; lasset die Kinder zu mir kommen; das Scherflein der Witwe; Arzt, hilf dir selbst; barmherziger Samariter; Früchte des Zorns; verirrtes Schaf; verlorener Sohn; ich bin nicht wert, deine Schuhbänder aufzuknüpfen; den ersten Stein werfen; mehr hat nie ein Mensch geliebt; der ungläubige Thomas; sein Damaskus erleben; Glaube, Liebe, Hoffnung; Tod, wo ist dein Stachel?; ein Stachel im Fleisch; vom Glauben abfallen; schnöder Mammon; die Wurzel allen Übels; den guten Kampf kämpfen; alles Fleisch ist wie Gras; das A und O; Armageddon; De Profundis (Aus der Tiefe, Herr); Quo Vadis; es regnet auf Gerechte und Ungerechte.

Alle diese Redewendungen, Begriffe und Klischees stammen aus der Bibel. Weiß demnach jeder, der die Bibel nicht kennt, die Literatur nicht in vollem Umfang zu würdigen? Und damit meine ich nicht nur die erhabene, ernste Literatur. Von Lord Justice Bowen stammt der folgende, geistreich-witzige Vierzeiler:

Auf den Gerechten fällt der Regen,
Auch auf den ungerechten Mann.
Vor allem auf den Gerechten, wegen
Des Schirms, den ihm der andre nahm.

Die Freude am Witz ist allerdings nur halb so groß, wenn man die Anspielung auf Matthäus 5,45 nicht versteht (»Denn er lässt seine Sonne aufgehen über Böse und Gute und lässt regnen über Gerechte und Ungerechte.«). Und die hübsche Pointe von Eliza Doolittles Fantasie in *My Fair Lady* würde jedem entgehen, der das Ende von Johannes dem Täufer nicht kennt:

»Thanks a lot, King« says I in a manner well bred,
»But all I want is 'Enry 'Iggins 'ead.«

[»Besten Dank, Herr König«, sag lieb ich und fein.
»Doch mein einziger Wunsch soll Higgins' Haupt sein!«]

Für meinen Geschmack ist P. G. Wodehouse der großartigste Autor leichter englischer Unterhaltung, und ich würde wetten, dass mindestens die Hälfte der oben aufgeführten biblischen Redewendungen sich als Anspielung in seinen Werken wiederfindet. (Mit einer Google-Suche würde man sie allerdings nicht alle finden, etwa die Anspielung des Kurzgeschichtentitels »The Aunt and the Sluggard« [»Die Tante und der Faulpelz«] auf Sprüche Salomos 6, 6.) Bei Wodehouse finden sich noch viele weitere biblische Formulierungen, die in meiner Liste nicht vorkommen und die nicht als Redewendungen oder Sprichwörter in den allgemeinen Sprachgebrauch eingegangen sind. Hören wir beispielsweise, wie Bertie Wooster das Gefühl beschreibt, morgens mit einem schrecklichen Kater aufzuwachen: »Ich hatte geträumt, dass irgendein Typ mir Pflöcke in den Schädel schlägt – aber nicht gewöhnliche Pflöcke, wie Hebers Frau Jael sie benutzte, sondern rot glühende.« Bertie selbst war ungeheuer stolz auf seinen einzigen Schulerfolg: eine Auszeichnung, die man ihm irgendwann einmal für seine Bibelkenntnis verliehen hatte.

Was für die komische Literatur in englischer Sprache zutrifft, gilt natürlich in noch stärkerem Maße für die ernste Literatur. Naseeb Shaheens Aufstellung von mehr als 1 300 biblischen Bezügen in Shakespeares Werken wird häufig zitiert und ist sehr glaubhaft.[165] Der in Fairfax (Virginia) erscheinende

Bible Literacy Report (der zugegebenermaßen von der berüchtigten Templeton Foundation finanziert wird) nennt viele Beispiele und beruft sich auf die einhellige Meinung der Fachleute für englische Literatur, wonach Bibelkenntnisse für ein umfassendes Verständnis ihres Fachgebiets unentbehrlich sind.[166] Das Gleiche gilt zweifellos für die französische, deutsche, russische, italienische und spanische Literatur sowie für die Werke anderer großer europäischer Kulturnationen. Für jene, die in den arabischen oder indischen Sprachen zu Hause sind, dürften Kenntnisse des Korans oder der Bhagavad-Gita ebenso unentbehrlich sein, wenn sie ihr literarisches Erbe in vollem Umfang erfassen wollen. Und um die Liste abzurunden: Man kann Wagner (dessen Musik einer witzigen Formulierung zufolge besser ist, als sie klingt) nicht in vollem Umfang schätzen, ohne über die nordischen Götter Bescheid zu wissen.

Ich möchte das Thema hier nicht weiter vertiefen. Mit meinen Ausführungen habe ich vermutlich zumindest meine älteren Leser davon überzeugt, dass eine atheistische Weltanschauung keine Rechtfertigung ist, um die Bibel und andere heilige Bücher aus unserem Bildungswesen zu verbannen. Und natürlich können wir uns eine gewisse sentimentale Loyalität zu den kulturellen und literarischen Traditionen beispielsweise des Judentums, der anglikanischen Religion oder des Islam bewahren, ja wir können sogar an Trauungen, Beerdigungen und anderen religiösen Ritualen teilnehmen, ohne uns den Glauben an Übernatürliches zu Eigen zu machen, der sich historisch mit diesen Traditionen verbindet. Wir können den Glauben an Gott aufgeben, ohne den Kontakt zu einem wertvollen kulturellen Erbe zu verlieren.

10 Eine notwendige Lücke?

Was kann erschütternder sein als durch ein 2,5-Meter-Teleskop
auf eine weit entfernte Galaxie zu blicken, ein 100 Millionen Jahre altes Fossil
oder ein 500 000 Jahre altes Steinwerkzeug in der Hand zu halten,
vor der gewaltigen räumlichen und zeitlichen Kluft zu stehen,
die der Grand Canyon ist, oder einem Wissenschaftler zuzuhören,
der der Erschaffung des Universums ins Gesicht gesehen hat
und nicht zurückgewichen ist? Das ist tiefgründige, heilige Wissenschaft.

Michael Shermer

»Dieses Buch füllt eine dringend notwendige Lücke« (»This book fills a much-needed gap«). Als Witz funktioniert dieses Paradox nur, wenn wir die gegensätzlichen Bedeutungen gleichzeitig verstehen.* Ich hatte immer geglaubt, es handele sich nur um ein Wortspiel, doch zu meiner Überraschung musste ich feststellen, dass Verlage es gelegentlich tatsächlich verwenden.

Füllt die Religion eine »notwendige Lücke«? Häufig wird behauptet, es gebe im Gehirn eine Lücke, welche die Form Gottes habe und ausgefüllt werden müsse. Demnach hätten wir ein psychologisches Bedürfnis nach Gott – nach einem imaginären Freund, Vater, großen Bruder, Beichtvater und Vertrauten –, und dieses Bedürfnis müsste befriedigt werden, ganz gleich, ob es Gott in Wirklichkeit gibt oder nicht. Indes, wäre es nicht auch denkbar, dass Gott dann in eine Lücke gestopft wird, die wir besser mit etwas anderem füllen würden? Mit

---

* Entweder ist das Buch notwendig oder die Lücke. Das Wortspiel wird dem New Yorker Professor Moses Hadas (1900–1966) zugeschrieben.

Wissenschaft vielleicht? Mit Kunst? Mit zwischenmenschlichen Beziehungen? Mit Humanismus? Mit der Liebe zu *diesem* Leben in der wirklichen Welt, weil wir ein anderes Leben jenseits des Grabes für nicht glaubhaft halten? Mit Liebe zur Natur, oder mit *Biophilie*, wie es der große Insektenforscher E. O. Wilson nannte?

Die Religion hat, wie man verschiedentlich meinte, im Leben der Menschen vier wichtige Funktionen zu erfüllen: Erklärung, Ermahnung, Trost und Inspiration. Historisch betrachtet, strebte die Religion danach, unser eigenes Dasein und das Wesen des Universums, in dem wir uns befinden, zu *erklären*. In dieser Rolle wurde sie mittlerweile vollständig von der Naturwissenschaft verdrängt – ein Thema, mit dem ich mich im vierten Kapitel befasst habe. Mit *Ermahnung* meine ich ethische Anweisungen, wie wir uns verhalten sollen – damit habe ich mich in den Kapiteln 6 und 7 befasst. *Trost* und *Inspiration* habe ich bisher nicht angemessen berücksichtigt, darum werde ich mich in diesem letzten Kapitel kurz damit beschäftigen.

Als Vorbereitung zum Thema des Trostes möchte ich das Kindheitsphänomen des »Fantasiefreundes« betrachten, das nach meiner Überzeugung in enger Verbindung zum religiösen Glauben steht.

Binker

Ich nehme an, A. A. Milnes kleiner Sohn Christopher Robin glaubte in Wirklichkeit nicht, dass Pu der Bär und Ferkel tatsächlich zu ihm sprachen. Aber vielleicht war es mit Binker anders?

Ich hab 'nen Freund, den keiner kennt; Binker nenn ich ihn,
Binker ist der Grund dafür, dass ich nie einsam bin.
Ob ich auf der Treppe sitze, ob ich übe am Klavier

Oder spiel im Kinderzimmer, Binker, der ist stets bei mir.
Mein Papa ist wahrhaftig ein sehr gescheiter Mann,
Und eine bessre Mama niemand sich wünschen kann,
Und Nanny ist die Nanny, und ich sag zu ihr Nann –
Doch keiner von den dreien kann
Ihn sehn, den
Binker.

Sein kleines Mundwerk steht nie still, er spricht mal laut,
   mal leiser,
Seit ich ihm Sprechen beigebracht, und manchmal krächzt
   er heiser.
Und manchmal möchte er lauthals schrein, möchte richtig
   blöken glatt,
Und das muss ich dann für ihn tun, dieweil er Halsweh hat.
Mein Papa ist wahrhaftig ein sehr gescheiter Mann,
Und meine Mama ist die beste Ma, die man sich wünschen
   kann,
Und Nanny ist die Nanny, und ich sag zu ihr Nann –
Doch keiner von den dreien kann
Was wissen von
Binker.

Binker ist wie ein Löwe kühn, lauf ich mit ihm in den Park,
Und wenn ich nachts im Dunkeln lieg, ist er wie 'n Tiger
   stark.
Und keiner kann so gut wie er mir zum Beschützer taugen.
Er weint niemals, außer er kriegt mal Seife in die Augen.
Mein Papa ist der beste Papa und Ehemann,
Und Mama ist die beste Ma, die man sich wünschen kann,
Und Nanny ist die Nanny, und ich sag zu ihr Nann –
Doch keiner von den dreien kann
So sein wie
Binker.

Binker ist nicht verfressen, er isst nur gerne viel;
Drum sag ich, wenn Miss Maggie mir ein Bonbon schenken
will:
»Binker will auch ein Bonbon. Ich brauch *zwei* Bonbons,
Miss.«
Und dann ess ich sie beide auf, und er schont sein Gebiss.
Den Papa hab ich schrecklich lieb, nur ist er nie zu Haus,
Die Mami hab ich auch sehr lieb, nur geht sie manchmal aus.
Mit Nanny hab ich öfter Streit, die will mich immer kämmen.
Nur Binker lässt mich nie allein; der weiß sich zu beneh-
men.[167]

Ist das Phänomen des Fantasiefreundes eine höhere Illusion,
gehört es also in eine andere Kategorie als die normalen Kind-
heitsfantasien? Meine eigenen Erfahrungen sind an dieser
Stelle keine große Hilfe. Wie viele Eltern, so hielt auch meine
Mutter in einem Notizbuch fest, was ich als Kind von mir gab.
Neben einfachen Rollenspielen (jetzt bin ich der Mann im
Mond … jetzt bin ich ein Gaspedal … jetzt bin ich ein Babylo-
nier) hatte ich offenbar auch Spaß an Rollenspielen zweiter
Ordnung (jetzt bin ich eine Eule, die so tut, als wäre sie ein
Wasserrad), und diese waren manchmal auch reflexiv (jetzt bin
ich ein kleiner Junge, der so tut, als wäre er Richard). Aber ich
glaubte nie, ich sei wirklich eines dieser Dinge, und nach meiner Überzeugung gilt dies in der Regel für alle kindlichen Fan-
tasiespiele. Aber ich hatte auch keinen Binker. Glaubt man den
späteren Aussagen von Erwachsenen, so waren zumindest
manche von ihnen ganz normale Kinder, die Fantasiefreunde
hatten und glaubten, dass diese wirklich existierten; in manchen
Fällen sahen sie sie in Form klarer, deutlicher Halluzinationen.
Ich denke, das kindliche Binker-Phänomen ist ein gutes Modell,
wenn man den theistischen Glauben Erwachsener verstehen
will. Ob Psychologen die Frage aus diesem Blickwinkel bereits
untersucht haben, weiß ich nicht, aber es wäre ein lohnendes

Thema für die Forschung. Gefährte und Vertrauter, ein Binker fürs Leben, das ist sicher eine der Rollen, die Gott spielt – und an dieser Stelle würde eine Lücke klaffen, wenn es Gott nicht mehr gäbe.

Ein anderes Kind, ein Mädchen, hatte einen »kleinen lila Mann«, der ihr wirklich und sichtbar anwesend zu sein schien und der mit einem leisen Klingeln funkelnd aus Luft Gestalt gewann. Er besuchte sie regelmäßig, besonders wenn sie sich einsam fühlte; aber je älter sie wurde, desto seltener geschah es. An einem bestimmten Tag, kurz bevor sie in den Kindergarten kam, suchte der kleine lila Mann sie auf, nachdem er sich mit seinem üblichen Klingeln angekündigt hatte, und erklärte, er werde sie von jetzt an nicht mehr besuchen. Darüber war sie sehr traurig, aber der kleine lila Mann sagte, sie sei jetzt schon groß und werde ihn in Zukunft nicht mehr brauchen. Er müsse sie jetzt verlassen, damit er sich um andere Kinder kümmern könne. Allerdings versprach er, er werde wiederkommen, wenn sie ihn *wirklich* brauche. Tatsächlich erschien er ihr viele Jahre später in einem Traum, und zwar zu einer Zeit, als sie eine persönliche Krise durchmachte und sich entscheiden musste, was sie mit ihrem Leben anfangen wollte. Die Tür ihres Schlafzimmers öffnete sich, ein ganzer Wagen voller Bücher tauchte auf, und geschoben wurde er von … dem kleinen lila Mann. Dies interpretierte sie als Empfehlung, zur Universität zu gehen – ein Ratschlag, den sie annahm und der sich später nach ihrem eigenen Urteil als gut erwies. Die Geschichte rührt mich fast zu Tränen und lässt mich vielleicht besser als alles andere verstehen, warum imaginäre Götter im Leben mancher Menschen eine derart tröstende, beratende Funktion erfüllen. Ein Wesen existiert nur in der Fantasie, aber es erscheint dem Kind dennoch vollständig real, kann echten Trost spenden und gibt gute Ratschläge. Und was vielleicht noch besser ist: Imaginäre Freunde – und imaginäre Götter – haben die Zeit und Geduld, ihre ganze Aufmerksamkeit dem Betroffenen zu widmen. Außerdem sind sie viel billiger als Psychiater oder professionelle Berater.

Haben sich die Götter in ihrer Rolle als Tröster und Berater durch eine Art psychologische »Pädomorphose« aus Gestalten wie Binker entwickelt? Pädomorphose bedeutet, dass kindliche Eigenschaften im Erwachsenenalter erhalten bleiben. Pekinesenhunde haben ein pädomorphes Gesicht: Das ausgewachsene Tier sieht aus wie das Junge. Aus der Evolution ist diese Gesetzmäßigkeit gut bekannt, und sie gilt allgemein als wichtig für die Entwicklung typisch menschlicher Merkmale wie unserer gewölbten Stirn und des kurzen Unterkiefers. Evolutionsforscher haben uns als jugendliche Menschenaffen bezeichnet, und tatsächlich ist nicht zu leugnen, dass junge Schimpansen und Gorillas menschenähnlicher aussehen als ihre erwachsenen Artgenossen.

Könnten die Religionen sich in der Evolution ursprünglich dadurch entwickelt haben, dass der Zeitpunkt im Leben, zu dem die Kinder ihre Binker aufgaben, sich im Laufe der Generationen immer weiter nach hinten verschob, genau wie sich auch die Abflachung der Stirn und die Entwicklung des vorstehenden Kiefers immer stärker verlangsamten?

Der Vollständigkeit halber sollten wir wohl auch die umgekehrte Möglichkeit untersuchen. Haben sich die Götter vielleicht nicht aus ursprünglichen Fantasiefreunden wie Binker, sondern diese aus zuvor bereits vorhandenen Göttern entwickelt? Diese Variante kommt mir weniger wahrscheinlich vor. Ich musste allerdings darüber nachdenken, als ich das Buch *The Origin of Consciousness in the Breakdown of the Bicameral Mind (Der Ursprung des Bewusstseins durch den Zusammenbruch der bikameralen Psyche)* des amerikanischen Psychologen Julian Jaynes gelesen hatte. Es ist so seltsam, wie der Titel andeutet, und gehört eindeutig zu den Büchern, die entweder barer Unsinn oder das Werk eines Genies sind, aber nichts dazwischen! Vermutlich trifft die erste Möglichkeit zu, aber meine Hand würde ich dafür nicht ins Feuer legen.

Jaynes stellt fest, dass viele Menschen ihre eigenen Gedankenprozesse als eine Art Dialog zwischen dem »Ich« und einer anderen, im Kopf angesiedelten Person wahrnehmen. Heute wissen wir, dass beide »Stimmen« zu uns gehören – und wenn wir das nicht bemerken, behandelt man uns als Geisteskranke. So erging es etwa Evelyn Waugh für kurze Zeit. Waugh, der nie ein Blatt vor den Mund nahm, sagte einmal zu einem Freund: »Ich hab dich ja so lange nicht gesehen, aber ich hab überhaupt kaum Leute gesehen, ich war nämlich – wusstest du das? – verrückt.« Nach seiner Genesung schrieb er einen Roman mit dem Titel *The Ordeal of Gilbert Pinfold (Gilbert Pinfolds Höllenfahrt)*; darin schilderte er diese Phase der Halluzinationen und die Stimmen, die er gehört hatte.

Nach Jaynes' Vermutung waren sich die Menschen noch um 1000 v. Chr. in der Regel nicht bewusst, dass die zweite Stimme – die Stimme des Gilbert Pinfold – aus ihrem eigenen Inneren kam. Sie hielten die Pinfold-Stimme für einen Gott, beispielsweise für Apollo, Astarte oder Jahwe, oder auch – wahrscheinlicher noch – für einen kleinen Hausgott, der ihnen Ratschläge oder Anweisungen erteilte. Jaynes lokalisierte die Stimmen der Götter sogar in der Gehirnhälfte, die dem Gehirnareal mit dem Sprachzentrum für die hörbare Sprache gegenüberliegt. Der »Zusammenbruch der bikameralen Psyche« war für Jaynes somit ein Wandel von historischer Dimension. Es war jener historische Augenblick, als den Menschen klar wurde, dass Stimmen, die sie von außen zu hören glaubten, in Wirklichkeit aus ihrem Inneren kamen. Jaynes geht sogar so weit, diesen historischen Übergang als Beginn des menschlichen Bewusstseins zu bezeichnen.

Eine antike ägyptische Inschrift spricht von dem Schöpfergott Ptah und bezeichnet die verschiedenen anderen Götter als Abwandlungen von Ptahs »Stimme« oder »Zunge«. Moderne

Übersetzungen verwerfen die buchstäbliche »Stimme« und interpretieren die anderen Götter als »objektivierte Begrifflichkeiten seines [Ptahs] Geistes«. Jaynes lehnt eine solche übertragene Lesart ab und nimmt stattdessen die wörtliche Bedeutung ernst. Die Götter waren demnach Halluzinationen von Stimmen, die im Kopf der Menschen sprachen. Außerdem äußert Jaynes die Vermutung, solche Götter könnten sich aus der Erinnerung an tote Könige entwickelt haben, die auf eine gewisse Weise zu ihren Untertanen sprachen und damit als imaginäre Stimme die Macht über sie behielten. Ob man diese These nun plausibel findet oder nicht, das Buch von Jaynes ist in jedem Fall so faszinierend, dass es eine Erwähnung in einem Buch über Religion verdient hat.

Kommen wir nun zurück zu der Möglichkeit, im Rückgriff auf Jaynes eine Theorie zu konstruieren, wonach Götter und Fantasiefreunde wie Binker entwicklungsgeschichtlich verwandt sind – und zwar genau andersherum, als es die Theorie der Pädomorphose annimmt. Dies läuft auf die Vermutung hinaus, dass der Zusammenbruch der bikameralen Psyche in der Geschichte kein plötzliches Ereignis war, sondern dass der Augenblick, in dem die eingebildeten Stimmen und Erscheinungen nicht mehr als real wahrgenommen werden, sich in ein immer früheres Stadium der Kindheit verlagerte. Nach dieser Umkehr der Pädomorphose-Hypothese verschwanden die eingebildeten Götter zunächst aus dem Geist der Erwachsenen, und dann zogen sie sich immer weiter in die Kindheit zurück, sodass sie sich heute nur noch in Phänomenen wie Binker oder dem kleinen lila Männchen erhalten haben. Allerdings wirft diese Version der Theorie das Problem auf, dass sie nicht erklärt, warum Götter bis heute im Geist von Erwachsenen vorkommen.

Vielleicht ist es darum besser, Götter nicht als Vorläufer der Binker-Gestalten oder umgekehrt anzusehen, sondern beide als Nebenprodukte der gleichen psychischen Disposition zu deuten. Götter und Fantasiefreunde haben beide die Fähigkeit zu trösten, und sie geben eine ausgezeichnete Bühne ab für das Ausprobieren von Ideen. Damit sind wir nicht mehr weit von der im fünften Kapitel beschriebenen Theorie entfernt, wonach die Religion in der Evolution ein psychologisches Nebenprodukt war.

Trost

Jetzt ist es an der Zeit, dass wir uns mit einer wichtigen Funktion Gottes beschäftigen: Er tröstet uns, und wenn er nicht existieren sollte, stehen wir vor der humanitären Herausforderung, etwas anderes an seine Stelle setzen zu müssen. Viele Menschen räumen ein, dass Gott vermutlich nicht existiert und dass er auch für die Ethik nicht nötig ist, aber dann präsentieren sie das, was sie für eine Trumpfkarte halten: das angebliche psychologische oder emotionale *Bedürfnis* nach einem Gott. Trotzig fragen sie: Wenn man die Religion wegnimmt, was tritt dann an ihre Stelle? Was haben wir den sterbenden Patienten anzubieten, den weinenden Hinterbliebenen, den einsamen Eleanor Rigbys, für die Gott der einzige Freund ist?

Die erste Antwort darauf sollte eigentlich überflüssig sein. Dass Religion die Fähigkeit hat, zu trösten, macht sie nicht wahrer. Selbst wenn wir ein gewaltiges Zugeständnis machen; wenn wir schlüssig nachweisen, dass der Glaube an die Existenz Gottes für das psychische und emotionale Wohlbefinden der Menschen völlig unentbehrlich ist; selbst wenn alle Atheisten verzweifelte Neurotiker wären, die von einer erbarmungslosen kosmischen Angst in den Selbstmord getrieben würden – selbst dann wäre das alles nicht der Hauch eines Beleges dafür, dass religiöser Glaube der Wahrheit entspricht. Es könnte allerdings ein Beleg dafür sein, dass es wünschenswert ist, sich selbst von der Existenz Gottes zu überzeugen, obwohl er nicht existiert.

Wie bereits erwähnt, unterscheidet Dan Dennett in *Breaking the Spell: Religion as a Natural Phenomenon* (»Die Durchbrechung des Zaubers: Religion als natürliches Phänomen«) zwischen dem Glauben an Gott und dem Glauben an den Glauben. Man hält es für wünschenswert, zu glauben, selbst wenn der Glaube als solcher falsch ist: »Herr, ich glaube; hilf meinem Unglauben« (Markus 9,24). Die Gläubigen werden aufgefordert, ihren Glauben zu *bekennen*, ganz gleich, ob sie davon überzeugt sind oder nicht. Vielleicht muss man etwas nur oft genug wiederholen, um sich irgendwann davon zu überzeugen, dass es die Wahrheit ist. Sicher kennt jeder von uns andere Menschen, die Gefallen an der Vorstellung von religiösem Glauben finden und Angriffe darauf abwehren, während sie gleichzeitig widerwillig einräumen, dass sie selbst keinen Glauben haben. Ich war ein wenig schockiert, als ich folgendes Musterbeispiel bei meinem wissenschaftlichen Vorbild Peter Medawar fand, der 1984 schrieb: »Ich bedaure sehr, dass ich nicht an Gott und an religiöse Antworten im Allgemeinen glaube, weil es meiner Überzeugung nach vielen Trostbedürftigen Zufriedenheit und Trost verschaffen würde, wenn wir gute wissenschaftliche und philosophische Gründe für den Glauben an Gott finden könnten.«[168]

Seit ich Dennetts Unterscheidung kenne, finde ich sie bei vielen Gelegenheiten immer wieder bestätigt. Es ist wohl kaum eine Übertreibung, wenn ich behaupte, dass die Mehrzahl der Atheisten in meinem Bekanntenkreis ihre Überzeugung hinter einer frommen Fassade verbirgt. Sie glauben selbst nicht an irgendetwas Übernatürliches, haben aber nach wie vor eine unbestimmte Schwäche für irrationale Überzeugungen. Sie glauben an den Glauben. Es ist verblüffend, wie viele Menschen anscheinend den Unterschied zwischen »X ist wahr« und »Es ist wünschenswert, dass die Menschen X für wahr halten« nicht kennen. Vielleicht fallen sie auf den logischen Fehler auch nicht wirklich herein, sondern halten die Wahrheit im Vergleich zu den Gefühlen der Menschen einfach für unwichtig. Ich möchte menschliche Gefühle nicht herabwürdigen, aber in jedem Gespräch sollte klar sein, wovon die Rede ist: von Gefühlen oder von der Wahrheit. Beide können wichtig sein, aber es sind zwei unterschiedliche Dinge.

Ohnehin war mein hypothetisches Zugeständnis hergeholt und falsch. Denn ich habe keinerlei Anhaltspunkte dafür, dass Atheisten im Allgemeinen zu unglücklicher, angstbesetzter Verzweiflung neigen. Manche Atheisten sind glücklich. Andere fühlen sich entsetzlich. Auch manche Christen, Juden, Muslime, Hindus und Buddhisten fühlen sich entsetzlich, während andere glücklich sind. Es mag statistische Befunde zum Zusammenhang zwischen Glücklichsein und Glauben (oder Unglauben) geben, aber dass man daraus in der einen oder anderen Richtung einen starken Effekt ablesen kann, bezweifle ich. Interessanter ist für mich die Frage, ob es einen stichhaltigen *Grund* gibt, sich deprimiert zu fühlen, wenn man ohne Gott lebt. Am Ende dieses Buches werde ich genau die gegenteilige Ansicht vertreten: Die Aussage, man könne auch ohne übernatürliche Religion ein glückliches, erfülltes Leben führen, ist eine Untertreibung. Zunächst jedoch muss ich die Behauptung untersuchen, dass die Religion Trost biete.

Trost ist nach der Definition des *Shorter Oxford Dictionary* die Linderung von Kummer oder psychischem Schmerz. Ich möchte zwei Arten von Trost unterscheiden.

1. *Direkter physischer Trost.* Wer einmal eine Nacht auf einem kahlen Berggipfel verbringen musste, findet sicher Trost bei einem großen, warmen Bernhardiner und – nicht zu vergessen – bei dem Schnapsfass, das er um den Hals trägt. Ein weinendes Kind fühlt sich getröstet, wenn ein Erwachsener

es in seine starken Arme schließt und ihm beruhigende Worte ins Ohr flüstert.

2. *Trost durch die Entdeckung einer zuvor nicht wahrgenommenen Tatsache oder einer zuvor unbekannten Sichtweise für die vorhandenen Tatsachen.* Eine Frau, deren Mann im Krieg umgekommen ist, fühlt sich unter Umständen getröstet, wenn sie bemerkt, dass sie von ihm schwanger ist oder dass er als Held gestorben ist. Trost finden wir auch, wenn es uns gelingt, auf neue Weise über eine Situation nachzudenken. Ein Philosoph hat einmal darauf hingewiesen, dass der Augenblick, in dem ein alter Mann stirbt, nichts Besonderes hat. Das Kind, das er einmal war, ist schon vor langer Zeit »gestorben«, und zwar nicht weil es plötzlich nicht mehr lebte, sondern weil es erwachsen geworden ist. Shakespeares sieben Alter eines Menschen »sterben« jeweils durch den allmählichen Übergang zum nächsten. So betrachtet, unterscheidet sich der Augenblick, in dem der alte Mann endgültig stirbt, nicht von den langsamen »Toden« während seines Lebens.[169]

Ein Mensch, der sich mit der Aussicht auf den eigenen Tod nicht anfreunden kann, findet eine derart veränderte Sichtweise unter Umständen tröstlich. Vielleicht auch nicht. Jedenfalls ist dies ein potenzielles Beispiel für den Trost durch Nachdenken. Mark Twain tat die Angst vor dem Tod auf andere Weise ab: »Ich fürchte den Tod nicht. Ich war Milliarden und Abermilliarden Jahre tot, bevor ich geboren wurde, und es hat mir nicht die geringsten Unannehmlichkeiten bereitet.« Solche geistreichen Formulierungen ändern nichts an der Tatsache, dass unser Tod unausweichlich ist. Aber sie bieten für diese Unausweichlichkeit eine andere Sichtweise, und die finden wir unter Umständen tröstlich. Auch Thomas Jefferson hatte keine Angst vor dem Tod und glaubte offensichtlich nicht an irgendein Jenseits. Christopher Hitchens berichtet in seiner Jefferson-Biografie: »Als seine Tage zur Neige gingen, schrieb Jefferson mehr als einmal an Freunde, er sehe dem bevorstehenden Ende weder mit Hoffnung noch mit Furcht entgegen. Das war das Gleiche, als hätte er unmissverständlich erklärt, dass er kein Christ war.«

Eine robuste Psyche erträgt vielleicht auch den starken Tobak in Bertrand Russells Essay »What I Believe« (»Woran ich glaube«) aus dem Jahre 1925:

> Ich glaube, dass ich verwesen werde, wenn ich sterbe, und dass nichts von meinem Ego übrig bleibt. Ich bin nicht jung, und ich liebe das Leben. Aber ich würde es verachten, bei dem Gedanken an die Vernichtung vor Schrecken zu zittern. Das Glück ist wahr, auch dann, wenn es ein Ende finden muss, und auch das Denken und die Liebe verlieren nicht ihren Wert, weil sie nicht ewig währen. So mancher Mann hat auf dem Schafott eine stolze Haltung gezeigt, und der gleiche Stolz sollte uns lehren, über die Stellung des Menschen in der Welt die Wahrheit zu denken. Selbst wenn uns die offenen Fenster der Wissenschaft nach der gemütlichen Wärme der traditionellen, vermenschlichenden Mythen zunächst vor Kälte erschauern lassen, so macht uns die frische Luft am Ende stark, und die unermesslichen Weiten besitzen eine eigene Großartigkeit.[170]

Dieser Aufsatz von Russell war für mich eine große Anregung, als ich ihn mit 16 Jahren in meiner Schulbibliothek las, aber später hatte ich ihn vergessen. Möglicherweise zollte ich Russell unbewusst (und Darwin bewusst) Respekt, als ich 2003 in *A Devil's Chaplain* schrieb:

> Es ist mehr als nur etwas Großartiges an dieser Sicht des Lebens, auch wenn sie manchmal düster und kalt zu sein

scheint, solange man unter der Schmusedecke des Unwissens steckt. Man kann eine große Erfrischung daraus beziehen, wenn man aufsteht und das Gesicht direkt in den starken, schneidenden Wind des Verstehens hält: in Yeats' »Wind, der zwischen den Sternen weht«.

Wie schneiden zum Beispiel die Religion und ihre Fähigkeit, diese beiden Arten von Trost zu spenden, im Vergleich zur Naturwissenschaft ab? Betrachten wir zunächst den direkten Trost (Typ 1): Dass die starken Arme Gottes selbst dann, wenn man sie sich nur einbildet, genauso trösten können wie die realen Arme eines Freundes oder ein Bernhardiner mit einem Schnapsfass um den Hals, ist ganz und gar plausibel. Natürlich kann auch wissenschaftliche Arznei trösten – in der Regel sogar wirksamer als Schnaps.

Was die zweite Art von Trost angeht, so kann man ebenfalls ohne weiteres glauben, dass Religion hier sehr wirksam ist. Nach einer schrecklichen Katastrophe, beispielsweise einem Erdbeben, berichten die Betroffenen sehr häufig, sie hätten Trost aus dem Gedanken bezogen, dass alles zu Gottes unergründlichem Plan gehöre: Zu gegebener Zeit werde es sicher sein Gutes haben. Wenn man sich vor dem Tod fürchtet, wirkt der ehrliche Glaube, man habe eine unsterbliche Seele, sicher tröstlich – es sei denn, man glaubt, sie werde in der Hölle oder im Fegefeuer landen. Falsche Überzeugungen können in jeder Hinsicht genauso tröstlich sein wie richtige, und zwar bis zum Augenblick der Desillusionierung. Das gilt auch für Überzeugungen, die nichts mit Religion zu tun haben. Wer an Krebs im Endstadium leidet, lässt sich vielleicht trösten, wenn der Arzt ihm vorlügt, er sei geheilt, und dieser Trost ist ebenso wirksam wie bei einem anderen, bei dem die Aussage über die Heilung der Wahrheit entspricht. Der ehrliche, aus tiefstem Herzen kommende Glaube an ein Leben nach dem Tod ist gegen eine Desillusionierung noch besser gefeit als der Glaube an einen lügenden Arzt. Die Lüge des Arztes wirkte nur so lange, bis die Symptome nicht mehr zu übersehen sind. Wer an ein Leben nach dem Tod glaubt, kann letztlich niemals desillusioniert werden.

Umfragen zufolge glauben in den Vereinigten Staaten ungefähr 95 Prozent der Bevölkerung, sie würden nach dem Tod weiterleben. Lassen wir ehrgeizige Märtyrer einmal beiseite. Dann muss ich mich einfach fragen, welcher Anteil der gemäßigt religiösen Menschen im tiefsten Inneren wirklich daran glaubt. Angenommen, sie wären wirklich ehrlich: Müssten sie sich dann nicht alle verhalten wie der Abt von Ampleforth? Als Kardinal Basil Hume ihm sagte, er (der Kardinal) liege im Sterben, war der Abt begeistert: »Herzlichen Glückwunsch! Das ist ja großartig. Am liebsten würde ich gleich mitkommen.«[171] Der Abt war anscheinend ehrlich gläubig. Aber gerade weil das so selten ist und so unerwartet kommt, erregt die Geschichte unsere Aufmerksamkeit und gibt fast Anlass zur Belustigung – das Ganze erinnert an die Karikatur einer splitternackten jungen Frau, die ein Transparent mit der Aufschrift »Make Love Not War« trägt und der ein Zuschauer zuruft: »Das nenne ich wahre Überzeugung!«

Warum sagen nicht alle Christen und Muslime etwas Ähnliches wie der Abt, wenn sie hören, dass ein Freund in Sterben liegt? Wenn eine gläubige Frau vom Arzt erfährt, sie habe nur noch wenige Monate zu leben, warum strahlt sie dann nicht vor Vorfreude, als ob sie gerade einen Urlaub auf den Seychellen gewonnen hätte? Warum ruft sie nicht: »Ich kann es gar nicht mehr erwarten!«? Warum bombardieren die gläubigen Besucher an ihrem Krankenbett sie nicht mit Nachrichten für jene, die schon früher gegangen sind? »Grüß meinen Onkel Robert von mir, wenn du ihn siehst …«

Warum reden religiöse Menschen in Gegenwart von Sterbenden nicht so? Könnte es sein, dass sie all das, was sie behaupten, in Wirklichkeit gar nicht glauben? Oder vielleicht glauben sie es, fürchten sich jedoch vor dem *Vorgang* des Sterbens. Dazu besteht durchaus Anlass angesichts der Tatsache, dass unsere Spezies als Einzige nicht einfach zum Tierarzt gehen darf, um sich schmerzlos aus dem Elend befreien zu lassen. Aber wenn es so ist, warum kommt dann der lautstärkste Widerstand gegen Sterbehilfe und Beihilfe zum Selbstmord aus dem religiösen Lager? Würde man angesichts einer Todesvorstellung à la »Abt von Ampleforth« oder »Urlaub auf den Seychellen« nicht damit rechnen, dass religiöse Menschen am allerwenigsten am irdischen Leben hängen? Verblüffenderweise ist es anders: Wenn man jemanden trifft, der sich leidenschaftlich gegen Sterbehilfe oder Beihilfe zum Selbstmord ausspricht, kann man in der Regel darauf wetten, dass es sich um einen religiösen Menschen handelt. Offiziell wird es damit begründet, dass Töten eine Sünde ist. Indes, warum stuft man es denn als Sünde ein, wenn man ehrlich glaubt, dass man damit einem anderen zu einer schnelleren Reise in den Himmel verhilft?

In der Frage nach der Beihilfe zum Selbstmord geht meine Einstellung von der bereits zitierten Beobachtung von Mark Twain aus. Tot zu sein ist nichts anderes, als wäre man gar nicht geboren – ich werde mich dann im gleichen Zustand befinden wie zur Zeit Williams des Eroberers, der Dinosaurier oder der Trilobiten. Und das ist nichts, wovor man Angst haben müsste. Der Prozess des Sterbens indes kann je nachdem, wie viel Glück oder Pech man hat, schmerzhaft und unangenehm sein – und wir haben uns daran gewöhnt, dass wir uns vor solchen Erlebnissen mit einer Vollnarkose wie bei einer Blinddarmoperation schützen können. Wer ein Haustier unter Schmerzen sterben lässt, wird wegen Tierquälerei verurteilt, wenn er nicht zum Tierarzt geht und dem Tier eine Narkose verabreichen lässt, aus der es nicht mehr aufwacht. Erweist ein Arzt jedoch einem Menschen, der mit großen Schmerzen im Sterben liegt, den gleichen barmherzigen Dienst, läuft er Gefahr, wegen Mordes angeklagt zu werden.

Wenn ich sterbe, soll mir das Leben unter Vollnarkose herausgenommen werden, als wäre es ein erkrankter Blinddarm. Aber dieses Vorrecht wird mir nicht zuteil werden, denn ich habe das Pech, dass ich als Angehöriger der Spezies *Homo sapiens* zur Welt gekommen bin und nicht etwa als Hund *(Canis familiaris)* oder Hauskatze *(Felis catus)*. Das gilt zumindest dann, wenn ich nicht in ein aufgeklärteres Land wie die Schweiz, die Niederlande oder den US-Staat Oregon ziehe. Warum gibt es nur so wenige aufgeklärte Regionen? Vor allem weil die Religion so starken Einfluss hat.

Nun könnte man natürlich sagen: Ist es nicht ein großer Unterschied, ob einem der Blinddarm oder das Leben herausgenommen wird? Eigentlich nicht – jedenfalls dann nicht, wenn man ohnehin sterben wird. Und auch dann nicht, wenn man religiös ist und ehrlich an ein Leben nach dem Tode glaubt. Wenn man diesen Glauben hat, ist das Sterben nur der Übergang von einem Leben in ein anderes. Und falls der Übergang mit Schmerzen verbunden ist, sollte man ihn ebenso wenig ohne Narkose vollziehen wollen wie eine Blinddarmoperation. Naiverweise sollte man eher damit rechnen, dass wir, die wir den Tod für etwas Endgültiges und nicht für einen Übergang halten, uns gegen Sterbehilfe oder Beihilfe zum Selbstmord wenden. Und doch sind gerade wir diejenigen, die sich dafür aussprechen.*

---

* Eine Untersuchung der Frage, welche Einstellung amerikanische Atheisten zum Tod haben, gelangte zu folgenden Ergebnissen: 50 Prozent wünschten sich eine Feier zur Erinnerung an ihr Leben; 99 Prozent befürworteten den ärztlich unterstützten Selbstmord für Menschen, die dies wollen, und 75 Prozent wünschten es sich für sich selbst; den Kontakt mit Religionsvertretern unter dem Krankenhauspersonal lehnten 100 Prozent der Befragten ab. Siehe http://nursestoner.com/myresearch.html (1.4.2007).

Unter den gleichen Gesichtspunkten müssen wir uns auch fragen, was wir mit der Beobachtung einer meiner Bekannten anfangen sollen, einer älteren Frau, die ihr ganzes Leben lang ein Altersheim geleitet hatte und mit dem Tod ganz und gar vertraut war. Sie stellte im Laufe der Jahre fest, dass religiöse Menschen meist die größte Angst vor dem Tod haben. Natürlich müsste man ihre Beobachtung statistisch untermauern, aber nehmen wir einmal an, sie hätte Recht: Was ist da los? Was auch immer die Ursache sein mag, spricht dies nicht nachdrücklich dagegen, dass Religion in der Lage sei, Sterbende zu trösten?* Liegt es im Fall der Katholiken vielleicht an der Angst vor dem Fegefeuer? Der fromme Kardinal Hume verabschiedete sich von seinen Freunden mit folgenden Worten: »Nun denn, lebt wohl. Ich nehme an, wir sehen uns im Fegefeuer wieder.« *Ich* nehme an, dass in diesen freundlichen alten Augen ein skeptisches Zwinkern war.

Die Lehre vom Fegefeuer offenbart auf groteske Weise, wie die theologische Psyche funktioniert. Das Fegefeuer ist eine Art göttliches Ellis Island, ein Wartezimmer der Unterwelt, in das die toten Seelen geschickt werden, wenn ihre Sünden nicht so schlimm waren, dass sie in die Hölle kommen müssten, aber immer noch schlimm genug, dass sie ein wenig Überprüfung und Reinigung brauchen, bevor sie in die sündenfreie Zone des Himmels aufgenommen werden.** Im Mittelalter verkaufte

---

* Ein Bekannter aus Australien prägte für die Tendenz, dass der religiöse Glaube mit dem Alter zunimmt, eine großartige Redewendung: »Futtern fürs Finale.«

** Das Fegefeuer ist nicht zu verwechseln mit der Vorhölle, in die Babys wandern, wenn sie ungetauft sterben. Aber was ist mit abgetriebenen Föten? Mit Blastocysten? Erst kürzlich hat Papst Benedikt XVI. mit dem üblichen überheblichen Selbstbewusstsein die Vorhölle abgeschafft. Heißt das, dass alle Babys, die seit Jahrhunderten dort geschmort haben, nun plötzlich in den Himmel fliegen? Oder bleiben sie dort, und nur die neu Hinzugekommenen entgehen der Vorhölle? Oder hatten frühere Päpste trotz ihrer Unfehlbarkeit unrecht? Solcherart sind die Dinge, die wir »respektieren« sollen.

die Kirche den »Ablass« für Geld. Das lief darauf hinaus, dass man sich für eine bestimmte Anzahl von Tagen aus dem Fegefeuer freikaufte, und die Kirche gab ganz buchstäblich (und mit atemberaubender Anmaßung) unterschriebene Zertifikate heraus, in denen die Zahl der freigekauften Tage genau bezeichnet war. Es ist, als wäre der Ausdruck »unrechtmäßig« speziell für die Einnahmen der katholischen Kirche erfunden worden. Und unter allen ihren Methoden, durch Nepp an Geld zu gelangen, ist der Ablasshandel sicher eine der größten Betrügereien in der Geschichte, das mittelalterliche Gegenstück zum nigerianischen Internetbetrug, aber mit weitaus größerem Erfolg.

Noch 1903 konnte Papst Pius X. genau aufführen, wie viele Tage Befreiung aus dem Fegefeuer die einzelnen Ränge der Hierarchie vergeben durften: Kardinäle 200 Tage, Erzbischöfe 100 Tage, Bischöfe nur 50 Tage. Zu jener Zeit wurde der Ablass allerdings bereits nicht mehr unmittelbar für Geld verkauft. Selbst im Mittelalter war Geld nicht die einzige Währung, mit der man sich die Entlassung aus dem Fegefeuer verschaffen konnte. Man konnte auch mit Gebeten bezahlen, entweder indem man selbst vor dem Tod betete oder indem andere für den Toten beteten. Und mit Geld konnte man Gebete kaufen. Wer reich war, konnte für alle Ewigkeit Vorsorge für die eigene Seele treffen. Meine eigene Hochschule, das New College in Oxford, wurde 1379 (damals war es wirklich neu) von einem der großen Wohltäter jenes Jahrhunderts gegründet: von William of Wykeham, Bischof von Winchester. Ein mittelalterlicher Bischof konnte zum Bill Gates seiner Zeit werden. Er kontrollierte die Entsprechung zur Datenautobahn (die damals zu Gott führte) und häufte ungeheure Reichtümer an. Seine Diözese war besonders groß, und Wykeham nutzte Geld und Einfluss, um zwei große Bildungseinrichtungen zu gründen, die eine in Winchester, die andere in Oxford. Bildung war ihm wichtig, aber in der offiziellen Geschichte des New College, die 1979 zum sechshundertsten Gründungsjubiläum erschien, wird als wichtigstes Ziel des College etwas anderes genannt: Es war »eine große Kirche, in der Fürbittegebete für sein Seelenheil gesprochen werden sollten. Für den Dienst in der Kapelle stellte er zehn Kapläne, drei Priester und 16 Chorknaben ab, und er ordnete an, dass sie als Einzige in ihrer Stellung bleiben sollten, wenn die Einnahmen des Colleges zurückgingen.« Wykeham übergab das New College an die Fellowship, ein Gremium, das seine Mitglieder selbst wählt und mittlerweile seit über 600 Jahren ununterbrochen als feste Körperschaft existiert. Vermutlich vertraute er darauf, dass wir über Jahrhunderte hinweg weiterhin für seine Seele beten würden.

Heute hat das College nur einen Kaplan* und keine Priester mehr, und der stetige, jahrhundertelange Sturzbach der Gebete für Wykeham im Fegefeuer ist auf ein Rinnsal von zwei Gebeten pro Jahr geschrumpft. Nur die Chorsänger stehen nach wie vor in Saft und Kraft, und ihre Musik ist tatsächlich zauberhaft. Selbst ich empfinde als Mitglied dieser Fellowship einen Anflug von Schuldgefühlen wegen Vertrauensmissbrauchs.

Nach dem Verständnis seiner eigenen Zeit tat Wykeham das Gleiche wie ein heutiger reicher Mann, der eine hohe Vorschusszahlung an ein Unternehmen leistet, das ihm garantiert, es werde seine Leiche einfrieren und vor Erdbeben, inneren Unruhen, Atomkrieg und anderen Gefahren schützen, bis die medizinische Wissenschaft irgendwann in der Zukunft herausgefunden hat, wie man ihn auftauen und die Krankheit, an der er gestorben ist, heilen kann. Werden wir als spätere Fellows des New College seinem Gründer gegenüber vertragsbrüchig? Wenn es so ist, sind wir in guter Gesellschaft. Hunderte von mittelalterlichen Wohltätern starben im Vertrauen darauf, dass ihre Erben, die dafür gut bezahlt wurden, ihnen durch Gebete

---

* Und der ist auch noch weiblich – was hätte Bischof William wohl davon gehalten?

die Zeit im Fegefeuer verkürzen würden. Für mich stellt sich unausweichlich die Frage, welcher Teil der mittelalterlichen Kunst- und Architekturschätze in Europa ursprünglich Abschlagszahlungen auf die Ewigkeit waren, für die heute die Treuepflicht verletzt wird.

Was mich aber an der Lehre vom Fegefeuer am meisten fasziniert, ist der *Beleg*, den die Theologen dafür nannten: Dieser Beleg ist so ungeheuer schwach, dass das muntere Selbstvertrauen, mit dem er vorgebracht wird, geradezu komisch wirkt. Der Artikel der *Catholic Encyclopedia* über das Fegefeuer enthält einen Abschnitt mit der Überschrift »Beweise«. Darin wird als entscheidender Beleg für die Existenz des Fegefeuers Folgendes angeführt: Wenn die Toten allein auf der Grundlage ihrer irdischen Sünden in den Himmel oder die Hölle wandern würden, hätte es keinen Sinn, für sie zu beten. »Warum soll man für die Verstorbenen beten, wenn man nicht daran glaubt, dass Gebete die Macht haben, jenen, die bisher vom Antlitz Gottes ausgeschlossen sind, Trost zu spenden?« Schließlich beten wir doch für die Toten, oder? Also muss es ein Fegefeuer geben, sonst wären die Gebete sinnlos! Q.e.d. Dies ist, ganz im Ernst, ein Beispiel dafür, was im theologischen Geist als vernünftiges Denken durchgeht.

Der gleiche bemerkenswerte Trugschluss spiegelt sich in größerem Maßstab auch in einer anderen häufigen Anwendung des Tröstungsarguments. Sie lautet: Es muss einen Gott geben, denn wenn er nicht existieren würde, wäre das Leben leer, sinnlos, vergeblich, eine Wüste aus Sinn- und Bedeutungslosigkeit. Warum muss man überhaupt darauf hinweisen, dass diese Logik schon über das erste Hindernis stolpert? Vielleicht ist das Leben leer. Vielleicht sind unsere Gebete für die Toten tatsächlich sinnlos. Doch wenn man das Gegenteil annimmt, setzt man bereits die Wahrheit der Schlussfolgerung voraus, die man überhaupt erst beweisen will. Der angebliche Beweis ist ganz offenkundig ein Zirkelschluss.

Das Leben ohne die Ehefrau kann durchaus unerträglich, öde und leer sein, aber das verhindert leider nicht, dass sie tot ist. Die Annahme, jemand anders (bei Kindern die Eltern, bei Erwachsenen Gott) habe die Aufgabe, unserem Leben Sinn und Bedeutung zu geben, hat etwas Kindisches. Es ist die infantile Haltung dessen, der mit dem Fuß umknickt und sofort jemanden sucht, den er deswegen verklagen kann. Jemand anders muss für mein Wohlergehen verantwortlich sein, und wenn ich mir wehtue, ist ein anderer daran schuld. Steht die gleiche infantile Haltung in Wirklichkeit nicht auch hinter dem »Bedürfnis« nach einem Gott? Sind wir wieder bei Binker?

Die wirklich erwachsene Einstellung dagegen lautet: Unser Leben ist so sinnvoll, so ausgefüllt und großartig, wie wir selbst es gestalten. Und wir können es wirklich großartig gestalten. Wenn Wissenschaft überhaupt einen nicht materiellen Trost spenden kann, dann fließt er in mein letztes Thema ein: die Inspiration.

Inspiration

Hier geht es um eine Frage des Geschmacks oder des persönlichen Urteils, und das hat eine unglückliche Folge: Ich muss mich nun einer rhetorischen statt einer logischen Argumentation bedienen. Genau das habe ich auch früher schon getan – wie viele andere, darunter in jüngerer Zeit Carl Sagan in *Pale Blue Dot (Blauer Punkt im All)*, E. O. Wilson in *Biophilia*, Michael Shermer in *The Soul of Science* (»Die Seele der Wissenschaft«) und Paul Kurtz in *Affirmations* (»Bestätigungen«). In meinem Buch *Unweaving the Rainbow (Der entzauberte Regenbogen)* wollte ich deutlich machen, welches Glück wir haben, dass wir überhaupt am Leben sind – immerhin muss man bedenken, dass die große Mehrzahl der Menschen, die aus der Kombinationslotterie der DNA hervorgehen könnten, in Wirklichkeit nie geboren wird. Für uns, die wir Glück haben und da sind, habe ich die relativ kurze Dauer des Lebens mit einem dünnen Scheinwerferstrahl verglichen, der an einem riesigen Zeitmaßstab entlangkriecht. Vor und hinter dem Lichtpunkt ist alles in die Dunkelheit der toten Vergangenheit oder in die Dunkelheit der unbekannten Zukunft gehüllt. Wir haben unglaubliches Glück, dass wir uns gerade in diesem Scheinwerferkegel befinden. Unsere Zeit in der Sonne mag kurz sein, aber angenommen, wir vergeuden auch nur eine Sekunde davon oder beschweren uns, sie sei düster, öde oder (wie für ein Kind) langweilig: Kann man darin nicht eine kaltschnäuzige Beleidigung gegenüber den Milliarden Ungeborenen sehen, die gar nicht erst die Gelegenheit zum Leben bekommen haben?

Schon viele Atheisten haben es besser formuliert, als ich es könnte: Das Wissen, dass wir nur ein Leben haben, macht dieses Leben umso kostbarer. Entsprechend lebensbejahend und lebensbekräftigend ist die atheistische Weltanschauung, und gleichzeitig ist sie nicht von Selbsttäuschung, Wunschdenken oder dem weinerlichen Selbstmitleid jener gefärbt, die glauben, das Leben sei ihnen etwas schuldig. Emily Dickinson hat einmal gesagt:

Dass es niemals wiederkommt,
Macht das Leben ja so süß.

Wenn Gottes Abdankung eine Lücke hinterlässt, werden einzelne Menschen sie auf unterschiedliche Art ausfüllen. Meine Methode umfasst eine kräftige Dosis Naturwissenschaft: das ehrliche, systematische Bemühen, die Wahrheit über die Wirklichkeit herauszufinden. Für mich sind die Bestrebungen der Menschen, das Universum zu verstehen, ein Modellbauunternehmen. Jeder von uns baut sich in seinem Kopf ein Modell der Welt auf, in der wir uns befinden. Das kleinstmögliche derartige Modell ist das, was unsere Vorfahren brauchten, um in dieser Welt zu überleben. Die Simulationssoftware wurde durch die natürliche Selektion konstruiert und von Fehlern befreit, und am besten eignet sie sich für die Welt, die unseren Vorfahren in der afrikanischen Savanne vertraut war: eine dreidimensionale Welt aus Gegenständen mittlerer Größe, die sich im Verhältnis zueinander mit mäßiger Geschwindigkeit bewegen. Ein unerwarteter Zusatznutzen besteht darin, dass unser Gehirn sehr leistungsfähig ist und sich auch auf ein Modell der Welt einstellen kann, das viel reichhaltiger ist als die nützlichkeitsorientierten Vorstellungen, die unsere Vorfahren zum Überleben brauchten. Kunst und Wissenschaft sind Ausdrucksformen dieses Zusatznutzens, die sich verselbstständigt haben. Ich möchte ein letztes Bild zeichnen und damit vermitteln, wie gut die Naturwissenschaft unseren Geist öffnen und die Psyche zufriedenstellen kann.

Die Mutter aller Burkas

Zum Unerfreulichsten, was man heutzutage auf unseren Straßen zu sehen bekommt, gehören Frauen, die, von Kopf bis Fuß in einen formlosen schwarzen Umhang gehüllt, die Welt um sich herum nur durch einen winzigen Schlitz wahrnehmen können. Die Burka ist nicht nur ein Instrument zur Unterdrückung der Frauen und zur frömmelnden Beschneidung ihrer Freiheit und Schönheit; und sie ist auch nicht nur ein Kennzeichen empörender männlicher Grausamkeit und tragisch-ängstlicher weiblicher Unterwerfung. Vielmehr möchte ich den schmalen Schlitz im Schleier als Symbol für etwas anderes benutzen.

Unsere Augen sehen die Welt durch einen schmalen Schlitz im elektromagnetischen Spektrum. Sichtbares Licht ist eine helle Ritze im riesigen dunklen Wellenlängenbereich, der von den Radiowellen am längsten bis zu den Gammastrahlen am kürzesten Ende reicht. Wie schmal er wirklich ist, kann man sich nur schwer vorstellen, und es zu erklären ist eine echte Herausforderung. Stellen wir uns einmal eine riesige schwarze Burka vor, deren Sehschlitz die übliche Breite von ungefähr zweieinhalb Zentimetern hat. Wenn das kurze schwarze Stück Stoff oberhalb des Schlitzes das kurzwellige Ende des unsichtbaren Spektrums darstellt und das lange Stück Stoff unterhalb des Schlitzes dem langwelligen Ende dieses Spektrums entspricht, wie lang muss die Burka dann insgesamt sein, damit der Sehschlitz im gleichen Maßstab die üblichen zweieinhalb Zentimeter breit ist? Die Längen, um die es hier geht, sind so gewaltig, dass man sie ohne Hinzuziehung logarithmischer Skalen kaum sinnvoll darstellen kann. Das letzte Kapitel eines solchen Buches ist allerdings nicht der richtige Ort, um mit Logarithmen um sich zu werfen. Aber glauben Sie mir: Es wäre die Mutter aller Burkas. Das zweieinhalb Zentimeter breite Fenster des sichtbaren Lichts ist lächerlich klein im Vergleich zu den vielen Kilometern aus schwarzem Stoff, die den unsichtbaren Teil des Spektrums darstellen, von den Radiowellen am unteren Saum bis zu den Gammastrahlen oben auf dem Kopf. Die Naturwissenschaft tut uns den Gefallen, das Fenster zu vergrößern. Sie öffnet es so weit, dass das Gefängnis aus schwarzem Stoff fast völlig von uns abfällt und unseren Sinnen eine luftige, heitere Freiheit verschafft.

Optische Teleskope suchen den Himmel mit Linsen und Spiegeln aus Glas ab; die Sterne, die sie dabei sehen, geben zufällig Strahlung in dem engen Wellenlängenbereich ab, den wir als sichtbares Licht bezeichnen. Andere Teleskope »sehen« im Bereich der Röntgenstrahlen oder Radiowellen und bieten uns eine Fülle anderer Bilder des Nachthimmels. Im kleineren Maßstab »sehen« auch Kameras mit speziellen Filtern im Ultraviolettbereich, und die mit ihnen aufgenommenen Fotos zeigen Blüten mit fremdartigen Streifen- oder Fleckenmustern, die für Insektenaugen sichtbar sind und offenbar für sie

»gestaltet« wurden, für unsere unbewaffneten Augen aber unsichtbar bleiben. Das Wellenlängenfenster der Insekten hat eine ähnliche Größe wie unseres, ist aber in der Burka ein wenig nach oben verschoben: Insekten sind für rote Farben blind, sehen dafür aber ein wenig weiter ins Ultraviolette hinein als wir – in den »ultravioletten Garten«.*

Die Metapher des schmalen Lichtbandes, das sich zu einem ungeheuer breiten Spektrum erweitert, ist auch in anderen Bereichen der Naturwissenschaft nützlich. Wir leben ungefähr in der Mitte eines labyrinthartigen Museums der Größenordnungen und sehen die Welt mit Sinnesorganen und einem Nervensystem, die so ausgelegt sind, dass wir nur einen kleinen, mittleren Größenbereich wahrnehmen und verstehen, und auch das nur, wenn die betreffenden Objekte sich mit mittlerer Geschwindigkeit bewegen. Wir sind vertraut mit Gegenständen in der Größenordnung zwischen einigen Kilometern (der Blick von einem Berggipfel) und einem Zehntelmillimeter (die Spitze einer Stecknadel). Außerhalb dieses Bereichs ist sogar unsere Fantasie mangelhaft: Wir müssen Instrumente oder die Mathematik zu Hilfe nehmen, deren Anwendung wir glücklicherweise erlernen können. Der Bereich von Größen, Entfernungen und Geschwindigkeiten, mit denen unsere Fantasie gut zurechtkommt, ist nur ein winziger Ausschnitt inmitten eines gewaltigen Spektrums der Möglichkeiten, von den quantenmechanischen Seltsamkeiten am unteren Ende bis zur Einstein'-schen Kosmologie am oberen.

Für den Umgang mit Entfernungen außerhalb jenes mittleren Bereichs, mit dem unsere Vorfahren vertraut waren, ist unsere Fantasie erbärmlich schlecht gerüstet. Wir stellen uns das

---

* »The Ultraviolet Garden« war der Titel einer meiner fünf Weihnachtsvorlesungen bei der Royal Institution, die ursprünglich von der BBC unter dem Gesamttitel »Growing Up in the Universe« ausgestrahlt wurden. Die ganze Reihe mit allen fünf Titeln ist unter www.richarddawkins.net/home auf DVD erhältlich.

Elektron als winzige Kugel vor, die um einen Klumpen aus größeren Kugeln kreist, den Protonen und Neutronen. In Wirklichkeit sieht das Ganze überhaupt nicht so aus. Elektronen sind keine kleinen Kugeln. Sie gleichen keinem Gegenstand, den wir kennen. Es ist nicht einmal klar, ob das Wort »gleichen« überhaupt noch etwas bedeutet, wenn wir den Horizonten der Realität näher kommen. Unsere Fantasie verfügt bisher nicht über das Rüstzeug, um in die Nähe der Quanten vorzudringen. In ihren Größenbereichen verhält nichts sich so, wie unsere in der Evolution entstandene Denkweise es von Materie erwartet. Ebenso wenig kommen wir mit dem Verhalten von Objekten zurecht, die sich mit einem nennenswerten Bruchteil der Lichtgeschwindigkeit bewegen. Hier lässt uns der gesunde Menschenverstand im Stich, denn die Evolution des gesunden Menschenverstandes hat sich in einer Welt abgespielt, in der nichts sich besonders schnell bewegt und in der nichts besonders groß oder klein ist.

Der große Biologe J. B. S. Haldane schrieb am Ende seines Aufsatzes über »Possible Worlds« (»Mögliche Welten«): »Ich selbst habe nun den Verdacht, dass das Universum nicht nur seltsamer ist, als wir annehmen, sondern seltsamer, als wir überhaupt annehmen können. […] Ich vermute, dass es mehr Dinge im Himmel und auf Erden gibt, als sich irgendeine Schulweisheit erträumt oder überhaupt erträumen kann.« Übrigens fasziniert mich die Beobachtung, dass der berühmte Hamlet-Ausspruch, auf den Haldane hier anspielt, in der Regel falsch ausgesprochen wird. Die Betonung muss nämlich auf »Eure« liegen:

Es gibt mehr Ding im Himmel und auf Erden,
Als *Eure* Schulweisheit sich träumt, Horatio.

Tatsächlich werden diese Zeilen häufig so zitiert, als stehe Horatio stellvertretend für alle dümmlichen Rationalisten und

Skeptiker. Manche Fachleute indes legen das Schwergewicht auf die »Schulweisheit«, während das »Eure« fast verschwindet: »... als Eure *Schulweisheit* sich träumt«. In meinem Zusammenhang spielt der Unterschied keine große Rolle, nur berücksichtigt die zweite Interpretation bereits Haldanes *»irgendeine* Schulweisheit«.

Douglas Adams, der Widmungsträger dieses Buches, verdiente sich seinen Lebensunterhalt damit, dass er die Seltsamkeiten der Naturwissenschaft ins Komische zog. Der folgende Absatz stammt aus demselben improvisierten, 1998 in Cambridge gehaltenen Vortrag, aus dem ich bereits im ersten Kapitel zitiert habe:

> Die Tatsache, dass wir am Boden eines Gravitationsschachts, auf der Oberfläche eines von einer Gashülle umgebenen Planeten leben, der sich um einen 90 Millionen Meilen entfernten atomaren Feuerball dreht, und das für normal halten, deutet zweifellos darauf hin, wie schräg unsere Perspektive manchmal ist.[172]

Während andere Science-Fiction-Autoren mit den Seltsamkeiten der Wissenschaft spielen, um unser Gefühl für das Geheimnisvolle anzusprechen, nutzt Douglas Adams sie, um uns zum Lachen zu bringen (wer *Per Anhalter durch die Galaxis* gelesen hat, denkt vielleicht an den »unendlichen Unwahrscheinlichkeitsantrieb«). Lachen, das kann man durchaus behaupten, ist gelegentlich die beste Antwort auf einige besonders seltsame Paradoxa der modernen Physik. Die Alternative, so denke ich manchmal, bestünde darin, zu weinen.

Die Quantenmechanik, jener verfeinerte Gipfel der wissenschaftlichen Errungenschaften aus dem 20. Jahrhundert, macht ausgezeichnete, zutreffende Voraussagen über die Wirklichkeit. Richard Feynman verglich ihre Genauigkeit mit der Präzision, die im Spiel wäre, wenn man die Breite Nordamerikas bis auf die Dicke eines menschlichen Haares genau voraussagen könnte. Dieser Erfolg bei den Voraussagen bedeutet offenbar, dass die Quantentheorie in irgendeinem Sinn wahr sein muss – so wahr, wie wir es kennen, selbst wenn wir ganz prosaische, dem gesunden Menschenverstand entsprechende Tatsachen einschließen. Aber um ihre Voraussagen treffen zu können, muss die Quantentheorie derart rätselhafte *Annahmen* voraussetzen, dass selbst der große Feynman sich zu der Bemerkung hinreißen ließ: »Wenn Sie glauben, Sie verstehen die Quantentheorie … dann verstehen Sie die Quantentheorie nicht.« (Es gibt mehrere Versionen des Zitats, aber diese erscheint mir am prägnantesten.)*

Die Quantentheorie ist so seltsam, dass Physiker bei dieser oder jener paradoxen »Interpretation« Zuflucht suchen. »Zuflucht« ist tatsächlich das richtige Wort. David Deutsch macht sich in seinem Buch *The Fabric of Reality (Die Physik der Welterkenntnis)* die »Viele-Welten-Interpretation« der Quantentheorie zu eigen, vielleicht weil man von ihr nichts Schlechteres sagen kann, als dass sie auf groteske Weise *verschwenderisch* ist. Sie postuliert eine riesige, schnell wachsende Zahl von Universen, die parallel zueinander existieren und gegenseitig nicht nachweisbar sind, außer über das enge Schlupfloch quantenmechanischer Experimente. In manchen dieser Universen bin ich bereits tot. In einer kleinen Minderheit von ihnen haben Sie einen grünen Schnauzbart. Und so weiter.

Eine Alternative, die »Kopenhagener Interpretation«, ist ebenso grotesk – nicht verschwenderisch, aber erschütternd paradox. Ihr galt Erwin Schrödingers satirische Parabel von der Katze. Schrödingers Katze ist in einer Kiste eingeschlossen, in der ein quantenmechanisches Ereignis einen Tötungsmechanismus in Gang setzt. Bevor wir den Deckel der Kiste öffnen,

---

* Eine ähnliche Bemerkung wird auch Niels Bohr zugeschrieben: »Wer von der Quantentheorie nicht schockiert ist, hat sie nicht verstanden.«

wissen wir nicht, ob die Katze tot ist. Der gesunde Menschenverstand sagt uns aber, dass die Katze sich dennoch tot oder lebendig in der Kiste befinden muss. Die Kopenhagener Interpretation widerspricht dem gesunden Menschenverstand: Das Einzige, was vor dem Öffnen der Kiste existiert, ist eine Wahrscheinlichkeit. Sobald wir die Kiste öffnen, bricht die Wellenfunktion zusammen, und uns bleibt nur noch ein einziges Ereignis: Die Katze ist tot, oder die Katze ist lebendig. Bevor wir den Deckel aufgeklappt haben, war sie weder tot noch lebendig.

Betrachtet man den gleichen Vorgang nach der »Viele-Welten-Interpretation«, ist die Katze in manchen Universen tot, und in anderen ist sie lebendig. Keine der beiden Interpretationen stellt den gesunden Menschenverstand oder unsere Intuition zufrieden. Hartgesottene Physiker stört das nicht. Für sie ist nur wichtig, dass die Mathematik funktioniert und dass die Voraussagen sich experimentell bestätigen lassen. Die meisten Menschen haben jedoch nicht genug Mumm, um ihnen zu folgen. Offenbar haben wir ein *Bedürfnis*, uns bildlich vorzustellen, was »wirklich« vorgeht. Nebenbei bemerkt: Ich weiß, dass Schrödinger sein Gedankenexperiment mit der Katze ursprünglich formulierte, um die in seinen Augen absurde Kopenhagener Interpretation bloßzustellen.

Nach Ansicht des Biologen Lewis Wolpert sind die seltsamen Aspekte der modernen Physik nur die Spitze eines Eisberges. Wissenschaft tut – anders als Technologie – dem gesunden Menschverstand ganz allgemein Gewalt an.[173] Nach einer Berechnung von Wolpert ist beispielsweise die Zahl der Moleküle in einem Glas Wasser wesentlich größer als die Zahl möglicher Füllungen für ein Glas Wasser aus dem Meer. Und da das gesamte Wasser auf unserem Planeten in seinem Kreislauf das Meer durchläuft, folgt daraus die Erkenntnis: Jedes Mal, wenn wir ein Glas Wasser trinken, bestehen gute Chancen, dass wir dabei ein Molekül zu uns nehmen, das einmal die Harnblase von Oliver Cromwell durchlaufen hat. Mit Cromwell oder der

Harnblase hat es dabei natürlich keine besondere Bewandtnis. Haben Sie denn nicht gerade ein Stickstoffatom eingeatmet, das schon einmal von dem Iguanodon links von der hohen Urzeitpalme ausgeatmet wurde?

Freuen Sie sich nicht darüber, dass Sie in einer Welt leben, die solche Vermutungen nicht nur möglich macht, sondern in der Sie auch das Privileg haben, die Gründe dafür zu verstehen? Und in der Sie es Ihren Gegenübern erklären können – nicht als Ihre persönliche Meinung, sondern als etwas, das Sie nach eigenem Empfinden zwangsläufig anerkennen müssen, wenn Sie Ihren Gedankengang verstanden haben? Vielleicht meinte Carl Sagan unter anderem auch diesen Aspekt, als er erläuterte, warum er sein Buch *The Demon-Haunted World: Science as a Candle in the Dark (Der Drache in meiner Garage oder die Kunst der Wissenschaft, Unsinn zu entlarven)* schrieb: »Es kommt mir pervers vor, die Wissenschaft *nicht* zu erklären. Wenn man verliebt ist, will man das der ganzen Welt mitteilen. Dieses Buch ist eine persönliche Erklärung, die meine lebenslange Liebe zur Wissenschaft widerspiegelt.«[174]

Die Evolution komplexer Lebensformen, ja schon ihre Existenz in einem Universum, das physikalischen Gesetzen gehorcht, ist eine wunderschöne Überraschung – oder sie wäre es, wenn man davon absieht, dass Überraschung ein Gefühl ist und deshalb nur in einem Gehirn entstehen kann, das ein Produkt eben dieses überraschenden Prozesses darstellt. In einem gewissen anthropischen Sinn sollte unser Dasein also keine Überraschung sein. Dennoch stelle ich mir gern vor, dass ich auch für meine Mitmenschen spreche, wenn ich darauf beharre, dass es etwas ausgesprochen Überraschendes ist.

Denken wir einmal darüber nach. Auf einem Planeten – möglicherweise sogar nur einem einzigen im ganzen Universum – tun Moleküle, die normalerweise nichts Komplizierteres bilden als einen Felsbrocken, sich zu felsblockgroßen Materiestücken zusammen, die so unvorstellbar komplex sind, dass sie laufen, springen, schwimmen, fliegen, sehen und hören können und dass sie andere, ähnlich komplexe Gebilde fangen und fressen können – Materiestücke, die in manchen Fällen sogar fähig sind, zu denken, zu fühlen und sich in andere Brocken aus ebenso komplexer Materie zu verlieben. Im Wesentlichen wissen wir heute, wie dieses Kunststück zuwege gebracht wurde, aber das gilt erst seit 1859. Davor schien es wirklich sehr, sehr seltsam zu sein. Heute ist es dank Darwin nur noch sehr seltsam. Darwin packte den Sehschlitz der Burka, riss ihn auf und ließ das Licht der Erkenntnis hereinströmen, dessen Schwindel erregende Neuigkeit und Kraft, den menschlichen Geist zu beflügeln, nicht ihresgleichen hatten – außer vielleicht in Kopernikus' Erkenntnis, dass die Erde nicht der Mittelpunkt des Universums ist.

Ludwig Wittgenstein, einer der großen Philosophen des 20. Jahrhunderts, fragte einmal einen Bekannten: »Sagen Sie mir, warum die Leute immer behaupten, es sei für die Menschen eine ganz natürliche Annahme gewesen, dass die Sonne um die Erde kreist und die Erde selbst sich nicht dreht.« Darauf erwiderte der Bekannte: »Nun ja, es hat doch den Anschein, als würde die Sonne um die Erde kreisen.« Worauf Wittgenstein fragte: »Wie hätte es denn ausgesehen, wenn es den Anschein gehabt hätte, dass die Erde sich dreht?« Diese Bemerkung des großen Philosophen zitiere ich manchmal in Vorträgen, und dann rechne ich eigentlich damit, dass die Zuhörer lachen. Aber stattdessen verstummen sie offenbar vor Verblüffung.

In der begrenzten Welt, in der sich die Evolution unseres Gehirns abgespielt hat, bewegen sich kleine Gegenstände häufiger als große, die eher als Hintergrund der Bewegung dienen. Wenn die Erde sich dreht, bewegen sich Gegenstände, die uns nahe sind und deshalb groß wirken – Berge, Bäume und Gebäude, aber auch der Boden selbst – genau im Einklang zueinander und zum Beobachter, aber anders als Himmelskörper wie Sonne und Sterne. Aufgrund seiner Evolution projiziert unser

Gehirn die Bewegung auf die Himmelskörper und nicht auf die Berge und Bäume im Vordergrund.

Ich möchte jetzt eine zuvor erwähnte Aussage weiter verfolgen: Dass wir die Welt so und nicht anders sehen, und dass manche Dinge für uns intuitiv leicht zu begreifen sind, andere dagegen nur schwer, liegt daran, *dass auch unser Gehirn selbst durch Evolution entstanden ist*: Es ist ein Bordcomputer, der sich entwickelt hat, um uns das Überleben in einer Welt – ich möchte sie als Mittelwelt bezeichnen – zu erleichtern, in der die Objekte, die für unser Überleben von Bedeutung waren, weder besonders groß noch besonders klein sind. Es war eine Welt, in der die Dinge entweder stillstanden oder sich im Vergleich zur Lichtgeschwindigkeit nur langsam bewegten, und in der man sehr unwahrscheinliche Dinge gefahrlos als unmöglich betrachten konnte. Der geistige Sehschlitz unserer Burka ist schmal, weil er nicht breit sein *musste*, um unseren Vorfahren das Überleben zu erleichtern.

Die Naturwissenschaft indes hat uns entgegen unserer evolutionsbedingten Intuition gelehrt, dass scheinbar feste Gegenstände wie Kristalle oder Felsen in Wirklichkeit fast vollständig aus leerem Raum bestehen. Die übliche Illustration zeigt den Kern eines Atoms wie eine Fliege in der Mitte eines Sportstadions. Das Nachbaratom befindet sich bereits außerhalb des Stadions. Demnach ist das härteste, festeste, dichteste Gestein »in Wirklichkeit« nahezu ausschließlich leerer Raum, unterbrochen nur von winzigen Teilchen, die so weit voneinander entfernt sind, dass sie eigentlich gar nicht zählen. Warum sehen Felsen dennoch fest, hart und undurchdringlich aus und fühlen sich auch so an?

Ich versuche gar nicht erst, mir vorzustellen, wie Wittgenstein diese Frage beantwortet hätte. Aber als Evolutionsbiologe habe ich darauf folgende Antwort: Unser Gehirn hat sich in der Evolution so entwickelt, dass es unserem Körper hilft, sich in seiner Umwelt zurechtzufinden, und zwar in dem Größenmaßstab, in dem dieser Körper funktioniert. Die Evolution hat uns nie darauf vorbereitet, uns in der Welt der Atome zu orientieren. Wäre das der Fall, dann würde unser Gehirn einen Felsen wahrscheinlich tatsächlich als Ansammlung leerer Räume wahrnehmen. Gestein fühlt sich für unsere Hände hart und undurchdringlich an, weil unsere Hände es nicht durchdringen können. Dass das so ist, hat aber nichts mit den Größen und Zwischenräumen der Teilchen zu tun, aus denen die Materie besteht, sondern mit den Kraftfeldern, die sich mit diesen weit voneinander entfernten Teilchen in »fester« Materie verbinden. Für unser Gehirn ist es nützlich, Vorstellungen wie Festigkeit und Undurchdringlichkeit zu *konstruieren*, weil sie uns helfen, unseren Körper durch eine Welt zu steuern, in der ein Gegenstand – den wir als fest bezeichnen – nicht den gleichen Raum einnehmen kann wie ein anderer.

An dieser Stelle kann vielleicht ein wenig heitere Auflockerung nicht schaden. In *The Men Who Stare at Goats* (»Die Männer, die Ziegen anstarren«) von Jon Ronson heißt es:

Dies ist eine wahre Geschichte. Wir schreiben den Sommer 1983. Generalmajor Albert Stubblebine III sitzt in Arlington (Virginia) hinter seinem Schreibtisch und starrt auf die Wand, an der seine vielen militärischen Auszeichnungen hängen. Sie erzählen von einer langen, erfolgreichen Karriere. Er ist Geheimdienstchef der US Army, unter seinem Kommando stehen sechzehntausend Soldaten. […] Er blickt an seinen Auszeichnungen vorbei auf die eigentliche Wand. Er hat das Gefühl, dass er etwas tun muss, obwohl schon der Gedanke daran ihm Angst macht. Er denkt daran, welche Entscheidung er treffen muss. Er kann in seinem Büro bleiben oder ins Nachbarbüro gehen. Das ist seine Entscheidung. Und er hat sie getroffen. Er wird ins Nachbarbüro gehen … Er steht auf, tritt hinter seinem Schreibtisch hervor und geht los. Ich meine, er denkt, woraus besteht das Atom überhaupt zum größten Teil? Aus leerem Raum. Er beschleunigt seine Schritte. Woraus bestehe ich zum größten Teil? Denkt er. Aus Atomen! Er läuft jetzt fast. Woraus besteht die Wand zum größten Teil? Denkt er. Aus Atomen! Ich muss nur die leeren Räume verbinden ... Dann haut General Stubblebine mit der Nase heftig gegen die Wand. Verdammt, denkt er. General Stubblebine ist vor den Kopf gestoßen, weil es ihm nicht gelingt, durch die Wand zu gehen. Was stimmt nicht mit ihm, warum kann er es nicht? Vielleicht liegt einfach so viel in seinem Eingangskorb, dass er sich nicht ausreichend darauf konzentrieren kann. In seinem Kopf besteht kein Zweifel, dass die Fähigkeit, durch Gegenstände hindurchzugehen, eines Tages im Arsenal der Geheimdienste ein allgemein verbreitetes Hilfsmittel sein wird. Und wenn es so weit ist – nun, wäre es eine zu naive Annahme, dass dann eine Welt ohne Kriege heraufdämmern würde? Wer wollte sich schon mit einer Armee herumschlagen, die *so etwas* kann?

Auf der Website des Unternehmens, das General Stubblebine jetzt im Ruhestand zusammen mit seiner Frau betreibt, wird er zutreffend als »Denker aus der Kiste« bezeichnet.*

Da unsere Evolution in der Mittelwelt stattgefunden hat, fällt es uns intuitiv leicht, Gedanken wie den folgenden zu begreifen: »Wenn ein Generalmajor sich mit der mittleren Geschwindigkeit bewegt, mit der Generalmajore und andere Objekte der Mittelwelt sich zu bewegen pflegen, und wenn er dann auf ein anderes Mittelweltobjekt wie beispielsweise eine Wand trifft, wird sein weiteres Vorwärtskommen auf schmerzhafte Weise verhindert.« Unser Gehirn ist nicht dazu ausgerüstet, sich vorzustellen, es würde wie ein Neutrino eine Wand

---

* Vgl. http://www.healthfreedomusa.org/index.php?page_id=299 (10.4.2007).

durchdringen und dazu die riesigen Zwischenräume nutzen, aus denen die Wand »in Wirklichkeit« besteht. Ebenso kommt unsere Verständnisfähigkeit nicht mit den Vorgängen zurecht, die sich abspielen, wenn Dinge sich nahezu mit Lichtgeschwindigkeit bewegen.

Die menschliche Intuition, die in der Mittelwelt ihre Evolution und Schulung erlebt hat, kommt ohne zusätzliche Hilfe noch nicht einmal mit Galileis Aussage zurecht, dass eine Kanonenkugel und eine Feder, die man gleichzeitig von einem Turm zu Boden fallen lässt, zur gleichen Zeit unten ankommen, wenn man die Luftreibung beseitigt. Der Grund: In der Mittelwelt ist immer Luftreibung vorhanden. Wir wurden von der Evolution als Bewohner der Mittelwelt geprägt, und diese Tatsache setzt unserer Vorstellungskraft Grenzen. Sofern wir nicht besonders begabt oder besonders hoch gebildet sind, gestattet uns der schmale Schlitz unserer Burka nur den Blick auf die Mittelwelt.

In einem gewissen Sinn müssen wir als Tiere nicht nur in der Mittelwelt überleben, sondern auch in der kleinen Welt der Atome und Elektronen. Die Nervenimpulse, durch die wir denken und uns Vorstellungen machen, beruhen auf Vorgängen in dieser Welt des Allerkleinsten. Aber keine Handlung, die unsere Vorfahren ausführen mussten, keine Entscheidung, die ihnen abverlangt wurde, erforderte Kenntnisse über diese mikroskopische Welt. Ganz anders sähe die Sache aus, wenn wir Bakterien wären, die ständig von den thermischen Bewegungen der Moleküle hin und her gestoßen werden. Aber wir Mittelweltbewohner sind viel zu schwerfällig und massiv, als dass wir die Brown'sche Molekularbewegung überhaupt bemerken würden. Ebenso ist die Schwerkraft ein bestimmender Faktor in unserem Leben, während wir die zarte Kraft der Oberflächenspannung fast völlig vergessen. Ein kleines Insekt würde genau die umgekehrten Prioritäten setzen und die Oberflächenspannung durchaus nicht als zart empfinden.

Steve Grand macht sich in *Creation: Life and How to Make It* (»Schöpfung: Das Leben und wie man es macht«) geradezu lustig über unser Vorurteil zugunsten der Materie. Häufig neigen wir dazu, überhaupt nur feste, materielle Dinge für »richtige« Dinge zu halten. Wellen elektromagnetischer Schwankungen im Vakuum erscheinen »unwirklich«. Noch in viktorianischer Zeit glaubte man, Wellen müssten stets ein materielles Medium haben. Da man kein solches Medium kannte, erfand man eines und nannte es »Äther«. Aber dass »richtige« Materie unserem Verständnis stärker entgegenkommt, liegt nur daran, dass unsere Vorfahren eine Evolution durchgemacht haben, die ihnen das Überleben in der Mittelwelt ermöglichte, und dort ist Materie ein nützliches Konstrukt.

Andererseits erkennen auch wir Mittelweltbewohner, dass ein Wasserstrudel ein »Ding« ist und einen ganz ähnlichen Wirklichkeitsgehalt wie ein Felsen hat, obwohl die Materie in dem Strudel sich ständig verändert. In einer Wüstenebene in Tansania, im Schatten des Ol Donyo Lengai, der den Massai als heiliger Vulkan gilt, befindet sich eine große Düne aus Asche von einer Eruption im Jahr 1969. Sie erhält ihre Form durch den Wind. Das Schöne dabei ist aber, dass sie sich tatsächlich *bewegt*. Sie ist das, was man fachsprachlich als Barchan oder Sicheldüne bezeichnet. Die ganze Düne wandert mit einer Geschwindigkeit von etwa 17 Metern pro Jahr in westlicher Richtung. Sie behält dabei ihre Sichelform bei und verschiebt sich in die Richtung ihrer Spitzen. Der Wind weht den Sand an der flacheren Böschung bergauf, und wenn die Sandkörner den Dünenkamm erreichen, rieseln sie den steileren Abhang an der Innenseite der Sichel hinunter.

Eigentlich ist auch eine solche Wanderdüne eher ein »Ding« als eine Welle. Eine Welle *scheint* horizontal über das offene Meer zu wandern, aber die einzelnen Wassermoleküle bewegen sich vertikal auf und ab. Auch Schallwellen wandern vom Mund des Sprechers zum Ohr des Zuhörers, aber die Luftmoleküle tun es nicht: Sonst wäre es kein Geräusch, sondern ein Luftzug. Steve Grand macht darauf aufmerksam, dass auch wir Menschen eher Wellen als dauerhafte »Dinge« sind. Er fordert den Leser auf:

> Denken Sie an ein Kindheitserlebnis. An etwas, woran Sie sich deutlich erinnern können, das Sie sehen, spüren, vielleicht sogar riechen können, als wären Sie wirklich dort. Schließlich waren Sie damals wirklich dabei, oder? Wie sollten Sie sich sonst daran erinnern? Aber jetzt kommt's: Sie waren *nicht* dabei. Kein einziges Atom, das jetzt zu Ihrem Körper gehört, war schon dabei, als das Ereignis stattfand. [...] Die Materie fliegt von Ort zu Ort und findet sich vorübergehend zusammen – das sind dann Sie. Was Sie also auch sind, Sie sind nicht die Materie, aus der Sie bestehen. Wenn Ihnen das nicht die Haare zu Berge stehen lässt, dann lesen Sie den Passus noch einmal, so lange, bis die Haare zu Berge stehen, denn es ist wichtig.*

Das Wort »wirklich« sollten wir nicht mit einfachem Selbstvertrauen benutzen. Wenn ein Neutrino ein Gehirn hätte, dessen Evolution sich unter Vorfahren von Neutrinogröße abgespielt hätte, würde es sagen, dass Felsen »wirklich« vorwiegend aus leerem Raum bestehen. Unser Gehirn hat sich bei mittelgroßen Vorfahren entwickelt, und die konnten nicht durch Felsen gehen; also sind Felsen für uns »wirklich« fest. »Wirklich« ist für ein Tier immer das, was den Bedürfnissen seines Gehirns entspricht, damit sein Überleben begünstigt wird. Und da ver-

---

* Manch einer wird vielleicht bezweifeln, dass Grands Behauptung wörtlich zu nehmen ist, beispielsweise wenn man an die Moleküle in den Knochen denkt. Aber sinngemäß stimmt sie sicher. Ein Mensch ähnelt einer Welle stärker als einen unveränderlichen »Ding«.

schiedene biologische Arten in unterschiedlichen Welten leben, gibt es eine verwirrende Vielfalt von »Wirklichkeiten«.

Was wir von der wirklichen Welt sehen, ist nicht die ungeschminkte Realität, sondern ein *Modell* der Wirklichkeit, das durch die Sinneswahrnehmung gesteuert und abgestimmt wird – und dieses Modell wird so konstruiert, dass es für den Umgang mit der Wirklichkeit nützlich ist. Wie dieses Modell aussieht, hängt davon ab, was für Tiere wir sind. Ein Flugtier braucht ein anderes Modell der Welt als ein Tier, das geht, klettert oder schwimmt. Raubtiere brauchen ein anderes Modell als Beutetiere, auch wenn die Welten beider sich zwangsläufig überschneiden. Das Affengehirn muss in der Lage sein, mit seiner Software ein dreidimensionales Labyrinth aus Ästen und Baumstämmen zu simulieren. Dagegen braucht das Gehirn einer Ruderwanze keine 3D-Software, denn diese Tiere leben auf der Oberfläche von Teichen wie in einer Flachwelt à la Edwin Abbott.* Bei einem Maulwurf ist die Software für die Konstruktion von Weltmodellen auf die Verwendung unter der Erde abgestimmt. Ein Nacktmull hat vermutlich eine ähnliche Weltabbildungssoftware wie ein Maulwurf; das Eichhörnchen dagegen, obwohl wie der Nacktmull ein Nagetier, verfügt wahrscheinlich für die Abbildung der Welt eher über eine ähnliche Software wie ein Affe.

In *The Blind Watchmaker (Der blinde Uhrmacher)* und auch an anderen Stellen habe ich Spekulationen darüber angestellt, ob Fledermäuse vielleicht mit den Ohren Farben »sehen«. Eine Fledermaus, die sich in drei Dimensionen orientieren und Insekten fangen muss, braucht sicher ein ganz ähnliches Modell der Welt wie eine Schwalbe, die im Wesentlichen die gleiche Tätigkeit ausführt. Dass die Fledermaus die Variablen in ihrem

---

* *Flatland: A Romance of Many Dimensions* (»Flachland«), die im englischen Sprachraum viel gelesene mathematisch-satirische Erzählung des englischen Lehrers und Theologen Edwin A. Abbott (1838–1926), erschien 1884.

Modell mithilfe von Echos aktualisiert, während die Schwalbe zu diesem Zweck das Licht benutzt, ist nebensächlich. Nach meiner Vermutung dienen wahrgenommene Farbtöne wie »rot« oder »blau« den Fledermäusen als innere Markierungen für irgendeinen nützlichen Aspekt der Schallreflexe, vielleicht für die akustische Beschaffenheit von Oberflächen; genauso nutzen Schwalben die gleichen wahrgenommenen Farbtöne zur Markierung verschiedener Lichtwellenlängen. Entscheidend ist dabei, dass das Wesen des Modells davon abhängt, wie es *genutzt* wird, und nicht von der Art der Sinneseindrücke. Was wir also von den Fledermäusen lernen können: Die allgemeine Form des geistigen Modells – im Gegensatz zu den Variablen, die durch die Sinnesnerven ständig neuen Input erhalten – ist genau wie Flügel, Beine und Schwanz eine Anpassung an die Lebensweise eines Tiers.

J. B. S. Haldane hatte in seinem zuvor bereits erwähnten Aufsatz über »mögliche Welten« etwas Wichtiges über Tiere zu sagen, deren Welt von Gerüchen beherrscht wird. Er wies darauf hin, dass Hunde zwischen Caprylsäure und Capronsäure, zwei sehr ähnlichen flüchtigen Fettsäuren, unterscheiden können, und zwar auch dann, wenn diese eins zu einer Million verdünnt sind. Der einzige Unterschied zwischen den beiden Verbindungen besteht darin, dass die Hauptmolekülkette der Caprylsäure um zwei Kohlenstoffatome länger ist als die der Capronsäure. Ein Hund, so Haldanes Vermutung, kann die Säuren wahrscheinlich »anhand des Geruchs in der Reihenfolge ihrer Molekulargewichte anordnen, genau wie ein Mensch, der Klaviersaiten mithilfe der Töne nach aufsteigender Länge ordnet«.

Eine dritte Fettsäure, die Caprinsäure, gleicht den beiden anderen, nur ist ihre Kohlenstoffkette nochmals um zwei Atome länger. Ein Hund, dem die Caprinsäure noch nie begegnet ist, kann sich ihren Geruch wahrscheinlich ebenso leicht vorstellen, wie wir uns einen Trompetenton ausmalen, der einen Ganzton höher ist als jener, den wir zuvor gerade gehört haben.

Für mich ist es eine völlig vernünftige Vermutung, dass ein Hund oder ein Nashorn eine Mischung verschiedener Gerüche als harmonischen Akkord wahrnimmt. Vielleicht gibt es auch Dissonanzen. Melodien existieren wahrscheinlich nicht, denn eine Melodie besteht aus Tönen, die im Gegensatz zu Gerüchen nach einem ganz bestimmten zeitlichen Muster anfangen und aufhören. Vielleicht riechen Hunde und Nashörner auch in Farben. Dann würde auf sie die gleiche Argumentation zutreffen wie auf die Fledermäuse.

Auch hier sind die Wahrnehmungen, die wir als Farben bezeichnen, nichts anderes als Hilfsmittel, mit denen unser Gehirn wichtige Unterschiede in der Umwelt kennzeichnet. Wahrgenommene Farbtöne – Philosophen sprechen von Qualia – stehen in keinem inneren Zusammenhang mit Licht bestimmter Wellenlängen. Es sind interne Kennzeichnungen, die dem Gehirn zur Verfügung stehen, wenn es sein Modell der Außenwelt konstruiert, und es trifft damit Unterscheidungen, die dem betreffenden Tier besonders ins Auge springen. In unserem Fall oder dem der Vögel handelt es sich dabei um Licht unterschiedlicher Wellenlängen. Im Fall der Fledermaus, so jedenfalls meine Spekulation, könnte es sich um Oberflächen mit unterschiedlicher Beschaffenheit oder unterschiedlichen Schallreflexionseigenschaften handeln: Dann ist rot vielleicht glatt, blau samtig und grün rau. Und warum sollten es im Fall eines Hundes oder Nashorns nicht Gerüche sein? Die Fähigkeit, uns die fremdartige Welt von Fledermäusen und Nashörnern, Ruderwanzen oder Maulwürfen, Bakterien oder Borkenkäfern auszumalen, gehört zu den Privilegien, die uns die Wissenschaft verschafft, wenn sie am dunklen Tuch unserer Burka zieht und uns das breitere Spektrum der Dinge zeigt, die es gibt und über die wir uns freuen können.

Die Metapher der Mittelwelt – jenes mittlere Spektrum der Phänomene, auf die uns der schmale Schlitz unserer Burka einen Blick gestattet – lässt sich auch auf andere Maßstäbe oder

»Spektren« anwenden. Wir können eine Skala der Unwahrscheinlichkeit aufstellen, auf der unsere Intuition und Fantasie
nur durch ein ähnlich schmales Fenster hindurchgehen können. Am einen Ende dieses Unwahrscheinlichkeitsspektrums
stehen potenzielle Ereignisse, die wir als unmöglich bezeichnen. Wunder sind äußerst unwahrscheinliche Ereignisse. Eine
Madonnenstatue könnte uns zuwinken. Alle Atome in ihrer
Kristallstruktur vibrieren hin und her. Da es so viele sind und
da sie keine Bewegungsrichtung bevorzugen, bleibt die Hand,
wie wir sie in der Mittelwelt sehen, felsenfest und unbeweg-
lich. Aber die wackelnden Atome in der Hand *könnten* sich *rein
zufällig* alle zur gleichen Zeit in die gleiche Richtung bewegen.
Und noch einmal. Und noch einmal … In diesem Fall würde
die Hand sich bewegen, und wir würden sehen, wie sie uns zu-
winkt. Es könnte geschehen, aber die Wahrscheinlichkeit, die
dagegen spricht, ist gewaltig: Wenn wir am Anbeginn des Universums begonnen hätten, die Zahl aufzuschreiben, hätten wir
bis heute noch nicht genug Nullen zu Papier gebracht. Die
Fähigkeit, solche Wahrscheinlichkeiten zu berechnen – das nahezu Unmögliche quantitativ zu erfassen, statt nur verzweifelt
die Hände zu heben – ist ein weiteres Beispiel dafür, welche be-
freienden Wohltaten die Wissenschaft dem menschlichen
Geist verschafft.

Die Evolution in der Mittelwelt hat uns für den Umgang mit
sehr unwahrscheinlichen Ereignissen schlecht gerüstet. Aber in
der riesenhaften Größe des Weltalls oder den gewaltigen erdgeschichtlichen Zeiträumen erweisen sich Ereignisse, die in der
Mittelwelt unmöglich erscheinen, als unvermeidlich. Die Wissenschaft stößt das schmale Fenster auf, durch das wir das
Spektrum der Möglichkeiten gewohnheitsmäßig betrachten.
Berechnungen und Vernunft verschaffen uns die Freiheit, Mög-
lichkeitsregionen zu besuchen, die früher jenseits aller Grenzen zu liegen schienen oder scheinbar von Drachen bewohnt
waren.

Eine solche Erweiterung des Fensters haben wir bereits im vierten Kapitel vorgenommen, als wir untersucht haben, wie unwahrscheinlich die Entstehung des Lebens ist und wie selbst ein nahezu unmöglicher chemischer Vorgang sich irgendwann abspielen muss, wenn genügend Planetenjahre zum Ausprobieren zur Verfügung stehen. Wir haben das Fenster auch erweitert, als wir das Spektrum möglicher Universen betrachtet haben, jedes mit eigenen Gesetzen und Naturkonstanten – und mit der anthropischen Notwendigkeit, dass wir uns nur in einem der wenigen lebensfreundlichen Universen befinden können.

Wie sollen wir Haldanes »seltsamer, als wir überhaupt annehmen können« deuten? Seltsamer, als man *im Prinzip* annehmen kann? Oder nur seltsamer, als wir annehmen können, weil unser Gehirn seine begrenzte entwicklungsgeschichtliche Lehrzeit in der Mittelwelt durchgemacht hat? Könnten wir uns durch Übung und Praxis aus der Mittelwelt emanzipieren, die schwarze Burka herunterreißen und eine Art intuitives – und nicht nur mathematisches – Verständnis für das sehr Kleine, das sehr Große und das sehr Schnelle erlangen? Die Antwort weiß ich wirklich nicht, aber ich finde es spannend, in einer Zeit zu leben, in der die Menschheit an die Grenzen ihrer Verständnisfähigkeit klopft. Und was noch besser ist: Vielleicht entdecken wir am Ende, dass es keine Grenzen gibt.

NACHWORT

Die Hardcoverausgabe von *The God Delusion* war der Überraschungsbestseller des Jahres 2006. Von der großen Mehrzahl derer, die bei Amazon persönliche Rezensionen schrieben (derzeit ungefähr 1 000 Personen), wurde es freudig begrüßt. In den gedruckten Rezensionen dagegen war die Zustimmung nicht ganz so überwältigend. Ein Zyniker könnte dies auf einen fantasielosen Reflex von Feuilletonredakteuren zurückführen: »Da steht Gott im Titel, also schicken wir es einem Religionsheini.« Aber das wäre zu zynisch. Mehrere negative Rezensionen begannen mit einer Formulierung, die ich schon seit langem als verdächtig einzuschätzen gelernt habe: »Ich bin Atheist, ABER …« Dan Dennett spricht es in *Breaking the Spell* (»Die Durchbrechung des Zaubers«) an: Erstaunlich viele Intellektuelle »glauben an den Glauben«, obwohl ihnen selbst religiöse Überzeugungen abgehen. Diese Gläubigen zweiter Ordnung sind oft eifriger als die eigentlich Überzeugten, und ihr Eifer wird durch schmeichlerische Aufgeschlossenheit aufgeblasen: »Leider kann ich Ihren Glauben nicht teilen, aber ich respektiere ihn und sympathisiere damit.«

»Ich bin Atheist, ABER …« Was dann folgt, ist fast immer nutzlos, nihilistisch oder – noch schlimmer – von einer Art überschwänglicher Negativität durchsetzt. Man beachte übrigens die Abgrenzung gegenüber einem anderen beliebten Gemeinplatz: »*Früher* war ich Atheist, aber …« Das ist einer der ältesten Tricks überhaupt, der bei Religionsvertretern von C. S. Lewis bis heute sehr beliebt war. Es dient dazu, eine Art kumpelhafte Glaubwürdigkeit aufzubauen, und das funktioniert erstaunlich oft. Man sollte darauf achten.

Für die Website RichardDawkins.net habe ich einen Artikel mit der Überschrift »I'm an atheist BUT ...« [»Ich bin Atheist, ABER ...«] geschrieben; daraus übernehme ich hier die folgende Liste der kritischen oder sonstwie negativen Aussagen aus Rezensionen der Hardcoverausgabe. Diese Website, die von dem begeisterten Josh Timonen betrieben wird, wurde zum Anziehungspunkt für eine ungeheure Zahl anderer Beiträge, deren Autoren die Kritikpunkte ausnahmslos zerpflückt haben. Sie tun das in einem weniger zurückhaltenden, offenherzigeren Ton als ich selbst oder meine Kollegen, die Philosophen A. C. Grayling, Daniel Dennett, Paul Kurtz und andere, die sich in gedruckter Form äußerten.

Man kann Religion nicht kritisieren, ohne die theologische Fachliteratur genau zu analysieren

Überraschungsbestseller? Wenn ich dem Wunsch eines eher zögerlichen intellektuellen Kritikers gefolgt wäre und mich auf die erkenntnistheoretischen Unterschiede zwischen Thomas von Aquin und Duns Scotus eingelassen hätte; wenn ich Euriugena bei der Frage der Subjektivität, Rahner bei der Frage der Gnade oder Moltmann (was er vergeblich gehofft hatte) bei der Frage der Hoffnung Gerechtigkeit hätte widerfahren lassen, dann wäre mein Buch mehr als nur ein *Überraschungsbestseller* geworden: Es wäre ein wundersamer Bestseller gewesen. Aber darum geht es nicht. Anders als Stephen Hawking (der den Ratschlag beherzigte, dass jede Formel in seinem Buch zu einer Halbierung der Auflage führen würde) hätte ich gern auf den Bestsellerstatus verzichtet, wenn ich die leiseste Hoffnung gehabt hätte, dass Duns Scotus Licht in meine zentrale Frage hätte bringen können – die Frage, ob Gott existiert. Theologische Schriften setzen in ihrer Mehrzahl voraus, dass es ihn gibt, und sie benutzen dies als Ausgangspunkt. In meinem Zusammenhang brauchte ich nur jene Theologen zu berücksichtigen, die den Gedanken, es könnte Gott nicht geben, ernst nehmen und dann Argumente für seine Existenz anführen. Das habe ich nach meiner Überzeugung im dritten Kapitel getan – und zwar, so hoffe ich, mit einer guten Portion Humor und einigermaßen umfassend.

In puncto Humor ist übrigens die brillante »Antwort eines Höflings«, die P. Z. Myers auf seiner Website »Pharyngula« veröffentlichte, unübertrefflich:

Ich habe die schamlosen Anschuldigungen von Mr. Dawkins betrachtet und war empört darüber, dass es ihm an ernsthafter Fachkenntnis mangelt. Er hat offensichtlich nicht die detaillierten Ausführungen des Grafen Rodrigo von Sevilla über das exquisite exotische Leder der kaiserlichen Stiefel gelesen, und ebenso berücksichtigt er nicht im Mindesten Bellinis Meisterwerk *Über das Leuchten des kaiserlichen Federhutes*. Ganze Denkschulen haben sich der Aufgabe gewidmet, gelehrte Abhandlungen über die schönen Gewänder des Kaisers zu schreiben, und jede größere Zeitung enthält eine Kolumne über die Mode am Kaiserhof … Dawkins ignoriert in seiner Arroganz alle diese zutiefst philosophischen Gedanken und beschuldigt den Kaiser auf grausame Weise der Nacktheit … Solange Dawkins sich nicht in den Boutiquen von Paris und Mailand weitergebildet hat, solange er nicht gelernt hat, den Unterschied zwischen einem Rüschenvolant und einer Pumphose zu erkennen, sollten wir alle so tun, als habe er nie etwas gegen den Geschmack des Kaisers gesagt. Seine Ausbildung als Biologe mag ihn in die Lage versetzen, herabhängende Geschlechtsteile zu erkennen, wenn er sie sieht, aber sie hat ihn nicht gelehrt, Imaginärstoffe richtig zu bewerten.

Um die Aussage noch zu erweitern: Die meisten Menschen tun Feen, Astrologie und das Fliegende Spaghettimonster als Unsinn ab, ohne sich zunächst in Bücher über Pastafarina-Theologie zu versenken.

Im Zusammenhang damit steht auch der nächste Kritikpunkt: die »Pappkameraden-Kritik«:

Sie greifen die schlimmsten Seiten der Religion an und nehmen die guten nicht zur Kenntnis

»Sie nehmen sich grobe Aufwiegler wie Ted Haggard, Jerry Falwell und Pat Robertson vor anstelle kultivierter Theologen wie Tillich oder Bonhoeffer, die jene Art von Religion lehren, an die ich glaube.«

Wenn nur eine solche verfeinerte, nuancierte Religion vorherrschen würde, sähe die Welt sicher besser aus, und ich hätte ein ganz anderes Buch geschrieben. Aber die traurige Wahrheit lautet: Eine derart zurückhaltende, anständige Religion ist zahlenmäßig nicht der Rede wert. Für die große Mehrzahl der Gläubigen auf der ganzen Welt ähnelt die Religion nur allzu sehr dem, was man von Robertson, Falwell, Haggard, Osama bin Laden, Ayatollah Chomeini und ihresgleichen hört. Das sind keine Pappkameraden; sie haben großen Einfluss, und in der modernen Welt muss sich jeder mit ihnen auseinandersetzen.

Ich bin Atheist, aber ich distanziere mich von Ihrer schrillen, aufgeregten, unbeherrschten, intoleranten Sprache

Sieht man sich die Sprache von *Der Gotteswahn* genauer an, so ist sie weniger schrill oder unbeherrscht als vieles, was wir tagtäglich zu lesen und zu hören bekommen – beispielsweise in politischen Kommentaren, Theater-, Kunst- oder Buchrezensionen. Meine Sprache hört sich nur deshalb heftig und unbeherrscht an, weil es fast überall die eigenartige Übereinkunft gibt, religiöser Glaube genieße das besondere Privileg, über jede Kritik erhaben und von ihr ausgenommen zu sein (siehe das Zitat von Douglas Adams auf Seite 34 f.).

Im Jahr 1915 sprach der britische Parlamentsabgeordnete Horatio Bottomley für die Zeit nach dem Krieg folgende Empfehlung aus: »Wenn Se eines Tages in einem Restaurant zufällig feststellen, dass Sie von einem deutschen Kellner bedient werden, schütten Sie ihm die Suppe in sein widerliches Gesicht; wenn Sie feststellen, dass Sie neben einem deutschen Beamten sitzen, leeren Sie das Tintenfass über seinem widerlichen Kopf.« *Das* ist wirklich aufgeregt und intolerant (und, so sollte man meinen, selbst vor dem Hintergrund seiner eigenen Zeit lächerlich und rhetorisch unwirksam). Man vergleiche dies mit dem ersten Satz meines zweiten Kapitels, der am häufigsten als »aufgeregt« oder »schrill« bezeichnet wird. Es ist nicht an mir, festzustellen, ob ich damit Erfolg hatte, aber meine Absicht war weniger Polemik als vielmehr eine handfeste, aber auch humorvolle Breitseite. In öffentlichen Lesungen aus *Der Gotteswahn* ist dies die einzige Stelle, die garantiert herzhaftes Gelächter provoziert, und deshalb benutzen meine Frau und ich sie jedes Mal, um bei einem neuen Publikum das Eis zu brechen. Wenn ich eine Vermutung wagen darf, warum der Humor funktioniert: Nach meiner Überzeugung ist es das Missverhältnis zwischen einem Thema, das man aufgeregt oder vulgär hätte formulieren *können*, und der tatsächlichen Formulierung mit einer langen Liste latinisierter oder pseudogelehrter Wörter (»homophob«, »sadomasochistisch«). Dabei habe ich mir einen der lustigsten Autoren des zwanzigsten Jahrhunderts zum Vorbild genommen, und niemand würde Evelyn Waugh als schrill oder unbeherrscht bezeichnen (und ich habe mich sogar verraten, als ich im Zusammenhang mit der sofort anschließenden Anekdote auf Seite 45 seinen Namen genannt habe).

Buchrezensenten und Theaterkritiker äußern häufig höhnisch-negative Meinungen und werden dann für den schneidenden Scharfsinn ihrer Äußerungen gelobt. In der Religionskritik dagegen ist schon *Klarheit* plötzlich keine Tugend mehr, sondern sie klingt wie aggressive Feindseligkeit. Ein Politiker greift den Vertreter der Gegenseite im Parlament unter Umständen bitterböse an und erntet Applaus für seine herzhafte Streitbarkeit. Bedient sich aber ein nüchtern nachdenkender Religionskritiker einer Sprache, die in anderem Zusammenhang nur direkt oder ehrlich klingen würde, rümpft die feine Gesellschaft die Nase und schüttelt den Kopf. Das gilt selbst für die säkulare feine Gesellschaft, und insbesondere für jenen Teil der säkularen Gesellschaft, der so gern sagt: »Ich in Atheist, ABER …«

Sie predigen doch nur Ihren eigenen Anhängern.
Was soll das Ganze?

Die »Converts' Corner« bei RichardDawkins.net straft diese Aussage Lügen, aber selbst wenn man sie für wahr hält, gibt es darauf einige gute Antworten. Erstens ist die Gruppe der Ungläubigen insbesondere in den Vereinigten Staaten viel größer, als man gemeinhin annimmt. Aber, und auch das gilt vorwiegend für die USA, es ist eine verborgene Gruppe, und sie braucht unbedingt die Ermutigung, sich zu outen. Nach den Dankesschreiben zu urteilen, die ich nach meiner Lesereise aus den gesamten Vereinigten Staaten erhielt, wissen viele Menschen die Ermutigung zu schätzen, die sie von Leuten wie Sam Harris, Daniel Dennett, Christopher Hitchens und mir erhalten.

Ein weiterer Grund, den eigenen Anhängern zu predigen, ist die Notwendigkeit der Bewusstseinserweiterung. Als die Feministinnen unser Bewusstsein für sexistische sprachliche Formulierungen erweiterten, predigten sie vielleicht auch den eigenen Anhängerinnen, soweit es um zentrale Themen wie die Rechte der Frauen und das Übel der Diskriminierung ging. Aber auch die Gruppe der anständigen Liberalen brauchte eine Schärfung des Bewusstseins für die Alltagssprache. Selbst wenn wir in den politischen Fragen der Frauenrechte und Diskriminierung eine eindeutige Meinung hatten, beugten wir uns unbewusst den sprachlichen Konventionen, durch die sich die Hälfte der Menschheit ausgeschlossen fühlte.

Das gleiche Schicksal wie die sexistischen Formulierungen sollte auch andere sprachliche Konventionen ereilen, und die Gruppe der Atheisten macht da keine Ausnahme. Bewusstseinserweiterung brauchen wir alle. Atheisten und Theisten richten sich nach der gesellschaftlichen Konvention, wonach man dem Glauben gegenüber besonders höflich und respektvoll zu sein hat. Und ich mache die Gesellschaft unermüdlich darauf aufmerksam, dass wir es stillschweigend hinnehmen, wenn Kindern das Etikett der religiösen Ansichten ihrer Eltern aufgedrückt wird. Atheisten sollten ihr Bewusstsein für diese Anomalie schärfen: Religiöse Ansichten gehören zu jenen elterlichen Überzeugungen, die man nach einem fast allgemein gültigen Konsens auf die Kinder übertragen darf, obwohl diese in Wirklichkeit so jung sind, dass sie sich noch gar keine Meinung bilden können. Ein »christliches Kind« gibt es nicht; es ist nur das Kind christlicher Eltern. Man sollte jede Gelegenheit nutzen, dies den Leuten einzuhämmern.

Sie sind genau wie die Fundamentalisten, die Sie kritisieren

Nicht doch, bitte: Eine Leidenschaft, die es sich noch anders überlegen kann, kann allzu leicht mit Fundamentalismus verwechselt werden. Der Fundamentalismus indes überlegt es sich niemals anders. Fundamentalistische Christen sind leidenschaftlich gegen die Evolution, und ich bin ein leidenschaftlicher Evolutionsanhänger. Leidenschaft gegen Leidenschaft, da steht es unentschieden. Und das bedeutet nach Ansicht mancher Leute, dass wir gleichermaßen fundamentalistisch sind. Aber, um einen Aphorismus zu umschreiben, dessen Herkunft ich nicht genau ergründen konnte: Wenn zwei gegensätzliche Ansichten mit gleicher Vehemenz vertreten werden, muss die Wahrheit nicht zwangsläufig in der Mitte liegen. Möglicherweise hat die eine Seite einfach unrecht. Und das ist eine Rechtfertigung für Leidenschaft auf der Gegenseite.

Fundamentalisten wissen, was sie glauben, und sie wissen auch, dass nichts sie davon abbringen kann. Das Zitat von Kurt Wise auf Seite 396 sagt alles: »Wenn alle Belege des Universums gegen den Kreationismus sprächen, würde ich das sofort zugestehen, aber ich wäre dennoch Kreationist, weil es das ist, was Gottes Wort offenbar besagt. Hier muss ich stehen.« Man kann gar nicht genug betonen, worin der Unterschied zwischen dem leidenschaftlichen Einsatz für biblische Grundaussagen und dem ebenso leidenschaftlichen Einsatz des echten Wissenschaftlers für Belege besteht. Der Fundamentalist Kurt Wise erklärt, alle Belege des Universums könnten seine Meinung nicht ändern. Der wahre Wissenschaftler mag noch so leidenschaftlich an die Evolution »glauben«, aber er weiß genau, unter welchen Voraussetzungen er seine Ansicht ändern würde. So erwiderte J. B. S. Haldane auf die Frage, welcher Beleg denn die Evolution widerlegen würde: »Kaninchenfossilien im Präkambrium.« Ich möchte meine eigene, umgekehrte Version zu Kurt Wises Erklärung formulieren: »Wenn alle Belege im Universum für den Kreationismus sprächen, würde ich das sofort zugestehen und meine Ansichten ändern. Aber nach dem heutigen Stand der Dinge sprechen alle vorhandenen Belege (und das ist eine riesige Menge) für die Evolution. Aus diesem Grund, und *allein* aus diesem Grund, setze ich mich für die Evolution mit einer Leidenschaft ein, die an die Leidenschaft ihrer Gegner heranreicht. Doch meine Leidenschaft gründet sich auf Belege. Ihre Leidenschaft ist den Belegen entgegengesetzt und deshalb wahrhaft fundamentalistisch.«

Ich selbst bin Atheist, aber die Religion wird nicht verschwinden. Wir müssen damit leben.

»Sie wollen die Religion loswerden? Na dann viel Glück! Sie glauben, Sie könnten die Religion abschaffen? Auf welchem Planeten leben Sie eigentlich? Religion ist eine feste Größe. Finden Sie sich damit ab!«

Ich könnte diesen Pessimismus ertragen, wenn er in einem Ton vorgebracht würde, der etwas von Bedauern oder Besorgnis hätte. Doch das Gegenteil ist der Fall. Der Tonfall klingt manchmal geradezu erleichtert. Ich halte das nicht für Masochismus. Vielmehr können wir es wahrscheinlich wieder einmal unter der Überschrift »Glauben an den Glauben« einordnen. Solche Menschen mögen selbst nicht religiös sein, aber ihnen gefällt der Gedanke, dass andere religiös sind. Damit bin ich bei der letzten Gruppe der Schlechtredner.

Ich selbst bin Atheist, aber die Leute brauchen die Religion

»Was wollen Sie an ihre Stelle setzen? Wie wollen Sie Hinterbliebene trösten? Wie wollen Sie dem Bedarf gerecht werden?«

Welch gönnerhafte Herablassung! »Natürlich, Sie und ich, wir sind so intelligent und gebildet, wir brauchen keine Religion. Aber die normalen Leute, Kreti und Plethi, die Orwell'sche Masse, die Huxley'schen Delta- und Epsilon-Halbidioten, die brauchen die Religion.« Dabei fällt mir ein, wie ich einmal auf einer Tagung über populäre Wissenschaftsvermittlung einen Vortrag hielt und mich gegen »Wissenschaft für Dumme« aussprach. In der nachfolgenden Fragestunde erhob sich jemand im Publikum und vertrat die Ansicht, man müsse Wissenschaft für Dumme vermitteln, »um Minderheiten und Frauen zur Wissenschaft hinzuführen«. Nach seinem Tonfall zu urteilen, hielt er sich für liberal und progressiv. Ich kann mir ungefähr vorstellen, was die Frauen und »Minderheiten« im Publikum davon hielten.

Kommen wir auf das Bedürfnis der Menschen nach Trost zurück. Es ist natürlich vorhanden, aber hat es nicht etwas Kindisches, wenn wir glauben, das Universum sei uns von Rechts wegen Trost schuldig? Die Bemerkung von Isaac Asimov über die kindische Pseudowissenschaft lässt sich ebenso gut auf die Religion anwenden: »Sieh dir jedes bisschen Pseudowissenschaft an, dann wirst du immer eine Schmusedecke finden, einen Daumen zum Lutschen, einen Rockzipfel, an dem du dich festhalten kannst.« Außerdem finde ich es erstaunlich, wie viele Menschen nicht verstehen, dass »X tröstet mich« nicht »X ist wahr« bedeutet.

Ein ähnlicher Kritikpunkt betrifft das Bedürfnis nach einem »Zweck« im Leben. Dazu meinte ein kanadischer Kritiker:

Was Gott angeht, haben die Atheisten vielleicht recht. Wer weiß? Aber ob Gott oder kein Gott, eines ist klar: Irgendetwas in der Seele des Menschen braucht die Überzeugung, dass das Leben einen Zweck hat, der über die Ebene des Materiellen hinausgeht. Man würde annehmen, dass ein überdurchschnittlich rationaler Empiriker wie Dawkins diesen unveränderlichen Aspekt des menschlichen Wesens erkennt. […] Glaubt Dawkins wirklich, die Welt wäre humaner, wenn wir alle nicht mehr in der Bibel, sondern in *Der Gotteswahn* nach Wahrheit und Trost suchen würden?

Eigentlich schon, denn Sie gebrauchen das Wort »human«. Ja, das glaube ich, aber ich muss es noch einmal wiederholen: Dass ein Glaube trösten kann, steigert seinen Wahrheitsgehalt nicht. Natürlich kann ich das Bedürfnis nach emotionalem Trost nicht leugnen, und ich kann auch nicht behaupten, die in diesem Buch vertretene Weltanschauung habe etwa Hinterbliebenen mehr als nur einen sehr bescheidenen Trost zu bieten. Aber wenn der Trost, den die Religion anscheinend bietet, sich auf die neurologisch höchst unplausible Annahme stützt, dass wir den Tod unseres Gehirns überleben – würden wir dann wirklich dafür eintreten wollen? Ohnehin habe ich vermutlich nie bei einer Trauerfeier jemanden getroffen, der leugnen würde, dass die nichtreligiösen Teile der Zeremonie (Nachrufe oder die Lieblingsgedichte oder -musik der verstorbenen Person) bewegender waren als die Gebete.

Der britische Facharzt Dr. David Ashton schrieb mir nach seiner Lektüre von *Der Gotteswahn* und berichtete über einen unerwarteten Todesfall: Am Weihnachtstag 2006 war sein geliebter Sohn Luke im Alter von siebzehn Jahren gestorben. Kurz vor dem Tod des jungen Mannes hatten die beiden sehr wohlwollend über die gemeinnützige Stiftung gesprochen, die ich eingerichtet habe, um Vernunft und Naturwissenschaft zu fördern. Als Luke auf der Isle of Man beigesetzt wurde, äußerte sein Vater vor der Trauergemeinde einen Wunsch: Wer zu Lukes Andenken etwas spenden wolle, solle es an meine Stiftung schicken. Die dreißig Zahlungen, die daraufhin eingingen, summierten sich auf über 2 000 Pfund, darunter mehr als 600 Pfund aus einer Sammlung in der örtlichen Dorfkneipe. Der junge Mann war offensichtlich sehr beliebt gewesen. Als ich das Programm der Trauerfeier las, war ich buchstäblich zu Tränen gerührt, obwohl ich Luke nie kennen gelernt hatte, und ich bat um die Genehmigung, es auf RichardDawkins.net wiederzugeben. Ein einsamer Flötist spielte *Ellen Vallin*, einen Trauergesang von der Isle of Man. Zwei Freunde sprachen Nachrufe.

Dr. Ashton selbst rezitierte das großartige Gedicht *Fern Hill* von Dylan Thomas (»Now as I was young and easy, under the apple boughs« – es beschwört so schmerzlich die verlorene Jugend herauf). Und dann – ich halte jetzt noch den Atem an, wenn ich darüber berichte – las er die ersten Zeilen aus meinem Buch *Der entzauberte Regenbogen,* Zeilen, die ich selbst schon seit langem für meine eigene Beerdigung vorgesehen habe:

Wir alle müssen sterben, das heißt, wir haben Glück gehabt. Die meisten Menschen sterben nie, weil sie nie geboren werden. Die Männer und Frauen, die es rein theoretisch an meiner Statt geben könnte und die in Wirklichkeit nie das Licht der Welt erblicken werden, sind zahlreicher als die Sandkörner in der Sahara. Und unter diesen ungeborenen Geistwesen sind mit Sicherheit größere Dichter als Keats, größere Wissenschaftler als Newton. Das wissen wir, weil die Menge an Menschen, die aus unserer DNA entstehen könnten, bei weitem größer ist als die Menge der tatsächlichen Menschen. Und entgegen dieser gewaltigen Wahrscheinlichkeit gibt es gerade Sie und mich in all unserer Gewöhnlichkeit.

Wir wenigen Privilegierten haben in der Geburtslotterie gegen alle Wahrscheinlichkeit gewonnen. Wie können wir es da wagen, über unsere unvermeidliche Rückkehr in jenen früheren Zustand zu jammern, aus dem die große Mehrheit nie herausgetreten ist?

Natürlich gibt es Ausnahmen, aber ich meine, die meisten Menschen klammern sich vorwiegend nicht deshalb an die Religion, weil sie von ihr getröstet werden, sondern weil sie von unserem Bildungssystem im Stich gelassen wurden und sich nicht einmal klar machen, dass Unglauben überhaupt möglich ist. Mit Sicherheit gilt das für die meisten, die sich selbst für Kreationisten halten. Sie haben Darwins erstaunliche Alternative einfach nicht richtig kennen gelernt. Ebenso gilt es vermutlich für den verharmlosenden Mythos, die Menschen »bräuchten« eine Religion.

Kürzlich, im Jahr 2006, zitierte ein Anthropologe (der ein Musterbeispiel für die Ich-bin-Atheist-Schmeichelei ist) die frühere israelische Ministerpräsidentin Golda Meir. Sie antwortete auf die Frage, ob sie an Gott glaube: »Ich glaube an Menschen, und Menschen glauben an Gott.« Ich würde lieber sagen: Ich glaube an die Menschen, und wenn Menschen ermutigt werden, selbst über alle heute verfügbaren Erkenntnisse nachzudenken, stellt sich häufig heraus, dass sie *nicht* an Gott glauben und ein erfülltes, zufriedenstellendes, ja wahrhaft *befreites* Leben führen.

Anhang

Adressen atheistischer Organisationen im deutschen Sprachraum

Internationaler Bund der Konfessionslosen und Atheisten
(IBKA) e. V.
Postfach 1745
D-58017 Hagen
Tel.: (0 23 31) 3 48 04 10
Fax: (0 23 31) 3 48 04 11
E-Mail: info@ibka.org
www.ibka.org

Brights Deutschland
c/o Maximilian Hester
Seestraße 90
D-83209 Prien am Chiemsee
www.brights-deutschland.de

Deutscher Freidenker-Verband e. V.
c/o Klaus Hartmann
Schillstraße 7
D-63067 Offenbach
www.freidenker.de

Bund für Geistesfreiheit Bayern K. d. ö. R.
c/o Dietmar Michalke
Alexanderstraße 14
D-90730 Fürth
www. bfg-bayern.de

Giordano Bruno Stiftung
Johann-Steffen-Straße 1
D-56869 Masterhausen
Tel.: (0 65 45) 91 02 85
Fax: (0 65 45) 91 02 87
www.giordano-bruno-stiftung.de

Zentralrat der Ex-Muslime e. V.
Postfach 250346
D-50519 Köln
www.ex-muslime.de

Freidenkerbund Österreichs
Postfach 54
A-1153 Wien
Tel.: (06 76) 5 56 83 55
www.freidenker.at

Freidenker-Vereinigung der Schweiz
Geschäftsstelle
Postfach
CH-3001 Bern
Tel.: (0 31) 3 71 65 67
Fax: (0 31) 3 71 65 68
www.freidenker.ch

LITERATUR

Dieses Verzeichnis enthält nur die zitierten Monographien, Ausgaben und Sammelbände sowie Lektüreempfehlungen. Alle Angaben zu Zeitungs-, Zeitschriften- und Internetbeiträgen finden sich im Anmerkungsteil.

Adams, D. (2003). *The Salmon of Doubt*. London: Pan. [dt. *Lachs im Zweifel*. München: Heyne, 2005.]

Alexander, R. D./Tinkle, D. W. (Hg.) (1981). *Natural Selection and Social Behavior*. New York: Chiron Press.

Anonym (1985). *Life – How Did It Get Here? By Evolution or by Creation?* New York: Watchtower Bible and Tract Society. [dt. *Das Leben – Wie ist es entstanden? Durch Evolution oder durch Schöpfung?* Selters: Wachtturm Bibel- und Traktat-Gesellschaft.]

Ashton, J. F. (Hg.) (1999). *In Six Days: Why 50 Scientists Choose to Believe in Creation*. Sydney: New Holland.

Atkins, P. W. (1992). *Creation Revisited*. Oxford: W. H. Freeman.

Atran, S. (2002). *In Gods We Trust: The Evolutionary Landscape of Religion*. Oxford: Oxford University Press.

Attenborough, D. (1960). *Quest in Paradise*. London: Lutterworth.

Aunger, R. (2002). *The Electric Meme: A New Theory of How We Think*. New York: Free Press.

Baggini, J. (2003). *Atheism: A Very Short Introduction*. Oxford: Oxford University Press.

Barber, N. (1988). *Lords of the Golden Horn*. London: Arrow.

Barker, D. (1992). *Losing Faith in Faith: From Preacher to Atheist*. Madison, WI: Freedom from Religion Foundation.

Barker, E. (1984). *The Making of a Moonie: Brainwashing or Choice?* Oxford: Blackwell.

Barrow, J. D./Tipler, F. J. (1988). *The Anthropic Cosmological Principle.* New York: Oxford University Press.

Baynes, N. H. (Hg.) (1942). *The Speeches of Adolf Hitler,* vol. 1. Oxford: Oxford University Press.

Behe, M. J. (1996). *Darwin's Black Box.* New York: Simon & Schuster.

Beit-Hallahmi, B./Argyle, M. (1997). *The Psychology of Religious Behaviour, Belief and Experience.* London: Routledge.

Berlinerblau, J. (2005). *The Secular Bible: Why Nonbelievers Must Take Religion Seriously.* Cambridge: Cambridge University Press.

Blackmore, S. (1999). *The Meme Machine.* Oxford: Oxford University Press. [dt. *Die Macht der Meme oder Die Evolution von Kultur und Geist.* München: Elsevier Spektrum Akademischer Verlag, 2005.]

Blaker, K. (Hg.) (2003). *The Fundamentals of Extremism: The Christian Right in America.* Plymouth, MI: New Boston.

Bouquet, A. C. (1956). *Comparative Religion.* Harmondsworth: Penguin.

Boyd, R./Richerson, P. J. (1985). *Culture and the Evolutionary Process.* Chicago: University of Chicago Press.

Boyer, P. (2001). *Religion Explained.* London: Heinemann. [dt. *Und Mensch schuf Gott.* Stuttgart: Klett-Cotta, 2004.]

Brodie, R. (1996). *Virus of the Mind: The New Science of the Meme.* Seattle: Integral Press.

Buckman, R. (2000). *Can We Be Good without God?* Toronto: Viking.

Bullock, A. (1991). *Hitler and Stalin: Parallel Lives.* London: HarperCollins. [dt. *Hitler und Stalin.* München: Siedler, 1991.]

Bullock, A. (2005). *Hitler: A Study in Tyranny.* London: Penguin. [Urspr. Oxford 1952; dt. *Hitler: Eine Studie über Tyrannei.* Düsseldorf: Droste, 1989, urspr. 1953.]

Buss, D. M. (Hg.) (2005). *The Handbook of Evolutionary Psychology.* Hoboken, NJ: Wiley.

Cairns-Smith, A. G. (1985). *Seven Clues to the Origin of Life.* Cambridge: Cambridge University Press. [dt. *Biologische Botschaften: Eine Detektivgeschichte der Evolution.* Frankfurt am Main: Fischer Taschenbuch Verlag, 1990.]

Comins, N F. (1993). *What if the Moon Didn't Exist?* New York: HarperCollins.

Coulter, A. (2006). *Godless: The Church of Liberalism.* New York: Crown Forum.

Darwin, C. (1859). *On the Origin of Species by Means of Natural Selection.*

London: John Murray. [dt. *Über die Entstehung der Arten durch natürliche Zuchtwahl.* Darmstadt: Wissenschaftliche Buchgesellschaft, 1992.]

Darwin, C. (1871). *The Descent of Man.* New York: Appleton. [dt. *Die Abstammung des Menschen.* Wiesbaden: Fourier, 1966.]

Dawkins, M. Stamp (1980). *Animal Suffering.* London: Chapman & Hall. [dt. *Leiden und Wohlbefinden der Tiere.* Stuttgart: Ulmer, 1982.]

Dawkins, R. (1976). *The Selfish Gene.* Oxford: Oxford University Press. [dt. *Das egoistische Gen,* Jubiläumsausgabe München: Elsevier Spektrum Akademischer Verlag, 2007.]

Dawkins, R. (1982). *The Extended Phenotype.* Oxford: W. H. Freeman.

Dawkins, R. (1986). *The Blind Watchmaker.* Harlow: Longman. [dt. *Der blinde Uhrmacher.* München: dtv, 1996.]

Dawkins, R. (1995). *River Out of Eden.* London: Weidenfeld & Nicolson. [dt. *Und es entsprang ein Fluss in Eden.* München: Bertelsmann, 1996.]

Dawkins, R. (1996). *Climbing Mount Improbable.* New York: Norton. [dt. *Gipfel des Unwahrscheinlichen.* Reinbek: Rowohlt, 1999.]

Dawkins, R. (1998). *Unweaving the Rainbow.* London: Penguin. [dt. *Der entzauberte Regenbogen.* Reinbek: Rowohlt, 2000.]

Dawkins, R. (2003). *A Devil's Chaplain: Selected Essays.* London: Weidenfeld & Nicolson.

Dennett, D. C. (1987). *The Intentional Stance.* Cambridge, MA: MIT Press.

Dennett, D. C. (1995). *Darwin's Dangerous Idea.* New York: Simon & Schuster. [dt. *Darwins gefährliches Erbe.* Hamburg: Hoffmann & Campe, 1997.]

Dennett, D. C. (2003). *Freedom Evolves.* London: Viking.

Dennett, D. C. (2006). *Breaking the Spell: Religion as a Natural Phenomenon.* London: Viking.

Deutsch, D. (1996). *Die Physik der Welterkenntnis: Auf dem Weg zum universellen Verstehen.* Basel: Birkhäuser. [engl. *The Fabric of Reality.* London: Allen Lane, 1997.]

Distin, K. (2005). *The Selfish Meme: A Critical Reassessment.* Cambridge: Cambridge University Press.

Dostojewski, F. (1971). *Die Brüder Karamasow.* Frankfurt am Main: Fischer Taschenbuch Verlag. [russ. Original 1879/80.]

Ehrman, B. D. (2003a). *Lost Christianities: The Battles for Scripture and the Faiths We Never Knew.* Oxford: Oxford University Press.

Ehrman, B. D. (2003b). *Lost Scriptures: Books that Did Not Make It into the New Testament.* Oxford: Oxford University Press.

Ehrman, B. D. (2006). *Whose Word Is It?* London: Continuum. [Amerikanische Originalausgabe: *Misquoting Jesus: The Story Behind Who Changed the New Testament and Why*. San Francisco: Harper, 2005.]

Fest, Joachim C. (1973). *Hitler. Eine Biographie*. Frankfurt am Main: Propyläen Verlag.

Fisher, H. (2004). *Why We Love: The Nature and Chemistry of Romantic Love*. New York: Holt. [dt. *Warum wir lieben: Die Chemie der Leidenschaft*. Düsseldorf: Walter, 2005.]

Forrest, B./Gross, P. R. (2004). *Creationism's Trojan Horse: The Wedge of Intelligent Design*. Oxford: Oxford University Press.

Frazer, J. G. (1994). *The Golden Bough*. London: Chancellor Press. [Original 1990–1936; dt. *Der goldene Zweig*. Reinbek: Rowohlt Taschenbuch Verlag, 2000.]

Freeman, C. (2002). *The Closing of the Western Mind*. London: Heinemann.

Galouye, D. F. (1964). *Counterfeit World*. London: Gollancz.

Glover, J. (2001). *Humanity: A Moral History of the Twentieth Century*. New Haven, CT: Yale University Press. [¹London: Jonathan Cape, 1999.]

Glover, J. (2006). *Choosing Children: The Ethical Dilemmas of Genetic Intervention*. Oxford: Oxford University Press.

Goodenough, U. (1998). *The Sacred Depths of Nature*. New York: Oxford University Press.

Goodwin, J. (1994). *Price of Honour: Muslim Women Lift the Veil of Silence on the Islamic World*. London: Little, Brown. [dt. *»Der Himmel der Frau ist unter den Füßen ihres Mannes«: Muslimische Frauen erzählen*. Bergisch Gladbach: Lübbe, 1995.]

Gould, S. J. (1999). *Rocks of Ages: Science and Religion in the Fullness of Life*. New York: Ballantine.

Grafen, A./Ridley, M. (Hg.) (2006). *Richard Dawkins: How a Scientist Changed the Way We Think*. Oxford: Oxford University Press.

Grand, S. (2000). *Creation: Life and How to Make It*. London: Weidenfeld & Nicolson.

Grayling, A. C. (2003). *What Is Good? The Search for the Best Way to Live*. London: Weidenfeld & Nicolson.

Gregory, R. L. (1997). *Eye and Brain*. Princeton, NJ: Princeton University Press. [dt. *Auge und Gehirn*. Reinbek: Rowohlt Taschenbuch Verlag, 2001.]

540

Halbertal, M./Margalit, A. (1992). *Idolatry*. Cambridge, MA: Harvard University Press.

Harris, S. (2004). *The End of Faith: Religion, Terror and the Future of Reason*. New York: Norton.

Harris, S. (2006). *Letter to a Christian Nation*. New York: Knopf.

Haught, J. A. (1996). *2000 Years of Disbelief: Famous People with the Courage to Doubt*. Buffalo, NY: Prometheus.

Hauser, M. (2006). *Moral Minds: How Nature Designed Our Universal Sense of Right and Wrong*. New York: Ecco.

Hawking, S. (1988). *A Brief History of Time*. London: Bantam. [dt. *Eine kurze Geschichte der Zeit*. Reinbek: Rowohlt, 1998.]

Henderson, B. (2006). *The Gospel of the Flying Spaghetti Monster*. New York: Villard.

Hinde, R. A. (1999). *Why Gods Persist: A Scientific Approach to Religion*. London: Routledge.

Hinde, R. A. (2002). *Why Good Is Good: The Sources of Morality*. London: Routledge.

Hitchens, C. (1995). *The Missionary Position: Mother Teresa in Theory and Practice*. London: Verso.

Hitchens, C. (2005). *Thomas Jefferson: Author of America*. New York: HarperCollins.

Hitler, A. (1933). *Mein Kampf*. 51. Auflage, München: Eher.

Hodges, A. (1983). *Alan Turing: The Enigma*. New York: Simon & Schuster. [dt. *Alan Turing, Enigma*. Wien: Springer, 1994.]

Holloway, R. (1999). *Godless Morality: Keeping Religion out of Ethics*. Edinburgh: Canongate.

Holloway, R. (2001). *Doubts and Loves: What is Left of Christianity*. Edinburgh: Canongate.

Humphrey, N. (2002). *The Mind Made Flesh: Frontiers of Psychology and Evolution*. Oxford: Oxford University Press.

Huxley, A. (2003). *The Perennial Philosophy*. New York: Harper. [Urspr. London 1946; dt. *Die ewige Philosophie*. München: Piper, 1987.]

Huxley, A. (2004). *Point Counter Point*. London: Vintage. [Urspr. London 1928; dt. *Kontrapunkt des Lebens*. München: Piper, 1989; urspr. Leipzig 1930.]

Huxley, T. H. (1871). *Lay Sermons, Addresses and Reviews*. New York: Appleton.

Huxley, T. H. (1931). *Lectures and Essays*. London: Watts.

Jäckel, E./Kuhn, A. (Hg.) (1980), *Hitler: Sämtliche Aufzeichnungen 1905–1924.* Stuttgart: Deutsche Verlagsanstalt.

Jacoby, S. (2004). *Freethinkers: A History of American Secularism.* New York: Holt.

Jammer, M. (2002). *Einstein and Religion.* Princeton, NJ: Princeton University Press. [[1]1999; revidierte und erweiterte Fassung von: *Einstein und die Religion.* Konstanz: Universitätsverlag, 1995.]

Jaynes, J. (1976). *The Origin of Consciousness in the Breakdown of the Bicameral Mind.* Boston: Houghton Mifflin. [dt. *Der Ursprung des Bewußtseins durch den Zusammenbruch der bikameralen Psyche.* Reinbek: Rowohlt, 1976.]

Juergensmeyer, M. (2000). *Terror in the Mind of God: The Global Rise of Religious Violence.* Berkeley: University of California Press. [dt. *Terror im Namen Gottes: Ein Blick hinter die Kulissen des gewalttätigen Fundamentalismus.* Freiburg: Herder, 2004.]

Kennedy, L. (1999). *All in the Mind: A Farewell to God.* London: Hodder & Stoughton.

Kertzer, D. I. (1998). *The Kidnapping of Edgardo Mortara.* New York: Vintage. [dt. *Die Entführung des Edgardo Mortara: Ein Kind in der Gewalt des Vatikans.* München: Hanser, 1998.]

Kilduff, M./Javers, R. (1978). *The Suicide Cult.* New York: Bantam. [dt. *Der Selbstmordkult.* München: Goldmann, 1979.]

Kurtz, P. (Hg.) (2003). *Science and Religion: Are They Compatible?* Amherst, NY: Prometheus.

Kurtz, P. (2004). *Affirmations: Joyful and Creative Exuberance.* Amherst, NY: Prometheus.

Kurtz, P./Madigan, T. J. (Hg.) (1994). *Challenges to the Enlightenment: In Defense of Reason and Science.* Amherst, NY: Prometheus.

Lane, B. (1996). *Killer Cults.* London: Headline.

Lane Fox, R. (1992). *The Unauthorized Version.* London: Penguin. [dt. *Die Geheimnisse der Bibel richtig entschlüsselt: Legende und Wahrheit in der Bibel.* Augsburg: Bechtermünz, 2000.]

Levitt, N. (1999). *Prometheus Bedeviled.* New Brunswick, NJ: Rutgers University Press.

Loftus, E./Ketcham, K. (1994). *The Myth of Repressed Memory: False Memories and Allegations of Sexual Abuse.* New York: St Martin's. [dt. *Die therapierte Erinnerung: Über den zweifelhaften Versuch, sexuellen Missbrauch erst Jahre später nachzuweisen.* Bergisch Gladbach: Lübbe, 1997.]

Mackie, J. L. (1985). *The Miracle of Theism*. Oxford: Clarendon Press. [dt. *Das Wunder des Theismus*. Stuttgart: Reclam, 1987.]

McGrath, A. (2004). *Dawkins' God: Genes, Memes and the Meaning of Life*. Oxford: Blackwell.

Medawar, P. B. (1982). *Pluto's Republic*. Oxford: Oxford University Press.

Medawar, P. B. (1984). *The Limits of Science*. Oxford: Oxford University Press.

Medawar, P. B./Medawar, J. S. (1977). *The Life Science: Current Ideas of Biology*. London: Wildwood House.

Miller, K. (1999). *Finding Darwin's God*. New York: HarperCollins.

Mills, D. (2006). *Atheist Universe: The Thinking Person's Answer to Christian Fundamentalism*. Berkeley, CA: Ulysses Books.

Milne, A. A. (1999). *Ich und Du, der Bär heißt Pu*. Zürich: Sanssouci. [Original: *Now We Are Six*. London: Methuen, 1927.]

Mitford, N./Waugh, E. (2001). *The Letters of Nancy Mitford and Evelyn Waugh*. New York: Houghton Mifflin.

Mooney, C. (2005). *The Republican War on Science*. Cambridge, MA: Basic Books.

Perica, V. (2002). *Balkan Idols: Religion and Nationalism in Yugoslav States*. New York: Oxford University Press.

Phillips, K. (2006). *American Theocracy*. New York: Viking.

Picker, H. (Hg.) (1997). *Hitlers Tischgespräche im Führerhauptquartier*. Berlin: Ullstein [[1]1951].

Pinker, S. (1997). *How the Mind Works*. London: Allen Lane. [dt. *Wie das Denken im Kopf entsteht*. München: Kindler, 1998.]

Pinker, S. (2002). *The Blank Slate: The Modern Denial of Human Nature*. London: Allen Lane. [dt. *Das unbeschriebene Blatt: Die moderne Leugnung der menschlichen Natur*. Berlin: Berlin-Verlag, 2003.]

Plimer, I. (1994). *Telling Lies for God: Reason vs Creationism*. Milsons Point, NSW: Random House.

Polkinghorne, J. (1994). *Science and Christian Belief: Theological Reflections of a Bottom-Up Thinker*. London: SPCK.

Rees, M. (1999). *Just Six Numbers*. London: Weidenfeld & Nicolson.

Rees, M. (2001). *Our Cosmic Habitat*. London: Weidenfeld & Nicolson. [dt. *Das Rätsel unseres Universums: Hatte Gott eine Wahl?* München: Beck, 2003.]

Reeves, T. C. (1996). *The Empty Church: The Suicide of Liberal Christianity*. New York: Simon & Schuster.

Richerson, P. J./Boyd, R. (2005). *Not by Genes Alone: How Culture Transformed Human Evolution*. Chicago: University of Chicago Press.

Ridley, Mark (2000). *Mendel's Demon: Gene Justice and the Complexity of Life*. London: Weidenfeld & Nicolson.

Ridley, Matt (1997). *The Origins of Virtue*. London: Penguin. [dt. *Die Biologie der Tugend*. Berlin: Ullstein, 1997.]

Ronson, J. (2005). *The Men Who Stare at Goats*. New York: Simon & Schuster.

Ruse, M. (1982). *Darwinism Defended: A Guide to the Evolution Controversies*. Reading, MA: Addison-Wesley.

Russell, B. (1957). *Why I Am Not a Christian*. London: Routledge. [dt. *Warum ich kein Christ bin*. Reinbek: Rowohlt, 1968.]

Russell, B. (1993). *The Quotable Bertrand Russell*. Amherst, NY: Prometheus.

Russell, B. (1997a). *The Collected Papers of Bertrand Russell*, vol. 2: *Last Philosophical Testament, 1943–1968*. London: Routledge.

Russell, B. (1997b). *Collected Papers*, vol. 11, Hg. J. C. Slater/P. Köllner. London: Routledge.

Russell, B. (1997c). *Religion and Science*. Oxford: Oxford University Press.

Ruthven, M. (1989). *The Divine Supermarket: Travels in Search of the Soul of America*. London: Chatto & Windus.

Sagan, C. (1995). *Pale Blue Dot*. London: Headline. [dt. *Blauer Punkt im All*. München: Droemer Knaur, 1996.]

Sagan, C. (1996). *The Demon-Haunted World: Science as a Candle in the Dark*. London: Headline. [dt. *Der Drache in einer Garage oder Die Kunst der Wissenschaft, Unsinn zu entlarven*. München: Droemer Knaur, 1997.]

Scott, E. C. (2004). *Evolution vs. Creationism: An Introduction*. Westport, CT: Greenwood.

Shennan, S. (2002). *Genes, Memes and Human History*. London: Thames & Hudson.

Shermer, M. (1997). *Why People Believe Weird Things: Pseudoscience, Superstition and Other Confusions of Our Time*. New York: W. H. Freeman.

Shermer, M. (1999). *How We Believe: The Search for God in an Age of Science*. New York: W. H. Freeman.

Shermer, M. (2004). *The Science of Good and Evil: Why People Cheat, Gossip, Care, Share, and Follow the Golden Rule*. New York: Holt.

Shermer, M. (2005). *Science Friction: Where the Known Meets the Unknown*. New York: Holt.

Shermer, M. (2006). *The Soul of Science.* Los Angeles: Skeptics Society.

Silver, L. M. (2006). *Challenging Nature: The Clash of Science and Spirituality at the New Frontiers of Life.* New York: HarperCollins.

Singer, P. (1990). *Animal Liberation.* London: Jonathan Cape. [dt. *Animal Liberation = Die Befreiung der Tiere.* Reinbek: Rowohlt, 1996.]

Singer, P. (1994). *Ethics.* Oxford: Oxford University Press.

Smith, K. (1995). *Ken's Guide to the Bible.* New York: Blast Books.

Smolin, L. (1997). *The Life of the Cosmos.* London: Weidenfeld & Nicolson. [dt. *Warum gibt es die Welt?: Die Evolution des Kosmos.* München: Beck, 1999.]

Smythies, J. (2006). *Bitter Fruit.* Charleston, SC: Booksurge.

Spong, J. S. (2005). *The Sins of Scripture.* San Francisco: Harper. [dt. *Die Sünden der Heiligen Schrift: Wie die Bibel zu lesen ist.* Düsseldorf: Patmos, 2007.]

Stannard, R. (1993). *Doing Away with God? Creation and the Big Bang.* London: Pickering.

Steer, R. (2003). *Letter to an Influential Atheist.* Carlisle: Authentic Lifestyle Press.

Stenger, V. J. (2003). *Has Science Found God? The Latest Results in the Search for Purpose in the Universe.* New York: Prometheus.

Susskind, L. (2006). *The Cosmic Landscape: String Theory and the Illusion of Intelligent Design.* New York: Little, Brown.

Swinburne, R. (1996). *Is There a God?* Oxford: Oxford University Press. [dt. *Gibt es einen Gott?* Frankfurt am Main: Ontos, 2006.]

Swinburne, R. (2004). *The Existence of God.* Second edition, Oxford: Oxford University Press. [[1]1979; dt. *Die Existenz Gottes.* Stuttgart: Reclam, 1987.]

Taverne, R. (2005). *The March of Unreason: Science, Democracy and the New Fundamentalism.* Oxford: Oxford University Press.

Tiger, L. (1979). *Optimism: The Biology of Hope.* New York: Simon & Schuster.

Toland, J. (1991). *Adolf Hitler: The Definitive Biography.* New York: Anchor. [[1]1976; dt. *Adolf Hitler.* Bergisch Gladbach: Lübbe, 1977.]

Trivers, R. L. (1985). *Social Evolution.* Menlo Park, CA: Benjamin/Cummings.

Unwin, S. (2003). *The Probability of God: A Simple Calculation that Proves the Ultimate Truth.* New York: Crown Forum. [dt. *Die Wahrscheinlichkeit der Existenz Gottes: Mit einer einfachen Formel auf der Spur der letzten Wahrheit.* Hamburg: Discorsi, 2003.]

Vermes, G. (2000). *The Changing Faces of Jesus.* London: Allen Lane.

Ward, K. (1996). *God, Chance and Necessity.* Oxford: Oneworld.

Warraq, I. (1995). *Why I Am Not a Muslim.* New York: Prometheus. [dt. *Warum ich kein Muslim bin.* Berlin: Matthes & Seitz, 2003.]

Weinberg, S. (1993). *Dreams of a Final Theory.* London: Vintage. [dt. *Der Traum von der Einheit des Universums.* München: Goldmann, 1995.]

Wells, G. A. (1986). *Did Jesus Exist?* London: Pemberton.

Wells, H. G. (1902). *Anticipations of the Reaction of Mechanical and Scientific Progress upon Human Life and Thought.* London: Chapman & Hall. [¹1901]

Wheen, F. (2004). *How Mumbo Jumbo Conquered the World: A Short History of Modern Delusions.* London: Fourth Estate.

Williams, W. (Hg.) (1998). *The Values of Science: Oxford Amnesty Lectures 1997.* Boulder, CO: Westview.

Wilson, A. N. (1993). *Jesus.* London: Flamingo. [dt. *Der geteilte Jesus: Gotteskind oder Menschensohn.* München: Goldmann, 1995.]

Wilson, A. N. (1999). *God's Funeral.* London: John Murray.

Wilson, D. S. (2002). *Darwin's Cathedral: Evolution, Religion and the Nature of Society.* Chicago: University of Chicago Press.

Wilson, E. O. (1984). *Biophilia.* Cambridge, MA: Harvard University Press.

Winston, R. (2005). *The Story of God.* London: TransworldBBC.

Wolpert, L. (1992). *The Unnatural Nature of Science.* London: Faber & Faber. [dt. *Unglaubliche Wissenschaft.* Frankfurt am Main: Eichborn, 2004.]

Wolpert, L. (2006). *Six Impossible Things Before Breakfast: The Evolutionary Origins of Belief.* London: Faber & Faber.

Young, M./Edis, T. (Hg.) (2006). *Why Intelligent Design Fails: A Scientific Critique of the New Creationism.* New Brunswick: Rutgers University Press.

ANMERKUNGEN

[1] W. Kaminer, »The Last Taboo: Why America Needs Atheism«, *New Republic* vom 14. Oktober 1996; http://www.positiveatheism.org/writ/kaminer.htm (angesehen am 21.3.2007).

[2] Dr. Zoë Hawkins, Dr. Beata Adams und Dr. Paul St John Smith, persönliche Mitteilung.

[3] Sagan 1995; dt. 1996, S. 67f.

[4] Weinberg 1993; dt. 1995, S. 254.

[5] Zu der Fernsehdokumentation, in deren Rahmen das Interview stattfand, gab es auch ein Begleitbuch (Winston 2005).

[6] Vgl. Dennett 2006.

[7] Adams 2003; dt. 2005, S. 182f. Dort findet sich die vollständige Ansprache. Das Zitat wurde leicht gekürzt.

[8] Vgl. Perica 2002 und die Rezension des Buches durch C. S. Lilly in der *American Historical Review*: http://www.historycooperative.org/journals/ahr/108.5/br_151.html (22.3.2007).

[9] Vgl. »Dolly and the Cloth Heads«, in Dawkins 2003.

[10] Vgl. R. Alford, »O Centro Espirita and Charming Betsy«, http://opiniojuris.powerblogs.com/posts/1140544704.shtml (gepostet am 21.2.2006, angesehen am 22.3.2007).

[11] R. Dawkins, »The Irrationality of Faith«, *New Statesman* (London) vom 31. März 1989.

[12] Vgl. *Columbus Dispatch* vom 19. August 2005.

[13] Vgl. *Los Angeles Times* vom 10. April 2006.

[14] Vgl. http://www.pkblogs.com/gatewaypundit/2006/02/islamic-society-of-denmark-used-fake.html (22.3.2007).

[15] Vgl. http://news.bbc.co.uk/2/hi/south_asia/4686536.stm und http://www.neandernews.com/?cat=6 (22.3.2007).

[16] Vgl. *Independent* vom 5. Februar 2006.

[17] Vgl. A. Mueller, »An Argument with Sir Iqbal«, *Independent on Sunday* vom 2. April 2006, Sunday Review Section, S. 12–16.

[18] Mitford/Waugh 2001.

[19] Vgl. http://www.newadvent.org/cathen/06608b.htm (22. 3. 2007).

[20] Vgl. http://www.catholic-forum.com/saints/indexsnt.htm?NF=1 (22. 3. 2007).

[21] Vgl. *Congressional Record*, 16. September 1981.

[22] Vgl. http://www.stephenjaygould.org/ctrl/buckner_tripoli.html (22. 3. 2007).

[23] G. Fraser, »Resurgent Religion Has Done Away with the Country Vicar«, *Guardian* vom 13. April 2006.

[24] Vgl. R. I. Sherman in *Free Inquiry* 8:4 (Herbst 1988), S. 16.

[25] Vgl. N. Angier, »Confessions of a Lonely Atheist«, *New York Times Magazine* vom 14. Januar 2001; http://www.geocities.com/mindstuff/Angier.html (24. 3. 2007).

[26] Vgl. http://www.fsgp.org/adsn.html (24. 3. 2007).

[27] Über einen besonders bizarren Fall, bei dem ein Mann nur deshalb ermordet wurde, weil er Atheist war, berichtete der Newsletter der Freethought Society of Greater Philadelphia vom März/April 2006. Vgl. http://www.fsgp.org/newsletters/newsletter_2006_0304.pdf (24. 3. 2007) und dort »The Murder of Larry Hooper«.

[28] Vgl. http://www.hinduonnet.com/thehindu/mag/2001/11/18/stories/2001111800070400.htm (24. 3. 2007).

[29] Vgl. Q. de la Bédoyère, *Catholic Herald* vom 3. Februar 2006.

[30] C. Sagan, »The Burden of Skepticism«, *Skeptical Inquirer* 12:1 (Herbst 1987), S. 38–46.

[31] Diesen Fall erörtere ich in Dawkins 1998.

[32] T. H. Huxley, »Agnosticism« (1889), Nachdruck in Huxley 1931. Der vollständige Text von »Agnosticism« findet sich auch unter http://www.infidels.org/library/historical/thomas_huxley/huxley_wace/part_02.html (24. 3. 2007).

[33] B. Russell, »Is There a God?« (1952), Nachdruck in Russell 1997b.

[34] A. Mueller, »An Argument with Sir Iqbal«, *Independent on Sunday* vom 2. April 2006, Sunday Review Section, S. 12–16.

[35] Vgl. *New York Times* vom 29. August 2005; auch Henderson 2006.

[36] Vgl. Henderson 2006.

[37] Vgl. http://www.lulu.com/content/267888 (25. 3. 2007).

[38] Vgl. H. Benson et al., »Study of the Therapeutic Effects of Intercessory Prayer (STEP) in Cardiac Bypass Patients«, in *American Heart Journal* 151:4 (2006), S. 934–942.

[39] Vgl. R. Swinburne, *Science and Theology News* vom 7. April 2006.

[40] Vgl. *New York Times* vom 11. April 2006.

[41] In Gerichtsverfahren und in Büchern wie Ruse 1982. Sein Artikel im *Playboy* erschien in der Ausgabe vom April 2006.

[42] Coynes Antwort auf Ruse erschien in der *Playboy*-Ausgabe vom August 2006.

[43] Vgl. M. Bunting, *Guardian* vom 27. März 2006.

[44] Dennetts Antwort erschien im *Guardian* vom 4. April 2006.

[45] Vgl. http://scienceblogs.com/pharyngula/2006/03/the_dawkinsdennett_boogeyman.php; http://scienceblogs.com/pharyngula/2006/02/our_double_standard.php; http://scienceblogs.com/pharyngula/2006/02/the_rusedennett_feud.php (alle angesehen am 26.3.2007).

[46] Vgl. »Die Enzyklopädie der extrasolaren Planeten«, http://vo.obspm.fr/exoplanetes/encyclo/encycl.html (26.3.2007).

[47] Vgl. Dennett 1995.

[48] Vgl. die Internet Encyclopedia of Philosophy unter »The Ontological Argument«: http://www.iep.utm.edu/o/ont-arg.htm (26.3.2007).

[49] Vgl. W. Grey, »Gasking's Proof«, *Analysis* 60:4 (2000), S. 368–370; http://www.uq.edu.au/~pdwgrey/pubs/gasking.html (26.3.2007).

[50] Das Thema der Illusionen erörtert R. Gregory in mehreren Büchern, darunter Gregory 1997.

[51] Mein eigener Erklärungsversuch findet sich in Dawkins 1998, S. 268f.; dt. 2000, S. 347 ff.

[52] Vgl. »The Spirituality of Fatima«, http://www.sofc.org/Spirituality/s-of-fatima.htm (26.3.2007).

[53] Vgl. T. Flynn, »Matthew vs. Luke«, *Free Inquiry* 25:1 (2004), S. 34–45; R. Gillooly, »Shedding Light on the Light of the World«, ebd., S. 27–30.

[54] Vgl. Ehrman 2006, auch Ehrman 2003a und 2003b.

[55] Beit-Hallahmi/Argyle 1997.

[56] Vgl. E. J. Larson/L. Witham, »Leading Scientists Still Reject God«, *Nature* 394 (1998), S. 313.

[57] Unter http://www.leaderu.com/ftissues/ft9610/reeves.html (27.3.2007) findet sich unter dem Titel »Not So Christian America« eine besonders interessante Analyse der historischen Trends in den religiösen Ansichten der US-Amerikaner. Ihr Autor ist T. C. Reeves, Professor für Geschichte an der University of Wisconsin; als Grundlage dient Reeves 1996.

[58] Vgl. http://www.answersingenesis.org/docs/3506.asp (27.3.2007).

[59] R. E. Cornwell/M. Stirrat, Manuskript in Vorbereitung, 2006.

[60] P. Bell, »Would You Believe It?«, *Mensa Magazine* (Februar 2002), S. 12 f.

[61] Eine umfassende Übersicht über Vorkommen, Gebrauch und Zitate dieser Analogie aus kreationistischer Sicht gibt G. Korthof unter http://home.wxs.nl/~gkorthof/kortho46a.htm (27.3.2007).

[62] Adams 2003; dt. 2005, S. 138. Meine »Totenklage für Douglas Adams«, die ich am Tag seines Todes verfasste, erschien als Epilog zu *Lachs im Zweifel* sowie in Dawkins 2003; dort findet sich auch die Ansprache, die ich bei der Trauerfeier in der Kirche St.-Martin-in-the-Fields hielt.

[63] Interview im *Spiegel* vom 26. Dezember 2005 (in englischer Sprache); vgl. http://www.spiegel.de/international/spiegel/0,1518,392319,00.html (27.3.2007).

[64] Susskind 2006, S. 17.

[65] Vgl. Behe 1996.

[66] Vgl. http://www.millerandlevine.com/km/evol/design2/article.html (29.3. 2007).

[67] Zitiert in Freeman 2002.

[68] Dieser Bericht über den Prozess von Dover einschließlich der Zitate findet sich in A. Bottaro/M. A. Inlay/N. J. Matzke, »Immunology in the Spotlight at the Dover ›Intelligent Design‹ Trial«, *Nature Immunology* 7 (2006), S. 433 ff.

[69] Vgl. J. Coyne, »God in the Details: The Biochemical Challenge to Evolution«, *Nature* 383 (1996), S. 227f. Der Artikel von Coyne und mir mit dem Titel »One Side Can Be Wrong« erschien im *Guardian* vom 1. September 2005; vgl. http://www.guardian.co.uk/life/feature/story/0,13026,1559743,00. html (29.3.2007). Der zitierte Blogger findet sich unter http://www. religionisbullshit.net/blog/2005_09_01_archive.php (29.3.2007).

[70] Vgl. Dawkins 1995.

[71] Später räumte Carter ein, für das Prinzip als Ganzes wäre »Kennbarkeitsprinzip« ein besserer Name gewesen als »anthropisches Prinzip«, doch letztere Bezeichnung hatte sich bereits eingebürgert. Vgl. B. Carter, »The Anthropic Principle and Its Implications for Biological Evolution«, *Philosophical Transactions of the Royal Society of London* A, 310 (1983), S. 347–363. In Buchlänge wird das anthropische Prinzip von J. Barrow und F. Tipler (1988) behandelt.

[72] Vgl. Comins 1993.

[73] Ausführlicher vertrete ich diese Argumentation in Dawkins 1986.

[74] M. Gell-Mann, zitiert auf der Website »Edge«, http://www.edge.org/ 3rd_culture/bios/smolin.html (30.3.2007).

[75] Swinburne 1996; dt. 2006, S. 41f.

[76] Ebd., S. 109.

[77] Vgl. Ward 1996, S. 99, und Polkinghorne 1994, S. 55.

[78] J. Horgan, »The Templeton Foundation: A Skeptic's Take«, *Chronicle of Higher Education* vom 7. April 2006. Vgl. auch http://www.edge.org/ 3rd_culture/horgan06/horgan06_index.html (30.3.2007).

[79] P. B. Medawar, Rezension von Teilhard de Chardin, *Der Mensch im Kosmos*, Nachdruck in Medawar 1982, S. 242.

[80] Dennett 1995, S. 155; dt. 1997, S. 211.

[81] Zitiert in Dawkins 1982, S. 30.

[82] K. Sterelny, »The Perverse Primate«, in: Grafen/Ridley 2006, S. 213–223.

[83] Pinker 1997; dt. 1998, S. 687.

[84] Vgl. N. A. Chagnon, »Terminological Kinship, Genealogical Relatedness and Village Fissioning among the Yanomamö Indians«, in: Alexander/Tinkle 1981, Kap. 28.

[85] Darwin 1871, Bd. 1, S. 156; dt. 1966, S. 143f.

[86] Zitiert in Blaker 2003, S. 7.

[87] Boyer 2001; dt. 2004, S. 359.

[88] Vgl. z. B. Buss 2005.

[89] Vgl. http://www.edge.org/3rd_culture/bloom04/bloom04_index.html (3. 4. 2007).

[90] Vgl. D. Keleman, »Are Children ›Intuitive Theists‹?«, *Psychological Science* 15:5 (2004), S. 295–301.

[91] Vgl. Dennett 1987.

[92] *Guardian* vom 31. Januar 2006.

[93] Smythies 2006.

[94] *Tischreden*, »17. Von der heiligen Taufe«, § 10 »Nutzen der Kindertaufe«, in *Luthers Sämtliche Schriften*, Hg. J. G. Walch (Missouri-Ausgabe, Nachdruck 1986), Bd. 22, S. 546; vgl. auch Bd. 23, Sp. 1910–1916 (Zitatsammlung s. u. »Vernunft«). Englischsprachige Zitate ohne Quellenangabe unter: http://jmm.aaa.net.au/articles/14223.htm (31. 3. 2007).

[95] Dieser ausgezeichnete Film steht zur Verfügung unter http://www.thegodmovie.com/index.php (31. 3. 2007).

[96] Vgl. M. Hauser/P. Singer, »Morality without Religion«, *Free Inquiry* 26:1 (2006), S. 18 f.

[97] Dostojewski 1971, Bd. 1, S. 85f. (2. Buch, Kap. 6).

[98] Pinker 2002; dt. 2003, S. 458f.

[99] Hinde 2002; vgl. auch Singer 1994, Grayling 2003 und Glover 2006.

[100] Vgl. Lane Fox 1992 und Berlinerblau 2005.

[101] Vgl. Holloway 1999 und Holloway 2005. Holloways Formulierung vom »genesenden Christen« findet sich in einer Buchrezension im *Guardian* vom 15. Februar 2003: http://books.guardian.co.uk/reviews/scienceandnature/0,6121,894941,00.html (31. 3. 2007). Einen ausgezeichneten Bericht über mein Gespräch in Edinburgh mit Bischof Holloway schrieb die schottische Journalistin Muriel Gray im *Glasgow Herald* vom 5. September

2004; vgl. http://richarddawkins.net/article,546,Neither-intellect-nor-faith-will-save-humanity,Muriel-Gray (31.3.2007).

[102] Eine beängstigende Sammlung von Zitaten amerikanischer Geistlicher, die den Hurrikan Katrina auf die »Sünden« der Menschen zurückführten, findet sich unter http://www.indymedia.org/en/2005/09/823994.shtml (31.3.2007).

[103] Vgl. den Bericht der BBC unter http://news.bbc.co.uk/2/hi/americas/4427144.stm (31.3.2007).

[104] R. Dawkins, »Atheists for Jesus«, *Free Inquiry* 25:1 (2005), S. 9 f.

[105] Julia Sweeney zielt in die richtige Richtung, wenn sie auch kurz den Buddhismus erwähnt. Das Christentum gilt vielfach im Vergleich zum Islam als nettere, sanftere Religion, und den Buddhismus halten viele für die netteste von allen. Aber die Vorstellung, wegen der Sünden in einem früheren Leben auf der Leiter zur Wiedergeburt degradiert zu werden, ist ebenfalls recht unangenehm. Sweeney meint dazu: »Als ich in Thailand war, begegnete mir zufällig eine Frau, die einen entsetzlich missgebildeten Jungen versorgte. Ich sagte zu der Betreuerin: ›Das ist aber großartig, dass Sie sich so um den armen Jungen kümmern.‹ Darauf erwiderte sie: ›Sagen Sie nicht »der arme Junge«. Er muss in eine früheren Leben etwas Schreckliches getan haben, dass er so geboren wurde.‹«

[106] Eine fundierte Analyse der von Sekten verwendeten Methoden findet sich bei Barker 1984. Eher journalistische Berichte über moderne Kulte schrieben Kilduff/Javers 1978 und Lane 1996.

[107] Vgl. P. Vallely/A. Buncombe, »History of Christianity: Gospel according to Judas«, *Independent* vom 7. April 2006.

[108] Vgl. Vermes 2000.

[109] Der Aufsatz von Hartung erschien ursprünglich in *Skeptic* 3:4 (1995), ist jetzt aber am einfachsten zugänglich unter http://www.lrainc.com/swtaboo/taboos/ltn01.html (31.3.2007).

[110] Smith 1995.

[111] S. Rushdie, »Religion, As Ever, Is the Poison in India's Blood«, *Guardian* vom 9. März 2002: http://books.guardian.co.uk/departments/politicsphilosophyandsociety/story/0,,664342,00.html (31.3.2007).

[112] Vgl. N. D. Glenn, »Interreligious Marriage in the United States: Patterns and Recent Trends«, *Journal of Marriage and the Family* 44:3 (1982), S. 555–566.

[113] http://www.ebonmusings.org/atheism/new10c.html (31.3.2007).

[114] Vgl. Huxley 1871.

[115] Vgl. http://www.classic-literature.co.uk/american-authors/19th-century/abraham-lincoln/the-writings-of-abrahamlincoln-04/ (31.3.2007).

[116] Wells 1902, S. 299ff.
[117] Vgl. Bullock 1991.
[118] Hitler 1933, S. 177 (Bd. 1, Kap. 5: »Der Weltkrieg«).
[119] Vgl. http://www.ffrf.org/fttoday/1997/march97/holocaust.html (31.3. 2007). Dieser Artikel von R. E. Smith, ursprünglich in *Freethought Today* vom März 1997 erschienen, enthält zahlreiche Zitate von Hitler und anderen Nazis mit Quellenangaben. Der Heß-Brief wird im Originalwortlaut von J. Fest in seiner Hitler-Biografie zitiert: Fest 1973, S. 195.
[120] Englische Version des Redezitats unter http://homepages.paradise.net.nz/ mischedj/ca_hitler.html (31.3. 2007).
[121] Bullock 2005, S. 96; dt. 1989, S. 76.
[122] Toland 1991; dt. 2004 (1977), Bd. 2, S. 881.
[123] Hitler, Rede auf einer NSDAP-Versammlung am 12. April 1922, in Jäckel/Kuhn 1980, S. 623; Baynes 1942, S. 19 f. (engl. Fassung).
[124] Hitler 1933, S. 70 (Bd. 1, Kap. 2: »Wiener Lehr- und Leidensjahre«).
[125] Picker 1997.
[126] Bullock 2005, S. 43; dt. 1989, S. 417.
[127] Vgl. http://www.ffrf.org/fttoday/back/hitler.html (31.3. 2007). Dieser Artikel von A. N. Gaylor über »Hitler's Religion«, ursprünglich in *Freethought Today* erschienen, enthält zahlreiche Hitler-Zitate in englischer Übersetzung.
[128] Reichsarbeitsführer Robert Ley, in Der Schulungsbrief. Das zentrale Monatsblatt der NSDAP und DAF. April 1937, IV. Jahrgang, 4. Folge, Herausgeber: Der Reichsorganisationsleiter.
[129] Vgl. »What Is True?«, Dawkins 2003, Kap. 1.2.
[130] Beide Wise-Zitate stammen aus seinem Beitrag in dem 1999 erschienenen Buch *In Six Days*, einer Aufsatzsammlung von Junge-Erde-Kreationisten (Ashton 1999).
[131] Warraq 1995, S. 175; dt. 2003.
[132] Dass John William Gott zu einer Gefängnisstrafe verurteilt wurde, weil er Jesus als Clown bezeichnet hatte, wird berichtet in *The Indypedia*, herausgegeben vom *Independent*, 29. April 2006. Über den Versuch, die BBC wegen Gotteslästerung zu verklagen, berichteten die BBC-Nachrichten am 10. Januar 2005: http://news.bbc.co.uk/1/hi/entertainment/tv_and_ radio/4161109.stm (31.3. 2007).
[133] Vgl. http://adultthought.ucsd.edu/Culture_War/The_American_Taliban. html (31.3. 2007).
[134] Vgl. Hodges 1983.
[135] Dieses und die übrigen Zitate in diesem Abschnitt stammen von der

bereits genannten American-Taliban-Website: http://adultthought.ucsd. edu/Culture_War/The_American_Taliban.html (31. 3. 2007).
136 Ebd.
137 So zu lesen auf der offiziellen Website von Pastor Phelps und seiner Westboro Baptist Church, »godhatesfags.com«: http://www.godhatesfags.com/ fliers/jan2006/20060131_coretta-scott-king-funeral.pdf (31. 3. 2007).
138 Vgl. Mooney 2005 und Silver 2006. Silvers Buch erschien erst, als sich das vorliegende Buch im letzten Korrekturstadium befand; ich konnte es deshalb nicht so ausführlich erörtern, wie es mir lieb gewesen wäre.
139 Eine interessante Analyse der Frage, warum Texas in dieser Hinsicht etwas Besonderes ist, findet sich unter http://www.pbs.org/wgbh/pages/frontline/shows/execution/readings/texas.html (31. 3. 2007).
140 http://en.wikipedia.org/wiki/Karla_Faye_Tucker (31. 3. 2007).
141 Diese Zitate von Randall Terry stammen von der bereits genannten American-Taliban-Website: http://adultthought.ucsd.edu/Culture_War/The_ American_Taliban.html (31. 3. 2007).
142 Bericht von Fox News vom 3. September 2003: http://www.foxnews. com/story/0,2933,96286,00.html (31. 3. 2007).
143 Vgl. M. Stamp Dawkins 1980.
144 Vgl. www.truthorfiction.com/rumors/b/beethovenabort.htm (31. 3. 2007).
145 Medawar/Medawar 1977.
146 Der Artikel von Hari, ursprünglich im *Independent* vom 15. Juli 2005 erschienen, findet sich auch unter http://www.johannhari.com/archive/article.php?id=640 (1. 4. 2007).
147 Vgl. *Village Voice* vom 18. Mai 2004: http://www.villagevoice.com/news/ 0420,perlstein,53582,1.html (1. 4. 2007).
148 Harris 2004, S. 29.
149 Vgl. N. Hassan, »An Arsenal of Believers«, *New Yorker* vom 19. November 2001. Der Artikel findet sich auch unter http://www.bintjbeil.com/ articles/en/011119_hassan.html (1. 4. 2007).
150 Bericht in den BBC News vom 30. August 2000: http://news.bbc.co.uk/ 1/hi/wales/901723.stm (1. 4. 2007).
151 Vgl. Loftus/Ketcham 1994.
152 Vgl. J. Waters, »Abuse Has Deep Roots in the Past«, *Irish Times* vom 3. November 2003. Der Artikel findet sich auch unter http://oneinfour.org/ news/news2003/roots/ (1. 4. 2007).
153 Associated Press vom 10. Juni 2005; vgl. http://www.rickross.com/ reference/clergy/clergy426.html (1. 4. 2007).
154 Vgl. http://www.av1611.org/hell.html (1. 4. 2007).

[155] Vgl. N. Humphrey, »What Shall We Tell the Children?«, in Williams 1998; Nachdruck in Humphrey 2002.
[156] Vgl. http://www.law.umkc.edu/faculty/projects/ftrials/conlaw/yoder.html (1.4.2007).
[157] Vgl. J. Harris im *Guardian* vom 15. Januar 2005; http://www.guardian. co.uk/weekend/story/0,,1389500,00.html (1.4.2007).
[158] Vgl. *Times Educational Supplement* vom 15. Juli 2005.
[159] Vgl. *Daily Telegraph* vom 18. März 2002; http://www.telegraph.co.uk/ opinion/main.jhtml?xml=/opinion/2002/03/18/do1801.xml (1.4.2007).
[160] Vgl. *Guardian* vom 15. Januar 2005; http://www.guardian.co.uk/weekend/ story/0,,1389500,00.html (1.4.2007).
[161] Der Text unseres Briefes, entworfen vom Bischof von Oxford, lautete:

Sehr geehrter Herr Premierminister,

wir schreiben Ihnen als Gruppe von Naturwissenschaftlern und Bischöfen, weil wir unserer Sorge um den naturwissenschaftlichen Unterricht am Emmanuel City Technology College in Gateshead Ausdruck verleihen wollen. Die Evolution ist eine Theorie von großer Erklärungskraft, die eine Begründung für zahlreiche Phänomene in vielen Fachgebieten liefert. Sie lässt sich durch Betrachtung der Belege verfeinern, bestätigen und auch grundlegend verändern. Anders als die Sprecher der Schule behaupten, ist sie keine »Glaubenshaltung«, die in die gleiche Kategorie gehören würde wie der biblische Schöpfungsbericht, der ganz andere Funktionen und Zielsetzungen verfolgt.

Es geht hier nicht nur um die Unterrichtsinhalte an einer einzigen Schule. Vielmehr bestehen wachsende Befürchtungen darüber, was an den vorgesehenen Bekenntnisschulen der neuen Generation gelehrt wird und wie es gelehrt wird. Nach unserer Überzeugung müssen die Lehrpläne in solchen Schulen wie auch am Emmanuel City Technical College genau überwacht werden, damit die Fachgebiete von Naturwissenschaft und Religion angemessen respektiert werden.

Mit freundlichen Grüßen
[162] Vgl. *British Humanist Association News*, März–April 2006.
[163] Vgl. T. Adams im *Observer* vom 11. Juli 2004; http://observer.guardian.co.uk/ magazine/story/0,11913,1258506,00.html (1.4.2007).
[164] Das Oxford English Dictionary führt »gay« auf den Slang amerikanischer Strafgefangener um das Jahr 1935 zurück. P. Wildeblood hielt es in seinem berühmten Buch *Against the Law* (London 1955) für erforderlich, »gay« als »amerikanischen Euphemismus für ›homosexuell‹« zu definieren.
[165] Shaheen hat drei Bücher geschrieben und darin biblische Bezüge in den Komödien, Tragödien und historischen Dramen getrennt zusammenge-

555

tragen. Die Gesamtzahl von 1300 wird erwähnt unter http://www.
shakespearefellowship.org/virtualclassroom/StritmatterShaheenRev.htm
(1.4.2007).

166 Im Internet zu finden unter http://www.bibleliteracy.org/Secure/
Documents/BibleLiteracyReport2005.pdf (1.4.2007).
167 Milne 1999, S. 107–110.
168 Medawar 1984, S. 96.
169 Aus der Erinnerung schreibe ich dieses Argument dem Oxforder Philosophen Derek Parfitt zu. Ich habe seine Herkunft jedoch nicht genau recherchiert, weil ich es nur nebenbei als Beispiel für den Trost der Philosophie erwähne.
170 Russell 1957; dt. 1968, S.62.
171 Bericht in den BBC-Nachrichten vom 25. Juni 1999; vgl. http://news.bbc.
co.uk/1/hi/special_report/1999/06/99/cardinal_hume_funeral/376263.
stm (1.4.2007).
172 Adams 2003; dt. 2005, S. 172.
173 Vgl. Wolpert 1992.
174 Sagan 1996; dt. 1997, S. 46.

PERSONENREGISTER

SACHREGISTER